編集復刻版

「秋丸機関」関係資料集成

第18巻

牧野邦昭 編

不二出版

〈編集復刻にあたって〉

一、使用した底本の所蔵館については、「全巻収録内容」に記載しております。ご協力に感謝申し上げます。

一、本編集復刻版の解説（牧野邦昭）は、第5回配本以降に別冊として付します。

一、資料の収録順については、牧野邦昭と不二出版の判断により分類毎に分けた上で、資料のシリーズ、作成年月日を元に整序しました。

一、本編集復刻版は、原本を適宜縮小し、白黒、四面付方式にて収録しました。ただし資料中、色がついていないと内容を理解することが出来ない部分に関してはカラーで収録しました。

一、本編集復刻版は、できるかぎり副本を求めましたが、頁の欠落、破損などを補充できなかった部分があります。また、より鮮明な印刷になるよう努めましたが、原本自体の状態によって、印字が不鮮明あるいは判読不可能な箇所があります。判読不可能な箇所については、不二出版の組版によって内容を補った場合があります。

一、資料の中には、人権の視点から見て不適切な語句・表現・論もありますが、歴史的資料の復刻という性質上、そのまま収録しました。

（不二出版）

[第18巻　収録内容]

資料番号――資料名●発行年月――復刻版頁

【全巻収録内容】

配本	巻	資料番号	資料名	分類	発行年月	底本所蔵館
Ⅰ 機関動向・総論						
第1回配本	第1巻	一	秘 経研目録第一号 資料月報	機関動向	一九四〇年 四月	福島大学食農学類
		二	経研目録第三号 資料目録	機関動向	一九四〇年 六月	福島大学食農学類
		三	経研目録第四号 資料目録	機関動向	一九四〇年 七月	福島大学食農学類
		四	経研目年第一号 資料年報	機関動向	一九四〇年一二月	牧野邦昭所有
		五	秘 班報 第一号	機関動向	一九四〇年 八月	福島大学食農学類
		六	秘 班報 第二号	機関動向	一九四〇年 九月	福島大学食農学類
		七	班報 第三号	機関動向	一九四〇年一〇月	福島大学食農学類
		八	秘 経研訳第四号 マックス・ウエルナア著 列強の抗戦力	総論	一九四〇年 七月	牧野邦昭所有
	第2巻	九	経研資料工作第二号 第一次欧州戦争ニ於ケル主要交戦国経済統制法令輯録	総論	一九四〇年 八月	東京大学経済学部資料室
		一〇	経研資料工作第二号 第二次欧州戦争ニ於ケル交戦各国経済統制法令輯録	総論	一九四〇年 八月	東京大学経済学部資料室
		一一	極秘 第一 物的資源力ヨリ見タル各国経済抗戦力ノ判断	総論		福島大学食農学類
		一二	経研資料工作第一号 第二次欧州戦争に於ける経済戦関係日誌 第一年度（自一九三九年九月一日至一九四〇年八月三一日）	総論	一九四〇年 九月	東京大学経済学図書館
第2回配本	第3巻	一三	経研資料工作第一号ノ二 第二次欧州戦争に於ける経済戦関係日誌 第二年度（自一九四〇年九月一日至一九四一年八月三一日）	総論	一九四一年 九月	東京大学経済学図書館
		一四	経研資料工作第一号ノ三 第二次欧州戦争に於ける経済戦関係日誌 第三年度（自一九四一年九月一日至一九四二年八月三一日）	総論	一九四二年 九月	東京大学経済学図書館
		一五	経研資料調第四号 主要各国国際収支要覧	総論	一九四〇年一一月	国立公文書館
		一六	秘 経研報告第一号（中間報告） 経済戦争の本義	総論	一九四一年 三月	防衛省防衛研究所
		一七	重要記事索引上ノ準拠項目一覧表（七、二九）	総論		防衛省防衛研究所
	第4巻	一八	極秘 経研資料調第十一号 抗戦力より観たる各国統治組織の研究	総論	一九四一年 四月	東京大学経済学部資料室
		一九	秘 抗戦力判断資料第一号 抗戦力より観たる列強の統治組織	総論	一九四一年 四月	北海道大学附属図書館
		二〇	部外秘 経研情報第一七号 海外経済情報 昭和十六年四月十五日	総論	一九四一年 四月	国立公文書館
		二一	部外秘 経研情報第二二号 海外経済情報 昭和十六年六月三十日	総論	一九四一年 六月	国立公文書館
		二二	部外秘 経研情報第二三号 海外経済情報 昭和十六年七月十五日	総論	一九四一年 七月	国立公文書館
		二三	経研資料調第二十七号 レオン・ドーデの「総力戦」論	総論	一九四一年 九月	東京大学経済学部資料室
		二四	経研資料調第三七号 経済戦争史の研究	総論	一九四一年一二月	防衛省防衛研究所

Ⅱ　連合国

配本	巻	資料番号	資料名	分類	発行年月	底本所蔵館
第3回配本	第5巻	二五	英国の農産資源力	イギリス		福島大学食農学類
		二六	経研資料工第五号　第一次大戦に於ける英国の戦時貿易政策	イギリス	一九四一年一月	東京大学経済学部資料室
		二七	極秘　経研資料調第十四号　英国に於ける統帥と政治の連絡体制	イギリス	一九四一年五月	東京大学経済学部資料室
		二八	秘　抗戦力判断資料第二号（其一）　経済的抗戦要素としての印度及緬甸	イギリス	一九四一年八月	防衛省防衛研究所
	第6巻	二九	秘　抗戦力判断資料第二号（其二）　経済的抗戦要素としての印度及緬甸	イギリス	一九四一年八月	防衛省防衛研究所
		三〇	秘　抗戦力判断資料第二号（其三）　経済的抗戦要素としての印度及緬甸	イギリス	一九四一年八月	防衛省防衛研究所
		三一	秘　抗戦力判断資料第二号（其四）　経済的抗戦要素としての印度及緬甸	イギリス	一九四一年八月	防衛省防衛研究所
		三二	極秘　第一部　物的資源力ヨリ見タル英国ノ抗戦力	イギリス	一九四〇年一一月	福島大学食農学類
		三三	［英国　綿花・大麻・亜麻・黄麻・ヒマシ油・桐油・生綿・生護謨］	イギリス		福島大学食農学類
	第7巻	三四	秘　抗戦力判断資料第四号（其一）　第一編　物的資源力より見たる英国の抗戦力	イギリス	一九四一年一二月	東京大学経済学部資料室
		三五	秘　抗戦力判断資料第四号（其二）　第二編　人的資源より見たる英国の抗戦力	イギリス	一九四二年二月	東京大学経済学部資料室
		三六	抗戦力判断資料第四号（其三）　第三編　資本力より見たる英国の抗戦力	イギリス	一九四二年九月	北海道大学附属図書館
第4回配本	第8巻	三七	抗戦力判断資料第四号（其四）　第四編　生産機構より見たる英国の抗戦力	イギリス	一九四二年一月	北海道大学附属図書館
		三八	部外秘　抗戦力判断資料第四号（其五）　第五編　貿易及び配給機構より見たる英国の抗戦力	イギリス	一九四二年七月	防衛省防衛研究所
		三九	抗戦力判断資料第四号（其六）　第六編　交通機構より見たる英国の抗戦力	イギリス	一九四二年八月	北海道大学附属図書館
	第9巻	四〇	秘　経研資料調第三九号　濠洲の政治経済情況	イギリス	一九四二年一月	国立公文書館
		四一	秘　経研資料調第四〇号　生産機構ヨリ見タル濠洲及新西蘭ノ抗戦力	イギリス	一九四二年一月	国立公文書館
		四二	秘　経研資料調第六九号　南阿連邦経済力調査	イギリス	一九四二年四月	国立公文書館
		四三	秘　経研資料調第七〇号　南阿連邦政治経済研究	イギリス	一九四二年四月	東京大学経済学部資料室
		四四	アメリカ合衆国の農産資源力	アメリカ		福島大学食農学類
		四五	極秘　経研資料調第十六号　一九四〇年度米国貿易の地域的考察並に国別、品種別	アメリカ	一九四一年五月	東京大学経済学部資料室
		四六	極秘　第一部　物的資源力ヨリ見タル米国ノ抗戦力	アメリカ	一九四〇年一一月	福島大学食農学類
		四七	抗戦力判断資料第五号（其一）　第一編　物的資源力より見たる米国の抗戦力	アメリカ	一九四二年三月	東京大学経済学部資料室
	第10巻	四八	抗戦力判断資料第五号（其二）　第二編　人的資源より見たる米国の抗戦力	アメリカ	一九四二年三月	東京大学経済学部資料室
		四九	秘　抗戦力判断資料第五号（其三）　第三編　生産機構より見たる米国の抗戦力	アメリカ	一九四二年四月	防衛省防衛研究所
		五〇	抗戦力判断資料第五号（其四）　第四編　資本力より見たる米国の抗戦力	アメリカ	一九四二年六月	北海道大学附属図書館
		五一	抗戦力判断資料第五号（其五）　第五編　配給及貿易機構より見たる米国の抗戦力	アメリカ	一九四二年六月	北海道大学附属図書館
		五二	抗戦力判断資料第五号（其六）　第六編　交通機構より見たる米国の抗戦力	アメリカ	一九四二年八月	北海道大学附属図書館
		五三	経研報告第一号　英米合作経済抗戦力調査（其一）	英米	一九四一年七月	東京大学経済学部資料室
		五四	極秘　経研報告第二号　英米合作経済抗戦力調査（其二）	英米	一九四一年七月	東京大学経済学部資料室
		五五	極秘　経研報告第二号別冊　英米合作経済抗戦力戦略点検討表	英米	一九四一年七月	大東文化大学図書館

配本	巻	資料番号	資料名	分類	発行年月	底本所蔵館
Ⅱ　連合国　第５回配本	第11巻	五六	極秘　蘇連経済抗戦力判断研究関係書綴	ソ連	一九四一年二月	防衛省防衛研究所
		五七	極秘　経研資料工作第十三号　極東ソ領占領後ノ通貨・経済工作案	ソ連	一九四一年八月	防衛省防衛研究所
		五八	極秘　経研資料工作第一八号　東部蘇連ニ於ケル緊急通貨工作案	ソ連	一九四二年三月	防衛省防衛研究所
		五九	極秘　経研資料調第七二号　蘇連邦経済力調査	ソ連	一九四二年五月	防衛省防衛研究所
		六〇	極秘　経研資料調第七三号（其二）　蘇連邦経済調査資料（下巻）	ソ連	一九四二年四月	石巻専修大学図書館
		六一	部外秘　経研資料調第七四号　ソ連農産資源の地理的分布の調査	ソ連	一九四二年五月	防衛省防衛研究所
	第12巻	六二	経研資料工作第四号　支那事変経済戦関係日誌　第一輯	中国	一九四一年三月	一橋大学経済研究所資料室
		六三	経研資料工作第一六号　支那事変経済戦関係日誌　第二輯	中国	一九四二年一月	静岡大学附属図書館
		六四	極秘　経研資料調第十二号　支那民族資本の経済戦略的考察	中国	一九四一年四月	東京大学経済学部資料室
		六五	秘　経研資料調第二〇号　支那沿岸密貿易の実証的研究	中国	一九四一年六月	国立国会図書館
		六六	秘　経研資料工作第一七号　上海市場ノ再建方策	中国	一九四二年三月	防衛省防衛研究所
Ⅲ　枢軸国　第６回配本	第13巻	六七	極秘　「独逸組」研究項目、分担者、委嘱者の表	ドイツ		福島大学食農学類
		六八	独逸の農産資源力	ドイツ		福島大学食農学類
		六九	極秘　第一部　物的資源力ヨリ見タル独逸ノ抗戦力	ドイツ	一九四〇年一一月	福島大学食農学類
		七〇	抗戦力判断資料第三号（其一）　第一編　物的資源力より見たる独逸の抗戦力	ドイツ	一九四一年一〇月	東京大学経済学部資料室
		七一	秘　抗戦力判断資料第三号（其二）　第二編　人的資源力より見たる独逸の抗戦力	ドイツ	一九四二年二月	東京大学経済学部資料室
		七二	秘　抗戦力判断資料第三号（其三）　第三編　資本力より見たる独逸の抗戦力	ドイツ	一九四二年一月	牧野邦昭所有
	第14巻	七三	秘　抗戦力判断資料第三号（其四）　第四編　生産機構より見たる独逸の抗戦力	ドイツ	一九四二年二月	東京大学経済学部資料室
		七四	秘　抗戦力判断資料第三号（其五）　第五編　配給及び貿易機構より見たる独逸の抗戦力	ドイツ	一九四二年一月	東京大学経済学部資料室
		七五	秘　抗戦力判断資料第三号（其六）　第六編　交通機構より見たる独逸の抗戦力	ドイツ	一九四二年三月	東京大学経済学部資料室
	第15巻	七六	経研資料調第一七号　独逸食糧公的管理の研究（要約篇）―戦時食糧経済の防衛措置―	ドイツ	一九四一年六月	国立公文書館
		七七	経研資料調第一八号　独逸食糧公的管理の研究	ドイツ	一九四一年六月	東京大学経済学図書館
		七八	経研資料調第二一号　独逸の占領地区に於ける通貨工作	ドイツ	一九四一年七月	東京大学経済学部資料室
		七九	極秘　経研報告第三号　独逸経済抗戦力調査	ドイツ	一九四一年七月	静岡大学附属図書館
		八〇	経研資料調第二十八号　独逸戦時に活躍するトッド工作隊	ドイツ	一九四一年一〇月	東京大学経済学部資料室
		八一	経研資料調第三五号　第一次大戦に於ける独逸戦時食糧経済	ドイツ	一九四一年一二月	東京大学経済学部資料室
		八二	秘　経研資料調第六五号　独逸大東亜圏間の相互的経済依存関係の研究　―物資交流の視点に於ける―	ドイツ	一九四二年三月	東京大学経済学図書館

Ⅲ　枢軸国

配本	巻	資料番号	資料名	分類	発行年月	底本所蔵館
第７回配本	第16巻	八三	部外秘　経研資料調第六八号（其一）　独逸に於ける労働統制の立法的研究（上巻）	ドイツ	一九四二年　四月	東京大学経済学図書館
		八四	部外秘　経研資料調第六八号（其二）　独逸に於ける労働統制の立法的研究（下巻）	ドイツ	一九四二年　四月	東京大学経済学図書館
	第17巻	八五	部外秘　経研資料調第八九号　ナチス独逸に於ける人口並に厚生政策立法の研究	ドイツ	一九四二年一一月	昭和館
	第18巻	八六	秘　経研資料調第三三号　伊国経済抗戦力調査	イタリア	一九四一年一二月	国立国会図書館
		八七	経研資料調第八八号　ファシスタイタリアの国家社会機構の研究　第二部　政治編	イタリア	一九四二年一一月	東京大学経済学図書館
		八八	経研資料調第二三号　全体主義国家に於ける権利法の研究	独伊	一九四一年　七月	東京大学東洋文化研究所
		八九	経研資料調査第一号　貿易額ヨリ見タル我国ノ対外依存状況	日本	一九四〇年　九月	東京大学経済学部資料室
		九〇	秘　経研資料調第二四号　日米貿易断交ノ影響ト其ノ対策	日本	一九四一年　七月	東京大学経済学図書館
第８回配本	第19巻	九一	経研資料調第三〇号　南方諸地域兵要経済資料	日本	一九四一年一二月	防衛省防衛研究所
		九二	極秘　経研資料調第五一号　占領地幣制確立方策	日本	一九四二年　二月	東京大学経済学図書館
		九三	部外秘　経研資料工作第二三号　南方労力対策要綱	日本	一九四二年　六月	東京大学東洋文化研究所
		九四	極秘　経研資料調第七九号　昭和十七年度ニ於ケル南方物資流入ニヨル帝国物的国力推移ノ具体的検討	日本	一九四二年　六月	防衛省防衛研究所
	第20巻	九五	経研資料調第九〇号ノ一　東亜共栄圏の政治的経済的基本問題研究（上巻）	日本	一九四二年一二月	一橋大学附属図書館
		九六	経研資料調第九〇号ノ二　東亜共栄圏の政治的経済的基本問題研究（下巻）	日本	一九四二年一二月	一橋大学附属図書館
		九七	経研資料調第九一号　大東亜共栄圏の国防地政学	日本	一九四二年一二月	昭和館

※極秘、秘等の表記については、底本とした資料の記載に拠りました。
※収録順は、牧野邦昭と不二出版の判断により分類毎に分けた上で、資料のシリーズ、作成年月日を元に整序しました。
※第五回配本、第六回配本の巻割りに一部変更がございます。

㊙

經研資料調第三三號

伊國經濟抗戰力調査

昭和十六年十二月
陸軍省主計課別班

伊國經濟抗戰力調査

例言

一、本調査ハ伊國經濟抗戰力ヲ物的資源力・食糧資源力・資本力・經濟組織・配給機構ノ觀点ヨリ分析シ特ニ其ノ強弱点ヲ檢討スルヲ目的トス。

二、本調査ハ特ニ外務省調査部第二課ノ協力ヲ得テ完成セルモノナリ。

昭和十六年十二月

陸軍省主計課別班

目次

第一章　物的資源力ヨリ見タル伊太利ノ抗戦力

三七年九月十五日付ガゼッタ・デル・ポポロ所載、ジュゼッペ・ベルッツォ氏論文中、戦時原料需要年額及ビウーゴ・ナンニー氏原料戦一九三八年版ノ兵数統計アリ。左ニ之ヲ掲グ。

戦時原料需要年額

物資	戦闘員十万人一部隊毎ニ
武器弾薬、鉄道修理等ニ要スル鋼鉄	四〇〇,〇〇〇噸
石炭	八〇〇,〇〇〇 〃
鉄鉱石	一,〇〇〇,〇〇〇 〃
石油	二〇〇,〇〇〇 〃
硝化塩・硫黄・黄鉄鉱・満俺・銅・鉛	二〇,〇〇〇 〃

二

綿花・羊毛・絹・ゴム　三、〇〇〇噸
錫・ニッケル・アンチモニー・アルミニウム・亜鉛・水銀　二、五〇〇〃

欧洲三大陸國最近徴兵数（陸軍）

年次	独逸	伊國	佛國
一九三五	四七一、〇〇〇	四五五、〇〇〇	一八七、〇〇〇
一九三六	三五六、〇〇〇	三六二、〇〇〇	一五三、〇〇〇
一九三七	三一九、〇〇〇	二八五、〇〇〇	一六〇、〇〇〇
一九三八（推定）	三三二、〇〇〇	二六三、〇〇〇	一八六、〇〇〇
一九三九（推定）	四九三、〇〇〇	三一七、〇〇〇	二〇五、〇〇〇

第一節　鑛物資源力

第一項　金属鑛物

Ｉ　鐵鑛

(一) 存在

a. 埋蔵量

確実　四千万噸
推定　六千万噸　一億万噸

	確実（百万噸）	推定（百万噸）
エルバ、コグネ、ヌラ	三〇	二〇
アルピ、ロムバルヂア及カルニケ	五	三〇
アルプス鉱脈	一	三
トスカナ鉱脈	二	八
サルヂニヤ鉱脈（除ヌラ）	二	四
南部伊太利	一	三
計	四一	六八

三

四

b. 地理的分布

概ネ、北伊、エルバ島及ビサルヂニヤ島ニ密集シ、本土ノ中・南部ニハ見ルベキモノナシ。

北伊

ウジネ附近（マニアゴ鉱山）、ガルダ湖西岸（ブレッシヤ）、イゼオ湖北部（リツツオラ、スキルパリオ、ベルゾ、カルドネ）、コオモ湖東岸（レッコ）、佛國境附近（サンマルチエル、コグネ、ボルゴ）

中伊西岸（ピエトラサンタ、カムピリア）

南伊（バツザノ）

エルバ島（東岸ニ密集）

サルヂニヤ島

西岸（ヌラ）、東岸（セウイ附近）、西南（四鉱）

c. 品質

鉄含有率平均四五％。

(二) 採鉱能力

一九三八年	九九〇、〇四三噸
一九三七年	九九七、八〇五〃
一九三六年	八三八、八三三〃
一九三五年	五五一、四五四〃
一九三四年	四八四、五八三〃

右表ニ示ス如ク、大略、年産百万噸ヲ産ス。

目下一一〇万噸採鉱計画アリ。

五

(三) 精錬能力

a、生産（一九三四年）

鋳鉄		五二九、二三七噸
（コークス爐	七――	四六九、〇五七〃
（合成、黄鉄鉱残滓爐	一七――	六〇、二一六〃
鋼塊		一、七七八、二九四〃
鋳型鋼		五四、〇五一〃
鉄鋼材		二三二、七六五〃
計		三、五九四、三八三〃

b、輸入（一九三四年）

鋼塊、屑鋼	一八一、五〇〇噸
屑鉄鋳鉄ソノ他	六七七、四二五〃
計	八五八、九二五〃

世界大戦ヲ転機トシテ、電気炉ノ創設ヲ見、今日ハ世界有数ノ電気精錬國ナリ（従来、マルチン・シーメンス式及ビコークス炉ニヨル）。

一九三五年鋼産ノ二五%ヲ占メ、一九三九年二九・七%ヘ上昇セリ。

六

(四) 供給能力

a、生産関係

	一九三八年	一九三五年
生産高	九九〇、〇四三噸	五五一、四五四噸
鉱坑	四一	一四
労務者	三、七三七	一、五八五
モーターHP	五、五七八	三、〇八五

b、輸出入関係

輸入（一九三四年）	二九五、〇一七噸
輸出（一九三四年）	五〇噸

又、黄鉄鉱ヲ含ム貿易ヲ示セバ

七

	一九三八年	一九三七年
ギリシヤ	二、三六三噸	三四五、八二二噸
スペイン	一一三、七二九〃	三九、二一〇〃
トルコ	三三、〇四八〃	三、八四四〃
英領南阿	―〃	一〇、九九四〃
アルヂェリア	三三、六七六〃	三八、〇五三〃
モロッコ	二一六、二一二〃	七六、八二七〃
其ノ他	一、五八九〃	五、〇九七〃
計	四〇〇、六一七〃	二〇八、六〇七〃

更ニ左ニ一九三七年ニ於ケル鉄鋼類輸入状況ヲ示サン。（別紙）

八

鐵鋼類輸入状況

種目	総計（キンタル）	欧州（陸上）國名	欧州（陸上）キンタル	欧州（陸上）%	英米 國名	英米 ジブラルタル経由	英米 %	其ノ他 キンタル	其ノ他 %
屑鉄鋼	五、三七四、一六八	佛 瑞西	二八〇、一六七 七五九、五二一	一八	米	三、四四二、四一九	六六	八九二、〇六一	一六
原銑	二二一、八四六	独 佛	三四、三九三 九八、三二二	六〇	英 諾威	四〇、八一五 一三、四四三	二四	三四、八七三	一六
普通塊	三七〇、四一一	佛 独	二八、九一四 三四一、一七九	九九	－	－	－	三一八	一
熱延普通鉄鋼	九二六、一三二	白 致 佛 独	一二〇、四五一 一〇九、六三一 二一七、〇四三 四二四、五〇八	九四	－	－	－	五四、四九九	六
特殊鋼	一〇〇、九三九	致 佛 独	一三、五二二 二九、六七六 四〇、六〇〇	八三	－	－	－	一七、一四一	一七
鋳鉄鋼	二一、八六七	致 独	六、一五七 一〇、六〇三	七六	－	－	－	五、一〇七	二四
普通鉄鋼	三七六、三九一	致 佛 独	一〇二、六一六 五五、四五四 一六〇、七八三	八四	－	－	－	五七、五三八	一六
鉄鋼鈑	一九二、〇六九	佛 独	二六、七〇七 七二、三八〇	五一・八	英 米	三〇、四七七 五二、七〇八	四三	九、七九七	五・二

（備考）地中海國ヨリノ輸入行ハレズ
英米関係ハスエズ経由行ハレズ

（五）消費能力（一九三四年）

鉄鉱消費高　七七九、六〇〇噸
一人當消費高　〇・〇一八噸

（六）平時自給率（三三%）

鉄鉱需要量　三、〇〇〇、〇〇〇噸
生産額　九九七、八〇五噸（一九三七年）
輸入　二、〇〇〇、〇〇〇噸（一九三七年）

一九三四年鉄鋼輸入約八十六万噸ヲ四六%ノ鉱石ニ換算ヲナセバ、鉄鉱石不足年二百万噸ヲ示ス。

（七）戦時自給率（二〇%）

戦時総需要量　四、〇〇〇、〇〇〇噸
生産　八三八、八三三噸（一九三六年）

九

輸入　四〇、〇〇〇噸（一九三六年）

一〇

（八）不足資源對策ト「アウタルキー」

鉄鉱石不足七〇－八〇%内外ニ達シアルニ鑑ミ、政府ハ、國内貧鉱處理ノ他ニ、比較的豊富ナル國産黄鉄鉱石ヲ以テ大量補完ヲ実施中ナリ。政府ノ増産對策モ亦真剣ナル處、エルバ島鉱脈、ヴアル・ダオスタ、ガヴオルラノ、及ビ又ヲ鉱ノ増産ハ順調ニシテ、近キ将来一一〇万噸水準ヲ実現スベシ。

又消極的鉄鉱自給對策トシテ、屑鉄ノ輸入節減ニ努力シアリ、一九三四年以来製鋼用電気炉操作ヲ停止セリ。理由ハ電気炉操作ニ要スル屑鉄消費量ガ平炉ニヨル屑鉄消費ヨリモ大ナルガタメトス。即チ平炉ニヨル製鉄ハ銑鉄四、屑鉄六ヲ素材トシテ鋼九ヲ得ルノニ對シ、電気炉ニヨル製鉄ハ銑鉄一、屑鉄九ヲ必要トスルガ如シ、之ヨリ平炉燃料ノ大量ヲ外國炭ニ依存スルニ對シテ、電気炉ハ、國内動力資源ヲ利用シ得ル長所ヲ有スト雖モ、戦時政治経済的理由ニヨリ、屑鉄輸入ノ確保ハ不可能ニシテ（對米依存率、一九三七年六六%）、可及的屑鉄消費節減ノ見地ヨリ平炉主義ハ當然ナリ・伊太利鉄鋼界ハ、右電氣炉禁止ニ遭フヤ、多大ノ動揺ヲ來セル處、「オメニヤ」冶金會社（Società metallurgica di Omegna）ハ、卒先赤鉄鉱又ハ褐鉄鉱ヲ原料中ニ添加シ、炉ノ内張リニ特殊方法ヲ施シ、燃焼ノ際、炭素ノ除去ヲ促進セントスル方法ヲ案出セリ。

原料ハ銑鉄四二％、屑鉄五八％、伊領東阿ノ「アスマラ」鉱石ヲ添加、コレニヨリ、製鋼歩留リ一〇〇％ヲ得タリ。

他方、代用原料トシテ、黄鉄鉱石ノ増産ヲ計ル一方、海岸ニ集積セル砂鉄（含有率二〇―二五％）ノ精錬試験中ニシテ、「コグネ」及「テルニ」會社之レニ當レリ。

而シ乍ラ、戦時生産ト雖モ、資材・労力ニ制限アリ、輸入依存性ノ払拭ハ、殆ド困難ナリ。前出一九三七年鉄鋼類輸入ヲ見ルニ、屑鉄鉱ノ六六％ヲ米國ニ、原銑ノ二四％ヲ英國及ビ諾威ニ、鉄鋼鈑ノ四三％ヲ英米ニ依存シアリ、右ハスベテ「ジブラルタル」経由ニ依リ居リタル處、今次欧洲戦ノ参加ハ、斯カル重

一一

大ナル供給源ノ喪失ヲ招伴セリ。

ココニ、従来、普通塊・特殊鋼・鋳鉄鋼・普通鉄鋼ハ八〇―九九％ヲ依存セル欧洲大陸諸國特ニ獨佛偏重ハ顕著ナル現象ナリ。

最後ニ、鉄鋼生産標準表ヲ掲ゲン。

a、鉄鋼需要総量　二五〇―三〇〇万噸

b、

鉄鉱石	一一〇万噸（四五％鉄分含有）―鉄	四九五、〇〇〇噸
黄鉄鉱焼滓	五〇万噸（五五％　〃　）―鉄	二七五、〇〇〇噸
屑　鉄	一〇〇万噸（一〇〇％　〃　）―鉄	一、〇〇〇、〇〇〇噸
計	鉄	一、七七〇、〇〇〇噸

aニ對スルb（國内生産）ノ不足　一、二三〇、〇〇〇噸

Ⅱ　黄鉄鉱（硫化鉄 FeS_2）非鉄金属

（一）　埋蔵量

二千万噸（推定）

一二

地理的分布

中　伊

グロッセタノ（千六百万噸）、ガヴォルラノ、ラヴイ・ボッケジヤノ、ニッチオレタ・リトルト等

北　伊

ブロシソ、トラヴエルセッラ、アゴルド等

サルヂニア島　カラボナ

品質　　鉄分　　四七％

　　　　硫黄分　五三％

鉄鉱石代用品ニシテ、其用途ハ、該鉱石ヲ焼キ硫黄ヲ採リ、硫酸原料トナシ、硫酸アンモニヤ肥料増産ノタメ重要性ヲ増大ス、右ヲ除去セル焼滓ヲ硫酸滓ト称シ、平均鉄分五八％ヲ有ス。

一三

（二）　採掘能力

一九三八年	九三〇、三一二噸
一九三七年	九一四、五二四〃
一九三六年	八六五、二五四〃
一九三五年	八三三、二〇二〃
一九三四年	八一二、三九六〃

（三）　精錬能力

黄鉄鉱石一噸當リ焼滓七キンタル、更ニ該焼滓ヨリ四キンタルヲ抽出ス、焼滓五十万噸（五八％鉄分）ヨリ鉄二九万噸ヲ抽出ス。精錬ハコークス炉ヲ使用スルヨリ、電気炉ニヨルヲ有利トス。

（四）　供給能力

a、　生産関係

一四

生産高	九三〇、三一二噸（一九三八年）
鉱　坑	二〇
労務者	五、三三二人
モーターHP	一一、三一六

b. 輸出入関係

輸　出

	一九三八年	一九三七年
佛　國	一二、六八九噸	五〇、九五〇噸
独　逸	四三、六九五〃	八八、四〇五〃
和　蘭	二二、八五〇〃	三三、八一〇〃
瑞　西	一四、〇一三〃	一八、〇四二〃
ソノ他	二五〃	一二、二九七〃
計	九三、二七二〃	二〇二、五〇四〃

輸　入（一九三七年）

一五

西班牙	二五、五九一噸

（五）消費能力

消費量	八四〇、〇〇〇噸
一人當リ消費量	〇・〇二噸

（六）平時自給率　一三〇%

生産高	九三〇、〇〇〇噸
総需要	七〇〇、〇〇〇噸

黄鉄鉱焼滓五十万噸ヲ得ルタメニハ、黄鉄鉱石一噸ニツキ焼滓七キンタルノ割合ヲ以テ計算ス。

（七）戦時自給率

前項ト大略同ジ。

一六

一九三六年

生産高	八六五、四〇四噸
輸　入	二〇、〇〇〇噸
総需要	七〇〇、〇〇〇噸

（八）黄鉄鉱石ノ重要性

黄鉄鉱石ハ製鉄原料トシテハ代用品ニシテ、硫酸製造原料ガ主目的ナリ。依テ硫酸及ビ肥料生産ノ増大ニ伴ヒ、採掘量ノ増大ヲ見、一〇〇万噸年産ニ近接シアリ。鉄鉱石不足補完ノ目的ニハ、極メテ有效ナリ。而シテ焼滓ヨリ得ル鉄鉱三十万噸ヲ四五%鉄鉱石ニ換算スレバ約七十万噸鉄鉱石ニ該當ス。依テ伊太利鉄鋼界ノミナラズ重工業ノ戦略的原料タルヲ喪ハズ。

III　鉛

（一）埋蔵量

一七

不明。

地理的分布

サルヂニヤ島ニノミ出産ス（イグレヂエンテ、サラグス、オグリアペトラ等）

品　質　　鉛含有分　六〇%

（二）採掘能力

一九三八年	六七、四九三噸
一九三七年	五八、六九八〃
一九三六年	五〇、二一〇〃
一九三五年	三九、九三四〃
一九三四年	三三、一〇四〃（以上銀ヲ含ム）

最近年産七百万噸。

一八

(三) 精錬能力

		一九三八年	一九三七年	一九三六年	一九三五年	一九三四年
鉛	鉛鉱石	四三、二八七噸	三八、九三八噸	三六、三〇七噸	三五、八〇三噸	四一、四七四噸
	アンチモニー鉱	七四四〃	五四三〃	五一四〃	三七二〃	四四六〃
	回収	四、三八一〃	六、八二七〃	四、八四九〃	六、三七七〃	三、五三六〃

一九三八年ニ於ケル鉛生産四万噸強ヲ示セリ、而シテ精錬所ノ主ナルモノハ「モンテポニ」、「サンガヴィーノ」、「テベチア」ナリ．

(四) 供給能力

a、生産関係（一九三八年）

生産高	六七、四九三噸
鉱坑	七七
労務者	一〇、九三三

一九

モーターHP　三五、二四〇

b、輸出入関係

輸入

	一九三八年	一九三七年	一九三六年
佛國	一九九噸	四、五二八噸	一噸
ユーゴー	二、三八〇〃	ー〃	一二、三三二〃
土耳古	ー〃	ー〃	五、五六二〃
英帝國	九、七二六〃	五〃	ー〃
モロッコ	一、二八〇〃	六、二五四〃	ー〃
ペルー	ー〃	二、五九四〃	三、二六七〃
ソノ他	二二四〃	七四〃	四一〇〃
計	一三、八〇九〃	一三、四五五〃	二一、五七一〃

二〇

(五) 消費能力

鉛消費量	四〇、〇〇〇噸（一九三五年）
一人當リ消費高	〇・〇〇一噸
特ニ一九三八年消費高	一三〇、〇〇〇噸
一人當リ消費高	〇・〇〇三噸

(六) 平時自給率　三五％

需要総量	二〇〇、〇〇〇噸（一九三八年）
生産	七〇、〇〇〇噸

(七) 戰時自給率

七〇％（一九三六年）

但シ消費生産貿易統制ヲ加味セリ．

二一

(八) 生産ノ現状

伊太利ハ鉛生産國トシテ重要地位ヲ占メアリト雖モ、國産鉛鉱石ノミニテハ未ダ完全自給ニ到ラズ．而シテ貿易統制ハ、計画的ニ原鉱石輸入ヲ抑制シ、製品輸入ノ増強ヲ招来セリ、然ル處目下閉鎖鉱山ノ再開・鉱脈資源調査促進・精錬技術改善等、積極的増産對策モ講ジツツアリ．即チ、サルヂニヤ島ニ於ケル亜鉛鉱増産中ノ處、コレガ水洗法ニ依ル鉛回收、更ニ又硫黄含有鉱石ヨリノ鉛抽出法等コレナリ．

二二

Ⅳ 亜　鉛

(一) 埋蔵量．

九〇〇万噸．

地理的分布

北　伊

「カアヴェ・ディ・プレディト」、「サンベツレグリーノ」

サルヂニヤ島「モンテポニ」附近四鉱床（最有力）

品位　二〇％

（二）採掘能力

一九三八年	二〇〇、八四八噸
一九三七年	一八一、九六八〃
一九三六年	一五七、一五二〃
一九三五年	一四四、一二二〃
一九三四年	一二一、四九三〃

但シ亜鉛鉄鉱ヲ含ム。

（三）精錬能力

	一九三八年	一九三七年	一九三六年	一九三五年	一九三四年
亜鉛（亜鉛鉱石	三三、六三四噸	三七、九八三噸	二七、〇二五噸	二六、三六八噸	二四、四六四噸
亜鉛（内火熱処理ニヨルモノ	六、四九四〃	七、六二八〃	七、五〇五〃	八、八三三〃	七、五六一〃
亜鉛（回収	一一〇〃	一〃	九〇〇〃	四五四〃	四〇〇〃

亜鉛ノ火力精錬ニハ鉱石一噸ニ就キ石炭二噸ヲ要ス。従テ石炭不足ノ当国トシテハ、電気精錬ニヨルヲ有利トシ、一九二六年モンテポニ及ビテイルソ工場一九二八年クロトーネ工場、一九三五年マルゲラ工場ハ、夫々電氣精錬ヲ採用シ居レリ。

（四）供給能力

a．生産関係（一九三八年）

生産高	二〇〇、八四八噸
鉱坑	七七
労務者	一〇、九三三

モーター中　三五、二四〇

b．輸出入関係

輸出

	一九三八年	一九三七年
ベルギー・ルクセンブルグ	二九、七〇四噸	二六、五五五噸
チェッコスロヴァキア	二、九〇〇〃	六、七五二〃
佛國	一〇、〇〇〇〃	八、一二五〃
ポーランド・ダンチッヒ	二六、二三二〃	二三、九六七〃
伊領アフリカ	一〃	一〃
ソノ他	八、二九六〃	九、五三四〃
計	七七、一三二〃	七四、九三三〃

輸入

ナシ

（五）消費能力

消費高　一三〇、〇〇〇噸（一九三八年）

一人当リ消費高　〇・〇〇三噸

（六）平時自給率　一五五％

（七）戦時自給率

一五〇％（一九三六年）

生産	一六〇、〇〇〇噸
輸出	五二、六七〇噸
輸入	ナシ

（八）生産ノ現状

伊太利亜鉛鉱生産ハ年々ソノ三分ノ一ヲ輸出スル過剰能力ヲ有シアルニ拘ラ

ズ　亜鉛製品ノ輸出振ハズ入超ヲ続ケアリタル處、最近五六年火力ニ代替スル
電気精錬ノ普及ト共ニ、大略ソノ需要ヲ充シアルハ争ヒ難シ．

V　アルミニューム（ボーキサイト）

（一）　埋藏量（ボーキサイト）

千五百万噸，

地理的分布

イストリア地方（最有力）　八二〇万噸埋藏

アブルッオ（アドリアチック）　二〇〇万噸埋藏

アペニン山脈

品　質

アルミニューム含有分　約一二％

（二）　採掘能力

一九三八年	三六〇、八三七噸
一九三七年	三八六、四九五〃
一九三六年	二六二、二四六〃
一九三五年	一七〇、〇六四〃
一九三四年	一三一、二六六〃

年産四〇万噸

（三）　精錬能力

	一九三八年	一九三七年	一九三六年	一九三五年	一九三四年
鉱石	二五、七六七噸	二二、九四七噸	一五、八七四噸	一三、七七六噸	一二、八四六噸
アルミニューム回收	一〃	一〃	三〇〇〃	二一八〃	

精錬工場ノ主要ナルモノ左ノ如シ、

○マルゲラ工場　年産　七、〇〇〇噸

○モーリエ工場　五、〇〇〇〃

ボルゴアランコ工場　二、〇〇〇〃

○ボルツアノ工場　九、〇〇〇〃

○印ハ「モンテカチイニ」子會社ナリ．

（四）　供給能力

α、　生産関係（一九三八年）　ボーキサイト

生　産　三六〇、八三七噸

鉱　坑　四〇

労務者　二、一一〇

モーターHP　一八

b、　輸出入関係

輸　出

	一九三七年	一九三六年
独逸・諾威	一三〇、三八八噸	一六五、九三〇噸

（五）　消費能力（一九三七年）

消費高　三〇、〇〇〇噸

一人當リ消費高　〇・〇〇〇一噸

（六）　平時自給率　六五％

（七）　戰時自給率

前項ト大略同ジ（一九三六年）

（八）　生産ノ現状

ボーキサイト生産ハ、世界生産ノ五％ヲ占メ居ル處、アルミニューム原料ト

シテハ、クリオリーテ鉱石（アルミ含有水晶）、アルミーテ鉱石（アルミニュームニュ（原文ママ）ーム、ポタシューム含有硫酸塩）、レッチーテ鉱石（$K_2Al_2Si_4$）等使用サレアリ。又アルミニューム精錬ニハ豊富ナル電力消費又ハ安價ナル火力ニヨルモ、電力殊ニボーキサイトニ恵マレアル点有利ナリ。

VI　水　銀

(一)　埋蔵量

不明。

地理的分布

トベカナ地方

イトリア地方（稀少）

品　質　二%

(二)　採掘能力

一九三八年	一九五、五二三噸
一九三七年	一八三、六一五〃
一九三六年	一四一、三一四〃
一九三五年	一一八、五五三〃
一九三四年	七一、七一九〃

(三)　精錬能力

一九三八年	二、三〇一噸
一九三七年	二、三〇八〃
一九三六年	一、四七三〃
一九三五年	九七二〃
一九三四年	四四一〃

(四)　供給能力（一九三八年）

a、生産関係

生産高	一九五、五二三噸
鉱　坑	六
労務者	一、三二八
モーターHP	二六八

b　輸出入関係

水銀鉱石ノ輸出入ナシ。

水銀輸出

	一九三八年	一九三六年
佛國	一、〇三六キンタル	四五二キンタル
独逸	一一、〇五一〃	四、九一六〃
日本	二、二六六〃	三、四三七〃
米國	三五〃	三、〇二七〃
英國	六九二キンタル	ーキンタル
支那	七三三〃	ー〃
英印	六二四〃	ー〃
伊阿	九〃	ー〃
ソノ他	一、九四六〃	二、四二五〃
計	一八、三九二〃	一四、二五七〃

(五)　消費能力（一九三八年）

消費高　三〇〇噸

一人當り消費高　〇・〇〇〇七噸

(六)　平時自給率　七〇〇%

(七)　戦時自給率

前項ト大略同ジ。

(ハ) 生産ノ現状

水銀ハ世界有数ノ生産國ニシテ、輸出工業ノ主力財ナリ。而シテ一九二八年以来伊國西班牙間ニ「欧洲水銀協定」ヲ結成シテ、相互競争ヲ回避シ、市價維持・販賣統制ノタメ事務所ヲ「ロザンナ」ニ設立セリ。

(VII) 錫

(一) 埋蔵量

「モンテハレリオ」貧鉱ニシテ伊太利金属會社従来之ヲ廃坑中、他方、サルヂニア島ニ新鉱脈発見セルモ埋蔵量不明。

品質　五〇%

三五

(二) 採掘能力

一九三六年ヨリ採鉱ヲ開始。

一九三八年	四九四噸
一九三七年	五、六七八〃
一九三六年	四、〇三四〃

三六

(三) 精錬能力

		一九三八年	一九三七年	一九三六年	一九三五年	一九三四年
錫	鉱石	二七五噸	七七噸	二九〇噸	二四五噸	—噸
	回収	四八六〃	五三九〃	七〇六〃	四三六〃	一八七〃

(四) 供給能力(一九三八年)

a、生産関係

生産高　四九四噸

鉱坑	二
労務者	一、〇四三
モーターHP	一、七〇四

b、輸出入関係

錫製品輸入

	一九三八年	一九三六年
ベルギー	六、一三九キンタル	二三五キンタル
ドイツ	二、五六五〃	二四、八六八〃
英領馬来	三〇、〇三八〃	八、〇三三〃
和蘭	一、七三七〃	—〃
支那	一、六七六〃	—〃
英印	七六九〃	—〃
ソノ他	一、七九八〃	三、〇〇三〃
計	四四、七二二〃	三六、一三九〃

三七

(五) 消費能力

消費高　六、〇〇〇噸(一九三八年)

一人當リ消費高　〇・一四噸

三八

(六) 平時自給率　四・五%

(七) 戦時自給率　五・〇%

(八) 生産ノ現状

錫資源不足対策トシテ一九三五年ニハ巨大ナル錫需要充足ノタメ、巨大ナル製品輸入及ビ錫鉱、錫屑ヲ回収再生シ(一、五四〇噸)ソノ目的ヲ達シタリ。錫ハ輸入統制品目ナリ。

VIII 銅

(一) 埋蔵量

不明（但シ稀薄）

地理的分布

トスカナ・リグリア地方蛇石

ヴアレ・ダ・オスタ結晶岩

サルヂニヤ島南部、硫黄・鉛・亜鉛・鉄含有鉱

シチリヤ島　ペロリタニ山

右ノ諸鉱石ハ何レモ銅原料トシテハ品位低シ。

(二) 採掘能力

一九三八年	二、七〇〇噸
一九三七年	三、八二〇〃
一九三六年	六七五〃
一九三五年	ー〃

一九三四年	三八五噸

(三) 精錬能力

現今、銅生産ハ悉ク黄鉄鉱焼滓ヲ使用ス。前記諸原鉱石ハ之ヲ焼キタルノチ、「セメント」ト混凝セシメテ銅材ノ一部ニ使用シ居レリ。依テ銅年産左ノ如シ。

	一九三八年	一九三七年	一九三六年	一九三五年	一九三四年
銅 鉱素材	二、九六三噸	一、四六五噸	四六九噸	三六〇噸	三〇三噸
銅 回収	三一〃	四〃	ー〃	ー〃	一五〇〃
銅 「セメント」混凝	一、七〇六〃	二、二〇八〃	一、四一〇〃	一、八二六〃	一、三六一〃

(四) 供給能力

a、生産関係

生産高　二、七〇〇噸（一九三八年）

鉱坑　一三

労務者　五九六

モーターHP　四七〇

b、輸出入関係

銅鉱石輸入

	一九三七年	一九三六年
スペイン	九七八噸	二、七四六噸

銅製品輸入

	一九三八年	一九三六年
ベルギールクセンブルグ	三三、〇三〇キンタル	二、〇九四キンタル
独逸	六、六七〇〃	二、八三六〃
和蘭	五、〇八〇〃	ー〃
南阿	一七四、七二〇〃	一三八、九〇五〃
英阿	三三、九五〇〃	ー〃
白領コンゴ	六、一〇九〃	八、三四七〃

南阿	二九、一一五キンタル	ーキンタル
カナダ	一三、〇七九〃	ー〃
チリー	三〇八、一七二〃	二四五、四〇七〃
米国	一六三、九六四〃	三一三、九二四〃
英国	六八八〃	ー〃
ソノ他	四、一七九〃	一二〇、一五八〃
計	七七八、七五六〃	八三一、六七一〃

(五) 消費能力（一九三八年）

銅消費高　八〇、〇〇〇噸

一人当消費高　〇・〇〇二噸

(六) 平時自給率（一九三八年）

六%

(七) 戰時自給率（一九三六年）

二%

(八) 生産ノ現状

銅ノ自給自足ハ、完全ニ不可能ナルニヨリ、コレガ代用トシテ、アルミニュームノ使用ヲ奨励シ居レリ。

区 ニッケル

(一) 埋藏量

不明。

地理的分布

ヴァルセェシア〜
ヴァルストロナ〜 所謂イブレア閃緑岩地帯、イブレア近辺ヨリマジオーレ湖ニ至ル八粁鉱脈

四三

トリーノ、ランゾオ附近（鉱区地積 二〇〇粁平方）

四四

品位 二−三%

ニッケル、コバルト、銅ヲ含有スル硫化鉄

(二) 採掘能力（但シコバルト鉱ヲ含ム）

一九三八年	一三、四二一噸
一九三七年	七、五九一〃
一九三六年	三〃
一九三五年	一〃

(三) 精錬能力

一九三八年	二噸
一九三七年	一〃
一九三六年	一〇〃
一九三五年	九〃
一九三四年	一〇〃

(四) 供給能力

a. 生産関係（一九三八年）

鉱石生産高	一三、四二一噸
鉱坑	二二〃
労務者	八四九〃
モーターHP	四七三〃

b 製品輸入

	一九三八年	一九三六年
独逸	一キンタル	一〇、一〇八キンタル
諾威	二三、四六一	二二、二九八〃
和蘭	四、一七八	一〃

四五

四六

英國	六、一八三キンタル	一六〇キンタル
米國	一〃	一三、一一九〃
カナダ	一、六三一〃	一・
ソノ他	一、四八三〃	二、六四六〃
計	五六、九三六〃	二八、三三一〃

(五) 消費能力（一九三八年）

ニッケル消費高	四、〇〇〇噸
一人當消費高	〇・〇〇〇九噸

(六) 平時自給率 〇

(七) 戰時自給率 〇

(ハ) 生産ノ現状

「ノバレーゼ」教授ニヨレバ、ニッケル鉱石ニ於[illegible]〇〇〇ー[illegible]〇〇〇噸ノ生産ノ可能性アリト推サル。之ニヨリ五〇〇ー六〇〇噸ノニッケル及ビ二〇〇ー二五〇噸ノ銅、二〇〇ー二五〇噸ノコバルト生産可能ヲ指摘シ居ルモ前途遼遠ナリ

第二項　非金属鉱物

I　石炭

(一) 埋蔵量

全埋蔵量	六億五千万噸	(一〇〇%)
無煙炭／リグルニア炭／褐炭（瀝青炭）	三億一千二百万噸	(四八%)
褐炭／泥炭質石炭	二億九千九百万噸	(四六%)
泥炭	四千万噸	(六%)

四七

又「伊太利経済」誌（Economia italiana）ニ拠レバ

石炭埋蔵量（単位百万噸）

褐炭	四〇〇ー五〇〇
リグルニア炭	一〇〇ー二〇〇
無煙炭	四〇
泥炭	四〇
計	六八〇

地理的分布

無煙炭

コグネ地方、ベネト地方

リグルニア炭

四八

アルサ、イストリヤ地方

ビザ褐炭

トスカナ地方、サルヂニヤ島

品質

一般ニ不良。

無煙炭、「リグルニア」炭ノミ燃料需要ニ応ジ得ルモ、他ハ煉炭原料ニ適ス。

アルサ炭田ノ「リグルニア」炭ハ品質良好ニシテ、少量ノ硫黄ヲ含有スルモ燃焼設備ニ有害ナラズ。

七千乃至七千五百カロリー。

然ルニ、エチオピヤ戦役ニ際シ、工場燃料トシテ「リグルニア」炭ヲ使用セル處、工場火床ガ従来外國炭用ナリシタメ不便ヲ惹起セリ。

四九

(二) 採掘能力

	一九三八年	一九三七年	一九三六年	一九三五年	一九三四年
無煙炭	一三二、一九七噸	九五、〇六〇噸	七九、九七二噸	七〇、一五〇噸	八四、五四七噸
リグルニア炭	一、三四八、〇三一〃	八六九、三八五〃	七二六、一六五〃	三七二、三五八〃	二八九、〇四六〃
褐炭	一六八、七八六〃	四三三、二九〇〃	二四四、三七五〃	一三六、一七七〃	九八、三二六〃
ソノ他	七〇四、四六三〃	六三六、三九一〃	五二五、〇七七〃	四一〇、四三三〃	三一一、〇三九〃
計	二、三九四、二一〇〃	二、〇二四、一三六〃	一、六二五、五八八〃	九八九、〇九八〃	七八二、九五八〃

右採掘額ヲ煉炭ニ換算スルト

一九三八年	一九三七年	一九三六年	一九三五年	一九三四年
一二〇万噸	一〇〇万噸	八〇万噸	五〇万噸	四〇万噸

製鉄用コークス生産

一九三八年	一九三七年	一九三六年	一九三五年	一九三四年
一、七三九、四一七噸	一、七〇三、一九九噸	一、三一〇、七一四噸	九九八、三七九噸	八一七、二四三噸

五〇

(三) 供給能力（一九三八年）

a、生産関係

生産高	二、四〇〇、〇〇〇噸
鉱坑	
無煙炭	一一
リブルニア炭	一一
ソノ他	四五
労務者	
無煙炭	九七九
リブルニア炭	一四、七七四
ソノ他	六、三九〇
モーターHP	
無煙炭	二、四七一
リブルニア炭	二九、二七七
ソノ他	一〇、二四三

五一

b、輸出入関係

輸入（但シコークスヲ除ク）

	一九三八年	一九三七年
ベルギー ルクセンブルグ	二〇三、六八二噸（一・七%）	八三五、七三七噸（九%）
チェコスロバキヤ	五四〇、四三三（五%）	
独逸	七、〇〇三、四五〇（六〇%）	五、九一五、二六九（七〇%）
ポーランド	一、六三五、九四〇（一四%）	八三一、二三四（九%）
英國	二、二八九、六四七（一九%）	九六、三八二（一%）
ソ聯	－	四五六、二一五（五%）
ソノ他	二四一、八一五（〇・三%）	五八六、二五六（六%）
計	一一、九一四、九六七（一〇〇%）	八、七三一、〇九三（一〇〇%）

五二

コークス輸入

	一九三八年	一九三六年
チェコスロバキヤ	一二、九〇八噸	－噸
フランス	六八、七一七〃	一二〇、一七三〃
ドイツ	一一六、九二三〃	三三八、九一七〃
ポーランド	七、九一八〃	－〃
合衆國	六、三四四〃	－〃
ソノ他	五、一〇一〃	八四、七八六〃
計	二一七、九一一〃	五四三、八七六〃

参考ニ外國石炭消費概況ヲ左ニ掲グ．

	一九二九年	一九三四年
国鉄	三、一二五千トン（二三・一%）	三、五〇〇千トン（二九・七%）
私鉄	二五〇（一・八）	一八〇（一・五）
ガス及コークス工場	二、〇〇〇（一四・八）	二、四〇〇（二〇・四）
火力発電工場	一五〇（一・一）	五〇（〇・四）
精錬工場	一、八〇〇（一三・三）	七五〇（六・四）
製鉄及機械工場	二五〇（一・八）	二〇〇（一・七）
硝子及陶器工場	五〇〇（三・七）	三五〇（三・〇）
セメント工場	七五〇（五・五）	八五〇（七・二）
煉瓦及石灰工場	一、〇〇〇（七・四）	七〇〇（五・九）
製糖工場	三五〇（二・六）	二五〇（二・一）
食料品工場	四〇〇（三・〇）	一〇〇（〇・八）
手工業	九〇〇（六・七）	七五〇（六・四）
煖房及家庭用	一、〇〇〇（七・四）	一、〇〇〇（八・五）
ソノ他	一、〇五一（七・八）	七〇一（六・〇）
計	一三、五二六（一〇〇・〇）	一一、七八一（一〇〇・〇）

（*Rassegna del mercato dei carboni*, 1939,9. *Acqua e Gas* 1935,9. 号ニ據ル）

五三

五四

(四) 消費能力（一九三八年）

消費高

一人當消費高　一四、〇〇〇、〇〇〇噸　〇・三噸

(五) 平時自給率　一五%

(六) 戰時自給率

八%（一九三六年）

(七) 生産ノ現狀

一九三五年ニ於ケル石炭輸入総量ノ中、独逸炭七〇%ヲ占ム。他方貯蔵ヲ奨励スル他、一九三九年三月五日石炭節約令公布セラレ、コレニ依リ、化学・繊維工場ハ前年同期ノ八割、被服皮革工場七割、製紙食料品工場六割、ソノ他工場五割ノ割當率ヲ決定セリ。配給ハ切符制度ヲ採リ、違反ハ苛酷ナル罰則ヲ設ケタリ。

五五

次イデ三月十五日「チアノ」「リッペントロップ」會談ノ結果、独逸炭積取協定ノ妥結ヲ見、伊太利貨車一万五千輌（貨車総数ノ一割）及ビ機関車百五十輌ヲ最高限度トシテ独逸ニ送リ、之ヲ以テ一日平均一千五百輌ノ運転ヲ見タリ。更ニ九月一日、石炭消費節約強化ノタメ、鉄道ダイヤヨリ蒸気機関車ノ大量抹殺ヲ断行シ、水上航行ニモ同様措置ヲ講ジタリ。又一九三八年秋締結セラレタル独伊労働協定ニ依リ、伊太利向石炭ノ採掘ノタメ、伊太利炭坑夫三万五千人ヲ独逸炭坑ニ派遣セリ。

Ⅱ　石　油

(一) 埋藏量

不詳（稀少）

地理的分布

アルバニア（貧鉱）

リビア地方（資源調査中）

五六

エリトレア地方（資源調査中）

品質　良好ナラズ。

(二) 採掘能力

	一九三八年	一九三七年	一九三六年	一九三五年	一九三四年
原油	一三、二二〇噸	一四、三五一噸	一六、一〇六噸	一五、九七七噸	二〇、一八〇噸

(三) 精製能力

	一九三八年	一九三七年	一九三六年	一九三五年
精製油	一四七、一三五噸	一二三、八九〇噸	四一一、一四〇噸	四九、八六九噸
内國産原油ヨリ	三、七八六〃	三、六〇五〃	四、二七四〃	四、五四八〃
ベンジン	四一四、六八三〃	二八九、三七五〃	一三〇、三九九〃	一〇三、〇七一〃
内國産原油ヨリ	六、七四〇〃	七、八二九〃	八、八四八〃	九、五六八〃
潤滑油	七五、四二〇〃	六一、三〇一〃	二〇、七九五〃	二四、三一四〃

五七

ガス及ディーゼル油	二五〇、六三九噸	一四〇、六二七噸	三九、一一六噸	三三、一九四噸
燃料用残滓油	四四六、二三五〃	三一〇、三六六〃	一〇九、九〇三〃	九三、九四二〃
石油コークス	三五、九二九〃	三二、三三七〃	二六、六一九〃	一五、六九六〃
パラフィン	三、五五八〃	三、一一三〃	五九三〃	五四六〃
瀝青石油	七五、八四一〃	八一、六八八〃	四五、五七一〃	二六、二一八〃
樹脂溶解用鉱油	五、四六九〃	六、八〇三〃	―〃	―〃
重油ソノ他	一一、三八四〃	一〇、一三八〃	六、八八七〃	四、七一二〃

右表ニヨレバ、國内原油ノ精製ニヨリ、一九三八年ニハ石油約四千噸ヲ得タリ。

參考マデニ左ニ石油工場ヲ列記スベシ。

會社名	位置	年産
アキラ	トリエステ	四五万噸
ヴァキュームオイル	ナポリ	二五〃
アジプ	ヴェネチア	三〇〃

五八

アジプロムサ	フィウメ	一二 〃
シェル	スペチア	一〇 〃
スタンダードオイル	トリエステ	六 〃
ペルモリオ	ミラノ	二五 〃

(四) 供給能力

a、生産関係

生産高	一三、二二〇噸（一九三八年）
鉱坑	二七
労務者	一、二〇四
モーター中	五、八〇五

b、輸出入関係

輸入

原油

五九

	一九三八年	一九三六年
アルバニア	六五三、一三〇キンタル	ーキンタル
ルーマニア	六八六、六四五 〃	一二三、四八八 〃
イラク	二、三六三、二五一 〃	一、一〇九、四〇九 〃
コロムビア	一、一七五、〇五一 〃	五四九、六二〇 〃
合衆國	八、六五〇、八九六 〃	六九八、七九一 〃
中米	八三四、五九〇 〃	ー 〃
ソノ他	四〇一、六三一 〃	五二七、〇六九 〃
計	一四、七六五、一九四 〃	三、〇〇八、三七七 〃

潤滑油

	一九三八年	一九三六年
ルーマニア	四三、八六八キンタル	ーキンタル
ソ聯	二二、八四八 〃	一五五、五五〇 〃
合衆國	三五八、二三一 〃	三三五、五七五 〃
ソノ他	一四、八四八 〃	五六、二九〇 〃
計	四三九、七九五 〃	五四七、四一五 〃

六〇

石油

	一九三八年	一九三六年
ソ聯	ーキンタル	二四六、六三〇キンタル
フランス	三〇、六九七 〃	ー 〃
ルーマニア	三三九、二七一 〃	八〇九、六八五 〃
ペルシヤ	八八、六〇〇 〃	ー 〃
合衆國	一九、六〇〇 〃	ー 〃
中米	一〇、二七九 〃	ー 〃
ソノ他	二九、七五九 〃	六九、四八五 〃
計	五一八、二〇六 〃	一、一二五、八〇一 〃

六一

ベンジン

	一九三八年	一九三六年
ソ聯	ーキンタル	一六四、四四六キンタル
和蘭	一〇、二〇五 〃	ー 〃
ルーマニア	三八八、四一〇 〃	九五五、五〇八 〃
蘭印	一四五、三八七 〃	八七、三七四 〃
ペルシヤ	二九、五四六 〃	二四六、六六〇 〃
合衆國	三〇三、五四三 〃	三六〇、一九六 〃
中米	一二〇、四〇三 〃	ー 〃
ソノ他	五、三九一 〃	二八五、四一一 〃
計	一、〇〇二、八八四 〃	二、〇九九、五九五 〃

鉱油蒸溜残滓

	一九三八年	一九三六年
ソ聯	ーキンタル	九〇八、八二六キンタル

六二

ルーマニア	三七七〇、五二四 〃	五、一三七、八三二 〃
蘭印	四七六、九〇二 〃	— 〃
ペルシヤ	一、二九九、〇五二 〃	一、五九二、八五〇 〃
メキシコ	一七〇、四八六 〃	— 〃
合衆國	四一四、八七五 〃	一、〇六〇、八八九 〃
中米	三、三三六、七五九 〃	一、八五六、一五二 〃
ソノ他	一三二、一一三 〃	八一一、二三〇 〃
計	九、六〇〇、七一一 〃	一一、三六七、七七九 〃

テレピン油

	一九三八年	一九三六年
ソ聯	—キンタル	八、三八二キンタル
独逸	一七、七六四 〃	五、六九八 〃
ギリシヤ	三三、一七二 〃	—
ポルトガル	二五、七二二 〃	—

六三

六四

スペイン	一八、三六一キンタル	四、八〇四キンタル
合衆國	五、三二二 〃	二一、三五五 〃
ソノ他	一、八三〇 〃	四、九一二 〃
計	九二、一七二 〃	四五、一五一 〃

ベンゾール

	一九三八年	一九三六年
オーストリー	—キンタル	四、八一二キンタル
ベルギールクセンブルグ	二、五二三 〃	一、三二二 〃
チェコスロヴァキヤ	一四、八六〇 〃	— 〃
独逸	一二、六一五 〃	一九、七九〇 〃
合衆國	二六、六三五 〃	五〇、六九九 〃
ソノ他	二、七七三 〃	五、二六一 〃
計	五九、四〇六 〃	八一、八八四 〃

固形パラフイン

	一九三八年	一九三六年
英印	—キンタル	三、三九八キンタル
佛國	三、五二七 〃	— 〃
ポーランド	六一、六五二 〃	— 〃
ソ聯	二、六四八 〃	六一、七七八 〃
合衆國	八〇、五九九 〃	一三四、七七五 〃
ソノ他	二五、〇七七 〃	二、三四四 〃
計	一七三、五〇三 〃	二〇二、二九五 〃

輸出

ベンジン

一九三八年		一九三六年	
独逸	四七二、二〇六キンタル	エリトレア	一四八、六四四キンタル
伊領阿	一三〇、〇九〇 〃	リビア	六〇、〇六三 〃

六五

六六

ソノ他	三九、五八七キンタル	ソマリア	二五、〇四二キンタル
計	六四一、八八三 〃	ソノ他	一〇、六五六 〃
		計	二四四、四〇五 〃

鉱油蒸溜残滓（一九三七年ヨリ輸出開始）

	一九三八年
独逸	一二一、〇四〇キンタル
ユーゴスラヴイア	二五、五二四 〃
瑞西	一四三、八二九 〃
佛領トリエステ	六七、七六一 〃
伊領阿	一四五、六〇一 〃
ソノ他	六五、〇七〇 〃
計	五六八、八二五 〃

以上ノ統計ヲ要約スレバ

輸入

原油	一五〇万噸
潤滑油	五〃
石油	五〃
ベンジン	一〇〃
鉱油蒸留残滓	九六〃
テレピン油	一〃
ベンゾール	〇・六〃
パラフィン	二〃

輸出

ベンジン	七万噸

(五) 消費能力

石油消費高	二、七五〇、〇〇〇噸（一九三八年）
一人当消費高	〇・〇六噸

六七

(六) 平時自給率　〇・八％

六八

(七) 戦時自給率　〇・七％

総需要量	二、〇〇〇、〇〇〇噸（一九三六年）
生産	一五、〇〇〇噸

(八) 生産ノ現状

(イ) 内外石油資源開発取得

政府ハ、一九三五年七月二十八日付勅令ヲ以テ「伊太利石油総会社」ヲ設立シテ、国内資源ノ開発及ビ「ルーマニア」プラホバ石油会社トノ買付契約締結、一九三五年五月「モスール」油田会社増資ニ際シ、ソノ株式持分三六％ヲ獲得セリ。

又、ファシスト政権初期一九二六年四月三日付勅令第五五六号ヲ以テ、鉄道局主管ニヨル「アルバニア伊太利石油会社」ヲ設立、「アルバニア」石油資原ノ開発ヲ促進セシム。

(ロ) 国内製油業ノ確立

政府ハ、一九三三年十一月二日付「鉱油及ビ類似品ノ輸入、精製、保管配給ノ統制」ニ関スル緊急勅令第一七四一号ヲ公布セリ。

本令ハ四章全二十四ケ条ヨリ成ル。

第一章　輸入許可、第一条ハ一千瓩以上ノ原鉱油ソノ他石油類ノ輸入並ビニ一ケ月一万五千瓩以上ノ同様輸入ハ、ソノ都度本令ノ規定ニヨリ国家之ヲ統制ス。

第二条ハ前条掲載ノ数量ニ付キ原鉱油ソノ他製品、残滓ヲ輸入セントスル者ハ、組合大臣ノ許可ヲ要ス。

但シ月三百噸ヲ超エル輸入ハ、一般的輸入許可ヲ下附ス。

一般的許可ノ期間ハ、原鉱油及残滓ニツキ二十年、加工品ニツキ三年ヲ超エルヲ得ズ。

月三百噸以内ノ輸入ハ、ソノ都度特別許可ヲ受クルヲ要ス。該許可ハ許可

六九

下附後二ケ月以内ニ行フ輸入ニツキ有効トス。

第二章　鉱油ノ工業処理、第四条ハ鉱油及ビ残滓ノ加工ヲナサントスル者ハ、組合大臣ノ許可ヲ要ス。

七〇

第五条、前条許可ハ左ノ要件ニ依ル。

イ、加工施設ハ、大蔵大臣及ビ国防最高委員会ノ議ニ諮リタル上、組合大臣ノ承認セル場所及ビ様式ニヨリ行フコト。

ロ、本令ノ趣旨ニヨリ認メタル企業主及ビ技術並ビニ事務担当者ハ、伊太利人タルコト。

ハ、許可名義人ハ第三条諸項ニ定メタル義務ヲ履行スルコト。

第三章　鉱油及ビ類似品ノ保管及ビ配給、第一一条、鉱油ソノ他石油類及ビ自動給油器具ノ貯蔵及ビ設立ハ組合大臣ノ認可ヲ要ス（以下省略）。

本令ハ第二条規定ノ如ク原油等輸入許可期間ヲ二十年、製品輸入許可期間ヲ三年トナシ、同時ニ第五条ノ如ク、精製場所・様式ノ制限、事業者ノ伊太

利國籍ヲ有スル者ニ限ル等ノ許可規定ニヨリ、伊太利國系資本會社ノ擁護措置ヲ講ジタリ。

従來、伊太利國内市場ニ於ケル外國系石油會社ノ優位ハ被ヒ難ク、一九三五年戰時石油製品輸入割當量二百三万四千五百砘ノ中、「スタンダート」系五十二万八千砘、「シエル」系四十二万八千砘合計九十五万六千砘、総量ノ四七％強ヲ占メタリ、之ニ反シ伊太利総石油會社ノ割當量ハ五十六万三千砘総量ノ二七．七％ヲ占ム。

依テ戰略的原料ノ雄タル石油供給ニ関シ、之レヲ外國系事業會社ヨリ完全独立セシムルタメ、「伊太利総石油會社」ヲシテ、國内市場統制力ノ強化ヲ行ハシメ、一方原油輸入許可期間ヲ長期化シテ、原鉱油輸入ヲ促進シ、近代製油施設ノ発達ヲ図リ、残留油輸入税引下ヲ行ヒ、以テ國内製油業ノ供給能力昂進ヲ促セリ。

又一九三五年十月二十四日附「外國産及ビ國産液体燃料補給ニ関スル特別

機関、液体燃料特別局（*Ufficio speciale dei combustibili liqui-di*）設立」ニ関スル緊急勅令第一八八〇号ノ公布ニヨル石油管理ノ強化ハ、前述ノ「鉱油類輸入・精製・保管・配給ノ統制」法ト共ニ、戰時石油統制政策ノ根本ヲナセリ。

而シテ「液体燃料特別局」設立法ハ、全十ケ條ヨリ成ル。

第一條　組合省工業総局ニ本局ヲ設置ス

第二條　ソノ職能左ノ如シ

イ、陸・海・空三軍、商船及ビ國鉄ヲ含ム石油類ノ綜合國内需要ノ決定

ロ、消費ノ性質ニヨル優先権ヲ定メ、諸官廳・公衙及ビ個人ニ對スル配給量ノ決定、但シ軍関係ノ需要ニハ、何時ニテモ、絶對優先ヲ與フ

ハ、鉱油ソノ他潤滑油ノ海外供給源ノ可能性調査

ニ、海外ニ於ケル石油情報及ビ前記製品取得活動ノ組織化

ホ、協定或ハ會社諸官廳ヲ通ジテ海上及ビ鉄道自動車ニヨル陸上輸送業務港ニ於ケル陸揚並ビニ保管業務ノ保障

ヘ、義務的貯蔵ノ保護統制ヲ組織保証

ト、石油品種別又ハ消費者系統別、譲渡價格ノ決定

第三條　本局ハ諮問機関トシテ、大蔵大臣・陸海空軍大臣・交通大臣・軍需品製造総委員會・國防最高委員會・伊太利石油総會社及ビアルバニア伊太利石油會社ヲ有ス

第四條　本局ハ決定事項ノ執行機関トシテ國内商工業機構ノ一ツ以上ヲ指定スルコトヲ得

第五條　本勅令公布以後、スベテノ鉱油類、潤滑油ニツキ、自由取引ヲ禁ズ商船並ビニ「カルナロ」及ビ「ザアラ」地方ヘノ補給消費モ、自由取引ヲ禁ズ

右商品ノ販賣ハ、本局ノ統制ニ基キ、本局ニヨリ確定セル場所及ビ関係商店ニ於テ、之ヲ行フ

又組合大臣ハ、本局ノ要求ニヨリ、石油類ノ徴発ヲ行フコトヲ得（以下略ス）

液体燃料特別局ハ、第二條第二項ニ基キ、左ノ如キ割當率ヲ決定セリ。

イ、小賣業者ハ顧客ニ對シ、通常ノ要求量以上ノ販賣ヲ禁ズ

ロ、輸入業者ヨリ消費者ヘノ割當量ハ（以下同ジ）戰時工業又ハパン製造業者ハ契約最低量ノ一〇〇％ヲ供給

ハ、ソノ他工業ニ對シテ契約高ノ六六％

ニ、旅宿業・アパート業ニ對シテ五〇％

ホ、契約ナキ場合ハ、平均月消費量ニ就キ前記割當率ニ準ズ

（八）貯蔵並ニ代用燃料對策

A、一九三五年十一月二十二日付組合省令「鉱油貯蔵ノ義務的数量ノ決定」

第一條　鉱油業者ニシテソノ幾何学的能力五百立方米ヲ超エルモノハ「ガソリン」及燃料油ニ付キ、ソノ貯蔵能力最低七〇％マデ、ソノ他石油製品ニ付キ、同様三〇％マデ貯蔵義務ヲ有ス。貯蔵ハ本令公布ノ日ヨリ二十日以内ニ行フベシ。本令公布ノ日ヨリ五日以内ニ、業者ハ、組合大臣

ニ對シ各種石油製品貯藏ニ關スル報告ヲ提出スベシ
第二條　貯油能力五百立方米ニ及バザル販賣業者ハ「ガソリン」及燃料油ニ付キ、最低五〇%、ソノ他石油製品ニツキ最低三〇%ノ貯藏義務ヲ有ス
第三條　大口輸入業者及販賣業者ノ貯藏義務ハ前記各條ニ準ズ

而シテ一九三六年二月ジュネーヴ對伊制裁委員會ノ石油取引運輸專門委員會ハ、伊太利ノ石油貯藏ニツキ左ノ推定ヲナセリ。
即チ『一九三五年伊國石油消費量約三百五十万瓲、内最近五ケ月ニ於ケル月平均軍需工業消費量二乃至三万瓲ナラン、一九三五年十二月末ニ於ケル「ストツク」量ハ七十乃至八十万瓲、假ニ石油封鎖ノ場合、平均月消費量二十万瓲トスレバ四乃至三ケ月ノ持久力アラン』

B、代用燃料問題ハ、石炭・油質頁岩ノ水素添加法ニヨリ、石炭ヨリ「ベン

七五

ジン」十万瓲、頁岩ヨリ五万瓲ヲ抽出、更ニ米、甜菜、馬鈴薯等ヨリ人造メチルアルコール三万五千瓲ヲ採取セル處、大規模生産ノ難点アリ。依テ消極的政策トシテ、一九三五年以來課税増徴ニヨル「ガソリン」類消費節制、配給統制、動力車ニ對スル木炭瓦斯発生装置奨励、及ビ一般自動車使用制限等行ヒ來レリ。

自動車使用制限ノ状況左ノ如シ。
一九三九年九月三日夜正十二時ヨリ、特別免許証ナキ凡テノ自動車及モーターボートノ使用ヲ禁ジ、揮発油販賣ヲ一日一基一〇立消費力アル自動車ニノミ制限セリ。自家用自動車ノ特別免許証発行ハ各地方ノ陸軍司令官之ヲ行フ。
但シ公共奉仕用自動車、外交団自動車、外國免許証ヲ有シ且ツ合法的入國許可ヲ得タル外人自動車及公用自動車ハ例外トス（以上一九三九年八月二九日付組合省令炭化物消費制限ニヨル）
又代用自動車燃料使用奨励状況左ノ如シ。

七六

政府ハ発動機燃料用原油輸入減少ノタメ、原油消費節制ヲ行ヒ居ル處、右ハ代用発動機燃料即チ「メタン」瓦斯（一般的ナラズ）及ビ「ガソヂエン」ヲ使用シアリ。「ガソヂエン」ハ自動車ニ据付ケタル簡單ナ木村又ハ木炭燃焼装置ヨリ発生スルモノナル處、コレヲ使用スル乘合バス・貨物自動車数ハ漸次増加セリ。一九三八年十二月三十一日現在ニ於ケル乘合バス九、九六〇台ノ中、僅カニ五六四台即チ六%以下ハ「ガソヂエン」装置ヲ有セリ。コノ中、一〇〇台ハ特別ニ「ガソヂエン」向設計ニヨリ造車、残リ四六四台ハ改造。又貨物自動車数一一二、五六六台ノ中、僅カ三二四台ハ「ガソヂエン」装置ヲ有シ、内二六九台ハ改造。貨物自動車ノ大多数ハ「ディゼル」機関ナルタメ右改造ハ困難ナル点アリ。又一九三八年十二月三十一日現在ニ於ケル自家用自動車三四五、〇九八台ニツキ「ガソヂエン」発生装置実施中ナリ。
又一九三四年以來「木炭瓦斯自動車」一台ニツキ、四千乃至九千リラノ補助金ヲ交付シ、ソノ三分ノ二ハ購入即時、残額ハ二ケ年内ニ交付スルコ

七七

トトシ、右自動車ニハ五年間免税ノ特典ヲ認メアリタリ。

Ⅲ　硫　黄

(一)　埋藏量

相當大量アルモ詳細不明
地理的分布
概ネ「シチリー」島ニ存在。
南伊「ラヴィアノ」及ビ「ストロンゴリ」。
品　質　含有量一七%

(二)　採掘能力

一九三八年	二、三六三、八九六噸
一九三七年	二、一四二、七八九〃
一九三六年	二、〇一二、一九一〃

七八

一九三五年　一、九四一、八九六 〃
一九三四年　二、一〇四、五〇三 〃

原鉱年生産　二四〇万噸

(三) 精錬能力

一九三八年　三八〇、三四五噸
一九三六年　三二七、五六八 〃

尚黄鉄鉱ヨリ精錬高推定
一九三八年　五三〇、〇〇〇噸
依テ
一九三八年合計　九一〇、〇〇〇噸

(四) 供給能力

a、生産関係

七九

生産高	二、三六三、八九六噸
鉱坑	一三三
労務者	一二、五三一
モーターHP	一二、九五八

八〇

b、輸出入関係

輸出

	一九三八年	一九三六年
ベルギー ルクセンブルグ	四八、五〇五キンタル	ーキンタル
芬蘭	九一、四四〇 〃	ー 〃
フランス	三九八、二八九 〃	三七九、七八〇 〃
独逸	五九四、三六四 〃	三五六、八〇四 〃
ギリシヤ	一七九、一九二 〃	ー 〃
ユーゴスラヴィア	三四、一九七 〃	ー 〃
ポーランド	三〇、四七九 〃	ー 〃
英國	二二四、八二七 〃	一四五、八六八 〃
ルーマニア	一五、〇六四 〃	ー 〃
瑞典	一五、〇六四 〃	ー 〃
瑞西	三五、五〇三 〃	ー 〃
トルコ	二六、七五九 〃	ー 〃
ハンガリー	七、五一八 〃	ー 〃
英印	一三九、二四九 〃	ー 〃
ペルシヤ	一四、九三二 〃	ー 〃
南阿聯邦	六二一 〃	ー 〃
アルゼンチン	一 〃	ー 〃
ブラジル	六六、一七三 〃	ー 〃
濠洲	一三、二〇二 〃	ー 〃
新西蘭	五〇、八〇〇 〃	ー 〃
マイツク県琉港	三五、〇〇〇 〃	ー 〃
伊領阿	二、一九六キンタル	ーキンタル
ソノ他	一七八、五四六 〃	一、一七七、〇三二 〃
計	二、三〇九、九二一 〃	二、〇五九、四八四 〃

八一

八二

輸入

ナシ。(エチオピヤ戦後仕向先ノ多辺化ヲ示セリ)

(五) 消費能力

消費高　六八〇、〇〇〇噸
一人當消費高　〇、〇一五噸

(六) 平時自給率

一三五%　(一九三八年)

(七)　戦時自給率

前項ト同シ。

消　費	六一〇、〇〇〇噸
生　産	八二〇、〇〇〇噸

(八)　生産ノ現状

化学工業ノ基本材料タル硫黄生産ハ、四〇%内外ノ輸出能力ヲ有セリ。而シテ増産助成機関トシテ「硫黄工業技術経済向上自治協會」、「シチリヤ硫黄工業改善協會」、「シチリヤ銀行鉱業信用課」アリ。又、一九三四年設立ノ「伊太利硫黄販賣局」ハ内外市場ノ開拓及ビ生産統制ヲ行フ。

尚國際「カルテル」トシテ英米間販賣協定ニ参加。

八四

Ⅳ　工業塩

(一)　地理的分布

シチリー島	天日塩
南部伊太利ルングロ	岩　塩
南伊アドリア海岸	天日塩
中伊カルネト	天日塩
中伊サリネ	岩　塩
中伊コマツキオ	天日塩
伊領ソマリランド	天日塩

品　質　阿弗利加産海塩良質

(二)　採取能力

	一九三八年	一九三七年	一九三六年	一九三五年	一九三四年
海　塩	八八三、四二〇噸	九五〇、七七七噸	七六八、五二七噸	六六九、三六〇噸	五七五、二九八噸
岩　塩	六一三、八七〇〃	六〇三、七九八〃	四九九、七九八〃	四八三、四三六〃	三九三、三〇六〃
木塩　醫療	一五一〃	二五七〃	二三〇〃	二三一〃	二二五〃
鉱泉	一、七八五〃	一、八七八〃	一、八〇六〃	一、七二四〃	一、四四四〃

※　鉱泉塩ハエミリア縣サルソマジオン産出

右表ノ如ク海塩岩塩ハ年産一、五〇〇万噸。

(三)　供給能力

a、生産関係

生産高	一、五〇〇、〇〇〇噸（一九三八年）
塩　田	七二　（以下一九三六年）
労務者	二、五七二
岩塩坑	二三
労務者	九一〇

八五

b、輸出入関係

輸　出

	一九三六年	一九三五年
諾　威	一八、八四二噸	五六、五七七噸
瑞　典	三、九一〇〃	一三、五四二〃
芬　蘭	一〃	三、六八九〃
ウルグアイ	一三、三九五〃	九、八五五〃
英帝國	七、六二〇〃	一一、二二三〃
加奈陀	三、〇〇〇〃	一九、七一〇〃
アイスランド	五、八三二〃	一五、二一五〃
ソノ他	一三、九二三〃	一二、三二二〃
計	六六、五二二〃	一四二、一三三〃

八六

輸　入

ナシ。

(四) 消費能力（一九三六年）

消費高　一、〇〇〇、〇〇〇噸

（内工業用　三〇〇、〇〇〇噸）

一人当消費高　〇・〇二三噸

(五) 平時自給率

一二〇%

(六) 戦時自給率

一〇〇%

(七) 生産ノ現状

海水ヨリ抽出スル塩、塩田ニヨル塩及ビ岩塩生産ハ、官私企業之ニ当リ居ル処、実際額ハ私企業優勢ナリ。政府専売品。

近年化学工業ノ発達ニ伴ヒ、工業塩需要飛躍的ニ増大シ、総産額ノ三乃至四割ヲ占ム。工業塩消費ハ近年概ネ六、七十万噸ニ及ブ。

第二節　動力資源力

火力及水力発電

(一) 平時自給率

九八%（一九三八年）

総需要　一五三億五千万KW時

生産　一五一億KW時

（註、右ハ当時欧州国際関係ノ緊迫化セル事態ナルヲ以テ戦時自給率ト看做スヲ得。）

a. 発電能力

水力地点	発電量（十億KW時）	可能発電量 理論的（十億KW時）	技術的（十億KW時）	工業的（十億KW時）
アルプス	一〇・四四	一二八・二	三六・六	二三・〇
北アペニン	〇・七四	二〇・一	五・五	一・七
中アペニン	二・四一	三一・四	六・八	三・八
南アペニン	一・〇〇	四〇・六	六・三	二・四
シチリア	〇・一〇	一一・二	〇・九	〇・四
サルヂニア	〇・一五	八・一	〇・八	〇・六
計	一四・八四	二三九・六	五六・九	三一・九

右表ハ一九三四年土木省水力局、ファシスト電力事業聯合及ビ「エヂソン」会社水力課ノ協同調査ニ拠ル。而シテ中部及ビ南部アペニンガ最有利。

火力地点

北伊

ロムバルディア縣、ヴェネチア縣、ピエモンテ縣

中　伊

フイレンチエ、ローマ附近

南　伊

カムパニア縣、カラブリア縣

シチリー島及ビサルヂニヤ島

右ハ従來輸入炭ヲ使用シ居ル處、本件火力地点ハ概ネ諸港市発電所トス。

左ニ一九三八年ニ於ケル月別水・火力発電量及ビ輸入量ヲ示ス。

	水力発電量	火力発電量	計
一　月	一、一九〇、八六四 千KW時	四一、九五三 千KW時	一、二三二、八一七 千KW時
二　月	一、〇六七、七四二	四五、六七一	一、一一三、四一三
三　月	一、一一四、二六四	六五、〇〇二	一、一七九、二六六
四　月	一、〇〇九、七六三	九六、〇三九	一、一〇五、八〇二
五　月	一、〇八三、二五七	八四、七六七	一、一六八、〇二四
六　月	一、三〇六、六八〇	五六、二八五	一、三六二、九六五
七　月	一、三四九、三八一	五六、七九一	一、四〇六、一七二
八　月	一、二七七、九三五	六三、二二二	一、三四一、一五七
九　月	一、二七六、〇三三	六八、六五一	一、三四四、六八四
十　月	一、二八一、九二六	七一、三六四	一、三五三、二九〇
十一月	一、一五九、二八三	七六、六七七	一、二三五、九六〇
十二月	一、一八一、一四六	八三、四六六	一、二六四、六一二
計	一四、二九八、二七四	八〇九、八八八	一五、一〇八、一六二

九一

輸入量（千KW時）

計　二二四、三二四

本件輸入電力ハ瑞西國ヨリ來ル。

九二

又一九三五年ニ於ケル、水・火力発電量及ビ輸入量ヲ示サン（千KW時）

水力発電量	一二、七六四、三七四
火力発電量	三五三、五五一
輸入量（瑞西國）	二一八、四一三
計	一三、三三六、三三八

b、電力配給機構

本件電力配給ノ主管官廳ハ土木大臣及ビ組合大臣ニシテ、土木大臣ハ、國防最高委員會、ソノ他関係团体ノ議ニ諮リ、組合省内ニ於ケル「ガス」水道電気協同体ト協力、施設ニ関スル認可、発電能力維持増強ノタメ、電力管理及ビ電力輸出入措置ヲ講ズ。

「ガス」水道電気協同体ハ、右首脳部ト協力、生産数量・原料配給・同業者間協定・配電割當・事業新設拡張統制、消費及料金等ニ付、規則ノ決定ソノ他ノ権限ヲ行使ス。

九三

電力事業會社ハ右機関ノ指示ニ基キ、各配電計画及ビ配電地域ニツキ、責任量ノ発送ヲ行ヒ、之レヲ全國單一送電ニヨリ一統一網ニ調整シ、南北一貫送電ヲ行フ、一九三四年配線延長四万一千キロニ及ベリ。

地方公共河川委員會ハ水利権ソノ他業務上ノ紛議ニツキ相互調和機関トシテ、「トリノ」、「ミラノ」、「ヴエネチア」、「フイレンチエ」、「ローマ」、「ナポリ」、「パレルモ」、「カリアリ」ノ八都市ニ設立セラレタリ。

c、電力消費量

一九三七年　一三、一五九、六七八、六〇七 KW時

一九三五年　一一、一六八、二九六、五七七 〃

本件一人當消費量　三〇六、〇八五 KW時（一九三七年）

左ニ産業別消費状況ヲ示サン。

	一九三七年	一九三五年
公用照明	二九二、七一七 千KW時（二・二二 %）	二六七、三二二 千KW時（二・三九 %）

九四

私用照明	六七〇、五〇七（五・一〇）	六五三、三三五（五・八五）
ソノ他照明	三三六、〇八五（二・五五）	二七四、七八〇（二・四六）
衣服工業	五〇、一一八（〇・三八）	四二、八三一（〇・三八）
食料品工業	七二四、〇一八（五・五〇）	六五〇、七五八（五・八三）
製紙工業	四四二、〇六九（三・三六）	四〇〇、九六〇（三・五九）
製図工業	二九、五七〇（〇・二二）	二七、八六六（〇・二五）
紡績工業	一、二一九、九九七（九・二七）	一、〇四一、〇七一（九・七七）
抽出工業	一五五、三五三（一・一八）	一二四、五〇六（一・一一）
陶器硝子工業	六二、七〇三（〇・四八）	五一、三九七（〇・四六）
印刷工業	四〇八、七〇六（三・一一）	三五一、九七四（三・一五）
化学工業	四九九、七七二（三・八〇）	四三八、一六九（三・九二）
冶金工業	六六二、二四七（五・〇三）	五八七、二一一（五・二六）
機械工業	八二八、四一二（六・三〇）	七一三、五四六（六・三九）

九五

電気化学工業	二、三一一、四七二（一七・五六）	三、二〇九、二〇三（二八・七四）
電気冶金工業	一、九三三、二一七（一四・六九）	
製材工業	八五、九八二（〇・六五）	七三、七三五（〇・六六）
農業	一三七、九三四（一・〇五）	一三七、九〇八（一・二四）
運輸業	一、三六七、一六四（一〇・三九）	一、〇〇二、九二九（八・九八）
ソノ他	九四一、六三三（七・二六）	一、五六五、〇二〇（九・五四）
計	一三、一五九、六七九（一〇〇）	一一、一六八、二九七（一〇〇）

（一九三九年版・一九三八年版伊國統計年鑑ヨリ作成）

(二)　戰時自給率

九八％（一九三五年）

総需要　一三三億四千万KW時

生産　一三一億KW時

a、戰時最大及最低発電能力

九六

本件発電能力ニ関シ、「エチオピヤ」戰時生産ヲ一〇〇トスレバ、一九三七年生産ハ一一五ト、一割五分上昇ヲ示セリ。殊ニ第二次欧洲戰ノ軍需工業殷賑ハ、電気化学工業・電気冶金工業ノ巨大ナル電力消費ヲ激成シ、政府ハ、発電能力増強ノタメ、発電地点ノ新規開設、送電線ノ増架等最大能力維持ニ努力シアリ。依テソノ水準ヲ示サン、

一、戰時最大発電能力　一五五億KW時

水力　一四、三九一、一七九千KW時（一九三七年）

火力　八〇九、八八八　〃　（一九三八年）

一、戰時最低発電能力　一三一億KW時

水力　一二、七六四、三七四千KW時（一九三五年）

火力　三五三、五五一　〃　（一九三五年）

要之、前記統計ヲ綜合スレバ、水力発電ハ発電量ノ九七％ヲ占メ、一九一三年伊太利動力資源消費ハ石炭ハ三％、石油二％、残リ一五％ヲ水力電気ニ依ル處、一九三三年ニハ水力電気ノ占ムル割合ハ三六％ニ及ベリ。

九七

b　電力統制、電力動員計画

伊太利工業界ノ推進力タル本件電力事業ハ、軍需工業特ニ電気冶金工業・電気化学工業及ビ運輸電化ト密接ナ関聯ヲ有シ居ルハ言ヲ俟タズ。依テ生産消費ノ統制ハ國防関係諸法及ビ統制経済諸法令ニ基キ、強化ヲミタリ、

(イ)　生産拡充ニ付キ、「ダム」式貯水法ノ技術促進ト送電線及ビ販責線ノ架設統制ヲ行ヒ、組合大臣之ヲ管掌スル他、販責目的ニヨル生産設備ノ新設拡張ハ政府ノ許可事項ニ属シ、右許可ハ組合大臣及土木大臣ノ権限ニ属ス、

又水路ノ著ルシキ変化ヲ生ズル場合ニハ組合大臣ノ許可ヲウクベシ。

又延長十五粁電圧一万五千ヴォルトヲ超エザル引込線架設ニ関シテハ、ソノ使用目的ガ独占又ハ軍事ニ属スルトキハ軍部大臣ノ許可ヲ要ス。

又五千馬力ヲ超エル発電所建設ノタメ、水利権ノ特許ヲ求ムル時ハ、ソノ発電地点・発電計画・配給地域、該地域ノ電力需要量ノ表示等計画概要書類ノ提出ヲ求メ居レリ。

又土木大臣ハ地方官憲ト協力発電能力ノ強化ニツキ、勅令ヲ以テ電力管

九八

理措置ヲ行フコトヲ得。

又電力輸出入ニツキ土木大臣ノ提案ニ基キ閣議ニ諮リ勅令ヲ以テ公布ス。

以上諸統制手段ノ主眼ハ、産業重点主義配電ト電力國家統制ヘノ強権行使ナリ。

(ロ)　消費統制

本件統制ハ「エチオピヤ」戰時ノ施策ニ據ルモノナル處、照明及ビ暖房用電力節約ノタメ、各官廳ノ勤務時間ヲ繰上ゲ、國鉄ノ一部運転中止、「ファシスト」商業総聯合・商業労働者総聯合ハ、商店・事務所ニ於ケル始業及終業時間ヲ豫告セシメテ、之ヲ統制シ、又、羅馬ヨリ與太利ヘノ道路街頭ヲ消燈シ、公園廣場ノ照明ヲ減少セリ。又大衆課税的見地ヨリ電力消費税ヲ引上ゲタリ。

第二章　食糧資源力ヨリ見タル伊太利ノ抗戰力

第一節　農産資源

I　小麦

(一)　生産額

	單位	一九三四年	一九三五年	一九三六年	一九三七年	一九三八年
耕地面積	千ヘクタール	四九六七	五、〇〇五	五、一三七	五、一七三	五〇二九
生産高	千クインタル	六三四三〇	七六、九五五	六一、一一九	八〇、六三六	八〇、九一八
集約度	一ヘクタール当リクインタル	一二・八	一五・四	一一・九	一五・六	一六・一

(註)　一九三九年度生産高推計七九、八二〇クインタル、一九三九年以後ハ

統計資料ヲ缺ク。

(二)　輸出入関係

價額及数量	單位	一九三四年	一九三五年	一九三六年	一九三七年	一九三八年
輸入	千クインタル	四、六九〇	五、四九七	五、三五〇	一六、五八四	二、九〇五
輸出	千クインタル	四	四	二三	一七	一四
輸入	千リラ	一八四、五六九	一九九、四一七	三一〇、七九七	一、三九三、七六三	二二七、六四八
輸出	千リラ	四六三	五八二	四〇〇七	三、〇六一	二一四四

戰時ニ入リテヨリ輸入数量ハ増加傾向ニアルモ外國産小麦價格ノ騰勢ヲ反映シ價額ニ於テ更ニ増加率ヲ示セリ。三六年十月ニ「リラ」貨ノ切下ゲ行ハレタルコトモ影響ス。三七年度ノ大量輸入ハ経済制裁向ノ「ストック」ノ窮迫並ニ前年ノ生産低下ヲ償ヒシガ為ナリ。

第一表　小麦粉・碾割麦・挽粉ノ輸出入

年度	輸出数量	輸入数量	+差額	輸出價額	輸入價額	+差額
（小麦粉）						
一九三四	一、八三三	八四	一、七四九	六八、六〇〇	三、九五七	六四、六四三
一九三五	二、〇六三	二五	二、〇三八	七三、六八三	一、二七五	七二、四〇八
一九三六	一、五一七	八	一、五〇九	九三、六五六	六八八	九二、九六八
一九三七	一、六六四	四〇	一、六二四	一六五、九五五	五、一七六	一六〇、七七九
一九三八	一、〇〇五	一五一	八五四	一七三、〇五四	一七、八三九	一五四、二一五
（碾割麦）						
一九三四	三五二	…	三五二	一四、九一四	一二	一四、九〇二
一九三五	一二五	…	一二五	五、四六六	一三	五、四五三
一九三六		—	一〇四	九、四二一		九、四二一
一九三七	六〇	…	五九	八、六七三	四九	八、六二三
一九三八	三五	四	三一	六、六四〇	六〇二	六、〇三八
（挽粉）						
一九三四	九四	…	九四	一五、二八八	…	一五、二八八
一九三五	一五二	…	一五二	二四、五八七	…	二四、五八七
一九三六	一五九	…	一五九	三三、二三四	—	三三、二三三
一九三七	一八三	…	一八三	五〇、一〇八	…	五〇、一〇八
一九三八	一七二	…	一七二	五七、〇〇四	—	五七、〇〇三
價額合計						
一九三四				九八、八〇二	三、九六九	九四、八三三
一九三五				一〇三、七三六	一、二八八	一〇二、四四八
一九三六				一三五、三一一	六八八	一三四、七二三
一九三七				二二四、七三五	五、二二五	二一九、五一〇
一九三八				二三五、六九八	一八、四四一	二一七、二五七

第二表　相手國別輸入（單位千クインタル）

品種	麩質小麦							
相手國	合衆國	ソヴィエート聯邦	加奈陀	其他：ブルガリア	其他：トルコ	其他：アルゼンチン	其他：伊領アフリカ	其他：其他
一九三四	三三六	二八二	二四五			二〇〇		
一九三五	一〇九		一四八			二七四		
一九三六	二六〇	—	一三四	—	—	一一二	一一四	二二
一九三七	—	—	—	—	六二	三八	三七	〇・〇三
一九三八	—	—	—	四	—	五〇	七四	〇・〇九

品種	澱粉質小麦														麩質合計	澱粉質合計	總計
相手國	合衆國	ハンガリー	佛蘭西	アルゼンチン	加奈陀	オーストラリア	ソヴィエート聯邦	ルーマニア	其他：ブルガリア	其他：チエッコスロヴァキア	其他：ユーゴースラヴィア	其他：英領印度及セイロン	其他：イラン	其他：其他			
一九三四	一、七一五	九六五	二四二	一九七	一八五	八三	八二	—			一五九				一、〇六三	三、六二八	四、六九一
一九三五	七三〇	一、三二一	一、三一一	八一四	四六	—	—	四八四			二七〇				五三一	四、九六六	五、四九七
一九三六	五〇五	一、三五九	一七三	二一六	一二九	五九四	—	一、〇六四	一六九	—	四八六	—	—	一三	六四二	四、七〇八	五、三五〇
一九三七	六四九	一、四三五	—	七、九七九	三四八	二、七〇九	—	一、九五八	五二五	四八四	三五〇	—	—	八	一三八	一六、四四六	一六、五八四
一九三八	一四九	五一三	—	一六	三三	一一〇	—	一五三	五〇八	三	—	八五	六〇	一四五	一二八	二、七七七	二、九〇五

小麦粉・碾割・挽粉等ノ所謂製品輸出入ハ第一表ノ如シ。
相手国別輸入統計ハ第二表ノ如シ。

（三） 消費額

	単位	一九三〇	一九三一	一九三二	一九三三	一九三四	一九三五	一九三六
消費能力	千クインタル	七九、六四八	七五、三四二	七八、五四八	八三、八八六	六五、七三六	七八、五七二	七五、三八七
一人当消費額	キログラム	一七三・四	一六四・九	一六六・三	一七〇・九	一五六・二	一五一・二	一六二・三

（註） 消費額ハ次ノ(四)、(五)項ノ平戦時自給率算定ヲ考慮シ、戦前四ケ年ト「エチオピア戦争」三ケ年ノ数字ヲ掲グ。消費能力ハ国内生産高ト小麦及同製品（平均製粉能力＝小麦一〇〇クインタルニツキ小麦粉七三クインタル、碾割六五クインタル、挽粉七二クインタルヲ産出スルノ割合ヲ以テ夫々原料小麦（「クインタル」ニ還元換算シタル数量）ノ輸入高合

一〇三

計ヨリ輸出高ヲ差引キタルモノニシテ実際ニ行ハレタル消費総額ニ等シ。一人当リ消費額ハ其レヨリ「ストック」分ヲ引キテ実際ニ国民一人当リガ消費シタルモノナリ。

一〇四

（四） 平時自給率

一九三〇年―三三年間ノ平時自給率ハ左ノ如シ。

	一九三〇年	一九三一年	一九三二年	一九三三年
自給率（%）	七一・七七	八八・二三	九五・九五	九八・〇二
対外依存度（%）	二八・二三	一一・七七	四・〇五	一・九八

右四ケ年平均ノ平時自給率ハ八五・八九%、対外依存度一四・一一%ナリ。

（五） 戦時自給率

第三表

穀物輸入経路　（一九三七年度統計）　（単位クインタル）

品目	総計	欧洲大陸		地中海諸国		海洋輸入		其ノ他	
		輸入高	%	輸入高	%	輸入高	%	輸入高	%
軟質小麦	一三八一三〇	―	―	九九、八二〇	七二・〇	三八、二三〇	二八・〇	九〇	―
硬質小麦	一六四四三五五〇	四七五一五二〇	二九・〇	―	―	一一六八四七二〇	七一・〇	七三一〇	―
大麦	二六四一四〇	九四九〇〇	三六・〇	一五一〇二〇	五八・〇	一一七五〇	四・〇	六四八〇	二・〇
玉蜀黍	一二七一六二〇	三三七七六〇	二七・〇	―	―	九〇三九三〇	七一・〇	二九九三〇	二・〇
燕麦	二二二四二〇	一一三三〇〇	五一・〇	三八五六〇	一七・〇	四三七四〇	二〇・〇	二六九二〇	一二・〇
穀物総計	一八三三九九六〇	五二九七四八〇	二九・〇	二八九四〇〇	一・六	一二六八二三六〇	六九・〇	七〇七三〇	〇・四

戦時ニ入リテヨリノ三ケ年間ノ自給率ハ左ノ如シ。

	一九三四年	一九三五年	一九三六年
自給率（%）	九八・四九	九七・九四	八〇・九六
対外依存度（%）	一・五一	二・〇八	一九・〇四

而シテ右三ケ年ノ平均自給率ハ八七・一九%、対外依存度ハ一二・八一%ナリ。

穀物全般ニ付キ其ノ輸入経路ヲ見ルニ第三表ノ如シ。

第三表ニ見ル如ク「ジブラルタル」「スエズ」ヲ経テ南米諸国（主トシテ「アルゼンチン」）、濠洲、合衆国、加奈陀ヨリ輸入スルモノガ過半数ヲ占メ之ト地中海経由ノモノトヲ戦時ニ於テ全ク喪失スル恐レアルモ、穀物ノ自給率高度ナルコトハ甚ダシク食糧問題ノ強味ヲ保タシム。

II 米

(一) 生産額

	単位	一九三四年	一九三五年	一九三六年	一九三七年	一九三八年
耕地面積	千ヘクタール	一三四	一三八	一四五	一四五	一四八
反当収穫	ヘクタール当クインタル	五〇・四	五三・三	五〇・七	五四・七	五五・〇
生産高	千クインタル	六、七三〇	七、三五二	七、三四〇	七、九一三	八、一六八

(二) 輸出入関係

籾米・玄米・白米ノ輸出入ハ第四表ノ如シ。

米ハ輸出農産物ニシテ、相手国別輸出貿易ハ第五表ノ如シ。即チ籾米・玄米・白米ヲ合計セル総量ニ於テ表ノ如キ構成ヲナス。

輸出ハ殆ド陸路ニテ且ツ独逸並ニ枢軸国ニ対シテナサレ甚ダ有利ナリ。

年度	数量 籾米輸出	数量 玄米〃	数量 白米〃	数量 籾米輸入	数量 玄米〃	数量 白米〃	価額 籾米輸出	価額 玄米〃	価額 白米〃	価額 合計	価額 籾米輸入	価額 玄米〃	価額 白米〃	価額 合計	差額
単位	千クインタル	〃	〃	〃	〃	〃	千リラ	〃	〃	〃	〃	〃	〃	〃	千リラ
一九三四	一四七	一、一二〇	三六四	・	‥	二〇	八、四二六	八一、三八九	二九、四三二	二一九、二四七	一	二	九四一	九四四	二一八、三〇三
一九三五	一〇	一、〇〇四	二六四	|	・	三三	六四四	六八、七四七	二一、七七一	九一、一六二	|	一四	一、二八八	一、三〇二	八九、八六〇
一九三六	二一	一、〇七一	三三七	・	|	一三	一、四二三	八二、一四〇	三四、四九一	一一七、九七六	一	|	五四三	五四四	一一七、四三二
一九三七	八二	九九八	五一二	・	|	九	七、二三九	一一一、五五五	六九、〇八七	一八七、八八一	一	|	五六六	五六七	一八七、三一四
一九三八	二	一、二五〇	三四九	・	|	二	一五一、六一〇	五〇、八八五	七二六	二〇三、二二一	七	|	一九四	二〇一	二〇三、〇一〇

米（籾米・玄米・白米）ノ相手国別輸出貿易（単位千キンタル）

国別＼年度	一九三四	一九三五	一九三六	一九三七	一九三八
オーストリヤ	一五六	一三四	一三六	|	|
フランス	二二六	一三八	五八	六七	八六
ドイツ	四五二	五四三	七〇二	六七六	七一三
スイス	一二七	一四八	一五一	八八	一〇四
ハンガリー	一四六	一六八	一五二	二一六	一六六
其ノ他	五二五	一五四	二二八	五四五	五三二
其他中主ナル国	アルゼンチン（一三〇） ユーゴースラヴィア（五五） オランダ（五六） ギリシヤ（四九）	ユーゴースラヴィア（五九）	ユーゴースラヴィア（八〇） リビア及エーゲ島（四二） エリトレア・ソマリア（五五）	伊領阿弗利加及属領（一六二） ユーゴースラヴィア（一五九）	ユーゴースラヴィア（一九七） ルーマニア（一五二） 伊領アフリカ及属領（一三五）
合計	一、六三一	一、二[illegible]	一、四二八	一、五九二	一、六〇一

第六表　米ノ國内消費額並ニ輸出能力（單位千クインタル）

年度（十月一日ヨリ九月三十日迄）	A 年度始メニ於ケル保有高 一 生産高	二 米穀株式會社手持高	三 生産業者手持高	合計	B 消費高 一 國民消費高	二 自家消費高	三 播種	四 家畜飼料	合計國内消費高	輸出高（伊領アフリカヲ含ム）	消費高総計	C 年度末ニ於ケル残高 一 米穀株式會社貯藏高	二 生産業者貯藏高	合計年度末貯藏高	消費・貯藏高総量
一九三二―三三	六、五八三	―	四九	六、六三二	三、三三三	四二一	二四三	一四	四、〇一一	二、四五六	六、四六五	―	一六七	一六七	六、六三二
一九三三―三四	六、九一五	―	一六七	七、〇八二	三、九二九	三七九	二四一	二九	四、五七八	二、二六一	六、八三九	一四五	九八	二四三	七、〇八二
一九三四―三五	六、七二九	一四五	九八	六、九七二	四、三一〇	三六〇	二二三	一一	四、九〇四	一、八三四	六、七三八	一九一	四三	二三四	六、九七二
一九三五―三六	七、三五二	一九一	四三	七、五八六	四、七七六	三七二	二二八	二九	五、四〇五	一、九二〇	七、三二五	一二四	一三七	二六一	七、五八六
一九三六―三七	七、三四〇	一二四	一三七	七、六〇一	四、八八一	三二一	二三八	二四	五、四六四	二、一三二	七、五九六	五	―	五	七、六〇一

(三) 消費額

米ノ國民一人當消費額ハ左ノ如シ。

（單位キログラム）

一九三〇	一九三一	一九三二	一九三三	一九三四	一九三五	一九三六	一九三七	一九三八
一〇・三	一〇・八	一一・〇	一〇・五	一一・五	一二・一	一二・五	一一・八	一二・六

國内消費額並ニ輸出能力ハ第六表ノ如シ。

(四) 平時自給率（％）

一九三〇年	一九三一年	一九三二年	一九三三年
―	―	一三八・八	一五一

一〇七

(五) 戰時自給率（％）

一九三四年	一九三五年	一九三六年
一三七・二	一三六	一三四・三

一〇八

III 玉蜀黍

(一) 生産額

項目	單位＼年度	一九三四年	一九三五年	一九三六年	一九三七年	一九三八年
耕地面積（春）（夏）	千ヘクタール	一、二三六（一五六）	一、二〇〇（一四五）	一、二〇九（一八〇）	一、二八二（一八九）	一、二三四（一七三）

		単位	一九三四	一九三五	一九三六	一九三七	一九三八
生産高	春	千クインタル	二九、二六一	二二、六六八	二七、二七六	三〇、四五八	二六、三四八
	夏		二、七四八	二、二九三	三、二三五	三、四九九	三、〇二〇
反当收獲	春	一ヘクター当クインタル	二一・九	一七・四	二〇・七	二三・八	一九・八
	夏		一七・六	一五・八	一八・〇	一八・五	一七・五

(二)　輸出入関係

		単位	一九三四	一九三五	一九三六	一九三七	一九三八
数量	輸入	千クインタル	一、六三八	二、五三〇	一、六六七	一、二六二	五五三
	輸出		七	一	―	―	四
	差額		一、六三七	二、五二九	一、六六七	一、二六二	五四九
価額	輸入	千リラ	四五、一七七	七三、七九一	四九、六八五	七〇、八九二	三四、三六六
	輸出		八一	三九	一一	二〇	四九五
	差額		四五、〇九六	七三、七五二	四九、六七四	七〇、八七二	三三、八七一

一〇九

相手國別輸入統計　（単位千クインタル）

國別	一九三四	一九三五	一九三六	一九三七	一九三八
ルーマニア	二一四	五九四	一五八	一一〇	九〇
アルゼンチン	一、一五八	一、四四四	一、四四五	九〇五	一六四
ブルガリア	一〇一	一	'	一二	四八
ユーゴースラヴィア	一二	二三六	:	二一七	一二一
其他　其他中主ナル國	一五三（ソヴィエート七四）	二六五（英領南阿一七六）	六四（英領南阿六三）	一九	一二〇（合衆国八五）
合計	一、六三八	二、五三〇	一、六六七	一、二六二	五五三

一一〇

輸送経路並ニ相手國ハ殆ド欧洲大陸ニシテ甚ダ有利ナリ。

(三)　消費額

年度	消費能力（千クインタル）	一人当消費額（キログラム）
一九三〇	三七、七一〇	三二・六
一九三一	三七、二五四	三六・一
一九三二	三〇、四五二	二七・二
一九三三	二七、八一五	三一・八
一九三四	三四、〇二五	二七・九
一九三五	二七、一五五	三一・八
一九三六	三一、七五二	二五・二

一一一

（註）　消費能力算定上、玉蜀黍粉ノ輸出入数量ハ平均製粉能力（玉蜀黍一〇〇クインタルヨリ玉蜀黍粉ハ二クインタルヲ生産ス）ヲ以テ原料玉蜀黍ノ「クインタル」ニ還元換算セリ。

(四)　平時自給率（%）

	一九三〇年	一九三一年	一九三二年	一九三三年
自給率	七九・六二	七一・四〇	九九・〇九	九三・一三
對外依存度	二〇・三八	二八・五〇	〇・九一	六・八七

(五)　戦時自給率（%）

	一九三四年	一九三五年	一九三六年
自給率	九四・〇七	九一・九五	九五・九五

一一二

	對外依存度
	五・九三
	八・〇四
	四・〇五

Ⅳ 馬鈴薯

(一) 生産額

	單位	一九三四	一九三五	一九三六	一九三七	一九三八
生産高	千クインタル	二三、七四一	二七、〇九六	二一、五九一	二六、三八二	二九、五〇七

一一三

(二) 輸出入関係

	單位	一九三四	一九三五	一九三六	一九三七	一九三八
輸入高	千クインタル	八七八	七六一	五八四	七八三	四二四
輸出高	千クインタル	一、一四六	六六八	八六七	一、五五九	一、四三一
輸入價額	千リラ	二〇、一六八	二三、一四八	二二、一〇七	二七、七七五	一八、二六八
輸出價額	千リラ	四七、五九四	五一、六五八	四七、九一〇	八五、八八八	八九、七四一

(三) 消費額

	單位	一九三〇	一九三一	一九三二	一九三三	一九三四	一九三五	一九三六
消費能力	千クインタル	—	一九、五五九	二七、五五三	二三、八九八	二六、七九八	二一、五八四	二六、〇九九
一人當消費額	キログラム	三二・〇	三一・二	四九・四	四二・四	四一・六	二九・九	三三・一

一一四

平時自給率

馬鈴薯ハ品種改良ノ為メ外國産馬鈴薯ガ或程度輸入サレ居ルモ、全体トシテ輸出超過ナリ。

(三)ノ消費能力ニ計上セル数字ハ、生産額ト輸入額ノ和ヨリ輸出額ヲ差引キタルモノナリ。

	一九三一年	一九三二年	一九三三年
自給率	一〇〇・四%	一〇二・九%	一〇三・七%

(五) 戰時自給率

同ジク戰時ニ入リテハ次ノ如シ。

	一九三四年	一九三五年	一九三六年
自給率	一〇一%	一〇〇%	一〇一%

一一五

Ⅴ 甜菜

(一) 生産額

	單位	一九三四	一九三五	一九三六	一九三七	一九三八
耕地面積	ヘクタール	八九、三五一	九一、九一六	一二〇、四一五	一三三、八二八	一三八、〇三九
反當收穫	ヘクタール當クインタル	二九七・〇	二五三・〇	二一七・〇	二六三・三	二三七・六
生産高	千クインタル	二六、五二〇	二三、二四七	二六、一二八	三五、二二三	三二、八〇四

甜菜ハ工業的活動部面ニ入リテハ製糖工業ノ生産力トシテ左ノ如ク現ハル。

一一六

	單位＼年度	一九三四	一九三五	一九三六	一九三七	一九三八
白砂糖生産高	千クインタル	三、〇八二	二、九〇四	三、〇〇五		
輸入	〃	七〇	三五	二三		
國内保有高	〃	二、九五四	三、〇三七	三、一九九		
輸出	〃	八八	一五一	一九四		
年度末残量	〃	一、一三五	六四七	二八二		
砂糖生産総額	クインタル	三、二〇六、六六三	二、九六三、〇四一		三、〇九六、二七九	三、二七八、三二三

(二) 輸出入関係

輸出入ハ製品タル砂糖ヲ以テ行ハル。

一一七

	單位＼年度	一九三四	一九三五	一九三六	一九三七	一九三八
輸出量	クインタル	八六、三三〇	一一二、九〇二	一八四、三五七	八六、〇一一	一九、五三〇
輸入量	〃	一〇七、六四七	一五一、二一一	九五、二二七	一〇五、〇二五	三七、七三一
差引	〃	(一)二一、三一七	(一)三八、三〇九	(十)八九、一三〇	(一)一九、〇一四	(一)一八、二〇一
輸出價額	千リラ	一三、九二三	二一、六〇六	三一、三一七	三四、三七八	一六、二六九
輸入價額	〃	四、六九六	六、四九一	六、二五八	八、四六五	二六、二八三
差引	〃	(十)八、二二七	(十)一五、二一五	(十)二四、九五九	(十)二五、九一三	(一)一〇、〇一四

輸出ハ殆ド自國植民地、屬領向ニシテ、輸入・輸出ノ関係ハ極メテ不規則ナリ。

相手國別輸入量ハ左ノ如シ（單位クインタル）。

一一八

國名	一九三四年	一九三五年	一九三六年	一九三七年	一九三八年
チェッコスロバキア	八、二七九	四九、一三九	六七、二四九	八三、七三二	三〇四六〇〇
ポーランド	二、三四六	一六、一一四	六四七	―	一八、四二一
英國	二八、五〇三	二五、〇九六	一、二〇二	一四、九五八	五、六六四
蘭印	一〇、六二〇	二、九五九	―	―	二八、一八九
其他	五七、八九九	五六、九〇三	二九、〇七八	六、三三五	一四、八五五

右表ニ見ル如ク「エチオピア戦争」ヲ契機トシ、敵性國家ヨリノ輸入ハ之ヲ全ク「チエツコスロベキア」ニ振替ヘタリ。

一一九

(三) 消費額（砂糖）

	單位	一九三〇	一九三一	一九三二	一九三三	一九三四	一九三五	一九三六
消費能力	千クインタル	三、七四五	三、二八五	二、八七二	二、六九六	三、〇六四	二、七八八	二、八三四
一人當消費額	キログラム	八・二	七・八	七・一	六・八	六・八	七・〇	六・九

(四) 平時自給率（砂糖）

	一九三〇年	一九三一年	一九三二年	一九三三年
自給率	一〇〇・八%	一〇〇・八%	一〇〇・五%	一〇〇・七%

(五) 戦時自給率

一二〇

	一九三四年	一九三五年	一九三六年
自給率	一〇〇・五%	一〇四・一%	一〇六%

VI 蔬菜

(一) 生産額

蔬菜部門ハ乾性野菜ト生野菜ニ分ル。各々ノ生産額ハ第七表ノ如シ。

第七表　蔬菜生産額（單位千クインタル）

品種	一九三四	一九三五	一九三六	一九三七	一九三八
乾性野菜					
蠶豆	四、三八〇	四、六六六	五、二四五	七、三〇四	六、三七四
豌豆	一、八八六	一、三七〇	一、八九〇	一、九〇三	一、三九七
其他粒状野菜	一、四六二	一、二七四	一、五三七	一、五六三	一、四一九
生野菜					
アスパラガス	六二	五八	一一〇	一二四	一一二
朝鮮薊	五七二	五一四	七一五	七九四	七二五
薊・茴香・セロリー	五二五	一、二九八	一、三二九	一、二五九	一、三二九
キャベツ	三、〇七三	四、七六〇	四、九二三	四、五二六	四、九八五
花キャベツ	一、七〇四	二、八三一	二、八六三	二、六五八	二、八一八
玉葱	八、六三	七一七	一、四八六	一、五〇七	一、四五一
蠶豆			七三三	九五四	九七四
隱元豆	（合計一、七一八）	（合計一、五五七）	三三四	四六〇	三七二
豌豆			八一四	八八一	七二四
トマト	八、五〇一	九、六一六	九、八〇八	一〇、五四五	九、四六五
瓜	四、〇四二	四、〇二七	四、三二七	四、四二〇	五、九二五

一二一

(二) 輸出入関係

乾性野菜

	單位	一九三四年	一九三五年	一九三六年	一九三七年	一九三八年
輸出量	千クインタル	一九八	三五	四六	三三六	四〇一
輸入量	〃	七一八	一、〇〇二	三一〇	三七八	二六六
輸出價額	千リラ	一四、〇九五	四、六一四	六、七三七	三五、八六二	三五、四九七
輸入價額	〃	三七、七八七	七四、五二七	二七、二八五	四四、二九二	三五、七九六

乾性野菜ノ輸入相手國別統計左ノ如シ

一二二

（單位千クインタル）

國別＼年度	一九三四年	一九三五年	一九三六年	一九三七年	一九三八年
ブルガリア	一二九	五三	九四	三九	一四
ユーゴースラヴィア	一六九	二三一	三〇	八一	三八
ポーランド	二七	五五	一〇	五七	六〇
ルーマニア	一〇〇	九一	三六	三〇	三〇
トルコ	一〇三	一八〇	三一	二七	一七
ハンガリー	四八	一五五	四四	一二一	七八
其他	一四二	二三七	六五	二三	三〇

生野采

品名＼年度	数量（單位千クインタル）一九三四	一九三五	一九三六	一九三七	一九三八	價額（單位千リラ）一九三四	一九三五	一九三六	一九三七	一九三八
キャベツ	二	二	二	五	四	八五	一四〇	一〇五	四三一	三八八
花キャベツ	五一九	五六四	五四六	六二五	六三五	三二、七六二	三〇、五五七	二九、一三二	三六、六二六	五一、〇七七
韮	四三	四四	六七	四二	五〇	四、四三三	七、六一五	五、二七七	三、六五四	五、八七〇
玉葱	一六六	九八	八五	二〇九	二一六	四、三三〇	三、四一二	四、〇〇五	一〇、六一〇	一五、五〇六
トマト	三四九	二〇四	二九二	四二六	五五四	二六、三七八	二〇、〇三一	二三、〇八四	三七、五三三	五一、五二五
其他	五四五	三三九	三五一	五六五	四七二	四一、六三二	三七、一二三	二八、五二七	五〇、二〇一	五五、四二〇
輸出合計						一〇九、六二〇	八八、八七八	八九、〇八〇	一三九、〇五五	一七四、二八〇

相手國別輸出貿易左ノ如シ（「トマト」ヲ除ク）。

（單位千リラ）

	一九三四年	一九三五年	一九三六年	一九三七年	一九三八年
オーストリア		八、七一五	七、九四七	・	－
フランス		四、六五〇	六〇四	四二三	二四三
ドイツ		三五、七三八	四一、八八三	七二、五〇五	一〇〇、四六二
スイス		一〇、一一八	一一、四六九	一四、六八七	一三、八一七
其他		九、一二〇	四、二六八	一一、九五二	八、八五〇
伊領アフリカ及屬領		－	－	二、七八七	三、〇一二

(二) 消費額

一人當消費量

（單位キログラム）

年度	一九二九	一九三〇	一九三一	一九三二	一九三三	一九三四	一九三五	一九三六	一九三七	一九三八
野菜	三七・四	三八・〇	三七・一	三九・二	三五・三	三一・八	三〇・七	三二・九	三三・七	三〇・八
豆類	一七・七	一五・七	一五・八	二〇・三	二〇・九	一八・三	一五・六	一六・八	一九・一	一九・四
トマト	二〇・八	一八・五	一四・一	一三・七	一三・九	一四・三	一六・五	一七・五	一八・〇	一六・八

消費能力（生野采ヲ除ク）

（單位千クインタル）

	一九三一	一九三二	一九三三	一九三四	一九三五	一九三六
豆類	七、八六七	九、七七二	九、〇二〇	八、二七八	八、二七七	八、九三六

(四) 平時自給率（豆類）

	一九三一年	一九三二年	一九三三年
自給率	九二・七一%	九二・七六%	一〇〇・二四%
対外依存度	七・二九	七・二四	〇

(五) 戦時自給率（豆類）

	一九三四年	一九三五年	一九三六年
自給率	九三・三五%	八八・三一%	九七・〇四%
対外依存度	六・六五	一一・六九	二・九六

一二七

一二八

（註）生野菜ノ自給率ハ統計資料不備ニ付キ之ヲ省略スルモ輸出生産物ニシテ自給率ハ一〇〇%ヲ超過セリ。

VIII 果實類

(一) 生産額（第八表ノ通リ）

(二) 輸出入関係

（単位千リラ）

	一九三四	一九三五	一九三六	一九三七	一九三八
果実合計 輸出價額	六〇九、四〇〇	六九一、九〇〇	八二一、七四四	一、一七六、三八三	一、三六七、六八〇
果実合計 輸入價額	四九、四〇〇	四一、六〇〇	三九、三〇八	五五、四三三	八〇、四七七
果実合計 差額	五六〇、〇〇〇	六五〇、三〇〇	七八二、四三六	一、一二〇、九五〇	一、二八七、二〇三

第八表　果實類生産額（単位千クインタル）

品種	一九三四年	一九三五年	一九三六年	一九三七年	一九三八年
オレンヂ	三、三五四	二、七四三	三、六二八	三、〇二五	三、四八一
蜜柑	三九〇	四七九	五九一	五〇七	六二五
レモン	三、七五六	三、四九二	二、八四三	二、九八六	三、九〇五
ライム果	六五	七八	五五	八五	七三
其ノ他	二五九	二一七	一九八	三〇二	二七〇
柑橘類計	七、八二四	七、〇〇九	七、二六七	六、九〇五	八、三五四
林檎	二、七九一	二、四六七	二、九三一	三、四一四	三、二五九
梨	一、八八三	一、六七二	二、二三七	二、一九四	一、六四〇
榲桲	一〇一	八五	五六	五四	六三
柘榴	四五	四四	四〇	四〇	三四
櫻實	六七八	七七七	六五〇	七九四	六八一
桃	二、三八五	二、五九五	一、七八三	二、六九八	二、二〇六
杏子	二九八	三〇一	二二七	二七六	二三三
梅實	四四八	四四〇	四五四	五八〇	五二一
其ノ他ノ肉果	七〇	八三	七四	?	?
生葡萄	一、一六七	一、四七〇	一、〇三九	一、一〇四	一、二七九
直接消費・葡萄酒用葡萄	一、九三二	二、四一〇	二、〇五八	二、〇四〇	二、一三八
乾無花果	六〇六	七〇二	六九五	九四一	一、〇八九
乾梅實	四	四	二	二	二
葡萄酒	一六	一八	五	五	七
巴旦杏	一、七一七	一、五〇九	一、六一八	一、七五七	二、八六九
榛ノ實	二二九	一九五	二八五	二三一	一五一
胡桃	五三一	五五七	四七九	五六六	四二三
栗	五、四七六				
イナゴマメ	八八三	六二〇	五七八	四九五	六〇三
総計	二九、〇八四	二二、九五五	二三、四七八	二四、〇八六	二四、五五二

第九表　相手國別輸出貿易（柑橘類）（單位千クインタル）

	一九三〇	一九三一	一九三二	一九三三	一九三四	一九三五	一九三六
ドイツ	一、三〇五	一、二八一	九二九	一、三五〇	一、〇二九	九一四	一、一四六
英國	五五五	五五八	六〇八	七八六	六八五	四九七	一五五
オーストリー	三三一	三三一	二三七	二九八	二五五	二四九	三四八
チェッコスロバキア	二五二	三〇二	二四〇	三七八	二三二	二二九	一〇七
スイス	一五五	二四二	一七〇	二七三	二二四	二二三	二五五
フランス	一〇七	一五一	一六五	一七二	一八九	二三五	一二六
ハンガリー	一五八	一六七	一〇四	一五四	一六九	一七九	一八〇
ポーランド	一四〇	一四六	一〇〇	一二五	一三三	一五七	六八
スエーデン	九四	一一三	七五	三二	八五	九七	二〇
オランダ	四七	五六	五六	六三	六六	四六	一二
ユーゴースラヴィア	一一九	一〇一	六八	六八	五四	四三	三四
合衆國	三六七	一一三	六一	七六	四六	二三	四五
デンマーク	三〇	二七	三九	四七	四四	五〇	二五
ルーマニア	七四	六二	五一	五三	三三	二七	一八
ベルギー	三六	四三	四五	四一	二八	四七	一八
カナダ	二四	一四	一一	二一	一八	六	四
アルゼンチン	二八	一〇	一七	一四	一一	一九	一〇
其他	二二八	一三三	一〇〇	二一	一二四	九〇	一一六

第十表　相手國別輸出貿易（生果実）（單位千クインタル）

	一九三〇	一九三一	一九三二	一九三三	一九三四	一九三五	一九三六
ドイツ	一、〇五二	九〇九	一、二七九	一、〇七六	七六五	七一二	八八七
スイス	二八四	二二三	二四五	三六六	一六九	二一六	四二〇
オーストリー	二〇九	一八九	一九〇	一七四	九七	一四七	一五三
英國	三一	七八	七二	一〇一	八六	一一八	五四
チェッコスロバキア	三四	二七	五六	六九	五二	七四	四三
フランス	一五一	二〇六	一八七	九三	三七	七四	二六
スエーデン	一三	二七	三九	一七	一六	一八	九
ベルギー	一六	九	一九	二五	一五	二一	一九
オランダ	三	一〇	一八	二五	七	一一	八
エヂプト	八	一〇	六	五	四	四	四
其他	三二	二九	二八	三四	三三	二三	四七

（備考）一九三四・三五年ハ推計

相手國別輸出貿易（柑橘類）（第九表ノ通リ）

相手國別輸出貿易（生果実）（第十表ノ通リ）

（三）消費額

	單位	一九三〇	一九三一	一九三二	一九三三	一九三四	一九三五	一九三六
消費能力	千クインタル		一二、五八六	一九、九四四	一四、四三六	一四、九一四	一四、八〇一	一三、八六〇
一人當消費額	キログラム	五四・三	五六・二	六一・〇	六三・四	五〇・六	五一・〇	四二・四

一二九

(四) 平時自給率

	一九三一年	一九三二年	一九三三年
自給率	一四四・二三%	一二六・〇九%	一四二・六五%

(五) 戰時自給率

	一九三四年	一九三五年	一九三六年
自給率	一三一・五七%	一三〇・七三%	一三一・一四%

一三〇

VIII オリーブ油

(一) 生産額

年度	單位	一九三四	一九三五	一九三六	一九三七	一九三八
耕地面積　専門栽培地	千ヘクター	八四一	八二一	八二一	八二二	八二三
混作地	〃	一、二三五	一、三六九	一、三六二	一、三五二	一、三五三
反當收獲	ヘクター當クインタル	九・四	一一・〇	八・二	一四・〇	八・五
生産高	千クインタル	一三、四二四	一三、一八九	九、六九三	一七、〇〇九	一〇、四一六
直接消費ニ宛テラレルオリーブ	〃	一一九	一〇九	六八	一三四	八七
オリーブ油製造ニ宛テラレルオリーブ	〃	一三、三〇五	一三、〇八〇	九、六二五	一六、八七五	一〇、三二九
オリーブ油生産高	千ヘクトリットル	二、三四九	二、三三七	一、六九一	二、四九二	一、六五二

一三一

第十一表　オリーブ油輸出・入量並價額

年度	單位	一九三四	一九三五	一九三六	一九三七	一九三八
オリーヴ輸入量	千クインタル	三〇	二八	一五	一五	二九
食料オリーヴ油輸入量	〃	二八三	二八〇	一〇八	二二六	四二二
オリーヴ輸出量	〃					
食料オリーヴ油輸出量	〃	一五八	一六八	一〇六	一七六	二九三
差引	〃	(一)一五五	(一)一四〇	(一)一七	(一)六五	(一)一五八
オリーヴ輸入額	千リラ	二、五二二	二、六〇五	二、〇四九	二、四二八	四、〇九二
食料オリーヴ油輸入額	〃	七五、〇一五	七六、三六六	三八、八一八	一五一、六三七	一九二、五三七
オリーヴ輸出額	〃	三三〇	二三	一三	六七	四八
食料オリーヴ油輸出額	〃	四八、七六五	五四、一四六	五六、八五五	一四五、八四二	一八三、五八四
差引	〃	(一)二八、七四二	(一)二四、八〇二	(十)一六、〇〇一	(一)八、一五六	(一)一三、九九七

(二) 輸出入関係

輸出入量及輸出入額（第十一表ノ通リ）

相手國別輸入貿易

國別	一九三〇	一九三一	一九三二	一九三三	一九三四	一九三五	一九三六
チュニジア	二九八	七四	五二	一九七	一八二	一六五	二一
トルコ	二二	一七五	六	七八	四一	一九	二
スペイン	一九一	四八一	九七	二	三四	九	五四
ギリシャ	三一	五八	一七〇	八三	七	二七	一三
アルゼリア	四一	一一	二〇	一	一	三二	1
シリア	：	八	二一	：	：	五	七
リビア・エーゲ諸島	：	二	一一	一一	一八	一九	[illegible]

一三二

	一九三〇	一九三一	一九三二	一九三三	一九三四	一九三五	一九三六
其他	八	〇	一	[illegible]	[illegible]	四	四

一三三

(三) 消費額

食用油

（單位千クインタル）

	一九三〇	一九三一	一九三二	一九三三	一九三四	一九三五	一九三六
生産	三、一〇一	一、三四四	二、一八五	二、〇三四	一、五八五	二、一一四	二、一一四
輸入	五四九	七六七	三五〇	三六三	二六七	二六三	一〇一
輸出	五四〇	四三七	三三八	二三九	一五八	一六八	一〇六
消費能力	三、一一〇	一、六三〇	二、一九七	二、一五八	一、六九四	二、二〇九	二、一〇九

（註） 輸出入ハオリーブ九〇キログラムニ付一ヘクトリツトルノ割合ニテ

一三四

オリーブ油ヲ抽取シ得ルモノトシテ原料オリーヴ輸出入量ヲモ加算シアリ。

工業用オリーヴ油

（單位キログラム）

	一九三〇	一九三一	一九三二	一九三三	一九三四	一九三五	一九三六
評價額	四七〇	一九〇	二三一	三〇九	二八〇	三一九	三一四
出超額	一八四	一五〇	一一五	一一〇	八三	二五	三三
國内消費能力	二八六	四〇	二一六	一九九	一九七	二九四	二八一
一人當消費量	七・二	三・五	五・五	五・〇	四・〇	五・三	五・〇

一三五

(四) 平時自給率

	一九三〇	一九三一	一九三二	一九三三
自給率	九九・七一%	八一・八三%	九九・四五%	九四・二五%
對外依存度	〇・二九	一八・一七	〇・五五	五・七五

(五) 戰時自給率

	一九三四	一九三五	一九三六
自給率	九三・五六%	九五・六九%	一〇〇・二
對外依存度	六・四四	四・三一	〇

一三六

第二節　畜産資源

I　肉

(一) 生産額

伊太利ノ生畜資源第十二表ノ如シ。

(二) 輸出入関係（第十三表(イ)—(リ)ノ如シ）

(三) 消費額

消費量及入・出超高ハ第十四表ノ如シ。

第十二表　伊太利ノ生畜資源（單位千頭）

	一九一四	一九一八	一九三〇	一九三六	一九三七	一九三八
馬	一、〇〇〇	九九〇	九四三	八一六	七九五	七九一
騾馬			四六五	四三二	四二六	四三一
驢馬	九三〇	九四九	九〇五	八〇五	七九九	七九七
牛	六、九〇〇	六、二四〇	七、〇九〇	七、二三五	七、二八六	七、六六七
水牛	二〇	二四	一五	一三		
豚	二、七五〇	二、三三九	三、三一八	三、二〇六	二、八一四	二、九四〇
緬羊	一二、〇〇〇	一一、七五四	一〇、二六九	八、八六二	九、〇九五	九、四六七
山羊	三、[illegible]〇〇	三、〇八三	一、八九二	一、七九五	一、八〇四	一、八二八
小麦作付面積（千ヘクタール）	四七六四	四七〇六		五、一三七	五、一七三	五、〇二九

第十三表　畜産物輸出・入関係

(イ) 生畜ノ輸出・入量並價額

種類	單位／年度	一九三四	一九三五	一九三六	一九三七	一九三八
牛族（輸入）	頭	一四、二五七	九三、四四一	六〇、九六三	一五六、六六三	四一、九〇八
〃（輸出）	〃	三、〇一二	一、三〇七	六、八〇一	一、八八九	三、三六九
〃（輸入額）	千リラ	九六、三二七	七〇、五二九	六七、〇三五	二五五、一三〇	六七、四六〇
〃（輸出額）	〃	二、五〇七	一、二三六	七、四七一	三、五四九	六、五八七
〃（差額）	〃	(−)九一、八二〇	(−)六九、二九三	(−)六九、五六四	(−)二五一、五八一	(−)六六、八七三
豚（輸入量）	頭	九、二八六	二、〇六〇	一、四二六	四二、三九一	二、九六五
〃（輸出量）	〃	一五三	一六五	一、二九四	二五四	一、二一四
〃（輸入額）	千リラ	一、六七九	七一五	七一五	二六、五三八	一、六四五
〃（輸出額）	〃	五五	五九	一、〇七三	九六	四六七
〃（差額）	〃	(−)一、六二四	(−)六五六	(+)一、七五八	(−)二六、四四二	(−)一、一七八
緬羊（輸入量）	頭	八六三	六八三	一二	二八五	二四
〃（輸出量）	〃	四、一六二	一、〇五三	三六八	九五五	二一〇
〃（輸入額）	千リラ	一五	一三	八	一六	一
〃（輸出額）	〃	一七四	四三	二五	六六	二九
〃（差引）	〃	一五九	(+)三〇	(+)一七	(+)五〇	(+)二八
山羊（輸入量）	頭	四、三二一	二、一三九	三、二三四	一九、〇二七	四、〇八一
〃（輸出量）	〃	五、六九三	八〇一	一、七一五	一、二一九	二六五
〃（輸入額）	千リラ	一二九	七一	一三六	一、〇二二	二六〇
〃（輸出額）	〃	六四九	五八	二〇三	一九二	七五
〃（差額）	〃	(+)五二〇	(−)一三	(+)六七	(−)八三〇	(−)一八五
馬族（輸入量）	頭	一七、二〇一	一〇、一二八	二、三七四	八、六四六	五、二七二
〃（輸出量）	〃	八四七	三、六二二	三七〇	七八二	一、五五五
〃（輸入額）	千リラ	一、一七五	九、六九五	三、六五三	一五、八九五	一四、三五〇
〃（輸出額）	〃	九二三	四、〇七六	八三六	六、二八七	五、四七〇
〃（差額）	〃	(−)一〇、二五二	(−)五、六一九	(−)二、八一七	(−)九、六〇八	(−)八、八八〇

（其ノ一）

(ロ) 牛ノ相手國別輸入額（單位千頭）

	一九三四	一九三五	一九三六	一九三七	一九三八
ユーゴースラヴィア	五〇	二五、一〇九	五、七六七	四四、一〇〇	一一、〇六七
ルーマニア	一七	一一、四九七	二六	一二、五九四	三、三六二
スイス	一五	七、九五二	三、一八八	七、三九六	一、三五四
ハンガリー	五一	四五、四四〇	五〇、一九七	八四、〇三一	二三、六六四
其他	八	三、四四三	一、七八五	一八、五四二	二、四六一
総計	一四一	九三、四四一	六〇、九六三	一五六、六六三	四一、九〇八

(十三ノ二)

(ハ) 豚ノ相手國別輸入額

	一九三四	一九三五	一九三六	一九三七	一九三八
ユーゴースラヴィア	三、四〇八	四六五	八六五	二一、六一〇	七二八
ポーランド	三、三三四	—		五、九三六	—
其ノ他	二、五四四	一、五九五	五六一	一、四七五	二、二三七
（其ノ他中主ナル國）		（内ハンガリー　一、五七九）	（ハン[illegible]リー）	（内ブルガリア　五、七五六　ルーマニア　五、八四八）	（内ルーマニア　二、一一〇）

(ニ) 家禽類ノ輸出・入量並價額

	單位	一九三四	一九三五	一九三六	一九三七	一九三八
輸出量	クインタル	五、三九〇	三、〇九七	一、九九五	三、三五六	三、〇八五
輸入量	〃	一三七、六九一	八七、三四〇	一四、二二七	四三、九三七	二三、九九〇
輸出額	千リラ	三、五六九	三、〇七八	一、五六九	二、二九三	三、一五四
輸入額	〃	三四、一八三	二四、一四七	六、三〇四	二〇、七三七	一三、二九〇
差額	〃	(一)三〇、六一四	(一)二一、〇六九	(一)四、七三五	(一)一八、四四四	(一)一〇、一三六

(ホ) 卵類ノ輸出・入量並價額

	單位	一九三四	一九三五	一九三六	一九三七	一九三八
輸出量	クインタル	七、一三二	二、五八七	三九六	二、三七一	九、五七八
輸入量	〃	八二、四八三	五〇、四五八	二二、三七二	八四、一一二	七〇、四六三
輸出額	千リラ	三、四〇九	一、三一九	二〇一	一、八九三	六、六九二
輸入額	〃	二一、六三五	一四、三一一	一一、三二二	四〇、六四〇	三七、三七三
差額	〃	(一)一八、二二六	(一)一二、九九二	(一)一一、一二一	(一)三八、七四七	(一)三〇、六八一

(十三ノ三)

(ヘ) 家禽・卵類ノ相手國別輸入額（單位千クインタル）

國別＼年度	一九三四	一九三五	一九三六	一九三七	一九三八
（家禽）					
ユーゴースラヴィア	九七	五四	二	二七	一四
ブルガリア	一二	一二	一	三	三
ハンガリー	一二	一四	一一	一二	四
オランダ	七	一	—	一	二
ルーマニア	四	三	…	一	一
其ノ他	六	三	—	…	…
合計	一三八	八七	一四	四四	二四
（卵）					
ポーランド	三〇	四	三	四一	三二
ユーゴースラヴィア	二二	一九	…	一〇	一二
トルコ	一二	一	二	八	一〇
エヂプト	七	三	—	…	…
アルバニア	五	三	六	八	七
ブルガリア	一	六	二	八	五
ハンガリー	…	一〇	七	八	四
其ノ他	五	四	二	…	…
合計	八二	五〇	二二	八三	七〇

(ト) 生肉ノ輸出・入量並價額

	單位	一九三四	一九三五	一九三六	一九三七	一九三八 (一五／四)
(数量)						
生肉輸入	クインタル	九六、七〇六	四、四九三	一、八一三	六〇、一四一	四、九六一
冷凍肉輸入	〃	三四五、九七六	二八六、九五一	二三八、一三五	三〇四、一一〇	二七五、三三八
合計	〃	四四二、六八二	二九一、四四四	二三九、九四八	三六四、二五一	二八〇、二九九
生肉輸出	〃	三七〇	三一九	三五、九九三	一、四一五	二、二九七
冷凍肉輸出	〃	二八	三一八	三、六八二	六、一九〇	三、三〇八
合計	〃	三九八	六三七	三九、六七五	七、六〇五	五、六〇五
差引	〃	(一)四四二、二八四	(一)二九〇、八〇七	(一)二〇〇、二七三	(一)三五六、六四六	(一)二七四、六八四
(價額)						
生肉輸入	千リラ	一七、六三八	八四〇	六二六	二七、九三五	二、〇一一
冷凍肉輸入	〃	五三、二八九	三五、九〇八	二六、五一七	七九、三五九	八二、五〇五
合計	〃	七〇、九二七	三六、七四八	二七、一四三	一〇七、二九四	八四、五一六
生肉輸出	〃	二一八	一九四	一五、一四三	一、三二六	一、九〇八
冷凍肉輸出	〃	一〇	一〇一	二、一五五	九九二	一、六一六
合計	〃	二二八	二九五	一七、二九八	二、三一八	三、五二四
差引	〃	(一)七〇、六九九	(一)三六、四五三	(一)九、八四五	(一)一〇四、九七六	(一)八〇、九九二

(チ) 生肉相手國別輸入額（單位クインタル）

	一九三四	一九三五	一九三六	一九三七	一九三八 (一／五)
デンマルク	五二	二、〇〇〇	三八七	二〇、三八一	三、七五八
英領南アフリカ	三〇	一、〇〇〇	―	―	三、三八八
東アフリカ	―	七四六	一六、〇四五	五五、〇二三	三一六
アルゼンチン	一一一	九五、四五五	三三、五二六	一四〇、六二七	一七二、二二六
ブラジル	五九	一〇〇、八八七	一七五、八二六	七一、一二二	四三、一三九
ウルグワイ	四八	七五、六九四	七、四一三	三三、四四三	五六、二六四
其ノ他	一四三 (内「オランダ」一〇三)	一四、二六九 (内「オランダ」九、九九七)	六、七五一	四六、六五五	一、二〇三

(リ)　肉製品ノ輸出・入量並價額

		單位	一九三四	一九三五	一九三六	一九三七	一九三八
輸入	諸種肉製品	クインタル	五、八二七	五、二二九	七五〇	一、四〇九	一、一五三
	肉エッキス	〃	六、一六一	八、五六〇	四、三二四	五、六二四	八、四四七
	ラード	〃	八、一九三	八二八	一三七	二、三八〇	二、四九七
	諸種肉製品	千リラ	二、五二二	一、九一八	四六八	一、〇三四	八二三
	肉エッキス	〃	一一、四三六	一二、四〇七	五、四六二	九、一八四	一二、五六八
	ラード	〃	一、五一九	二二一	五八	一三、九三二	一、四七八
	輸入價額合計	〃	一五、四七七	一四、五四六	五、九三八	二五、一五〇	一四、八六九
輸出	諸種肉製品	クインタル	四〇、五九四	四〇、〇五七	四三、九二三	四一、九一二	三九、六二四
	肉エッキス	〃	八二	二、三〇八	一、〇〇二	八四七	二九四
	ラード	〃	—	—	八一七	一、〇九九	八〇六
	諸種肉製品	千リラ	四三、八九八	三七、八九七	四一、二七五	五三、六三六	四八、九九五
	肉エッキス	〃	一八四	一、四三二	九六〇	七九四	六五三
	ラード	〃	—	—	五六一	六八〇	七五八
	輸出價額合計	〃			四二、七九六	五五、一〇〇	五〇、四〇六
差引		〃	※三〇、一二三	※二四、九〇四	三六、八五八	(+)二九、九五〇	(+)三五、五三七

(註) ※ハ「ラード」ヲ除ク

第十四表　肉消費量及ビ入・出超高　(單位千クインタル)

年度	肉消費量(見積計算)「中央統計局調査」牛	豚	山羊	馬	(+)入超高(-)出超高(生畜ハ死量ニ換算)「外國貿易統計」牛	生肉・冷凍肉(主トシテ牛ノ)	合計	豚
一九二九	四、八五八	二、一五二	六〇〇	一六九	(+)四九三	(+)六四九	(+)一、一四二	(+)二〇
一九三〇	三、八六九	二、四四二	五九四	一三七	(+)五四九	(+)五九八	(+)一、一四七	(−)三二
一九三一	三、九八六	二、五〇八	五三二	一二三	(+)二一二	(+)四九四	(+)七〇六	(−)一一七
一九三二	四、一九五	一、八七五	五二一	一二五	(+)一五三	(+)四四二	(+)五九五	(+)五七
一九三三	四、二九八	一、九七三	五一八	一三〇	(+)二四七	(+)四二五	(+)六七二	(+)一
一九三四	四、〇八四	二、〇七〇	五二一	一三〇	(+)四〇九	(+)四四三	(+)八五二	(+)八
一九三五	四、〇九八	二、二七八	五二八	一二六	(+)二八五	(+)二九〇	(+)五七五	(+)—
一九三六	三、九二〇	二、二五〇	五六八	一二五	(+)一七七	(+)二〇〇	(+)三七七	(+)：

一人當消費量　(單位キログラム)

	一九二九	一九三〇	一九三一	一九三二	一九三三	一九三四	一九三五	一九三六	一九三七	一九三八
肉	二〇・五	一九・一	一九・二	一八・二	一八・七	一八・七	一九・四	一八・八	一八・一	一九・〇
卵	六・七	八・〇	五・四	八・四	六・七	八・二	六・三	七・五	八・四	七・二

(四)　平時自給率

自給率算定ノ基礎資料トセルハ前(三)ニ掲ゲタル消費額統計ニシテ、之ハ中央統計局ガ生畜取引ノ行ハレタル生畜並ニ生肉(死量)ノ消費税統計資料作成ノ為メ行ヘル國内肉消費額ニシテ右計算ニ當リ生量各一クインタルヲ死量ニ於テハ仔牛八〇キロ、牛六〇キロ、豚八〇キロニ相當スルモノト見テ算定セリ，本統計ニ基キ牛及豚肉ノ自給率ヲ計算スレバ次ノ如シ・

一三七

（五）戰時自給率

	自給率	對外依存度
一九三〇	八二・三四%	一七・六六
一九三一	九〇・九四%	九・〇六
一九三二	八九・二六%	一〇・七四
一九三三	八九・二七%	一〇・七三

	自給率	對外依存度
一九三四	八六・〇三%	一三・九七
一九三五	九一・一三%	八・八七
一九三六	九三・八九%	六・一一

一三八

II　牛　乳

（一）生産額

牛乳ノ生産量ハ一九三六年全國牛乳委員會ノ調査ニ依レバ左ノ如シ。

牝牛及水牛　三、五〇〇万ヘクトリツトル

緬羊及山羊　五五〇　〃

（二）輸出入関係（第十五表ノ通リ）

輸出ハ殆ド自國植民地向ケナリ。

（三）消費額

飲料トシテノ直接消費用牛乳ハ一、二六〇万ヘクトリツトル見當ナリ。一人當消費量次ノ如シ。

一三九

第十五表　牛乳輸出・入量並價額

		輸入 ミルク	輸入 煉乳	輸入 粉ミルク	輸入 合計	輸出 ミルク	輸出 煉乳	輸出 粉ミルク	輸出 合計	差引
輸出入量（單位千クインタル）	一九三四	四、六〇五	一、一六七	一、〇九六		一、四六二	一八、八三九	三三二		
	一九三五	五、九四三	一、二〇八	一、二四八		五、八五三	一五、八五〇	一八七		
	一九三六	一	三四八	三五一		一八、〇六七	一四、六五一	二三六		
輸出入價額（單位千リラ）	一九三四	一九七	七六四	六三一	一、五八二	一七〇	八、三八九	七〇〇	九、二五九	（十）七、六七七
	一九三五	二五九	六九七	六四三	一、五九九	一、〇四八	三、七八六	一七七	五、〇一一	（十）三、四一二
	一九三六		二四〇	一五〇	三九〇	四、〇四五	六、〇五八	二一三	一〇、三一六	（十）九、九二六

一四〇

（單位リツトル）

	一人当消費量
一九三〇	三七・三
一九三一	三七・一
一九三二	三六・九
一九三三	三六・六
一九三四	三六・七
一九三五	三六・四
一九三六	三六・〇
一九三七	三六・〇
一九三八	三七・四

III

（一）生産額

乾酪ノ國内生産額ハ一九三〇年當時ニ於テ二百五十万クインタルト見積ラレタリ。

（單位千クインタル）

	生産額
一九三一	二、二四八
一九三二	二、二七九
一九三三	二、五〇八
一九三四	二、三〇〇
一九三五	二、四〇一
一九三六	二、〇〇〇

乾酪ノ相手國別輸出貿易（單位クインタル）

		一九三四	一九三五	一九三六	一九三七	一九三八
硬質	フランス		二五、二二一	一一、六九四	二四三四九	二三、一一三
	ドイツ		一、六三四	一七、一三六	九、九一三	一一、一〇七
	合衆國		一三六、七一二	九九、四一七	一〇五、五七六	一〇三、二七八
	其ノ他		三三、四九七	二四、三四三	三六、六二四	三七、六九〇
	内植民地向				（二〇、七七一）	（二〇、八七三）
軟質	フランス		二三、一六五	七、九七八	一〇、三六九	一一、五四三
	英國		三七、六五七	五、一五〇	二六、六五八	三三、四三五
	合衆國		一〇、三七五	一三、四五三	九、〇五四	一三、一一一
	其他		一一、四三六	一五、八六三	一六、四三三	一五、〇〇三
	其他中主ナル國				内 植民地 二三三六 スイス 一〇、〇四〇 ドイツ 八七九	内 植民地 二六八九 スイス 八、一八九 ドイツ 三、一九二

（二）輸出入關係

	單位	一九三四	一九三五	一九三六	一九三七	一九三八
輸出量	クインタル	二五、七七五	二七七、六九七	一九四、三三六	二二八、八七五	二四五、三四〇
輸入量	〃	四五、九三六	四八、三三六	三五、八三九	四三、八六九	四六、三七五
輸出價額	千リラ	一五二、四五三	一七八、七〇〇	一四一、八一四	二一四、三九四	二二八、六一二
輸入價額	〃	二九、五〇〇	三〇、一二九	二八、〇一七	四〇、二一五	四四、七二四
差額	〃	(+) 一二二、九五三	(+) 一四八、五七一	(+) 一一三、七九七	(+) 一八四、一七九	(+) 一八三、八八八

相手國別輸出貿易（第十六表ノ通リ）

一四一

（三）消費額

（單位千クインタル）

	一九三一	一九三二	一九三三	一九三四	一九三五	一九三六
消費能力	一、七九〇	二、〇一八	二、一一四	二、〇九五	二、一七二	一、八四二

（單位キログラム）

	一九三〇	一九三一	一九三二	一九三三	一九三四	一九三五	一九三六	一九三七	一九三八
一人當消費量	四・七	四・六	四・九	五・〇	五・〇	五・一	四・六	五・二	五・四

一四二

（四）平時自給率

	一九三一	一九三二	一九三三
自給率	一二五・六%	一一二・九%	一〇九・二%

（五）戰時自給率

	一九三四	一九三五	一九三六
自給率	一〇九・八%	一一〇・五%	一〇八・六%

一四三

IV バタ

(一) 生産額

(単位千クインタル)

	一九三一	一九三二	一九三三	一九三四	一九三五	一九三六
生産額	四二五	四三二	四三九	四五〇	五〇〇	四五一

(二) 輸出入関係

	単位	一九三四	一九三五	一九三六	一九三七	一九三八
輸出量	クインタル	七一二	一〇三二	三〇七〇	三七八〇	七〇五〇
輸入量	〃	五〇〇五	四二一六	四二六五	二三一九八	二一〇三
輸出價額	千リラ	六二一	一一〇七	三六三五	五四一九	九二一六
輸入價額	〃	四八一八	一九〇〇	二八〇九	二〇五〇五	二三六四
差額	〃	(−)四一九七	(−)七九三	(+)八二六	(−)一五〇八六	(+)六八五二

輸入相手國ハ「ハンガリー」「オーストリア」ナリ。

(三) 消費額

	單位	一九三一	一九三二	一九三三	一九三四	一九三五	一九三六
消費能力	千クインタル	四〇三	四一六	四二一	四三四	四九八	四五二
一人當消費量	キログラム	一・一	一・一	一・一	一・一	一・二	一・〇

(四) 平時自給率

	一九三一年	一九三二年	一九三三年
自給率	一〇五・五%	一〇三・八%	一〇四・三%

(五) 戰時自給率

	一九三四年	一九三五年	一九三六年
自給率	一〇三・七%	一〇〇・四%	九九・八%

第三節　水産資源

(一) 生産額

(単位千クインタル)

		一九二九	一九三〇	一九三一	一九三二	一九三三	一九三四	一九三五	一九三六
生魚	生産	一一六〇	一二一〇	一二六〇	一二九〇	一三一〇	一三三〇	一五〇〇	一五三〇
	輸入	五一	四七	四〇	四八	七〇	七二	五二	六八
	輸出	七	八	八	六	五	九	七	二
干魚及鑵詰類	生産						一六〇	一九五	四五五
	輸入	九四七	七七八	八三七	七五二	七七七	九〇二	七八一	[illegible]
	輸出	三一	二五	二九	二〇	二二	二八	三八	三三

㈡ 輸出入関係

（單位クインタル）

	一九二九	一九三〇	一九三一	一九三二	一九三三	一九三四	一九三五	一九三六
ノールウエー	三三九	二、〇三一		四、五九一	二五、四九〇	三二、九七六	二、八九〇	六六四
ユーゴースラヴィア	七、五五七	七、七四三	四、六六二	八、七五四	七、八四八	九、九三三	四、六二〇	三、七七四
トルコ	九〇	四二	九五	五〇	七三〇	六、四五三	三〇、三八九	六二、〇五九
デンマルク	一八	一、〇六三	一五九	一、二三七	四、六二七	五、三三二	一、五八六	二二一
フランス	二七、八三八	二三、八八五	二一、八〇三	八、〇〇六	三、七四八	四六九	二七九	一二〇
ソノ他	一四、四三九	一〇、一六〇	一一、四一三	二一、二三四	三二、九六三	二一、〇三七	九、九三五	一、一九〇
合計	五〇、二八一	四四、九二四	三八、一三二	四三、八七二	七五、四〇六	六六、一九〇	四九、六〇九	六八、〇二七

㈢ 消費額

生魚消費能力

（單位千クインタル）

一九三〇	一九三一	一九三二	一九三三	一九三四	一九三五	一九三六
一、二四九	一、二九二	一、三三三	一、三七五	一、三九二	一、五四五	一、五九六

一人當消費量

（單位キログラム）

	一九二六年－三〇年間平均	一九三一	一九三二	一九三三	一九三四
生魚	二・九	三・一	三・二	三・三	三・三
干魚	一・三	一・二	一・一	一・二	一・三

㈣ 平時自給率（生魚）

	一九三一年	一九三二年	一九三三年
自給率	九七・五%	九六・八%	九五・三%
對外依存度	二・五	三・二	四・七

㈤ 戰時自給率（%）

	一九三四年	一九三五年	一九三六年
自給率（生魚）	九五・五	九七・一	九五・九
自給率（干魚・罐詰）	一五・五	二〇・八	五三・九
對外依存度（生魚）	四・五	二・九	四・一
對外依存度（干魚・罐詰）	八四・五	七九・二	四六・一

第十七表　肉類並水産物ノ輸入貿易経路

品目	総計		欧洲大陸				地中海諸国				海洋諸国				其他		
	頭数	クインタル	國名	頭数	クインタル	%	國名	頭数	クインタル	%	國名	頭数	クインタル	%	頭数	クインタル	%
牛	一六六、六六四		エーゴースラヴィア ルーマニア スイス ハンガリー	四四、一〇〇 一二、五九四 七、三九六 八四、〇三一		九〇											
豚	四一、五三三		ブルガリア エーゴースラヴィア ポーランド ルーマニア	五、二〇〇 二〇、九五六 六、三五八 五、八四八		九二											
家禽類		四三、九三七	ブルガリア ユーゴースラヴィア ハンガリー	二、六一八 二七、〇六七 一三、一四八		九五											
冷凍肉		三〇二、九七〇									南阿聯邦 アルゼンチン ブラジル ウルグワイ		五五、〇二三 一三九、四八七 七一、一二二 三三、四四三	九九		三、八九五	一
干鱈		四〇九、三七四	デンマーク フランス		一〇九、四〇二 一二六、七〇四	五八					ノールウエー 北米 アイスランド		四六、二四〇 一九、九九四 八八、四七一	三八		一八、五六三	四
其ノ他干魚		一一〇、二七七									ノールウエー		一〇九、一四〇	九九		一、一三七	一
塩漬鰯・鮪		一三一、七六二					スペイン アルヂエリア		四六、八〇六 二四、七二五	五四	ポルトガル		五一、二五〇	三九		八、九八一	七
罐詰鮪		五九、五四九					スペイン モロッコ リビア		三三、三三三 三、八三九 二、六一七	六三	ポルトガル		一九、四九六	三三		二、四六四	五
合計	二〇八、一九七	一、〇五八、〇六九		一八六、四八三	二七七、九三二	二六			一〇九、三二〇	一〇・五			六三三、六六六	六〇		三七、一五〇	三五

肉類並ニ水産物ノ輸入貿易経路ハ第十七表ノ如シ。

一五一

第四節　食糧資源力ノ特殊考察

第一項　自然的條件

a. 既耕地及可耕地面積

（單位ヘクター）

耕作別	面積	%
播種地	一二、七五二、九七七	四四・七
永久的牧草栽培地	一、一一六、五〇六	三・九
永久的牧草地兼牧場	三五三、四五〇	一・四
永久的牧場	四、五〇六、七六二	一五・八
特殊樹林	二、二七九、九四九	八・〇
森林（果樹ヲ含ム）	五、五六[illegible]、[illegible]九八	一[illegible]・五
既耕地合計	二六、六一三、〇四二	一〇〇・〇
可耕地	一、九二五、五九八	
不毛地	二、四六九、五九二	
總面積	三一、〇〇八、二三二	

一五二

伊太利ノ總面積三一、〇〇八、二三二ヘクターノ中其ノ五分ノ一ヲ占ムルモノ平野ニシテ、残餘ノ半バハ丘陵、半バハ山地ナリ。不毛地ト稱セルハ水路、建物、道路、鉄道、軌道、地質上不毛ナル土壌若クハ塩田、養魚池等ニ依リテ占メラル、面積ナリ。

既耕地、可耕地面積ト不毛地面積トノ占ムル割合ハ前者九二％、後者八％ナリ。

一五三

b. 氣溫・雨量・土質

伊太利ノ氣候ハ(一)緯度ニ長キ事、(二)殆ド海洋ニ面ヒル事、(三)山系ノ方向、高サノ三ツノ原因ニ基キ、他ノ欧洲諸國ト著シク氣溫ヲ異ニシ農業的ニモ変化ヲ與ヘ居レリ。而シテアルプス山脈ハ北方ニ對スル自然的季候的防壁トナリ、為ニ槪ネ氣候溫和ニシテ、特ニ半島部・島嶼地方ハ地中海的氣候ヲ呈シ農業ニ適ス。雨量ハ比較的多ク殊ニ北部アルプス山地ハ雨量豊富ニシテ半島部ヲ南下スルニ從ヒテ減ズ。而シテ地中海的氣候ノ特徴トシテ夏季ニ少ク冬季ニ向ヒ増大ス。

伊太利ハ地勢的ニ之ヲ左ノ四地方ニ區分シ得。

一、アルプス山脈南斜面
二、アペニン山脈褶曲部ト其ノ斜面
三、ロンバルディア沖積土平野
四、シチリア・サルデーニャ島

アルプス及アペニン山脈ノ高原地方ハ寒サキビシク不毛地ナリ。山麓地帯ハ

一五四

樅・山毛欅・栗等ノ森林ヲ有ス。トスカーナ・ロマーニヤ両平野ハ氣候温和ナルモ雨量ニ乏シク果実ノ栽培ヲ主トス。ティレノ海、アドリア海沿岸ノ低地帯並ニシチリア・サルデーニヤ両島ノ低地帯ハ氣温高ク、冬季ニ雨量多ク夏季乾燥ス。

	氣温 一月	氣温 七月	年平均雨量
ナポリ	九度	二五度	九〇〇ミリメートル
アンコーナ	六度	二六度	七〇〇ミリメートル

オリーヴ・葡萄・柑橘・其他諸種果実類ヲ産ス。

ロンバルディア平野ハポー河流域ニシテ肥沃ナル沖積土層ヲ有シ一般ニ気温低ク、夏季ニ高ク、雨量多ク、「ミラノ」ノ気温ハ一月ー一度、七月ー二五度、雨量一、〇〇〇ミリメートルヲ示ス。該地方ハ伊太利ノ穀倉ト稱スベク葡萄・

一五五

小麦・大麦・桑・米・大麻・亜麻・甜菜ニ富ム。

一五六

土壌ハ耕作ニ適スルモ稠密ナル人口ニ対シ國土狭小ニシテ山地多キ為メ世界有数ノ集約農業ヲ行フ。

C. 領海ノ魚族價値

一九三五年ノ魚類生産額一、六六〇、〇〇〇キンタルノ中、淡水魚四五、〇〇〇キンタル、入江港湾水産物三〇、〇〇〇キンタル、甲殻類・軟体動物六〇、〇〇〇キンタル、海洋漁業一、五二五、〇〇〇キンタルナリ。地中海ハ漁獲ニ適セズ、漁船ノ設備不充分ニシテ魚族甚ダ少ク、普通五六種ニ止リ、其ノ魚族ハ習慣的ニ食用トセズ、漁業不振ナリシ所、戦争ニ依リ肉類ノ消費制限ニ依リ魚肉ノ需要増大シタル為メ行ハレタル大量輸入ハ国内漁業ヲ益々圧迫セリ。

リグリア海	鮪
シチリア島附近	鰮
アドリア海	鰮

第十八表　主要作物作付反別並収穫高

	作付面積（千ヘクタール） 一九三四	一九三五	一九三六	一九三七	収穫高（千クインタル） 一九三四	一九三五	一九三六	一九三七
麦類	五、七〇二・四	五、七四一・六	五、八七二・六	五、九二〇・〇	五、七〇二・四	五、七四一・六	五、八七二・六	五、九二一・〇
米	一三三・六	一三八・〇	一四四・九	一四四・九	六、七三〇	七、三五二	七、三四〇	七、四〇二
玉蜀黍	一、四九一・一	一、四四五・四	一、四八九・四	一、四七一・三	三二、〇〇九	二四、九六一	三〇、五一一	三四、〇九五
甜菜	八九・四	九一・九	一二一・二	一二八・二	二六、五二〇	二三、二四七	二六、三一八	三三、一四四
大麻	六一・六	六七・五	七四・九	八六・六	六二九	六六四	八七三	一、〇七八
亜麻	七・三	六・七	一二・四	一三・八	三九	三六	七〇	八一
綿花	三・〇	三・七	一〇・七	二一・九	九	八	二一	四七
煙草	三五・二	三三・三	三二・三	三二・一	四五四	四六三	一	四二
馬鈴薯	四〇〇・三	四〇六・〇	四二二・二	四二二・二	二七、一一七	二一、五九一	二六、三二二	三二、一一三
豆類	一、〇五六・二	一、一一〇・四	一、一六七・二	一、一六四・五	六、二七四	六、〇三六	七、一三五	九、二〇五
野菜	二二五・一	二四一・〇	二四三・九	二四七・八	二一、〇五九	二五、三七七	二七、四四二	二七、八二九
飼料	九、三八九・二	九、二九八・七	九、三一〇・六	八、五九一・一	三〇五、六八四	二四〇、一四二	三〇三、七三一	三二四、四〇二
葡萄	三、九六二・二	三、九〇六・六	三、九一八・二	三、九一二・三	三〇、八七三	四六、六五八	三三、六四四	三四、〇〇一
オリーヴ	二、〇七六・七	二、一八九・五	二、一七〇・四	二、一七三・一	一三、四二四	一三、一八九	九、六九九	一七、〇三二
柑橘	[illegible]	一二六・〇	一二六・七	一二六・六	七、八二四	七、〇〇九	七、三一五	六、七五四

ヲ主要漁場トナス。

第二項　経済的條件

a. 生産機構

伊太利ニ於ケル主要作物ニ割當テラレタル作付反別ノ年々ノ構成変化ヲ生産額トノ對照ニ於テ之ヲ見ルニ第十八表ノ如シ。

右農業生産物構成中、戰時ニ於テ作付反別ヲ増加セル生産物ハ麦類・米・馬鈴薯・豆類・野菜・甜菜・大麻・亜麻・綿花等ノ戰時ニ於テモ自國民ノ食料トシテ必要ナルモノ並ニ之モ戰時ニ於ケル軍需品原料タル纖維工業原料品ナリ。之ニ反シ減少又ハ現状維持的数字ヲ示セルモノハ煙草・葡萄・柑橘等ノ不急不用作物、又ハ反当リ増産ニ恵マレタル玉蜀黍・「オリーヴ」ナリ。而シテ穀物其他必需農産物ノ増産ハ飼料生産面積ヲ圧迫シアルコトモ表ノ如シ。

右ノ数字ハ輪作・混作ノ反別ヲモ合計セルモノナル故之等平時生産物ノ戰時生産ヘノ轉換ヲ正確ナル数字トナシテ掲ゲ得ザルモ、概ネ其ノ趨勢ヲ證明セルモノナリ。

一五七

モノナリ。

b. 労働力

農林畜産業ニ従事セル労働力第十九表ノ如シ。

右統計ハ十年間以上農業ニ従事セル職業人口ニ付キ一九三六年四月二十一日行ハレタルモノナリ。而シテ農業経営ニ従事スル者九七・八%、畜産業ニ従事スル者一・五%、林業ニ従事スルモノ〇・七%ノ割合ナリ。

伊太利ニ於テ農業自体並ニ農業関係ノ仕事ニ従事セル者ノ数ハ全國民ノ半バ以上ヲ占ム。一九二五年調査ニ依リ全人口中農業従事者ノ占ムル割合次ノ如シ。

國別	農業人口
伊太利	五五・七%
佛蘭西	三八・四%
英吉利	七・五%
独逸	三〇・五%

一五八

第十九表　農林畜産ニ従事セル労働力（単位人）

農耕作業ニ従事セザル農業関係者			二〇、〇九五
不詳農業人口			五、九六五
労働者	年季労働	合計	三八一、七八五
		筋肉労働専門労働者	三八、五三四
		不定年季労働者	一二六、二七八
		定年季労働者	三九、七二五
		使畜並搾乳関係労働者	一七四、九五五
		園藝関係	二、二八三
	日傭労働	合計	一、八一七、二八三
		不定傭労働者	一、七三一、七七〇
		定傭労働者	二四、四一二
		炭焼労働及伐木労働者	四四、〇九九
		使畜並搾乳関係労働者	八、六〇三
		園藝関係	八、三九九
	交互手傳人		一四一、三七七
監督者及事務員			一七、三八八
混合的性質者	労働者ニシテ一時経営ヲモ行フ者		二三、〇三九
	経営者ニシテ一時労働者トモナル者		一一五、八三八
半小作人			一、七八七、六〇一
経営者	合計	内譯 借地人	七八八、三四〇
		内譯 土地所有者	二、八七二、六四八
		計	四、四四五、六九三
	耕作者	内譯 借地人	七三九、九五四
		内譯 土地所有者	二、七〇四、七六九
		計	四、一九二、六六〇
	非耕作者	内譯 借地人	四八、三八六
		内譯 土地所有者	一六七、八七九
		計	二五三、〇三三

漁業労働力左ノ如シ（一九三七年五月調査）

常時漁業者	二五、八三七人
臨時漁業者	一六、五九〇人
補助家族員数	九、八三九人
計	五二、二六六人
航海士・機関士	二七、三〇八人
総計	七九、五七四人

C. 資材供給能力

肥料及肥料工業

窒素肥料ノ生産額次ノ如シ。

（單位噸）

年度	硫安	石灰窒素	硝酸石灰
一九三一年	一三八、四〇〇	八五、〇〇〇	二六、四〇〇
一九三二年	一二四、七〇〇	八二、一〇〇	六五、二〇〇
一九三三年	一〇四、五〇〇	一三七、〇〇〇	七七、三〇〇
一九三四年	一三四、五〇〇	一四六、〇〇〇	九四、三〇〇
一九三五年	一二二、〇〇〇		九三、〇〇〇
一九三六年	一四八、〇〇〇		五九、〇〇〇

同輸入額左ノ如シ。

（單位噸）

年度	硫安	石灰窒素	硝酸石灰	チリ硝石
一九三四年	三一	四四三二	｜	三三、二〇〇
一九三五年		二、二〇〇		三九、六〇〇
一九三六年	｜	四三七〇	｜	六三、六四四
一九三七年	九五、三八九	三〇、六〇六	四八、九九〇	八一、八七四

窒素肥料ノ原料ハ智利硝石ナリシモ空中窒素ノ固定ニ依ル窒素肥料生産ガ「モンテカチニ」會社ニ依リ工業化サレタリ。戰時ニ入リテ火薬製造ニ窒素ヲ多量消費ヒル為メ肥料供給力ハ圧迫ヲ受ケ為ニ國内「ストツク」モ消耗サレ、一九三七年ニ於ケル大量輸入ヲ見タリ。而シテ将来戰ニアリテハ経済制裁當時ト同様ナル輸入困難ヲ見ルベク、肥料ハ主トシテ之ヲ燐酸肥料ニ仰ガザルヲ得ズ。

燐酸肥料ノ生産ハ欧洲ニ於ケル第二位、世界ニ於ケル第三位ヲ持シ、前述ノ「モンテカチニ」會社ハ巨大生産能力ヲ有ス。「モンテカチニ」ノ有スル工場数五十七、生産高八〇万噸ニシテ國内全産額ノ六五％ヲ占ムル有力ナル會社ナリ。生産能力ハ一七〇万噸ト計上サル。

燐酸肥料生産並輸入額

（單位噸）

	生産額	輸入額
一九二九年	一、三一四、〇〇〇	
一九三四年	一、〇九一、〇〇〇	一八、二〇〇
一九三五年	一、〇四九、〇〇〇	一三、三〇〇
一九三六年	一、三六六、〇〇〇	｜
一九三七年	一、三〇〇、〇〇〇	一〇、一〇〇

但シ燐酸肥料ノ原料タル燐鑛石ハ全部海外ニ仰クノ外ナク、輸入額左ノ如シ

（単位噸）

一九三三年	六五八、〇〇〇
一九三四年	六九九、三〇〇
一九三五年	六五一、五〇〇
一九三六年	七七〇、二〇〇
一九三七年	九一四、五〇〇

ポタシウムハ殆ド無制限ニ存在セル白榴石ヲ原料トナスモ生産能力ハ不詳ナリ。

飼料

飼料生産額・耕地面積・輸入額・輸出額ハ第二十表ノ如シ。

飼料生産ハ平均三〇〇百万クインタルヲ上下ス。作付面積ハ小麦増産ノ圧迫ヲ受ケタル為メ、ムシロ縮少セラレタリ。而シテ一九三六年ノ調査ニ於テ國内

一六三

需要量ハ三五〇百万クインタルト推定サレタルヲ見ルモ飼料供給ハ不足ナリ。之ガ為メ藁、乾草、雑穀、豆類其他ヲ以テ補フコトトナリ漸次人畜闘争ノ觀ヲ呈シツヽアリ。

一六四

農水産業機械器具

農業機械第二十一表ノ如シ。

近海遠海漁船並ニ機械力ニ依ル近代的装備ヲ有スル船舶数第二十二表ノ如シ。

第二十表　飼料ノ生産額・耕地面積・輸出入額

	単位	一九二九	一九三一	一九三二	一九三三	一九三四	一九三五	一九三六
生産額	千クインタル	二八九、五六三	二四〇、五〇八	二九三、五三〇	二七三、七四三	三〇五、六八四	二四〇、一四一	二九四、七八一
耕地面積	千ヘクタール	四、五〇七	四、四九〇	四、四一九	四、三七〇	四、三四一	四、三九〇	四、三五五
輸入額	千クインタル	七四	五九	二五七	一七	一七	二三五	一三
輸出額	〃	七七	二四五	一一八	一八一	七九五	六六二	一二一

第二十一表　農業機械――一九三七年度

トラクター	農業総聯盟所属	三五、七六三台
	使用数　総数	三〇、〇〇八
	使用数　其ノ内国産トラクター	七、八一六
諸種原動機（排水ポンプ・乾草截断機・搾油機等）	農業総聯盟所属	二四、四〇八台
	使用数	二〇、五九四
脱穀機	現在数	三六、二〇四台
	使用数	三三、四六九
收穫機	現在数	六、八五一台
	使用数	六、二五八
原動機	総台数	二八、七七六台
	総馬力	四〇六、六八八馬力
	内燃式原動機　台数	二一、四九一台
	内燃式原動機　馬力	三五三、一七三馬力
	蒸気式原動機　台数	七、二八五台
	蒸気式原動機　馬力	五三、五一五馬力

第二十二表　近海・遠海漁船隻数並噸数

年度	近海漁業　船舶数	近海漁業　登簿噸数	遠海漁業　船舶数	遠海漁業　登簿噸数	合計　船舶数	合計　登簿噸数	内発動機ニ依レルモノ　船舶数	内発動機ニ依レルモノ　登簿噸数
一九二九	三八、六九一	九三、八六三	三八一	六、九〇三	三九、〇七二	一〇〇、七六六	八三五	三〇、〇七六
一九三〇	三八、八〇五	九四、一四一	三九四	六、九六二	三九、一九九	一〇一、一〇三		
一九三一	四〇、二九七	九五、〇六七	四〇九	七、二〇七	四〇、七〇六	一〇二、二七四	七九七	
一九三二	四〇、八九〇	九六、七九九	三八四	六、八九七	四一、二七四	一〇三、六九六	八一二	
一九三三	四〇、六九一	九五、四八一	二七五	五、四八八	四〇、九六六	一〇〇、九六九	八四二	
一九三四	四三、四一三	九七、三四七	三四二	六、八〇一	四三、七五五	一〇四、一四八	八八六	
一九三五	四二、六九八	九四、八四二	三四六	六、九六四	四三、〇四〇	一〇一、八〇六	一、〇八七	
一九三六	四一、四九二	九五、一六五	四〇七	七、二六〇	四一、八九九	一〇二、四二五	一、一六六	

第三項　食料資源供給確保政策及計畫

a　土地改善

ファシスト政府成立後逐次土地改善作業ハ拡大サレ一九二九年綜合的土地改良（ボニフイカ・インテグラーレ）名称ノ下ニ大々的計画ヲ立案着手スルニ至レリ。

綜合的土地改良要綱左ノ如シ。

一、排水・灌漑ノ組織的遂行
二、道路・水路・公共建築物・小作農家ノ建設
三、湿潤地・荒蕪地・不毛地ノ開墾
四、農業ノ技術的向上

之ガ為メ農林省ニ特別外局ヲ設置シ、ファシスト戦闘團、国内移民拓殖委員部ヲ活動セシメタリ。

土地改良ノ成果次ノ如シ。

一六五

一八七〇年ー一九三八年七月間費サレタル國庫並個人支出額（第二十三表ノ通リ）

右ノ結果遂行セレタル面積左ノ如シ。

一九三八年七月一日迄ノ土地改良面積（單位ヘクタール）

未ダ着手サレザル面積…………三三二七、六一〇

既ニ着手セラレタル面積

土木事業遂行中ノモノ…………三一〇七、九八四

土木事業ノミ完成セルモノ…………一六九七、八〇〇

土木事業並ニ土地改善共ニ完成、

セルモノ…………八九四、三一九

合　計…………五七〇〇一〇三

土地改良計画総面積…………九、〇二七、七一三

常置委員會ハ特ニ優良種子ノ選択ニ研究ヲ注中シ、病害抵抗力強大ニシテ早熟種ヲ得　之ガ増殖普及ニ努力シ　之ガ為メ優良種子ノ使用ハ一九二六年以suitable

第二十三表

土地改良ニ費サレタル國庫並個人支出額

（一八七〇年ー一九三八年七月間）　（單位百万リラ）

會計年度＼事業費目	開墾 許可額	開墾 実施額	山地整理 許可額	山地整理 実施額	政府共同出資ノ援助ヲ受クル個人的事業 許可額	政府共同出資ノ援助ヲ受クル個人的事業 実施額	利付資本ヲ以テ行フ個人的事業 許可額	利付資本ヲ以テ行フ個人的事業 実施額	國庫並個人出費総額 許可額	國庫並個人出費総額 実施額
一九三二ー三三年度末通算	五四六三・三	四三五八・八	四〇七・八	三六二・二	一五八二・六	一五八二・六	九八五	九八五	八四三八・七	七二八八・六
一九三三ー三四年度	五七五・六	五四三・四	五一・九	四七・七	二九〇・五	二九〇・五	七二	七二	九九〇・〇	九五三・六
一九三四ー三五年度	五七四・三	六一五・九	五八・〇	五六・二	三五七・一	三五七・一	八八	八八	一〇七七・四	一一一七・二
一九三五ー三六年度	四二七・四	四九〇・二	三四・一	三七・七	二八五・八	二八五・八	八〇	八〇	八二七・三	八九三・七
一九三六ー三七年度	二九二・二	四三一・〇	二五・三	二七・二	一九九・〇	一九九・〇	九八	九八	六一四・五	七五五・二
一九三七ー三八年度	一三八・四	二九九・五	四・六	一一・九	二四二・四	二四二・四	一七三	一七三	五五八・四	七二六・八

急激ニ増加シ、一九三三年ニハ全耕地面積ノ五七・一％、一九三四年六一・七％ヲ占ムルニ至リ、北中部伊太利ニ於テハ九三・三％乃至七六・三％ノ優良種子使用状態ヲ招來セリ。

小麦戰ノ数字的推移ニ付テハ「小麦」ノ項参照。

B　小麦戰

小麦戰ハ一九二五年七月四日付法律ヲ以テ規定サレ、之ガ為メ小麦常置委員會ヲ組織シ「ムッソリーニ」自ラ委員長トナリ小麦一億クインタル増産達成ヲ企畫実施セリ。

其ノ具体的方策左ノ如シ。

一、小麦常置委員會ノ指導奨励ノ下ニ農業及農業試験場ノ能率増進ヲ図ル

二、優良種子ノ選擇法及其ノ栽培ノ奨励

三、農場設備・農具ノ改善、農産品販売ノ監督

四、化学肥料貯藏設備ノ強制的設置

四、化学肥料貯藏設備ノ強制的設置

五、輸入小麦課税ニ依ル國内小麦市場ノ擁護

六、國内製粉業統制

七、農業トラクターノ関税、取引税ノ免除

八、機械動、電力利用ノ奨励

九、農業金融、價格統制

一〇、反當收穫競争ニ対スル授賞

以上ノ主ナル方途ヲ以テ農業ノ技術的向上ト農村労働力ノ改善ヲ導キ、貿易ノ逆調ヲ抑ヘ食料アウタルキーノ達成ヲ目的トセリ。

C、戰時増産計画（関係、價格其他）

外國産小麦ノ輸入防遏ニ依リ國内生産額ノ増加ヲ誘導スベク左ノ如ク関税操作ヲ行ヒタリ。

一九二五年　一噸當リ　七五金リラ

一九二八年　〃　一一〇　〃

一九二九年	〃	一四〇	〃
一九三〇年	〃	一六五	〃
一九三一年	〃	七五〇紙幣リラ	

之ガ間接的側面工作トシテ小麦製粉ニ國産小麦ハ使用量九五%ヲ強制的ナラシメ、三四年以後輸入許可制ヲ設ケ、三五年小麦粉ノ輸入禁止ヲ行ヒタリ、價格ハ外國為替ノ変動ニ依リテ影響サルヽコトナク國内生産原價ヲ基準トシテ安定セシムベク強制貯藏ト共販制ニ依ル市場操作ヲ行ヘリ。

其他一般農業生産部面ニ於ケル増産奨励策トシテハ一九二三年十月土地貸付利子ノ引下ヲ行ヒ、一九三一年五月農村功労者・組合・團体ノ経営困難ナル者ニ対シ二十五ケ年間年三・五%迄ノ特別補助金ヲ交附スル法律ヲ漸次拡張シ、低利抵當信用ノ増強、出廻リ期ニ於ケル其ノ広汎ナル運用ヲ図リ、穀物部門ニ於テハ貯藏費ヲ引下ケ收穫後ニ於ケル零細農民ノ賣急ギヲ避クベク奨励金、補助金ヲ與ヘテ需給ノ円滑、價格ノ安定ヲ維持シツヽ其ノ間漸次強制貯藏政策ヘノ移行準備期トシテ集荷一元化、穀倉ノ建設ヲ進捗セリ。

一六九

一九三二年五月農産物ノ貯藏・加工設備ノ為メ豫算額ノ二五%ヲ出資シ尚右ニ要スル借入信用利子ノ二・五%ヲ國家ガ援助セリ。

農産活動ニ於ケル私的イニシアテイヴノ缺除セル各部門ニ於テハ農業生産者間ニ強制カルテルノ設立ヲ命ズル權限ヲ農林大臣ヘ賦與セラレタリ。

而シテ第一段階ニ於テハ関税操作ト製粉業統制ニ依ル國内生産ノ振興策ヲ主トシ、第二段階ニ入リテハ自発的集荷貯藏政策ヨリ強制的集荷貯藏ヘト戰時統制経済ノ強化ヲ行ヒ、遂ニ現在ノ如キ全面的管理制ヲ実施スルニ至レリ。右強制貯藏政策ノ適用ハ急速ニ拡大サレ、小麦ヲ初メ羊毛・オリーヴ油・米・繭・大麻・玉蜀黍等殆ド農業部門ノ全部ニ及ベリ。

之ニ依リ投機ハ完全ニ抑止サレ、價格決定權ハ國家ニ移リ、自由主義経済機構ハ止揚サレタリ。前記各生産部門及其他ニ於テハ國家ノ強力ナル統制下ニ置カレタル企業單位ノ強制カルテルノ樹立ヲ見ルニ到レリ。

肉類部門ニ於テハ屠殺ノ統制ヲ以テ消費部面ヨリシテ畜産資源ノ増産不可能ヲ償ヒ且ツ輸入肉ノ消費統制ヲ行ヒ、爾後一九三二年、三四年ト関税ヲ強化セ

一七〇

リ。

漁業部門ニ於テハ専ラ漁船ノ近代装備化奨励ヲ行ヒツヽアリ。

第四項　食料資源ノ蒐荷・貯藏・配給・消費政策

食料農産資源ノ蒐荷・貯藏・配給政策ノ進展ハ食料アウタルキーヨリ出発シ、生産ノ発展ニ伴ヒ國内市場ノ組織的統制化ヘ進ミ、貯藏配給機構ノ整備ヲ行ヒ自発的共同貯藏・共同販売ヲ促進スルニ到レリ。一九三一年世界的経済恐慌ノ影響ヲ受ケ小麦ガ自発的ニ大量貯藏サレタルガ之ヲ契機トシテ先ヅ小麦ノ強制貯藏ヲ見ルニ到リ、準戰時体制ヨリ完全ナル戰時体制ニ移行スルニ及ビ強制貯藏政策ハ広汎ナル農産資源ニ拡張セラレ、軍需並ニ生活必需農産食料品ノ大部分ガ強制貯藏所（アンマッシ）ヲ通ジテ管理サルヽニ到リタリ。

之ガ適用ヲ受ケタルモノハ左ノ如シ。

小　　麦（一九三五年六月二十四日緊急勅令）

一七一

玉　蜀　黍（一九三九年八月二十六日農林省令）

米　　（一九三九年十月十二日緊急勅令）

オリーヴ油（一九三九年十月十二日緊急勅令）

羊　　毛（一九三七年三月八日緊急勅令）

蠶繭・棉種子・サフラン・マンナ

之等農産品ハ地主・小作人ノ自家消費量ヲ除ク全收穫高ヲ強制的ニ強制貯藏所ヘ出荷スベキモノナリ。強制貯藏所（以後「アンマッシ」ト呼ブ）ハ農林省ノ監督ヲ受ケ各府縣單位ニ設置サレ、之ガ指導ハ府縣農業者並ニ労働者職業組合ノ代表者、生産者カルテル組合代表、信用機関代表者ガ之ニ當ル。

之等農産品ノ中、最モ重要主食品タル小麦ニ付キ「アンマッシ」ノ機能ヲ解説スレバ（註、一九三六年三月十六日緊急勅令及一九三六年六月十五日勅令）

一、國内・植民地・外國ヨリ生産及輸入サルヽ小麦ハ総テ共同販売ノ為メ「アンマッシ」ヘ引渡スベク、生産者並ニ小麦ニ付所有權ヲ有スルモノニ強制貯藏義務ヲ課セリ。自家消費量（一人三クインタル）並ニ播種用ハ耕地面

一七二

積一ヘクターニ付キ二クインタル）ハ免除ス。

二、而シテ右小麦ハ農林省農産金融計畫局内ニ設ケラレタル中央小麦「アンマッシ」課ノ指示ヲ受ケテ貯藏サル。「アンマッシ」課ハ管轄省ト協議ノ上小麦ノ調達・割當ノ基礎的條件ヲ保證スベキ任務ヲ有スル機関ニシテ、其ノ管轄範囲ハ國産・輸移入小麦ヲ同ハズ。

三、右「アンマッシ」課ニハ小麦強制貯藏ノ原則的問題解決ノ為メ農林大臣ヲ委員長トナシ関係各省・党・組合・協同体・自治團体ノ代表者ヲ糾合セル委員部ヲ設置セリ。

四、小麦ノ輸出入業務ハ個人ノ手ヨリ農業カルテルナル團体ノ手ニ移セリ。

五、各府縣ノ強制貯藏所ノ指導監督ノ為メ府縣主都ニ府縣「アンマッシ」局ヲ設立セリ。「アンマッシ」局ハ農林省從屬機関ニシテ民間當業者ヨリ成ル委員ノ交代ハ総テ農林省ノ命令ヲ受ク。

六、強制貯藏業務ヲ行使スル団体ハ農業協同組合及合法的ニ設立サレタル其他ノ農業組合・団体ナリ。新規ニ加入ヲ求ムル団体ノ資格審査判定ハ「アンマ

一七三

ッシ」局之ヲナス。

七、小麦ハ脱穀ヲ終リテヨリ三十日以内ニ何レカノ貯藏団体ニ引渡スベキモノニシテ、義務遂行者ガ引続キ現物ノ保管ニ當ル事モ許可サルヽモ、其際所有者ハ法律上ノ保管者タル權利義務ヲ負フモノナリ。

八、引渡シヲ行ヒタル者ハ所有權ニハ変更ナク唯販売委任状ヲ貯藏所ニ交付スル形式ヲトルモノナルモ、販売條件、其他ハ國家ノ定ムルモノナリ。

九、貯藏所ハ預主ニ対シ保管サレタル小麦ノ数量・品質・特徴ヲ記載セル名簿ヲ交付シ、受托セル小麦ノ数量・保存・火災豫防・販売代金ノ支拂ニ責任ヲ有ス。

一〇、之等管理小麦ノ販売價格ハ小麦常置委員會（一九三九年六月十六日廃止サレテ以後ハ穀物協同体）ガ具申セル意見ニ基キ農林大臣ガ毎年十五日以内ニ之ヲ定メ、農業年度間之ヲ実施ス。而シテ七月一日以降毎月麩質小麦一クインタル當一リラ、硬質小麦一クインタル當一リラニ十ナエンテジミ宛引上ゲラル。

一七四

一一、右ノ價格ナルモノハ一ヘクトリットル七八キログラム混合物一％ノ軟質小麦並ニ一ヘクトリットル八〇キログラム混合物一％乃至五％ノ硬質小麦ナル標準品質ニ付テノ基礎價格ニシテ、其他ノ品質ニ付テノ格分ケ・價格ノ提案ハ府縣「アンマッシ」局之ヲ施行ス。農林省ノ認可ヲ得タル後ハ之ヲ以テ公定價格ト定ムルモノナリ。

一二、強制貯藏団体ハ生産業者ヘノ前貸ニ必要ナル資金ヲ得ル目的ヲ以テ管理小麦ヲ抵當トナシ信用ヲ求ムルコトヲ得ルモノニシテ同手形ハ流通手形ナリ。

一三、右ノ金融ヲ行ヒ得ルモノハ農村信用銀行・貯蓄金庫・第一種抵當信用協會ニシテ、而シテ管理小麥購買者ニ対スル授信業務ハ右以外ノ信用協會ガ之ヲナス、強制貯藏団ノ支拂ハ前記三種信用協會ノ小切手ヲ以テ之ヲナス。

一四、各強制貯藏団体ハ自己ノ個人的責任ノ下ニ府縣「アンマッシ」局ノ監督ヲ以テ、管理小麦ノ販賣金ヲ入手ノ都度、信用ヲ受ケタル信用協會ニ預金シ其ノ貸出ヲ相殺スル義務ヲ有ス。信用協會ハ「アンマッシ」関係ノ口座ノ貸出ヲ相殺スベキ為更ニ発券銀行ニ右金額ヲ償還スルモノナリ。

一七五

一五、價格ノミナラズ販賣ノ時期・場所モ農林省其ノ命令權ヲ有シ、而シテ販賣ノ行使ハ農業カルテル組合聯盟ガ之ヲ行フモノナリ。
各強制貯藏団体ハ故ニ集荷・貯藏機関ニシテ農業カルテルハ之ガ兵販機関タリ。而シテ其間投機ノ餘地ナク事実上ノ專賣ナリ。

一六、販賣代金ノ最終分配ハ府縣貯藏小麦ノ盡キタル時ニ行ハレ、「アンマッシ」費ヲ控除セル後品質等級ニ付キ計算サル。貯藏小麦ガ毎年六月三十日迄ニ盡キザル時ハ販賣済ノ代金ノミ七月末迄ニ分配サレ残餘ハ翌年ノ貯藏分ニ合併サル。

一七、「アンマッシ」業務ニ関スル証書・契約・讓渡ハ印税・登録税・取引税其他ノ業務税ヲ免除ス但シ手形ノミハ印税ヲ徴收ス

一八、各府縣管内小麦ノ臨時供給ヲ保證スベキ目的ニテ第一種・第二種製粉工場内ニ一ケ月間製粉用ノ小麦ヲ「ストック」セシム。製粉業者ハ自家消費用ヲ除ク以外ハ「アンマッシ」経路以外ノ小麦ノ製粉ヲ受托シ得ズ。
小麦ノ強制貯藏ハ諸農産物「アンマッシ」ヲ典型的ニ代表シ、爾餘ノ強制貯藏義

一七六

務ヲ命ゼラレタル農産物ノ集荷・貯蔵・配給過程ハ小麦ト同様ノ強力ナル統制ノ下ニ遂行サル。

肉類ハ肉類株式會社ナル指定卸賣會社ノ独占ニシテ、生畜ハ農産物ノ自家消費ト等シク使畜・自家消費用屠畜以外ヲ管理制トナシ自由屠殺ヲ禁止シ屠殺業亦國家ノ嚴重ナル監督ヲ受ク。

野菜類・魚類ハ夫ニ各府縣卸賣市場ヲ集荷・配給ノ一元的機関トシ自由取引ヲ抑制サレ居ルモノニシテ卸賣市場ハ地方官廳ノ嚴重ナル監督ヲ受ク。右ノ肉類・野菜類・魚類ノ配給機構ハ後ノ配給機構ノ項ニ述ブルモノトス。

一九三九年一二月一八日戦時食糧品ノ整備配給業務ニ関スル緊急勅令ヲ以テ食糧品ノ消費統制ハ協同体省ガ之ヲ掌ルコトヽナシ、一九四〇年九月一日同省内ニ消費局ガ設置セラレタルモ一九四〇年一二月二七日緊急勅令「戦時食糧品ノ調達・配給・消費ノ統制並ニ同業務制度ニ関スル規定」ヲ以テ、食料品ノ統制業務ハ農林省及其ノ外廓機関ノ手ニ一元化サレタリ。右緊急勅令ノ要綱ヲ次ニ掲グレバ

一七七

一、農林省ハ戦争期間中國産又ハ輸入ニ依ルヲ問ハズ國軍並ニ一般國民ニ必要ナル食糧品ノ供給ヲ規整シ、配給消費ヲ統制ス
之ガ為メ左ノ各項ヲ施行ス
イ、食料品所有者ニ付テノ調査並ニ強制的申告ヲ命ズルコト
ロ、伊太利領土内ノ食糧品ノ買上・買占・徴発ヲナシ、貿易為替省ノ輸入許可セル外國輸出食料品ノ購入ヲナスコト
ハ、國軍ノ需要ニ基キ必要ナル食料品ヲ調達スルコト
ニ、各府縣並ニ其他領土ノ食料品需要額ヲ決定シ之ヲ割當配給スルコト
ホ、農業経営・食料品工場並ニ其他ノ食料品ノ生産・加工・貯蔵・販賣活動ヲ監督シ、且ツ其ノ機能存続ヲ保證スベキ適當ノ措置ヲ講ズルコト
ヘ、貯蔵・加工及配給スベキ生産物ヲ諸種工場・団体其他指定業者間ニ再分配スルコト
ト、消費ノ統制・割當並ニ投機抑制ニ関スル規定ヲ定ムルコト
チ、食料品ノ輸出入・買上・買占・徴発並ニ配給ニ善処スベク生産者・消費

一七八

者・製造者ノ組織ノ設立ヲ命ズルコト
リ、一般ニ供給ヲ保證シ配給消費ヲ規整スルニ必要ナル問題ヲ處理ス
二、貿易為替省ハ農林省ニ協力ナシ食糧品並ニ農産原料品ノ輸出問題ヲ處理ス
三、共給ヲ規整スベキ必要上農林省ハ價格停止規定ノ範圍内ニ於テ食料品價格ヲ決定ス
四、必要ノ際ハ食料品運搬ノ為メ府縣知事ヲ通ジ私有財産タル運輸手段ヲ徴用シ得、又個人ヲシテ其ノ具備セル手段ヲ以テ強制的ニ運輸業務ニ當ラシメ得
五、農産食料品ノ加工・貯蔵用建物・敷地ヲ徴用スル權限ヲ有ス
六、農林省食料局・各府縣主都ノ協同体府縣評議會食料部ヲ中央及地方統制機関トナス
七、農林省ハ食料品業務ノ為メ協同体府縣評議會各部・職業組合組織・カルテル其他ノ経済団体ヲ利用シ得
買占・徴発ノ為メ農林省・陸軍省内ノ管轄委員會ヲ利用シ得

一七九

全國調査評議會ノ食料問題研究委員部ニ研究調査ヲ委ネ得
八、市町村ニ於ケル農産食料品配給ニ関シテハ府縣食料部ノ指示ニ基キ市町村長之ニ當ル

以上ニ述ベタルハ食料品統制ノ原則的規定ニシテ切符制ニ依ル消費規整ノ問題モ、之ヲ以テ農林省ノ管轄ニ帰セリ。

一九四〇年五月五日付法律消費割當規定ニ依リ割當配給手段トシテ切符ヲ使用スルノ規定ヲ定メラレタリ。切符ノ使用細則ニ関シテハ一九四〇年九月一二日省令ノ前記法律適用規定ニ於テ之ヲ定メラレタリ。

切符制ノ特徴ハ左ノ如キ各項ヲ遵守スルモノトス。
一、消費者ヘノ割當品配給ハ既存ノ業者ニシテ、各府縣小賣業者ヘノ割當品配給ハ職業組合組織ノ設立セル経済團体ナリ。
二、商店デノ割當品購買並ニ「レストラン」食堂等ニ於ケル消費ノ為メ食料品切符ヲ使用ス。
切符ハ個人單位ニシテ個別的又ハ集成切符ヲ用ヒ得。

一八〇

切符ハ消費者家族ノ申告ニ基キ市町村役場ヨリ発行ス。

五、原則トシテ切符ハ該市町村内ノ営業者ノ許ニテ行ハル。

六、切符ハ予メ申込票ヲ以テ行ハルヽモ、「レストラン」等ノ公衆店ニ於ケル割当品ノ消費ニハ申込ヲ要セズ。又之種「レストラン」用ノ切符ハ国内全部ニ有效ナリ。

切符ハ各日・各週・各月別切取券トナシ購入又ハ消費ノ際之ヲ切断シテ営業者ニ引渡スモノトス。

七、臨時移住者ニハ所持セル切符ト引換ヘニ臨時食料品切符ヲ下附ス。

八、切符ノ回収ハ業者ヨリ市町村役場食料課ニ対シテナサレ、市町村ハ申込票ニ基キ、配給業者ヘ割当品引渡命令書ヲ交付ス。配給業者ハ右命令書ニ則シ割当品ヲ各営業者ヘ配給ス。

食料品切符ノ使用ハ一九四〇年二月一日ヨリ砂糖ニ、六月一日ヨリ石鹸ニ適用セラレタリ。次デ脂肪・食用油・煉粉製品・米・玉蜀黍粉ニ行ハレタリ。而シテ之等切符制食料品ノ割当量モ漸次制限ヲ増シ、「切符制」ノ項ニ後述セル如シ。

一八一

肉類ノ消費統制亦厳重ヲ極メ、販賣ヲ一週二日ニ制限シ、且ツ購入店指定制度ヲ採用シ、一家族當リ購買量ヲ決定セリ。而シテ一九四一年一〇月一日以後遂ニパンノ切符制ヲ断行スルニ至リタリ。

一八二

第五節　食料資源ヨリ見タル抗戰力強弱性

(一)　食料資源確保可能性ノ判定

食料自給ノ目的ガ将来ニ於ケル伊太利ノ経済的独立ヲ企図シ、即チ之ニ依リテ政治的ニ伊太利ノ國際的地位ヲ保證スベキ基礎條件ヲ具備セント欲セルモノナル事ハ言ヲ俟タズ。食料資源ノ確保ガ抗戰力ノ如何ヲ左右スベキ事亦説明ヲ要セズ。ムッソリーニノ土地改良・小麦戰ガ、國際経済恐慌ニ於ケル過剰生産物ヲ安ク輸入スベシト主張スル一部反対論ヲ押切リテ経済的國防ノ基礎ヲ確立センーシタルハ之ガ為メナリ。然レ共戰争ノ介入ト同時ニ斯カル長期資本ノ農業部面ヘノ投資ハ困難トナリ、茲ニ重大ナル戰時増産問題ノ新ナル障碍ニ當面スルニ到リタリ。

一八三

故ニ食料資源確保可能性ヲ制約セル事情ハ初期ニアリテハ供給過剰ニ伴フ農産品價格ノ低落ナリシガ、戰時ニ入リテハ資金ノ逼迫、生産手段ノ缺乏トナリタリ。他ノ一面ニ於テハ狭小ナル國土ト戰時ニ入リテ勢ヒ減退セル増産速度ニ對スル相對的需要増加、人口増加ノ関係ヲ生ジタリ。茲ニ於テファシスト政府ノ執リタル方途ハ

(一)　食料資源ノ重点主義

(二)　益々厳重ナル強制貯蔵・消費規制

ナル積極的・消極的手段ノ強化ヲ促進セリ。

茲ニ於テ小麦及其代用資源、オリーヴ油ノ自給確保、輸出農産品ノ國内需要ヘノ轉換、飼料・工業原料品ノ増産等ノ諸傾向ヲ戰時農業生産ノ特徴トスルニ到レリ。畜産資源ノ確保ハ最モ困難ナル課題ニシテ伊太利食料資源確保上ノ最モ脆弱ナル部面タルヲ失ハズ。魚類生産ハ之ヲ補フモノトシテ必然的要求ニ當面セルモ資本・生産財、特ニ燃料ノ窮乏ハ立遅レタル装備ノ近代化ヲ益々困難

一八四

一九三八年一〇月第一回アウタルキー最高委員會ニ於ケル「ムッソリーニ」ノ計画中、

一、数年後ノ人口五千万人（當時ノ人口四三九七九千人）ノ食料確保ヲ目的トスル生産計画ノ樹立。

二、小麦増産ノ目標、作付面積五五〇万ヘクタール（當時ノ面積五〇二・九万ヘクタール）小麦生産高九〇〇〇万クインタル（當時ノ生産高八〇九七・八万クインタル）ノ増産達成。

三、食用オリーヴ油生産三五〇万クインタルノ達成。

ノ数字的目標ヲ明示シアリ。

戰前十五ケ年間ニ於ケル小麦ノ生産高ノ増加ニハ著シキモノアリ。一九二五年當時ニ於テ年平均消費高ノ約三分ノ二ヲ自給シ得ルニ過ギザリシ域ニ比スレバ現在ニ於ケル生産力ノ発展ハ土地改良・小麦戰ノ顯著ナル成果ナリト雖モ尚戰時ニ於ケル完全ナル自給ハ、九〇〇〇万クインタルノ達成ニホダシト言ハザルヲ得ズ。一九三九年七千九百八十二万、一九四〇年七千百万、一九四一年七

一八五

千百五十万ハ成績ニシテ、遂ニ消極的方面ノ消費規整ニ由ル自給確保ヲ強化シパンノ切符制ヲ断行セルハ、小麦増産ノ停滞ヲ証スルモノタリ。而シテ従来ノ問題ハ小麦ト牧草、農業ト畜産ノ調整ニシテ、一方ニ於テ肉類・動物性油脂ノ供給ヲ増加シツツ、他方小麦ノ増産ヲ達成シ得ルヤ否ヤハ疑問トサレタリ。一九四〇年ニ於テ小麦増産ノ進捗ノ遅レタルニ比シ、畜産資源、

	一九三八年	一九四〇年
豚	二九四万	三二一・二万
羊	九九六・八万	九九六・八万
牛	七六六・七万	七八〇万（推計）

ニシテ、飼料用乾草生産ハ

一九三八年	二九一百万
一九三九年	三二〇百万

ノ増加ニシテ、併セテ畜産資源ノ増加傾向ヲ見タルハ、土地改良ノ一時的停止

一八六

實施ノ最モ嚴重ナル消費制限ニ依ルモノニシテ、爾後小麦ニ對スル畜産資源ノ相対的増産確保ノ應急的對策ノ持續ヲ豫想サル。之ノ基本方向ヲ助成スベク、代用資源タル玉蜀黍ノ有利ナル増産ト水産資源ノ消費増大ヲ導カントスルガ如シ。為ニ輸入魚肉ノ加工・貯蔵ヲ奨励シ、一九四〇年一月―八月間輸入額ハ五六二千クインタル（一九三九年同期ノ約二倍）ニシテ國内水産業生産力ノ増大速度ヲ補ハントセルモノナリ。

(二) 食料資源ヨリ見タル國防力ノ優越点及其ノ缺陥

食料資源ノ優越点或ハ其ノ缺陥ヲ見ルニ當リテハ各々其國ノ食料需要ノ構成ヲ念頭ニ置カザルヲ得ズ。而シテ各國ノ自然的経済的條件ノ相違セルニ從ヒ其ノ消費ノ対象モ異ルモノナリ。然シナガラ総ベテノ食料品ハ等シク之ヲ「エネルギー」ニ還元ナシ互ニ計量比較サルベシ。之ガ計算ノ前提トシテ各國民人口

一八七

ハ之ヲ平均年齢人口ニ換算セラルヽヲ要ス。例ヘバ伊太利の人口四千三百万当時ニ「ルスク」ノ計算スル所謂「ルスクノ階段」ナル計算ニ從ヘバ十四才以上ノ男女ヲ男一・〇人、女〇・八人トナシ、更ニ十四才未満ヲ

〇才――六才	〇・五〇人
六才――十才	〇・七〇人
十才――十四才	〇・八三人

ト定メ、全人口ヲ総ベテ十四才以上ノ男子ニ等シキ平均年齢人口ニ換算ナセバ伊太利人口ハ三千五百八十三万八千七百七十九人ト算出サル。

國際聯盟ノ計算ニ依レバ

〇才――一才	〇・二人
二才――三才	〇・三、
四才――五才	〇・四、
六才――七才	〇・五、
八才――九才	〇・六、

一八八

十才――十一才　〇・七。
十二才――十三才　〇・八。
十四才――五十九才　〇・八。（女）　一・〇〈（男）
六十才以上　〇・八。

トナシ、十四才―五十九才ノ男子ヲ一人トナシ、平均年齢人口ニ計算スレハ伊太利人口ハ三千二百九十四万千八百六十二人ト算出ナル。

而シテ右平均年齢人口一人當リノ「カロリー」需要量ハ英國榮養問題研究調査委員會・合衆國戦務省研究會・ロンドン國際會議ノ研究報告ハ、一日一人當リ三、〇〇〇カロリーニ一致シ居レリ。

伊太利人ノ消費量ヲ國内生産及輸出入統計資料並ニ一九二九年度全國家庭調査資料ヨリ計算セル結果、前者ノ資料ニ基キテ伊太利人一人當エネルギー消費量ハ三、五〇〇カロリートナセル者ト三、一〇〇カロリートナセル者アリ。後者ノ資料ニ基キテハ三、一一六カロリートナセリ。

而シテ何レノ計算共、平均需要量三、〇〇〇カロリーヲ超過セルヲ證明ス。

一八九

独逸ワーゲマン景氣研究所ノ報告ヲ以ヲ見ルモ各主要國ノ食料自給能力中伊太利ハ優位ヲ占ム。

伊太利	九五%
英國	二五%
独逸	八三%
佛蘭西	八三%
蘇聯	一〇一%

更ニ榮養量ヲ階級別ニ見レバ

（單位グラム）

	蛋白質			脂肪			含水炭素	アルコール	無機塩	カロリー		
	植物	動物	合計	植物	動物	合計				アルコール分ヲ除ク	アルコール分	合計
農民階級	七八・一	二五・六	一〇三・七	三〇・八	四三・六	七四・四	五〇九・九	一七・八	一四・七	三、一九二・八	一二四・六	三、三一七・四
中上流階級	五七・三	四一・七	九八・九	三五・三	五〇・一	八四・三	四〇三・三	二一・五	一三・五	二、八三三・一	一五一・二	二、九七三・三
下層勞働階級	六五・〇	二九・三	九四・三	二八・八	三七・〇	六五・八	四三四・一	一七・四	一二・五	二、七六五・二	一二一・八	二、八八七・〇
國民平均	六九・六	三〇・四	一〇〇・〇	三〇・三	四三・九	七四・二	四六三・五	一八・六	一三・六	二、九八五・六	一三〇・二	三、一一五・八

一九〇

表ニ見ル如ク國民平均エネルギー消費量ハ三、〇〇〇カロリーヲ超ヘ、國民ノ大多数ヲ占ムル農民階級ノエネルギー消費量亦三、〇〇〇カロリーヲ超過ス。

而シテ一九三二―三四年間ニ於テ平均生産額及ビ輸入額ニ依リ賄ハルル主要榮養分並ニエネルギー数量ノ需給度第二十四表及ビ第二十五表ノ如シ。

即チ結論トシテ、伊太利ハ含水炭素・アルコールニ於テ殆ド外國ヨリノ独立ニ達ヒルモ、脂肪及動物性蛋白質ニ於テ缺陷ヲ有スルコトヲ指摘シ得。含水炭素ノ独立ハ小麦・玉蜀黍・米ノ増産ヲ語リ、畜産資源ノ不足ヲ看取セラルベシ。

各國人口一人當食料品消費額第二十六表ノ如シ。

一九一

一九二

第二十四表　標準一日當栄養價（單位グラム）

	一九二九年ノ調査ニヨリ	年平均國内生産ニヨリ	需給度	年平均輸入ニヨリ	需給度
蛋白質　動物	三〇・四	二二・一	(−)八・三	四・四	(−)三・九
蛋白質　植物	六九・六	六八・四	(−)一・二	八・二	(+)七・〇
蛋白質　合計	一〇〇・〇	九〇・五	(−)九・五	一二・六	(+)三・一
脂肪	七四・二	六三・一	(−)一一・一	一〇・八	(−)〇・三
含水炭素	四六三・五	四三九・六	(−)二三・九	五三・六	(+)二九・七
アルコール	一八・六	二八・一	(+)九・五	―	(+)九・五
アルコール分ヲ含マヌカロリー	二、九八五・六	二、七四七・六	(−)二三八・〇	三六九・七	(+)一三一・七
アルコール分ヲ含ムカロリー	三、一一五・八	二、九四四・三	(−)一七一・五	三六九・七	(+)一九八・三

第二十五表　國民的消費栄養價（單位クインタル）

	一九二九年ノ調査ニヨリ	年平均國内生産ニヨリ	需給度	年平均輸入ニヨリ	需給度
蛋白質　動物	三、九七六、六七一	二、八八九、五三四	(−)一、〇八七、一三七	五七八、二六六	(−)五〇八、八七一
蛋白質　植物	九、一〇四、四八三	八、九五三、五〇四	(−)一五〇、九七九	一、〇六九、三七〇	(+)九一八、三九八
蛋白質　合計	一三、〇八一、一五四	一一、八四三、〇三八	(−)一、二三八、一一六	一、六四七、六三六	(+)四〇九、五二〇
脂肪	九、七〇六、三一七	八、二五二、七四七	(−)一、四五三、四七〇	一、四〇七、七一七	(−)四五、七五三
含水炭素	六〇、六三一、一五〇	五七、五〇〇、七四二	(−)三、一三〇、四〇八	七、〇〇九、一五五	(+)三、八七八、七四七
アルコール	二、四三三、〇九五	三、六七七、二七六	(+)一、二四四、一八一	一、八六七	(+)一、二四六、〇四八
アルコール分ヲ含マヌカロリー	※三九、〇五五、〇九四	※三五、九四〇、九四九	(−)※三、一一四、一四五	※四、八三〇、三〇七	(+)※一、七一六、一六二
アルコール分ヲ含ムカロリー	※四〇、七五八、二六一	※三八、五一五、〇四三	(−)※二、二四三、二一八	※四、八三一、六一四	(+)※二、五八八、三九六

（註）※＝百万カロリー

第二十六表　主要國ニ於ケル人口一人當リ食糧品消費額

品目・単位	年度	イギリス	アメリカ	フランス	ドイツ	イタリア	ベルギー	デンマーク	スイス
小麦（瓩）	一九二九―三四	一三七・七	一〇〇・二	一九〇・〇	?	一七一・二	?	?	?
砂糖（瓩）	一九二八―二九	四五・九	五四・〇	二四・六	二六・一	九・七	二七・九	五六・一	四三・一
肉類（瓩）	一九三〇―三四	六三・七	六一・二	三九・〇	五一・〇	一六・三	四〇・八	五二・四	四七・二
魚類（瓩）	一九二八年以降	一八・一	六・八	※七・八	九・五	五・〇	?	一一・三	二・八
鶏卵（個）	一九三〇―三四	一七三	二九三	一四九	一二九	一一九	二三六	一一一	一五七
バター（瓩）	一九三五	一一・四	七・八	五・八	七・五	一・三	八・二	九・四	六・九
チーズ（瓩）	一九三〇―三四	四・三	二・一	五・七	六・〇	四・八	二・九	五・八	八・四

（註）一九三七年「エコノミスト」誌
※＝推数

第二十七表　伊太利食糧品消費統計

（一九二二－二三年平均＝一〇〇）

品目＼年度	一九二九	一九三〇	一九三一	一九三二	一九三三	一九三四	一九三五	一九三六	一九三七	一九三八
小麦	一〇三・〇	九六・九	九二・一	九〇・七	九五・五	八七・三	八四・五	九〇・七	九二・五	九七・七
玉蜀黍	八九・三	一一六・〇	一二八・五	九六・八	一一三・二	九九・三	一一三・二	九〇・〇	一三四・二	一三一・七
米	一〇二・〇	一〇一・〇	一〇五・九	一〇七・八	一〇二・九	一一二・七	一一八・六	一二二・五	一一五・七	一二三・五
裸麦	一一二・五	一一八・八	一一二・五	一〇六・三	一〇六・三	一〇〇・〇	九六・九	九〇・六	八七・五	一〇六・三
大麦	一一〇・〇	一一〇・〇	一二〇・〇	一二〇・〇	一二〇・〇	一二〇・〇	一一〇・〇	一〇〇・〇	一〇〇・〇	一一〇・〇
馬鈴薯	一一三・三	一〇三・六	一〇一・〇	一五九・九	一三七・二	一三四・六	九六・八	一〇七・一	一四一・四	一三〇・七
乾豌豆	一〇〇・〇	一二〇・五	一二三・一	一三八・五	一三〇・八	一一三・一	一二五・六	一〇七・七	一一二・八	一〇五・一
蚕豆類	二〇五・八	一四二・三	一四二・三	二一三・五	二二八・八	一八〇・八	一三六・五	一三六・五	一七八・八	二〇三・八
扁荳類	一一七・二	一三八・五	一三八・五	一四二・三	一五〇・〇	一五七・七	一三八・五	一七三・一	二〇七・七	一八〇・八
野菜	九〇・一	九一・六	八九・四	九四・五	八五・一	七六・六	七四・〇	七九・三	七八・八	七四・二
トマト	一〇五・一	九三・九	七一・六	六九・五	七〇・六	七二・六	八三・八	八八・八	九一・四	八五・〇
生果実	一〇二・三	九〇・〇	九五・三	一一二・〇	一〇六・〇	九二・四	九二・七	七五・一	八三・七	七三・八
柑橘	九四・三	八〇・〇	一一四・三	一二八・六	一六六・七	九四・三	九九・〇	八三・八	七四・三	六五・七
乾果実	八八・五	九〇・〇	七四・二	六六・〇	六七・〇	六一・七	六〇・八	五二・六	五八・四	六六・五
砂糖	一一一・七	一〇六・五	一〇一・三	九二・二	八八・三	八八・三	九〇・九	八九・六	一〇〇・〇	一〇五・二
葡萄酒	一三一・三	一一五・六	九八・八	一〇〇・一	一一六・六	八三・四	七九・四	一〇九・六	八一・一	八四・六
肉	一二〇・六	一一二・四	一一二・九	一〇七・一	一一〇・〇	一一〇・〇	一二四・一	一一〇・六	一〇六・五	一一一・八
卵	一一五・五	一三七・九	九三・一	一四四・八	一一五・五	一四一・四	一〇八・六	一二九・三	一四四・八	一二四・一
ミルク	一二一・二	一二一・五	一二〇・八	一二〇・二	一一九・二	一一九・五	一一八・六	一一七・三	一一七・三	一二一・八
乾酪	一一四・六	一一四・六	一一二・二	一一九・五	一二二・〇	一二二・〇	一二四・四	一一二・二	一二六・八	一三一・七
脂肪	一〇八・八	一〇八・〇	八二・四	九一・二	八七・二	八五・六	九三・六	八七・二	八六・四	九五・二
オリーヴ油	一〇〇・〇	一一〇・八	五三・八	八四・六	七六・九	六一・五	八一・五	七六・九	五三・三	八七・七
ラード及獣脂	一〇二・八	一一一・一	一一九・四	八八・九	九四・四	九七・二	一一一・一	一〇五・六	九一・七	一〇二・八
バタ	九〇・九	九〇・九	一〇〇・〇	一〇〇・〇	一〇〇・〇	一〇〇・〇	一〇九・一	九〇・九	一一八・二	一一八・二

第三章　資本力ヨリ見タル伊太利ノ抗戦力

第一節　國富及國民所得

第一項　國富ノ構成

一國ノ國富並ニ國民所得ヲ科学的ニ精確ニ集計スルハ始ンド至難ニシテ、特ニ伊太利ノ如ク是ニ関スル調査資料並ニ統計類ノ不備ナル國ニ於テ然リトス。何等カノ指標計数ニ基キ推算スルノ外ナシ。

伊太利國富ニ就キ概算ヲ試ミタルモノトシテハローマ大学ノ有名ナル統計学教授C・ジーニ（Corrado Gini）ノ集計アリ。同教授ハ一九二八年ニ於ケル伊太利國富総額ヲ官公有財産ヲ除キ四千七百五十億リラト推定ス。米國ノムーデイ投資年鑑（Moody's manual of investment american and foreign）一九四〇年版モ亦此ノジーニ教授ノ推定ニ基キ、エスピノーザ博士

一九三

（Dr. Espinosa）ノ測定トシテ一九四〇年ニ於ケル伊太利國家総額ヲ四千八百五十億リラト計上ス。

一九四

ジーニ教授ノ國富推定額ノ内訳次ノ如シ。

伊太利國富集計（一九二八年、単位百万リラ）官公有ヲ含マズ

総額		四七五、〇〇〇
1.	農用土地及建物	一五五、〇〇〇
2.	都市ノ建物	八〇、〇〇〇
3.	鉱山	五、〇〇〇
4.	家具及家財	四五、〇〇〇
5.	其他ノ動産	四五、〇〇〇
6.	家畜及家禽	二七、〇〇〇
7.	公債	三八、〇〇〇

8. 株券及社債　五二、〇〇〇
9. 預金　三一、九〇〇
10. 鋳貨　六、〇〇〇
11. 國際借方超過　(一)　一〇、〇〇〇

右ジー二教授ノ國富集計ハ便宜的調査方法ニ據リタルモノニシテ、種々ノ欠陥アリ、即チ第一　官公有財産ヲ含マズ、第二、港湾、運河、橋梁等ノ公共利用施設ノ評價ヲ欠キ、第三、前掲表ノ1乃至6マデハ物財ヲ基本トスル間接的集計方法ヲ採リ、7.以下ハ貨幣的財ヲ基本トスル間接的集計方法ヲ採リ、恰モ二重評價ノ如キ観ヲ呈スル嫌アリ、第四、右國富推定額ハ現在八百億乃至一千百余億リラト推算セラル、伊太利國民所得額ト対比シテ過少ノ感アリ、第五、一九二八年以降ニ於ケル伊太利政治経済事情ノ変動ヲ反映セズ、然レ共、右ジー二教授ノ算定方法ハ頗ル簡便ナルト共ニ、他ニ據ルベキ精確ナル資料ナキ為メ、右集計ヲ利用シ、コレニ右諸欠陥ト並ニ一九二八年以降ノ物價、領土、財産状態等ノ変動ヲ考慮シテ適当ナル加除修正ヲ加ヘ、國富現在額ヲ推算スルヲ便宜トス

今、一九四〇年末現在ヲ目標トシテ、ジー二教授ノ集計ニ加除修正ヲ加ヘ、伊太利國富額ヲ推定スルコト次ノ如シ。

(イ)　貨幣價格変動ニ基ク原数字ノ訂正

國際聯盟刊統計年鑑（Statistical Year Book 1939／40）所載ノ各國卸賣物價指数（二〇六頁）ニ依レバ、一九二九年ヲ一〇〇トスル伊太利卸賣物價指数ハ一九三四年マデ低落シタル後上昇ニ転ジ、一九三九年六月ハ一〇二・八、七月ハ一〇〇・八ニシテ（同年七月以降発表中止セリ）之ニ依レバ伊太利物價ハ近来昂騰シタリトハ云ヘ一九二八－九年ノ水準ニ回復シタルノミニシテ、貨幣價値上ノ修正ヲ必要トセザル如クナルモ、一九三九年八月以降ノ物價騰貴、一九三六年ニ於ケル約四一％ノリラ平價切下ゲ、一九四〇年三月九日ノ全國協同体評議会ノ俸給生活者俸給ノ一割乃至一割五分引上ゲ指令等ヲ参酌シ、一九二八年ヨリ一九四〇年末現在トノ間ニハ最低限一五％ノ物價水準ノ騰貴、即チ貨幣價値ノ低下アリタルモノト見テ、原数字ノ修正ヲ施スヲ妥当トスベシ、依ツテ先ヅ前掲ジー二集計中ノ2乃至6項目ノ物的財産評價額ニ一五％ノ貨幣價値変動ヲ加算シ、修正國富集計ノ基準数字トス

（単位百万リラ）

	原評價額	一五％加算修正評價額
1. 農用土地及建物	一五五、〇〇〇	一七八、二九〇
2. 都市ノ建物	八〇、〇〇〇	九二、〇〇〇
3. 鉱山	五〇、〇〇〇	五七、九〇
4. 家具及家財	四五、〇〇〇	五一、七五〇
5. 其他ノ動産	四五、〇〇〇	五一、七五〇
6. 家畜及家禽	二七、〇〇〇	三一、〇五〇

(ロ)　一九二八年以外ノ財産増加ノ加算

次ニ上記ノ各項目ニ就キ一九二八年以後四〇年ニ至ル間ニ、土地開墾、建

物ノ増新設、鉱山ノ開発、家畜ノ増殖等ニ依ル物的財産ノ増加額ヲ追加セザルベカラズ。先ヅ農用土地建物ニ就テハファッシスト政府ガ土地改良事業ニ力ヲ注ギ、一九二八年以降三八年末マデニ政府ノミニテモ約百二十億リラノ直接経費ヲ支出シ、又一九三一年ヨリ三六年ニ至ル五ケ年間ニ於テモ主要農作物耕地ガ千三百九十万六千ヘクタールヨリ千五百三十八万六千ヘクタールニ、約一〇％方ノ増加ヲ来シ居ル事実等ニ基キ、基準額ノ二〇％、三五、六五〇百万リラヲ新規増價額トシテ加算シ、更ニアルバニヤノ本土合併ニ依ル面積二万八千平方粁中ノ農用土地及建物ヲ一九、〇〇〇百万リラト評價シテコレヲ加算ス。

次ニ都市ノ建物ニ就テハ都市ノ土地及ビ諸施設ノ評價ヲ三千平方粁、四、〇〇〇百万リラトシテ追加シ、外ニ、一九二八年以降四〇年ニ至ル間ノ新規増價額ヲ基準額ノ約二〇％、一八、四〇〇百万リラト推定シテ加算ス。

鉱山ハアウタルキー計画ニ於ケル伊太利政府ノ資金支出及ビ一九二九年ヨリ三八年ニ至ル主要鉱山物ノ増加状態ヨリ見テ基準数字ノ一〇〇％ノ増價ア

ルモノト推定シ、五、〇〇〇百万リラヲ加算ス。

家具家財、及ビ其ノ他ノ動産ニ就テハ其ノ増價ヲ推定スベキ直接ノ資料ヲ欠クモ一九二八年ヨリ三八年ニ至ル人口増加率約九％、コレニ基ク自然増加額各四、六五七百万リラ、外ニ生活状態ノ改善、新規購入等ニ依ル一九二八年－四〇年間ノ新規増價額ヲ基準額ノ二〇％、各一〇、三五〇百万リラト推定シテ加算ス。

家畜家禽ハ一九三〇年ヨリ三八年ニ至ル統計ニ於テ馬匹類ガ約一〇％減ジ、牛類ガ約九％増加シ、豚ガ約一〇％減ジ、羊ガ八％減ジツ、アル状況ニ照シ、基準額ノ約五％、一、五二五百万リラ減額セルモノト見テ控除ス。

(ハ)　公共利用施設ノ評價

ジーニ教授ノ國富集計ニハ港湾、運河、橋梁等公共利用施設ノ評價ヲ欠クモ、一般官公有財産ト別個ニコレヲ評價算入スルヲ妥当トスベシ、然レ共コレガ評價方法ハ全ク至難ニシテ、一應ノ推算ニ據ルノ外ナク、コ、ニハ概算一〇、〇〇〇百万リラトシテ集計ス。

一九九

(ニ)　官公有財産ノ追加

ジーニ教授ノ國富集計ニ於テハ官公有財産ヲ除外シ、代リニ公債現在額ヲ計上セルモ正確ナル評價方法トハナシ難シ。

伊太利中央統計局、統計年鑑（*Annuario statistico italiano* 1939年）ハ伊太利國家財産トシテ左ノ如キ統計ヲ掲載セリ（二五八頁）。

（單位　百万リラ）

総　額		一一六、六〇三
1.	不動産、動産、信用及債券	二七、三〇〇
2.	生産的事業財産	三〇、一七九
3.	陸海空軍備	三八、九七九
4.	公共施設財産	五、九五〇
5.	科学及藝術財産	一四、一九四

更ニ同年鑑ハ一九三八年現在ノ市町村及府縣ノ債務額合計ヲ一四、五〇〇百万リラト集計セリ。依ツテ右價額ヲ合計シ、更ニ一九三八－九年ヨリ四〇年ニ至ル増加額ヲモ参酌シテ、一九四〇年現在ノ伊太利官公有財産ヲ一四〇、〇〇〇百万リラト推定、コレヲ集計シ、ジーニ集計中ヨリ7．ノ公債ノ項目ヲ除去ス。

二〇〇

（参考資料Ｉ　参照）

(ホ)　法人財産ノ評價

ジーニ集計中ノ8．株券及社債トアルハ之ニ依リ間接ニ法人財産ヲ評價セルモノト思惟サル。此ノ集計方法ハ間接的ニシテ不正確ナルモ、他ニ正確ナル集計方法ナキ為メ、コ、ニモ同様ノ評價方法ヲトルモノトスレバ、一九三八年ニ於ケル伊太利株式会社総数ハ二〇、八〇九、其ノ拂込資本合計五三、一二九百万リラニシテ、外ニ社債発行額ヲ五、〇〇〇百万リラト推定ス（参考資料Ⅱ．参照）。右数字ヲ基礎トシ、更ニ一九三八－四〇年ニ至ル増加額並ニ計上資本外ノ会社財産合計七、〇〇〇百万リラ（推定）ヲ加算シ、一九四〇年末現在ノ法人財産推定額ヲ六五、一二九百万リラトシテ集計ス。

(ヘ)　鑄貨ノ評價修正

ジーニ集計中ノ10．ノ鑄貨評價額六、〇〇〇百万リラヲ削リ、伊太利銀行年報所掲ノ一九三九年末ニ於ケル金準備額二、七〇〇百万リラヲ以ツテ之ニ代フ。

二〇一

(ト)　其ノ他ノ財産ノ評價

ジーニ集計中ノ9．預金トアルハ之ニ依ツテ該預金ノ背後ニアル物的財産ヲ間接的ニ評價セントスルモノト信ゼラル、モ、表現ノ不正確ヲ除ク為メ一九三八年末ニ於ケル伊太利諸預金合計四六、三〇八百万リラ（*Reague of Nations; Statistical Year Book* 1939－40．P237　参照）ヲ基準トシテ、上記項目外ノ伊太利國ノ其ノ他ノ財産総計ヲ五〇、〇〇〇百万リラト推定ス。

(チ)　國際貸借ノ改訂

ジーニ集計ハ國際借方超過トシテ(一)一〇、〇〇〇百万リラヲ計上スルモ、其ノ後ノ外債整理等ニ依リ、國際貸借関係ハ一應改善サレタルモノト見ルベク、逆ニ伊領東アフリカ、リビヤ等ニ対スル投資並ニ開発資本ノ投下等ハ伊太利ノ國際貸借上ノプラストシテ計上スルヲ妥当トスベシ、右観点ヨリ國際貸借尻ハ貸方超過トシテ一〇、〇〇〇百万リラヲ計上ス。

二〇二

以上ノ加除修正ノ結果ヲ総括整理シテ示セバ次ノ如シ。

伊太利国富推定額

（単位 百万リラ）

項目	原評価額	追加額	修正評価額
1. 農用土地及建物	一五五、〇〇〇	六三、九〇〇	二一八、九〇〇
2. 都市ノ建物土地	八〇、〇〇〇	三四、四〇〇	一一四、四〇〇
3. 鉱山	五、〇〇〇	五、七五〇	一〇、七五〇
4. 家具及家財	四五、〇〇〇	一五、〇〇〇	六〇、〇〇〇
5. 其他ノ動産	四五、〇〇〇	一五、〇〇〇	六〇、〇〇〇
6. 家畜及家禽	二七、〇〇〇	二、五二五	二九、五二五
7. 官公有財産	：	一四〇、〇〇〇	一四〇、〇〇〇
（公債）	三八、〇〇〇	：	：
8. 法人財産	：	六五、一二九	七五、一二九
（株券及社債）	五二、〇〇〇	：	：
9. 公共利用施設	：	一〇、〇〇〇	一〇、〇〇〇
10. 金準備	：	二、七〇〇	二、七〇〇
（鋳貨）	六、〇〇〇	：	：
11. 其他ノ財産	：	五〇、〇〇〇	五〇、〇〇〇
（預金）	三一、五〇〇	：	：
12. 国際貸方超過	：	（＋）一〇、〇〇〇	（＋）一〇、〇〇〇
（国際借方超過）	（－）一〇、〇〇〇	：	：
合計	四七五、〇〇〇	：	七七一、三九四

二〇三

二〇四

即チ一九四〇年末現在ヲ基準トセル伊太利国富総額ハ七千七百十三億九千四百万リラト推定サル。

右国富額ヲ其ノ性質ニ基キ生産的富ト消費的富トニ分類スレバ次表ノ如シ。

（註）生産並ニ消費ノ意義ノ広狭ニ依リ分類ニ大ナル変化ヲ来スベキモ、茲ニハ狭義ノ生産ニ属スルモノノ外、港湾、運河等ノ公共施設ノ如キモノヲモ生産的富ニ加算ス。

伊太利国富ノ構成

（単位 百万リラ）

生産的富	
1. 農用土地及建物（総額ノ九五%）	二〇七、九五五
2. 都市ノ建物及土地（総額ノ四〇%）	四五、七六〇
3. 鉱山	一〇、七五〇
5. 其他ノ動産（総額ノ四〇%）	二四、〇〇〇
6. 家畜及家禽	二九、五二五
7. 官公有財産（生産関係ノモノ）	五〇、二〇〇
8. 法人財産（総額ノ九〇%）	五八、五〇六
9. 公共利用施設	一〇、〇〇〇
10. 其他ノ財産（総額ノ九〇%）	二五、〇〇〇
11. 国際貸方超過	一〇、〇〇〇
生産的富ノ合計	四七一、六九六
国富総額ニ対スル比率	六一・二%

二〇五

二〇六

消費的富	
1. 農用土地及建物（総額ノ五%）	一〇、九四五

2. 都市ノ土地建物（総額ノ六〇%）	六八、六四〇
3. 家具及家財	六〇、〇〇〇
4. 其ノ他ノ動産（総額ノ六〇%）	三六、〇〇〇
5. 官公有財産（非生産的ノモノ）	八九、八〇〇
6. 法人財産（総額ノ一〇%）	六、五一三
7. 金準備	二、七〇〇
8. 其他ノ財産（総額ノ五〇%）	二五、〇〇〇
消費的富ノ合計	二九九、五九八
国富総額ニ対スル比率	三八・八%

二〇七

二〇八

更ニ右国富ヲ生産財タルト消費財タルトヲ問ハズ固定的ニ同一目的ニ使用セラルルヤ否ヤヲ標準トシテ固定資産ト流動資産トニ分類シ集計セバ左表ノ如シ。

（註）国富ノ固定、流動資産ノ区分ハ厳密ニ之ヲ規定シ難キモ、一應ノ標準ニ依リ概略ノ算定ヲ施ス。

伊太利国富ノ構成

（單位 百万リラ）

固定資産	
1. 農用土地及建物	二一八、九〇〇
2. 都市ノ土地建物	一一四、四〇〇
3. 鉱山	一〇七五〇
4. 家具及家財	六〇、〇〇〇
5. 其他ノ動産（総額ノ五〇%）	三〇、〇〇〇
6. 家畜及家禽	一七、七一五

（総額ノ五〇%）	
7. 官公有財産（総額ノ九〇%）	一二六、〇〇〇
8. 法人財産（総額ノ六〇%）	三九、〇七七
9. 公共利用施設	一〇、〇〇〇
10. 其他ノ財産（総額ノ七〇%）	三五、〇〇〇
12. 国際貸方超過	(十) 一〇、〇〇〇
固定資産合計	六七一、八四二
国富総額ニ対スル比率	八七・三

流動資産	
1. 其他ノ動産（総額ノ五〇%）	三〇、〇〇〇

二〇九

二一〇

2. 家畜及家禽（総額ノ四〇%）	一一、八一〇
3. 官公有財産（総額ノ一〇%）	一四、〇〇〇
4. 法人財産（総額ノ四〇%）	二六、〇五二
5. 金準備	二、七〇〇
6. 其他ノ財産（総額ノ三〇%）	一五、〇〇〇
流動資産合計	九九、五六二
国富総額ニ対スル比率	一二・八%

第二項　國富ノ戦時食込可能量

一國ノ経済戦力ノ大サハ、当該國ノ現在及将来ノ生産力ノ中何%ヲ戦争目的ニ振向ケ得ルヤト、過去ノ蓄積タル國富ノ中何%ヲ同様戦争目的ノ為メニ振向ケ得ルヤトニ依ツテ決定サルベシ。過去ノ蓄積タル國富ノ戦時食込ノ可能形態トシテハ直接的食込ト間接的食込トノ二ヲ挙グベク、直接的食込トハ國内ノストツク、流動資産等ヲ直接戦時消費ニ提供スルモノ、間接的消費トハ國富ヲ担保トスル外債ノ起債又ハ産業証券（株式等）ノ対外譲渡等ノ方法ニ依リ間接的ニ國富ヲ戦時消費ニ提供スルモノヲ指ス。此ノ内國富ノ間接的食込ノ可能性ニ就テハ列項ニ考察スベク、直接的食込ノ可能國富源トシテハ

第一、流動資産中

(イ)　武器、軍需品ノストツク

(ロ)　軍需目的ニ振向ケ得ル原料、材料等ノストツク

(ハ)　現ニ使用サレツヽアル流動資産タル製品、原料、材料中軍需目的ニ転用サレ得ルモノ

(ニ)　金銀及外國為替

第二　固定資産中

(イ)　直接軍需目的ニ徴発、転用シ得ルモノ

(ロ)　軍需品生産ノ原料、材料トシテ回収、転用シ得ルモノ

(ハ)　対外資産中処分シ得ルモノ

等ヲソノ主要項目トシテ挙グルヲ得ベシ

（註）固定資産中ソノ償却分ノ食込ミ、即チ不償却、不修繕ノ侭ノ使用継続ヲモ國富ノ食込額トシテ計上スルモノアルモ、之ハ寧ロ将来ノ生産力（若クハ広義ノ國民所得）ノ食込ミニ属スルガ故ニ、コヽニハ除外ス。

伊太利國富額中、戦時食込ノ可能財源トナリ得ル項目ヲ列挙スレバ左ノ如シ

（單位百万リラ）

流動資産

1.	其他ノ動産	三〇、〇〇〇
2.	家畜及家禽	一一、八一〇
3.	官公有財産	一四、〇〇〇
4.	法人財産	二六、〇五二
5.	金準備	二、七〇〇
6.	其他ノ財産	一五、〇〇〇
	合計	九九、五六二

固定資産

1	家具及家財	六〇、〇〇〇
2.	其他ノ動産	三〇、〇〇〇
3.	家畜及家禽	一七、七一九
4	官公有財産	一二六、〇〇〇
5	法人財産	三九、〇七七
6.	其他ノ財産	三五、〇〇〇

ワ、	國際貸方超過	一〇、〇〇〇
	合計	三一七、七九二
	総計	四一七、三九四

右総額四千百七十三億五千四百万リラ中、現実ニ幾許ヲ戦時消費ニ振向ケ得ルヤ極メテ測定困難ナルモ、先ヅ直接政府保有ノ武器ヲ除ク軍需資材、軍需品ニ振向ケ得ル原料、材料等ノ各種ストツクヲ見ルニ、ファツシスト政府ハ英独戦前戦前ヨリ鋭意國内ストツク保有量ノ拡充ニ努メ、伊太利参戦前後ニ於テハ鉄鉱ノミニテモ四百万瓲乃至九百万瓲、石油ニ百万瓲乃至三百万瓲ノストツクヲ保有セリト称セラルヽガ故ニ、コレ等各種ストツクノ保有量総額ハ合計百億リラ乃至二百億リラト推定サレ、其ノ大部分ハ前掲表中ノ其ノ他ノ動産、其ノ他ノ財産及官公有財産、法人財産中ニ包含サル。次ニ現ニ使用サレツヽアル流動資産並ニ固定資産中直接軍需品ニ転用サレ得ルモノ又ハ軍需生産原料又ハ材料トシテ転用サレ得ルモノトシテハ家具家財、其ノ他ノ動産、家畜及家禽、官公有財産、法人財産、其ノ他ノ財産等多種目ニ亘リ想定サルルモ、コレガ食込

ミハ直チニ次ノ生産活動ニ影響スルトコロ大ナルガ故ニ、ソノ喰込ミ可能量ハ必シモ大ナルヲ得ズ。総額百億乃至百五十億リラ前後ト推定サル。但シ官公有財産中陸海空軍備及ビソノ軍器兵器ノストックハ正常ナル意味ノ國富ノ喰込可能財源トハ称シ難キガ故ニ、右計算中ヨリ除外ス、次ニ金銀及外國為替、在外資産等ニシテ戦時財源トシテ利用シ得ルモノハ既ニ一九三五－六年ノエチオピヤ戦争ニ於テ大部分消費セルガ故ニ、現在利用可能ナルモノハ極メテ少額ト思惟サレ、最大限二十億リラ乃至五十億リラト推定サル。

右諸点ヲ基礎トシテ伊太利國富中ノ戦時喰込可能項目ニツキ可能喰込額ヲ推算スルニ次ノ如シ。

伊太利國富戦時喰込可能額推定　（単位百万リラ）

項目	現在額	可能喰込額	最大限可能喰込額
流動資産			
1. 其他ノ動産	三〇、〇〇〇	（全額ノ二〇%ト見テ）六、〇〇〇	（全額ノ三〇%ト見テ）九、〇〇〇
2. 家畜及家禽	一一、八二〇	（全額ノ三〇%ト見テ）三、五四三	（全額ノ五〇%ト見テ）五、九〇五
3. 官公有財産	一四、〇〇〇	（全額ノ二〇%ト見テ）二、八〇〇	（全額ノ四〇%ト見テ）五、六〇〇
4. 法人財産	二六、〇五二	（全額ノ三〇%ト見テ）七、八一五	（全額ノ四〇%ト見テ）一〇、四二〇
5. 金準備	二、七〇〇	（全　額）二、七〇〇	（全　額）二、七〇〇
6. 其他ノ財産	一五、〇〇〇	（全額ノ三〇%ト見テ）四、〇〇〇	（全額ノ五〇%ト見テ）七、五〇〇
合計	九九、九六二	二六、八五八	四一、一二五
固定資産			
1. 家具及家財	六〇、〇〇〇	（全額ノ五%ト見テ）三、〇〇〇	（全額ノ一〇%ト見テ）六、〇〇〇
2. 其他ノ動産	三〇、〇〇〇	（全額ノ一〇%ト見テ）三、〇〇〇	（全額ノ二〇%ト見テ）六、〇〇〇
3. 家畜及家禽	一七、七一五	（全額ノ一〇%ト見テ）一、七七一	（全額ノ二〇%ト見テ）三、五四三
4. 官公有財産	一二六、〇〇〇	（全額ノ五%ト見テ）	（全額ノ一〇%ト見テ）
（除軍備）	八一、〇〇〇	四、〇五〇	八、一〇〇
5. 法人財産	三九、〇七七	（全額ノ五%ト見テ）一、九五三	（全額ノ一〇%ト見テ）三、九〇七
6. 其他ノ財産	三五、〇〇〇	（全額ノ一〇%ト見テ）三、五〇〇	（全額ノ二〇%ト見テ）七、〇〇〇
7. 國際貸方超過	一〇、〇〇〇	：	：
合計	三一七、七九二	一七、二七四	三四、五四九
総計	四一七、三五四	四四、一三二	七五、六七四

斯クシテ、一九四〇年現在ヲ基準トスル伊太利國富ノ戦時喰込可能額トシテ、平準四百四十一億三千二百万リラ、最大限七百五十六億七千四百万リラノ推定数字ヲ得。

更ニ之ヨリ本調査ノ目標トスル昭和十八年即チ一九四三年度ニ於ケル伊太利ノ國富総額及ビソノ戦時喰込可能量ヲ推定スルニ、既ニ一九四〇年六月ヨリ欧洲戦ニ参加シ、相当多額ナル戦費ヲ費消シツツアル伊太利トシテハ、此ノニケ年間ニ國富ノ積極的増加ヲ想定スルコト、困難ナルノミナラズ寧ロ戦況ノ戦時喰込ヲ予想セザルヲ得ザルベク、従ツテ又國富ノ戦時喰込可能量モ予想算ヨリ著シク低下スルモノト推定セザルヲ得ズ。

第三項　國民所得ノ構成

國民所得ノ概念ニハ広義ト狭義ノ二者ヲ区別スベク、広義ニハ一國ノ國民生産物及ビ生産的労働ノ総價値ヲ意味シ、狭義ニハソノ内所謂國民ノ純所得トシテソノ消費又ハ貯蓄財源ニ帰属スル價値額ヲ意味ス、戦費財源トシテ國富ト対照スル意味ニ於ケル國民所得ハ第一段ニハ此ノ広義ノ「一定年間ニ於ケル國民生産物及生産的労働ノ價値総額」ヲ対象トスベク、此ノ広義ノ國民所得中ヨリ國民ノ生活維持ニ必要ナル消費價値額ガ支弁サレ、軍事費ヲ含メテノ國家的消費ガ支出サレ、再生産続行ノ為メニ要スル國富ノ銷却額ガ支拂ハレ、残余ガ國民的蓄積トシテ拡張再生産ニ振向ケラルルモノトス。一國ノ經済戦力ノ大イサハ先ヅ此ノ広義ノ國民所得即チ生産総價値ガ幾許迄増大セラルルヤニ懸リ、次

二一九

ニソノ生産総價値中最大限幾許迄ヲ各種消費充当額ヨリ捻出シ得ルヤニ依ツテ決セラルベシ。

（註）茲ニ云フ所得ノ概念ハ凡テ貨幣的意味ニ於ケル所得ノ概念ニ非ズシテ、物財的意味ニ於ケル生産的労働的價値概念ヲ採用スルモノトス。

伊太利ノ一ヶ年間ニ於ケル國民的総生産物並ニ生産的労働ノ総價値額ノ測定ハ適切ナル資料ヲ欠クガ故ニ、各種ノ統計ヨリ推定ヲ試ムルノ外ナシ。

(イ)　農林産額

Banca d'italia 編輯ニ懸ル " L'économia italiana " 第一編中ノ農産物價額統計ニ依レバ、一九三五年―六年ノ伊太利農産物総價額ヲ各二百九十五億九千八百万リラ、二百九十七億五千五百万リラト算定シ、内訳左ノ如シ、

二二〇

伊太利農産物價額　（単位　百万リラ）

項目	一九三五年	一九三六年
穀物	一一、三一七	一〇、七六九
馬鈴薯及豆類	一、五七二	一、九三九
野菜類	一、六六二	一、七五九
生果実	一、九四七	一、八二八
乾果実	一、三〇一	一、二六五
葡萄酒	四、三三三	三、八二〇
柑橘類	六九九	七三五
繊維類	三一四	四五六
工業原料	四八六	五一三
飼料	五、九六二	七、三六八
合計	二九、五九八	二九、七五五

二二一

右統計ヲ基礎トシ、ソノ以後ニ於ケル農産物ノ増減ヲ考慮シ、更ニ農産物價ニ約二〇%方ノ騰貴アリシモノト見テ一九四〇年ノ農産物及ビ林産物價格ヲ次ノ如ク推定ス。

一九四〇年農林産物價格　（百万リラ）

	一九三六年	一九四〇年
農産物	二九、七五五	三四、二一八（推定）
林産物	―	四、〇〇〇（〃）
合計		三八、二一八

(ロ)　水産物

伊太利近年ノ水産物収穫量次ノ如シ

（単位キンタル）

一九三一年	一、二六〇、〇〇〇
一九三二年	一、二九〇、〇〇〇

二二二

一九三三年	一、三一〇〇〇〇
一九三四年	一、三三〇、〇〇〇
一九三五年	一、六六〇、〇〇〇

一九三五年ノ水産量中四五、〇〇〇キンタルハ淡水魚、三〇、〇〇〇キンタルハ入江港湾ノ水産物、六万キンタルハ甲殻類又ハ軟体動物、残リ一、五二五、〇〇〇キンタルヲ海洋漁獲物トス、右統計ヨリ一九四〇年伊太利水産物価額ヲ左ノ通リ推定ス。

一九四〇年伊太利水産物価額

一九四〇年	一、七〇〇千キンタル	二、〇〇〇百万リラ

（資料 *La Proclazione Peschereccion Vittorino Vezzani*）

(ハ)　鉱産物

伊太利中央統計局統計年鑑ハ伊太利鉱産額ニ就キ比較的詳細ナル統計ヲ掲ゲルガ故ニ、コレヲ基礎トシテ左ニ一九四〇年ニ於ケル鉱産額ヲ推算ス

二二三

ルモノトス。

伊太利鉱産額　（単位千リラ）

	一九三八年	一九四〇年
1. 鉱山業		
金属鉱物	三三八、〇九三	…
非金属鉱物（石炭ヲ含ム）	五五七、一六六	…
鉱泉及温泉	三一、八六七	…
合計	九二八、一二六	一、五九二、一八九（推定）
2. 冶金製煉業		
鉄鋼生産物	三、九〇三、一三九	…
各種冶金製品	六八四、二三六	…
化学製煉製産物（石油ヲ含ム）	四二四〇、四二八	…

二二四

其他ノ鉱産物	四二、八一七	
合計	七、八六九、七一六	一〇、五三〇、五〇〇（推定）
（参考資料Ⅲ参照）		
3. 石材工業		
大理石、彫刻用材 建築用材	四二四六〇〇	五〇〇〇〇〇（推定）
4. 岩等炭		
泥炭	二一四	四三〇（推定）
総計	九、二二二、五五六	一二六二三一一九（推定）

（*Annuario statistico italiano* 1939, P101－103）

(ニ)　工業生産物

工業生産物価額ニ就テハ直接ノ資料ヲ欠クガ故ニ前掲伊太利統計年鑑所掲ノ数量統計並ニ伊太利輸出入品統計（*Annuario statistico taliano*

二二五

1939, P104－116, P167－181）等ニ基キ左ノ如ク推定ス。

一九四〇年伊太利工業生産物価額　（千リラ）

繊維工業製品	七、〇〇〇〇〇〇（推定）
化学工業製品	五、二〇〇、〇〇〇（〃）
機械工業製品（兵器ヲ含ム）	一一、〇〇〇、〇〇〇（〃）
造船業	九〇〇、〇〇〇（〃）
建築業	一、五〇〇、〇〇〇（〃）
飲食料工業製品	五、二六〇、〇〇〇（〃）
合計	三〇、八六〇、〇〇〇（〃）

(ホ)　電力、瓦斯

伊太利ノ一九三八年ニ於ケル水火力発電量ノ総計ハ一五、一〇八、一六二千キロワット時ニシテ、コレヲ一キロワット時〇・五リラト評價スレバ七、五五四、

二二六

〇八一千リラト概算サレル・他ニ瓦斯発生量ヲモ概算シテ一九四〇年ノ電力瓦斯生産價額ヲ推定スルコト次ノ如シ。

一九四〇年電力、瓦斯生産額　（單位　千リラ）

	一九三八年	一九四〇年
電力	七、五五四、〇八一	八、〇〇〇、〇〇〇（推定）
瓦斯	七〇〇、〇〇〇	八〇〇、〇〇〇（〃）
合計	八、二五四、〇八一	八、八〇〇、〇〇〇（〃）

（ヘ）政府専賣品

伊太利政府専賣品トシテ塩及煙草ノ生産額ヲ評價スルヲ要ス。

政府専賣品價額

	一九三八年	同上評價推定	一九四〇年推定
煙草	二九四、九一二キンタル	二九四、九一二千リラ	三〇〇、〇〇〇千リラ

二二七

塩	四、八六四	一〇〇、六四〇	一〇一、〇〇〇
合計	…	三九五、五五二	四〇一、〇〇〇

二二八

（ト）商業價額

享楽的施設又ハ企業ヲ除ク一般商業モ亦生産的労働トシテ國民的生産價額中ニ計上スルヲ要スルモ、コレガ評價ハ全ク困難ニシテ、コヽニハ伊太利租税收入、鉄道輸送額其他ヨリ推算シテ概算二〇、〇〇〇、〇〇〇千リラト測定ス。

（チ）交通運輸價額

電信、電話、郵便、鉄道、海運、自動車運輸等ノ交通運輸業モ亦生産的施設又ハ事務トシテ、ソノ寄與價額ヲ評價スルヲ要スベク、コヽニハ前掲伊太利統計年鑑所掲ノ各種統計ヨリ推算シテ、一九四〇年ニ於ケル交通運輸價額ヲ七、〇〇〇、〇〇〇千リラト推定ス。

（リ）其ノ他ノ生産的價額

上記推算項目以外ノ生産物並ニ自由職業其ノ他ノ生産的労働價値ヲ合計シテ一〇、〇〇〇、〇〇〇千リラト概算ス。

（ヌ）國際收支差引尻

一九三八年ニ於ケル伊太利輸出入尻ハ左ノ如ク八億一千二百万リラノ入超ヲ示ス

一九三八年伊太利輸出入尻　（單位　百万リラ）

輸入	一一、二七三
輸出	一〇、四六一
入超	八一〇

從来ノ伊太利國際收支ハ貿易外受取超過ニ依リ右ノ如キ貿易入尻ヲ補塡スルヲ例トセルモ、近年ニ於テハ貿易外受取超過額ノ分増加ニ反シ、入超尻ハ逆ニ増加シツヽアルガ故ニ、一九四〇年ニ於ケル全体ノ國際收支尻ニ於テハ概算三〇〇百万リラ程度ノ支拂超過ト推定スルヲ妥当トスベシ。

叙上ノ各項目ヲ集計シ、更ニソノ内ノ計数上ノ重複價額分並ニ輸入原料ニ依

二二九

ル生産物ノ輸入額ヲ除外シテ、一九四〇年ニ於ケル伊太利広義國民所得、即チ國民生産ノ総價値額ヲ算定スレバ次表ノ結果ヲ得。

一九四年伊太利國民生産總價額　（單位　百万リラ）

項目	價額
1. 農林産物	三八、二一八
2. 水産物	二、〇〇〇
3. 鉱産物	一三、六二三
4. 工業生産物	三〇、八六〇
5. 電力瓦斯	八、八〇〇
6. 政府専賣品	四〇一
7. 商業價額	二〇、〇〇〇
8. 交通運輸價額	七、〇〇〇

二三〇

9. 其ノ他		一〇、〇〇〇
10. 國際收支尻	(一)	三〇〇
合　計		一二九、九〇二
内重複計算分		五、〇〇〇（推定）
純原料輸入分		四、〇〇〇（〃）
右差引純生産総價額		一二〇、九〇二

即チ一九四〇年ニ於ケル伊太利ノ國民生産物並ニ生産的勞働ノ總價額ハ純計千二百九億二百万リラト推定サル。

コレヲ他ノ伊太利國民所得推定ト対比スルニ、ジーニ教授（Corrado Gini）ハ一九二五年ニ於ケル伊太利全國民所得ヲ千十億強ト推算シ、デ・ヴィダハ一九二八年ニ於テ八百七十億ト概算シ、伊太利藏相タオン・デイ・レヴエル（Thaon di Revel）ハ一九四〇年五月十七日ノ上院ニ於ケル年次演説ニ於テ伊太利國民所得ヲ千百五十億リラト推定セリ。レヴエル藏相ノ所得推定ハ財

二三一

政的理由ヨリ見積ヲ過大ニセル疑アルモ、右推定所得額ノ意味ヲ國民純所得ニ非ズシテ茲ニ採用セル広義所得ニ該当スルモノトセバ、略此ノ推定額ニ一致ス（"Economia italiana"誌一九三八年四月号、ベネデット・バルベリー論文ニ據ル）。

次ニ右一九四〇年伊太利広義國民所得額、即チ國民生産物並ニ生産的勞働ノ總價値ガ如何ナル部分ニ如何ニ配分セラルルヤヲ考察スルニ、ソノ帰属形態トシテハ、一、國民ノ純消費、二、拡張再生産ヘノ投下即チ所謂國民的蓄積、三、單純再生産ヘノ回帰、即チ固定資産ヘノ銷却ト流動資産ノ補塡、四、國家ニ依ル非再生産的、非人件費的消費（軍事消費ヲ含ム）ノ四ニ分ツヲ得ベシ。右ノ内一、二ノ合計額ト、國民ノ直接納税額トヲ加ヘタルモノヲ狭義ノ所謂國民所得額、若クハ純國民所得トス。

(イ) 國民ノ純消費

先ヅ伊太利國民ノ純消費額ニ就テハ消費対象別ニ算定シタルベネデット・バルベリー（Benedetto Barberi）ノ有益ナル推定アリ、右ニ依レバ消

二三二

費対象ヨリ推算セル一九三六年ノ伊太利國民所得（國民消費額）ハ八百十六億リラニ算定サル。次表ノ如シ。

一九三六年伊太利國民所得（消費）額　（単位百万リラ）

1. 食料品	三六、五〇〇
2. 衣類家具	一三、五〇〇
3. 住居光熱費	一五、〇〇〇
4. 運輸、通信、娯楽其他ノ享楽費	六、五〇〇
5. 教育、保険其ノ他	四、五〇〇
6. 税、組合費	五、六〇〇
合　計	八一、六〇〇
7. 貯金及貯蓄	五、一二〇
総　計	八六、七二〇

右八百十六億リラ中、税及相互組合費ヲ除去シタル七百六十億リラヲ以テ

二三三

三六年中ニ於ケル全國民消費額トナスヲ得ベシ（L'economia italiana 1938-XVI. Aprile, P318）。

右バルベリーノ推定ヲ一應採用シ、更ニ伊太利生計費指數ノ昂騰率（一九三六年平均八三・五ニ対シ一九三八年八九、一ニシテ一八%強ノ昂騰ニ当ル）並ニ國民消費水準ノ変動等ノ事情ヲ考慮シテ、一九三六年ヨリ一九四〇年ニ至ル間ニ右消費額ノ平均一〇%ノ増大アリタルモノト見、一九四〇年ノ國民純消費額ヲ八百三十六億リラト推算ス。

(ロ) 拡張再生産ヘノ新規投下

近年ノ伊太利國民的蓄積ノ増加状況次ノ如シ　（単位百万リラ）

	一九三五－六年	一九三六年－七年	一九三七年－八年
各種預金増加	二、五〇一	三、四七一	一、七八一
会社拂込資本増加	七一〇	二、八九〇	五、四三四
國債増加	七、四四七	二〇、五五四	八、九一〇

二三四

合計	一〇、六五八	二六、九一五	一六、一二五

（*Annuario statistico italiano*, 1939）

貨幣名額的ニハ右ノ如ク一ケ年ノ伊太利國民的蓄積ノ合計額ハ百六億五千万乃至二百六十九億一千万リラニ達スルモ、右ノ内ノ國債増加額ハ拡張再生産ノ為メノ新規投下タルヨリモ大部分國家的消費ニシテ且ツ非蓄積的性質ニ属スベキガ故ニ、右ヲ除ク一九三七年―三八年ノ蓄積額ヲ標準トシテ一九四〇年ニ於ケル伊太利ノ拡張再生産ヘノ國民的新規投下額ヲ八十億リラト推定ス。以上二項目ト、同年度ノ直接納税推定額トヨリ推算スレバ、一九四〇年ニ於ケル伊太利ノ狭義國民所得ハ合計九百七十六億リラト測定スルヲ得ベシ。

（ハ）　単純再生産ヘノ回帰

単純再生産ヘノ回帰分即チ固定資産ノ銷却額ト流動資産ノ補填額トニ幾許ノ國民生産ガ振向ケラルルヤハ両資産ノ現在高トソノ回転率ニ依ツテ決セラルベシ、前述（一）ノ國富ノ構成ニ依レバ一九四〇年現在ノ伊太利國富ハ固定資

二三五

産六千七百十八億四千二百万リラ、流動資産九百九十五億六千二百万リラト推定サル、然レ共コレ等資産中ニハ銷却若クハ補填ヲ要セザル項目モ包含サルルガ故ニ、コレヲ除外セル一九四〇年現在要銷却、要補填資産価額ハ左ノ如シ

（単位百万リラ）

固定資産合計	二七〇、〇〇〇
流動資産合計	八七、〇〇〇

右資産ニ対シ一九四〇年中ニ現実ニ幾許ノ銷却並ニ補填ガ行ハレタリヤハ全ク算定ノ資料ヲ欠クガ故ニ理論的観点ヨリ推測ヲ下スノ外ナシ、依ツテ右両資産ニ対シ固定資産ハ平均廿五ケ年銷却、流動資産ハ全体ニ対シ三％ノ補填ヲナスモノト想定セバ、四〇年後ニ於ケル國民生産ノ単純再生産ヘノ回帰額ハ百三十四億一千万リラト推定サル。

（ニ）　國家ノ純消費

純國家消費ノ測定ハ最モ困難ナルトコロトス。一九四〇年五月十七日伊太利上院ニ於テタオン・デイ・レヴェル蔵相ノナシタル報告ニ依レバ同年六月

二三六

末ヲ以テ終ル一九三九年―四〇年度ノ伊太利歳出入実績ハ歳入二百九十七億四千万リラト算定サレ、又一九四〇年―四一年度ノ閣議決定予算ハ通常歳出三百四十八億九千五百万リラ、歳入二百九十億リラ内國防費百八億四千三百万リラト計上セルモ、右ノ如キ予算面ニ現ハレタル歳出総額又ハ國防費ヲ以テ、國民生産ノ配分上ニ於ケル純國家消費トナスハ当ラズ。國家歳出中ノ人件費ニ属スル部分ハ殆ンド全部一般國民所得ニ転形シ、國民ノ純消費若クハ貯蓄トシテ作用シ、物件費ニ属スル部分モ非再生産的項目ヲ除キ一部ハ國富ノ銷却又ハ補填トシテ当該項目ノ帰属額中ニ包含サルベキモノトス。

此等ヲ除外セバ國家歳出中純國家消費ニ属スルモノハ比較的少額ナリトス。伊太利ナコトハ軍事費タルト、一般施政費タルトニ依ツテ異ナルコトナシ。伊太利ハ一九四〇年六月ヨリ参戦シ、従ツテ戦時特別歳出ノ膨脹ヲ見タルベク、即國家消費ノ実測ニハコレヲ算定スルヲ要スルモ、コ、ニハ推定ノ建前上カ、ル特別事情ヲ一應除外スルモノトシ、一九四〇年通常予算及ビ一九三九年―

二三七

四〇年歳出ノ実績ヲ基準トシテ、一九四〇年伊太利國家歳出並ニコレニ附随スル地方行政体ノ歳出中、國家的純消費ニ属スルモノハ國民生産総価値額ノ残余ノ全部、即チ百五十八億九千二百万リラニ該当スルモノト推定ス。

以上ノ推定ヨリ一九四〇年伊太利國民生産総価値額、即チ広義國民所得ノ帰属配分関係ノ内訳ヲ算定スレバ左表ノ如シ（単位百万リラ）

一九四〇年伊太利國民生産総価値	一二〇、九〇二	
内　純國民消費額	八三、六〇〇	狭義國民所得額
拡張再生産投下額（國民蓄積額）	八、〇〇〇	狭義國民所得額
単純再生産回帰額	一三、四一〇	
純國家消費	一五、八九二	

右ノ如キ國民総生産価値ノ配分ノ内訳ヨリ幾許ノ戦費財源ノ捻出、換言スレバ平時的消費ノ戦時消費ヘノ転換ガ可能ナリヤガ次ノ問題ナリ。

二三八

第四項　國民所得戰時喰込可能量

理論的ニハ一國ノ國民生産総價値額中、國民生活維持ニ必要ナル最低限消費需要額ヲ除キタル残余ノ全額ヲ最大限戰費充当額トシテ振向ケ得ベシ。然レ共現実的ニハ右ノ如キ國民総生産價値ノ全面的戰費財源ヘノ転換ハ平時生産力ノ戰時生産力ヘノ転換ヘ若クハ平和生産業ノ軍需生産業ヘノ転換）ノ可能性ノ大イサ如何ニ依ツテ制限サルヽト共ニ、次ノ期間ニ於ケル生産活動継続ノ為メノ固定資産並ニ流動資産ノ銷却補塡及ビ拡張再生産ヘノ再投下ノ必要性ニ依リ制限サル。

一九三八年末ノ伊太利人口現在数四千三百九十七万九千ヲ基礎トシ、一九四〇年ノ平均人口数ヲ四千四百六十万（一ケ年約四十万乃至四十五万宛増加ス）ト見テ、前項ノ(イ)ノ一ケ年純國民消費額推定八百三十六億リラヲ除シ、一九四〇年ニ於ケル伊太利國民ノ平均生活費ヲ算出セバ一ケ年一人当リ千八百七十四リラト概算サル。伊太利國民ノ一般生活水準ハ欧洲諸國中ニ於テモ低度ナルノ

ミナラズ、國民所得額ニ対比シテエチオピヤ戰争以後特ニ過重ナル公課負擔ヲ負ヒツツアルガ故ニ、此ノ平均生活費水準ヲ更ニ切リ下ゲ得ル余地ハ比較的小ナルモノト推定スルヲ至当トスベシ（参考資料Ⅲ参照）。伊太利國民生活ノ最低生活費標準ニ関スル統計資料ハ入手シ得ザルガ故ニ、仮リニ伊太利労賃統計ヨリ賃銀標準ヲ算定スルニ、伊太利統計年鑑所掲ノ全國及ビ産業別賃銀収入統計ニ依レバ（*Annuario statistico italiano*, 1937 XVI. P213-214）一九三七年一月ヨリ一九三八年一月ニ至ル九大都市ニ於ケル各種産業従業員ノ一時間当リ賃銀収入ハ最低二・二九リラヨリ最高五・三六リラヲ示シ、更ニ全國全産業従業員ノ平均一時間当リ収入ハ一九三八年平均ニ於テ二・二六リラヲ示セリ（参考資料Ⅴ参照）。

今、右産業従業員ノ三八年ニ於ケル平均時間収入ヲ基準トシ、一日八時間労働トシテ一人当リノ一日平均収入ヲ算定セバ一八・〇トナリ、一ケ月二十五日就業トシテ月収四百五十二リラ、一ケ年全収入額ハ五千四百二十四リラトナリ、右収入ヲ以テ仮リニ家族四人平均ノ生活ヲ維持スルモノトセバ、一人当リ千三

百五十六リラノ平均数ヲ得ベシ。更ニ一九三八年ヨリ四〇年ニ至ル通貨價値変動ニ基ク賃銀需収ヲ約一五％ト推定セバ一人当リ千五百六十リラノ計算トナリ、即チ此ノ労働階級ノ収入状態ヨリ逆算シテ、平時ニ於ケル伊太利人口一人当リノ最低生活費標準ヲ一九四〇年度ニ於テハ概略千五百リラ内外ト推定ス。

右推定最低生活費標準ヲ前述ノ同年度ニ於ケル一人当リ平均生活費タル千八百七十四リラト比較セバ約二〇％ノ低位ニ該当ス。依ツテ戰時ニ於ケル生活水準ヲ一九四〇年ヲ基準トスル平均生活費ヨリ右最低生活費標準マデ、即チ約二〇％ヲ切下グルモノトシ、コレヲ第一次節約額トシ、次ニ右最低生活費ノ更ニ一割減マデ切下グル場合ヲ想定シ、コレヲ最大限節約額トシテ國民所得（國民生活費）戰時喰込可能額ヲ測定スレバ次ノ計数ヲ得。

國民生活費戰時喰込可能額

	一九四〇年平均生活費	最低生活費マデ切下グル場合	最低生活ヲ更ニ一〇％ヲ切下グル場合
一人当リ	一、八七四リラ	一、五〇〇リラ	一、三五〇リラ
消費総額	八三、六〇〇百万リラ	六六、九〇〇百万リラ	六〇、二一〇百万リラ
喰込可能額	…	一六、七〇〇	二三、三九〇

第一次喰込可能額ハ推定百六十七億リラ、最大限喰込可能額ハ推定二百三十三億九千万リラナリトス。

次ニ國民生産総價値ノ配分額中、拡張再生産ヘノ新規投下分（即チ当該年度ノ國民的純貯蓄額）ノ戰時喰込ノ可能性如何ハ問題ノ存スルトコロニシテ、戰時ニ於テハ軍需生産中ノ最大限ノ拡張ノ為メ、國民経済ニ於ケル拡張再生産ヘノ新規投下ハ寧ロ最大限度ニ増強スルヲ要スベク、コレガ戰時喰込ハ次期生産

カノ低下ヲ誘致スル惧レアルガ故ニ、現実的ニハセイゼイ軍需産業以外ノ平和産業又ハ非生産施設ヘノ投下額ヲ抑制シテコレヲ軍需産業部門ニ振向ケ、余剰ヲ戦費支弁財源ニ充当スルノ外ナカルベキモノトス、因ツテココニハ一九四〇年ニ於ケル拡張再生産投下額（國民純貯蓄額）八十億リラヲ基準トシテ、第一次ニハソノ二〇％、最大限四〇％ヲ戦費総出ニ振向クルモノト仮定シテ、戦時喰込可能額ヲ左ノ如ク推定ス。

拡張再生産投下額戦時喰込可能額　（單位　百万リラ）

拡張再生産投下総額	八、〇〇〇
右ノ二〇％減ノ場合ノ喰込可能額	一、六〇〇
最大限四〇％節減ノ場合ノ喰込可能額	三、二〇〇

次ニ單純再生産ヘノ回帰額ノ戦時喰込可能性ニ就テハ固定資産ノ銷却額タルト、流動資産ノ補塡額タルトニ依リ事情ヲ異ニスベク、固定資産銷却ノ喰込ハ

二四三

将来ノ生産力維持ヲ困難ニスルガ故ニ自ラ制限セラレ、戦局ノ最逼迫ノ場合ニ一定期間銷却ノ続行ヲ延期シ得ル外ハ單ニ平和産業部門ノ銷却ヲ節減又ハ中止シテコレヲ戦費財源ニ振向クルヲ得ル程度ニ止マルベキモ、流動資産ハ各生産期間毎ニ回転補充セラレ、一年度当初ニ前年ヨリ繰越サレテ更ニ次年度ニ繰越スモノナルガ故ニ、ソノ補塡ハ單ニ自然減價ヲ補フ程度ヲ以ツテ足ルベク、従ツテ戦時ニ於テハコレガ補塡額ヲ全部戦費財源ニ転用スルモ不可ナラズトセズ。由ツテコ、ニハ一九四〇年ニ於ケル單純再生産回帰額ヲ基準トシテ、第一次ニハ固定資産銷却額ノ二〇％、流動資産補塡額ノ五〇％ヲ停止シ、最大限ニ於テハ固定資産ノ四〇％、流動資産補塡額ノ一〇〇％ヲ転用スルモノトシテ、單純再生産回帰額ノ戦時喰込可能額ヲ左ノ如ク推定ス。

單純再生産回歸額戦時喰込可能額　（單位　百万リラ）

單純再生産回帰総額	一三、四一〇
第一次喰込可能額	三、四六九
最大限喰込可能額	六、九三〇

最後ノ純國家消費百五十八億九千万リラハソノ費目内部ニ於テ平時消費ヲ直チニ戦時消費ニ振替ヘ得ルヤ否ヤノ問題ハ存スルモ、國民生産総價値全体ノ観点ヨリハコレヲ全部的ニ戦費支出財源ト見做スヲ得ベシ、斯クテ以上四項目ノ戦時喰込可能額ヲ綜合セバ次ノ結果ヲ得。

一九四〇年伊太利國民生産総價値ニ対スル戦時喰込可能額推定　（單位　百万リラ）

項目	総價値額	第一次喰込可能額	最大限喰込可能額
純國民消費額	八三、六〇〇	一六、七〇〇	二三、三九〇
拡張再生産投下額	八、〇〇〇	一、六〇〇	三、二〇〇
單純再生産投下額	一三、四一〇	三、四六九	六、九三〇
純國家消費	一五、八九二	一五、八九二	一五、八九二
合計	一二〇、九〇二	三七、六六一	四九、四一二

二四五

一九四〇年ノ國民生産総價値（広義國民所得）中、戦費財源トシテ國家消費ニ振向ケ得ル生産総價値ノ純額ハ第一次可能額三百七十六億六千一百万リラ、最大限四百九十四億一千二百万リラト算定ス。然レ共予算面ニ計上サルベキ國家（及ビ地方行政体ヲ含ム）歳出ノ総額ハ右ノ戦費総出可能額ニ止マラズシテ、先ニ歳出額ヨリ除外セル一般人件費並ニ生産的物件費ヲモ包括スベキモノトス。今、一九四〇年中ノ國家歳出及ビ地方行政体歳出予算中、純國家消費ヲ除外セル右ノ一般人件費及ビ生産的物件費等ノ総額ヲ重複分ヲ整理シ純額三百五十億リラト算定セバ、コレヲ加ヘタル一九四〇年基準ノ可能計上戦時歳出予算推定額ハ次ノ如シ。

二四六

一九四〇年ヲ基準トセル伊太利戦時歳出豫算計上可能額

（単位　百万リラ）

	第一次推定額	最大限推定額
直接戦時消費額	三七、六六一	四九、四一二
其他ノ一般経費	三五、〇〇〇	三五、〇〇〇
合　計	七二、六六一	八四、四一二

第一次計上可能額推定七百二十六億六千一百万リラ、最大限計上可能額推定八百四十四億一千二百万リラト推定サル、右推定額ヲ一九四〇年ノ推定国民生産総價値額千二百九億二百万リラニ対比スレバ、第一次推定額ハソノ七〇％ニ該当ス。

右予算計上推定可能額ハ生産物又ハ生産的労働ノ價値ヲ基礎トセル推算ナルガ故ニ、貨幣操作上ヨリスレバ右推定額ヨリ名目額ニ於テヨリ大ナル予算額ヲ計上シ得ベキモ、ソノ場合ハ貨幣價値ノ低下ヲ誘致シ、従ツテ国民生産総價値

二四七

額ノ評價モ亦膨脹スベキガ故ニ、相対的・比率的ニハ右ノ可能限界率ニ大ナル変化ナカルベシ。然ルニ一九四一年一月伊太利蔵相ノ報告ニ依ル一九三九年—四〇年度決算ニ依レバ国家歳出ノミニテ総額六百三億八千万リラヲ突破セルガ故ニ、伊太利戦時財政ハ既ニ著シクソノ限界点ニ接近シツツアルコトヲ知リ得ベク、ソノ戦費捻出ニハ自ラ既述ノ国富額ノ喰込ミモ必要トナルモノト推測ス。

更ニ右推定ヨリ本調査ノ目標トスル一九四二年度ニ於ケル伊太利戦費支弁可能額ヲ想定スルニ、ソノ最大ナル変動要素ハ一九四〇年以降ニ於ケル貨幣價値ノ変動率ト、国民生産ノ戦時増大率トナルモ、前者ハ一應除外スルトセバ、一九四〇年六月以降既ニ戦時状態ニ入リ、従ツテ相当巨額ノ戦時消費ヲ続ケツツアル伊太利トシテハ、此ノ巨額ノ戦時消耗ノ傍ラ顕著ナル生産拡充ヲ具現スルコトハ極メテ困難ナルベク、寧ロ戦時消耗ノ継続スルニ従ヒ資源ノ貧弱ナル伊太利トシテハ国民生産ノ低下ヲスラ予想セザルヲ得ザルガ故ニ、一九四三年以降ニ於ケル伊太利戦時予算計上可能実額、従ツテ又広義国民所得ノ戦時喰込可能額ハ右推定ト大ナル差異ナカルベシ（但シ貨幣價値ノ変動ニ基ク名額上ノ計

二四八

数膨脹ハ別トス）。

第二節　財政力

第一項　歳出、歳入

一国ノ財政力ノ測定ニハ単ナル歳出入総額、公債発行額、通貨流通額等、貨幣名額ヲ以テ表示スル表面計数ニ囚ハルルコトナク、常ニソノ生産力、物資調達上ノ総力等ノ物的・実質價値的基礎トノ関聯ニ於テ考察スルコトヲ必要トス。従ツテ本項伊太利ノ財政力ノ測定ニ於テモ前項ニ於テ測定セル伊太利ノ国富並ニ国民生産力トノ対比ニ於テ考量セラル、ヲ要ス。

二四九

a、歳出、国防費ノ割合

伊太利財政ハ第一次欧洲大戦ニ依リ破局的打撃ヲ受ケ、其ノ後ファッシスト政府ノ必死ノ財政再建策ニ依リ一九二八—二九年頃ハ略常態ニ復シタルモ、一九三〇年以降世界的不況ノ深化ノ影響ヲ受ケ財政亦困難ノ度ヲ加ヘタルト、

二五〇

一九三五－六年ノエチオピヤ戦争並ニコレニ伴フ國際聯盟ノ經濟制裁ニ依リコヽニ又伊太利財政ハ窮迫状態ニ逆転シ、更ニソノ疲療ノ回復セザルニ一九四〇年以降第二次欧洲戦ニ参加スルニ至リ、財政ハ極度ノ緊張ヲ続ケツヽアリ。而モ伊太利ノ國民生産總價値ニ対スル國家財政ノ負擔率ハ傳統的ニ高率ナルモノアリ、故ニ伊太利財政ノ特徴トシテハ、

一、財政ガ積年窮迫状態ヲ持続シツヽアルコト。

二、國民生産ニ対スル財政負担ガ他ノ列強ニ比シテ特ニ過大ナルコト。

三、財政ニ大ナル彈力性ヲ期待シ難キコト。

四、ファッシスト政府ノ強カナル經濟統制、財政々策ニ依リ財政困難ガ兎ニ角打開ナレツヽアルコト。

五、外國ヨリノ有カナル財政的支援ヲ期待シ難キ地位ニアルコト、等ヲ指摘シ得ベシ。

伊太利近年ノ國家財政ノ推移次ノ如シ。

伊太利歳出入状況　（單位百万リラ）

	經常歳出	特別支出	合計	歳入	差引不足
一九三一－三二年	一五、一八三	八、〇〇七	二三、一九一	一九、三二四	(－)三、八六七
一九三二－三三年	一五、八五二	五、九一四	二一、七六六	一八、二一七	(－)三、五四九
一九三三－三四年	一四、九三五	九、四九八	二四、四三四	一八、〇五七	(－)六、三七七
一九三四－三五年	一四、六七〇	六、一七六	二〇、八四七	一八、八一七	(－)二、〇三〇
一九三五－三六年	一六、一四二	一六、九一五	三三、〇五七	二〇、三七一	(－)一二、六八六
一九三六－三七年	一七、七一二	二三、二二〇	四〇、九三二	二四、七〇二	(－)一六、二三〇
一九三七－三八年	二〇、八四四	一七、七九八	三八、六四二	二七、四六八	(－)一一、一七四
△一九三八－三九年	三二、五〇〇	六、五〇〇	三九、〇〇〇	二五、一〇〇	(－)一三、九〇〇
×一九三九－四〇年	三二、〇〇〇	二八、三八八	六〇、三八八	三二、三五〇	(－)二八、〇三八
×一九四〇－四一年	三四、八九六			二九、〇〇三	(－)…
×一九四一－四二年	三九、八七六			三一、〇八二	

（註）Annuario statistico italiano 1937－39 P 257－259 ニ據ル、但シ△印ハ政府発表ノ改訂暫定数字、×印ハ蔵相ノ財政報告、並ニ閣議決定数字ヲ採用セリ。

伊太利財政年度ハ七月ヨリ翌年六月末ヲ以テ終ル。

右ノ如ク近年伊太利國家財政ハ通常歳出ノ外ニ特別支出ガ莫大ナ額ヲ占メ、一九四一年一月七日ノ閣議ニ於テ蔵相ノナセル決算報告ニ依レバ、一九三九－四〇年度ノ經常、特別支出ヲ併セタル歳出実績額ハ六百三億八千八百万リラニ上ルト算出サレ、コレニ対シ歳入ハ三百二十三億五千万リラニ止マリ、差引ニ百八十億三千八百万リラノ欠損ト報告サル・從ッテ通常歳出入予算ニ計上サレタル支出額ノミ、ソレヨリ軍事費ヲ推定スルコトハ正鵠ナラザルモ次ニ最近五ケ年間ノ通常予算ニ於ケル軍事費總額ヲ示セバ次ノ如シ。

通常豫算軍事費　（單位十億リラ）

	一九三七－三八年	三八－三九年	三九－四〇年	四〇－四一年	四一－四二年
陸軍	三・五	二・六	三・四	四・二	四・六
海軍	二・二	一・九	二・七	三・四	三・九
空軍	一・五	一・三	二・二	三・三	三・六
アフリカ駐屯軍	－	一・八	一・九	二・〇	一・七
合計	七・五	七・六	一〇・九	一二・九	一三・八

（註）一九三七－八年度ハ伊太利統計年鑑ニ據リ、以降ハ伊太利閣議決定ノ予算数字ニ據ル。

右五ケ年ノ軍事費合計ヲ当該年度ノ通常歳出総額ト対比セバ左表ノ如シ。

歳出軍事費対照表

（単位十億リラ）

	歳出額	軍事費	同上比率
一九三七ー三八年	二〇・八	七・五	三六・〇%
一九三八ー三九年	二二・五	七・六	二三・四
一九三九ー四〇年	三二・〇	一〇・九	三四・〇
一九四〇ー四一年	三四・九	一二・九	三七・〇
一九四一ー四二年	三九・八	一三・八	三四・七

然レ共、正鵠ナル歳出ト國防費ノ比率ハ特別支出ヲモ含メタル全歳出額ト、特別支出中ニ於ケル軍事費ヲモ含メタル全軍事費総額トノ対比ヲ以テセザレバ此レヲ得難キガ故ニ、伊太利参戦前ノ平時状況ヲ示スモノトシテ、伊太利統計年鑑ノ各有列歳出内訳ニ基キ（一九三九年版二五九頁）一九三七ー八年度ノ特

二五五

別歳出ヲ含メタル歳出総額ト軍事費総額トノ比率ヲ算定シ、更ニ準戦時下ノ状況ヲ現ハスモノトシテ一九四一年一月七日ノレヴェル蔵相ノ報告ヲ基礎トシテ、一九三九年ー四〇年度歳出入決算数字ヨリ同ジク特別費ヲ含メタル歳出総額ト軍事費総額トノ比率ヲ算定シ、伊太利財政ニ於ケル平時並ニ準戦時ニ於ケル軍事費ノ地位ヲ算定スルモノトス。即チ左表ノ如シ。

伊太利総歳出ト軍事費ノ割合

（単位　百万リラ）

	経常特別両歳出合計額	経常特別両軍事費合計額	同上比率
一九三七ー三八年	三八、六四二	一七、二九〇	四四・七%
一九三九ー四〇年	六〇、三八八	三一、一〇〇	五一・五%

（註）　一九三九年ー四〇年特別歳出中ニ於ケル軍事関係費ハ推定ニ依ル

二五六

平時予算タル一九三七ー八年度予算ニ於ケル軍事費総額ハ歳出総額ノ四四・七%ニ当リ、準戦時予算タル一九三八年ー四〇年ニ於ケル軍事費総額ハ五一・五%ニ上ル、以ツテ伊太利財政ニ於ケル軍事費ノ比重ノ大ナルコト、従ツテ又財政逼迫ノ実情ヲ窺知スルヲ得ベシ。（参考資料　VI参照）

伊太利ガ既ニ参戦セル一九四〇年ー四一年以降ノ歳出総額ニ対スル軍事費総額ノ比率ハイヨイヨ顕著ナル昂騰ヲ示スモノト推定サル。

6、歳入並ニ税収ト國民所得ノ割合

伊太利國家歳出ノ膨脹ニ対シ、歳入ハ常ニ不足ヲ告ゲ、前掲表「伊太利歳出入状況」ニモ明カナル如ク連年欠損状態ヲ続ケツツアリ。一九三四ー五年度ヨリ三九ー四〇年度ニ至ル五ケ年間ノ歳入欠損合計額ハ約八百億リラニ達シ、内三百億ハ九ケ年公債及特別公債、七十億ハ公債借換、五十億ハ不動産公債、二百億ハ短期普通公債、残余ハ大蔵省預金ノ前拂其他ニ依リ補填セラレタリ。最近数年度ノ歳入ノ内訳ハ資料ヲ欠クガ故ニ、一九三七ー八年度ノ國庫歳入ノ

二五七

内訳並ニ各項目ノ総額ニ対スル比率ヲ摘録スレバ次ノ如シ。

一九三七ー八年度伊太利國庫歳入内訳

（単位　千リラ）

主要項目	歳入額	総額ニ対スル比率
財産収入	二七六、五八九	一・〇%
官業収益	三五四九三四	一・三〃
直接税	五、五九四、一〇九	二〇・四〃
交通税	五、四九四、三一八	二〇・一〃
消費税	五、八二一、八二〇	二一・二〃
専売及富籤収入	三、八六七、二三六	一四・一〃
其他ノ収入	二、七六六、一四六	一〇・〇〃
特別収入	二、九三二、八五七	一〇・六〃
合計	二七、四六八、〇〇五	一〇〇・〇

二五八

各種收入中消費税收入ガ最首位ヲ占メテ総額ノ三一・二%ニ当リ、直接税收入ガコレニ次ギ二〇・四%、交通税ガ二〇・一%ヲ占メ、右税收入ノミヲ以テ歳入総額ノ六二%ニ上ル。以テ伊太利課税負担ノ過重ナルコトヲ知ルヲ得ベシ。

次ニ一九四〇年ニ於ケル伊太利國民生産総價値並ニ狭義國民所得推定額ト一九三九－四〇年度ニ於ケル歳入実績並ニ推定税收額トノ比率ヲ算出スレバ左ノ如シ。

伊太利國民所得、歳入對照表　（單位 百万リラ）

		金額	比率
1	一九四〇年國民生産総價値	一二〇、九〇二	一〇〇・〇%
	一九三九－四〇年歳入総額	三二、二五〇	二六・七〃
	同　税收入（推定）	二二、三〇〇	一八・四〃
2	一九四〇年度狭義國民所得	九七、六〇〇	一〇〇・〇%
	一九三九－四〇年歳入総額	三二、二五〇	三三・〇〃
	同　税收入（推定）	二二、三〇〇	二二・八〃

二五九

卽チ右表ニ依リテ見レバ、歳入総額ハ生産総價値額ニ対シテ二六・七%、狭義國民所得ニ対シテ三三・〇%ニ当リ、内税收額ハ生産総價値ニ対シテ一八・四%、狭義國民所得ニ対シテ二二・八%ニ上リ、何レモ他ノ列強ニ比シテ高率ナルヲ認ムベシ。

C、國債ノ状況

上述ノ如キ伊太利國家財政ノ歳出膨脹ト此レニ対スル歳入ノ著シキ不定、連年ニ亘ル歳出入欠陥ハ大部分公債発行ニ依ツテ晴ハレ、從ツテ伊太利ノ國債現在高ハ逐年着増シツツアリ。

ファッシスト政府ノ樹立以来、伊太利ハ財政整理ニ最モカヲ注ギ、当時対米二十億弗、対英六億一千万磅ニ上リシ外債ニ就キ英米政府ト六十二ケ年分割完済ノ協定ヲ結ブト共ニ、七百億リラヲ数ヘシ内債ニ就テモ國債整理金庫ヲ設置シ、着々内外債整理ノ実ヲ挙ゲシモ、一九三〇年以降ノ世界的不況ノ深化ト、一九三五－六年ノエチオピヤ戦争ノ勃発ハ伊太利財政ノ基調ヲ逆転セシメ、内

二六〇

債ノ発行又連年膨脹ノ余儀ナキニ至レルナリ。

伊太利近年ノ國債合計額ノ增加状況左表ノ如シ。

伊太利各種國債総額ノ推移　（單位百万リラ）

年	金額
一九三一年	一一四、六五六
一九三二年	一一七、三八九
一九三三年	一一九、三七〇
一九三四年	一二五、八六一
一九三五年	一二五、九八三
一九三六年	一三三、四三〇
一九三七年	一九三、九八四
一九三八年	一六二、八九九
一九三九年	一七六、七九五（推定）
一九四〇年	二〇四、八三三（推定）

二六一

（註）*Annuario statistico italiano* 1939, P 250　右國債総額中ニハ一時借入金及ビ短期証券等ヲモ含ム。ソノ内訳ケハ詳細不明。

右一九四〇年末國債現在高総額ヲ一九三九－四〇年度ノ歳出総額六百三億八千万リラニ対比スレバソノ三倍四分弱ニ当リ、同年中ノ狭義國民所得九百七十六億リラニ対比スレバソノ二倍一分弱、更ニ同年度ノ推定國富総額七千七百十三億九千四百万リラト対比シテモソノ二割六分強ニ該当ス。伊太利國家負債ノ極メテ高額ナルヲ推知シ得ベシ。

第二項　軍事費（戦費）所要額ノ推定

伊太利ガ今次欧洲戦並ニ本調査ノ目標トスル一九四三年以降ニ於テ、想定戦ノ戦費幾許ヲ必要トスルヤハ、想定サルベキ戦局ノ如何並ニ動員数、物價ノ変動等ニ依リ大イニ支配サルルガ故ニ確定的ナル推測ハ困難ニシテ、一應ノ標準

二六二

額ヲ測定スルノ外ナシ。

最近伊太利ガヤ、大規模ナ近代戦ヲ遂行セル一九三五―六年ノ「伊エ戦争」ノ実績ニ徴スルニ、右戦争ニ於テ伊太利ハ直接戦費及ビ間接諸経費ヲ含メテ約二百億リラヲ費消セリト推察サレ、一九三七年五月下院ニ於テ伊蔵相ガナセル報告ニ依レバ、一九三四年ヨリ六年ニ至ル開発費ヲ含メタルエチオピヤ遠征費八百二十一億千百万リラト報ゼラレ、又伊太利統計年鑑所載ノ予算決算表ニ依レバ一九三五―六年度特別支出ハ前年度ニ比シ約百億リラ、三六―七年度ハソレヨリ更ニ約六十億リラ膨脹セルガ故ニ、右諸数字ヨリ推シテ「伊エ戦争」ノ直接戦費並ニ間接経費ハ大約百五十億リラ前後ニシテ、内百億リラガ直接戦費、五十億リラガ戦時対策費、エチオピヤ開発費等ノ間接費ト見ルヲ妥当トスベシ。然ルニ右「伊エ戦」ニ於ケル伊太利ノ派兵員数ハ開戦初頭約十個師団、其ノ後四十万ニ達セリト称セラル、ガ故ニ、国内ノ予備動員数ヲモ含メテ平均六十五万ノ兵員ヲ一ケ年半ニ亘リ戦時動員セルモノト見レバ、右直接戦費百億リラヨリ逆算シテ、兵員一人一ケ年当リノ所要戦費ハ（空軍ヲモ含メテ）平均一万リ

二六三

ラ内外ト算定スルヲ得ベシ。

然シナガラ爾後ノ物価昂騰並ニ戦術兵器ノ大規模化等ヲ考慮シテ、戦費計数ヲ一九四一年目標ニ当時ノ約三割増ト見レバ、現在ノ兵員一人当リ所要戦費ハ年額平均一人一万三千リラト推測サル。今若シ右算定ヲ基準トシテ今次第二次欧洲戦ニ於ケル伊太利ノ所要戦費ヲ推算スル為ニ、伊太利ノ最高動員能力約五百万人、内実際動員兵力ヲ二百五十万、乃至三百万ト想定シテ計算スレバ、一九四一年ヲ標準トスル陸空軍ヲ含メタル戦費所要額ハ経常歳出ノ外ニ三百二十五億リラ、乃至三百九十億リラノ数字ヲ得、此ノ外戦時海軍費ヲ一九三九―四〇年度経常費ヲ基準トスルソノ三倍乃至四倍ト推定スレバ即チ八十一億リラ乃至百億リラ想定スベク、以上ヲ合計セル一九四一年度標準ノ陸海空軍戦費所要総額ハ（平時経常歳出ノ外ニ）最低四百億リラ、最高五百億リラト推定サル。

次ニ今次欧洲戦ニ於ケル伊太利ノ実際戦費支出状況ヲ見ルニ、之ニ関スル正確ナル資料ノ入手ナキモ、準戦時タル一九三九年四〇年度決算ニ於ケル想定特別支出額ハ二百八十三億ニシテ前年ニ比シ約二百億リラヲ激増セルガ故ニ、此

二六四

ノ膨脹額二百億リラノ大部分ハ同年度ニ於ケル準戦費ト見做スヲ得ベシ。一九四〇年度―四一年度ノ特別支出若クハ戦費ニ就テハ計数ヲ欠クモ、一九四一年―四二年度予算ハ一九四一年一月七日ノ閣議ニ於テ通常歳出予算三百九十八億七千万リラ（前年度ヨリ約五億増）ト決定セラレタルニ対シ、其ノ後ノ報導ニ依レバ同年四月十八日伊太利下院ハ総額九百六十億リラノ四一―四二年度豫算ヲ可決セリト報ゼラルルガ故ニ（ローマ四月十八日同盟電）右二予算ノ差額五百六十億リラハ即チ一九四一―四二年度特別支出ト見ルベク、従ツテ右特別支出額中ヨリ平時的支出推定額百六十億リラヲ控除セル四百億リラヲ以テ同年度ノ戦費予算額ト見ルヲ得ベシ。第二次欧洲戦ニ於ケル伊太利ノ実際動員数ハ一九四〇年上期末現在ニ於テ総数三百万内外、内完全戦時動員数二百五十万内外ト推測サル、ガ故ニ、右戦費予算額ト、曩ノ推定戦費所要額トヲ比較スルニ略合致スルヲ見ル、従ツテ一九四一年乃至二年ニ於ケル伊太利ノ想定戦費所要額ハ大約四百億リラ乃至五百億リラト推定シテ大過ナカルベク、右戦費ハ、通常歳出並ニ平時的特別支出ヲ加ヘタル一九四一―四二年ノ伊太利歳出総予算額タ

二六五

ル九百六十億リラヲ以ツテ伊太利ノ標準戦時財政最高額ト見ルヲ妥当トスベシ。

然ルニ右歳出予算総額ハ前述「イ」ノ(四)「国民所得戦時食込可能量」ノ後段ニ於テ測定セル伊太利ノ戦時財政計上可能額七百二十六億リラ乃至八百四十四億リラヲ遥ニ突破セルガ故ニ、伊太利戦時財政ハ現ニ既ニ「国富ノ食込ミ」ノ段階ニ入レルモノト見ルベク、従ツテ伊太利戦時財政ハ膨脹ノ可能限界ニ到達シツツアルモノト云フベシ。

叙上ノ測定ヨリ更ニ一九四三年ノ所要戦費並ニ戦時歳出予算総額ヲ想定スレバ、両者共ニ伊太利ノ経済力ニ制限サレ、既存ノ国富額ヲ食込ム以外右一九四一―四二年ノ予算額又ハ推定支出額ヨリ増額スルヲ得ザルベク、右限度以上ノ膨脹予算ノ計上又ハ戦費ノ支出ハ単ニ貨幣価値ノ低下ニ依リ貨幣名額ヲ増大セシムルニ過ギザルモノト推測サル。

第三項　軍事費負担能力ノ判定

伊太利国民ノ財政負担ハ前五項(一)ノ歳出歳入ノ分析ニ於テモ明カナル如ク、

二六六

従前ニ於テモ既ニ著シク負擔過重ノ状態ニアリタリ。然ルニ第二次欧洲戦ヘノ参戦ニ依リ上述ノ如ク伊太利ノ戦費並ニコレヲ含ム戦時歳出予算総額ハ既ニソノ國民生産力並ニ所得ヨリ推定セル負担可能額ノ限界ヲ超エ、過去ノ蓄積タル國富ニ喰込ミツツアリト見ラルヽガ故ニ、将来ノ軍事費（戦費）負擔能力ハ大ナル余裕ヲ想定シ得ズ、且ツ欧洲戦ニ依ル直接戦時消耗ノ増大ト、伊太利経済ノ激動トハ爾後ノ伊太利ノ生産力増強若クハ富力ノ増大、軍需品生産ノ増加計画等ヲモ思フニ任サザルベク、却ツテ戦時消耗ノ大ナル場合ニ於テハ綜合経済力ノ萎縮ヲモ招来スル惧レアリ。増税可能余力ニ関シテモ大ナル増徴ハ期待困難ナリ。

a. 租税体系及ビソノ彈力性

一九三七―八年度伊太利租税収入総額ハ百七十三億一千五百万リラニシテ、同年度歳入（公債ヲ除ク）ノ六四％、歳出総額ノ四四・八％ニ当リ、一九三九―四年度ノ租税収入推定額ハ二百二十三億ニシテ歳入ノ六四％ヲ占ムルモ歳出

二六七

総額ニ対シテハ三七％弱ニ過ギズ、四〇―四一年度以降ニ於テハ歳出総額ノ膨張ニ対シテ此ノ租税収入ノ占ムル比率ハ更ニ低下セルモノト推定サル。此ノコトハ伊太利戦時財政ノ異常ナル膨張ヲ物語ルト同時ニソノ國民的担税力ノ薄弱性ヲモ実証セルトコロトス。即チ「参考資料Ⅲ」ニモ示セル如ク、伊太利ノ一人当リ國民所得ニ対スル租税負擔額ハ日英米佛独ノ何レヨリモ高率ニシテ、國民ノ担税余力既ニ乏シキコトヲ示唆スルノミナラズ、一九三五―六年ノエチオピヤ戦争ニ際シテ既ニ各種ノ増税ヲ断行セル上ニ、更ニ今次第二次欧洲戦ニ直面シテ再三ノ増税ヲモ余儀ナカラシメラルル情勢ニアルガ故ニ租税体系並ニソノ彈力性及ビ担税餘力ノ上ヨリ見タル伊太利ノ戦時財政ハ極メテ緊迫セルモノト断ゼザルヲ得ズ。

伊太利ノ租税体系ハ一、地租、動産収入税、独身税、無記名証券配当課税、戦時超過利得税等ノ直接税ヲ基本トシ、コレニ配スルニ二、財産税、移転税登記税、印紙税、抵当税等ノ各種交通税ト、三、アルコール税、ビール税、國産砂糖税、輸入鉱油販賣税等ノ間接税消費税ト、四、其ノ他ノ雑税トノ三ヲ補

二六八

完税トスル体系ヲ採用ス。一九三七―八年度歳入実績ニ基キソノ税収額並ニ通常歳入総額ニ対スル比率ヲ摘録スレバ左表ノ如シ。

伊太利租税体系並ニ税収額

（一九三七―八年度　單位千リラ）

	収入額	歳入総額ニ対スル比率
1 直接税	五、五九四・一〇九	二〇・四％
2 交通税	五、四九四・三一八	二〇・一〃
3 間接税消費税	五、八二一・八二〇	二一・二〃
4 雑税	四六・〇五四	〇・二〃

（*Annuario statistico italiano* 1939 P260）

右ノ如ク租税体系ハ直接税ヲ基本トシ、交通税、間接税消費税ヲ補完税トスルモ収入的ニハ却ツテ間接税消費税ガ首位ヲ占メ、直接税ト各種交通税ガ略比肩ス。伊太利最近ノ増税又ハ税制変改ハ何等此ノ租税体系ノ根本的改革又ハ整

二六九

理ヲ施スコトナク、只附加的ナル新税ヲ増設シ又ハ既存税ノ増率ヲ企図セルノミニシテ従テ又各種租税項目ハ極メテ複雑多岐トナリ、主要税種目ハ四十八種ニ上ル。

（備考）伊太利租税種目及ビソノ収入ノ詳細ナル内訳ハ「参考資料Ⅳ」トシテ添附ス。

叙上ノ諸事実ハ伊太利ノ國民所得水準ノ低位ナルコト、國民所得ノ集中高低キコト、並ニ現伊太利租税体系ノ彈力性乏シキコトヲ指示スルモノニ外ナラズ、伊太利蔵相タオン・デイ・レヴエルハ一九四一年四月十八日下院ニ於テ伊太利財政ニ就キ「伊太利ハ他國ニ比シ遥ニ大ナル財政上ノ困難ニ直面シテヰル。例ヘバ英吉利ハ海外ニ有シテヰル厖大投資ヲ動員スルコトガ出来、独逸ハソノ占領諸國カラ莫大ナ財的援助ヲ得ルコトガ出来ル為メ財政問題ハ比較的簡単デアル。然ルニ伊太利ハカヽル便宜ヲ有タズ、支出ハ厖大ナモノトナツテヰル。併シ乍ラコレヲ以テ伊太利ガ重大ナ財政不安ニ陥ツテヰルトナスハ当ラナイ。蓋シ伊太利デハ周到ナ通貨調節ト資本統制ガ行ハレテヰルカラデアル。カヽル財

二七〇

政策ハ戦時ノ非常財政ニ直面シタ今日フアッシスト伊太利政府ニシテ始メテ為シ得ルモノデアル」ト演説セルガ、這個ノ蔵相ノ言説ハ伊太利財政ノ窮状ト、此ノ財政窮乏打開策ノ特質ヲ如実ニ説明スルモノト云フベシ。

更ニ伊太利租税体系ノ彈力性ヲ検討スル一助トシテ一九三三―三四年度以降ノ租税収入ノ増加状態ヲ算出スレバ次表ノ如シ。

伊太利税収入増加状況（△印減）（単位千リラ）

	金額	対前年増加額	同上比率
一九三三―三四年	一二、五八〇、五二一	△二八七、二三七	△二・二%
一九三四―三五年	一三、〇四八、九七八	四六八、四五七	三・七
一九三五―三六年	一三、八三七、二一四	七八八、二三六	六・〇
一九三六―三七年	一四、九六七、七九一	一、一三〇、五七七	八・〇
一九三七―三八年	一六、九五五、三六一	一、九八七、五五〇	一三・三
一九三八―三九年	一九、〇〇〇、〇〇〇（推定）	二、〇四五、〇〇〇	一二・〇%
一九三九―四〇年	二三、三〇〇、〇〇〇（推定）	三、三〇〇、〇〇〇	一七・三%

二七一

（*Annuario statistico italiano.* 1935　P 260）

一九三四―三五年度以降年々税収ノ増加ヲ見ツツアルト共ニソノ増加率ハ近年特ニ昂上顕著ナルモノアリ、其ノ限リ伊太利現税体系ノ有スル一面ノ彈力性ヲ認メ得ベシ。然レ共、右税収ノ増加額ハ伊太利歳出総額ノ急激ナ膨脹ニ対比スレバ増額甚ダ微弱ナルノミナラズ、税収ノ増加ト最近ノ政府歳出ノ急増、インフレノ進展ト、各種ノ新増税ノ実施ニ因ルトコロ大ニシテ、従ツテ此ノ計数ヲ以テ直チニ、伊太利租税体系ノ彈力性ノ肥厚ヲ示スモノトハナシ難シ。

b　担税力ノ余力

伊太利租税体系ニ現在以上ノ彈力性ヲ望ミ難シトセバ、将来ノ軍事費支弁上問題ハ税制改革其ノ他ノ手段ニ依ツテ如何ナル量額ノ税収増徴ガ可能ナルヤ、

二七二

即チ国民ノ担税余力ノ限界如何ノ点ニ移行ス。而シテ一国々民ノ担税余力ハ、

㈠、現在ノ国富及ビ国民所得額ヲ基礎トシテ幾何ノ租税増徴ガ可能ナルヤト、

㈡、将来ノ国民生産價値從ツテ国民所得ノ増加ニ依リ幾許ノ租税増徴ガ可能ナルヤノ二点ニ依ツテ決セラルベシ（尚ホ政府ノインフレ操作ニ依ル担税力ノ名目上ノ膨脹即チ政府ガ先ヅ多額ノ政府資金ヲ撒布シ依ツテ生ジタル過剰購買力ヲ対象トシテ増税ヲ行ヒ、斯カル操作ヲ繰返スコトニ依ツテ貨幣名額上ノ担税力ヲ無限ニ膨脹セシメル場合ヲ考ヘ得ルモ、茲ニハコレヲ除外ス）。

先ヅ現在ノ国富及ビ国民所得ヨリスル担税余力ノ測定ヨリ考察スルニ、前項「イ、国富及国民所得ノ測定」中ニ測定セル如ク、一九四〇年ヲ基準トセル伊太利国富総額ハ七千七百十三億九千四百万リラト推算サレ、内戦時喰込可能額ト推定サルルモノハ八四百四十一億三千二百万リラ乃至七百五十九億七千四百万リラ、次ニ国民所得ハ広義国民所得（国民生産総價値）千二百九億リラ、狭義国民所得九百七十六億リラト推定サレ、内戦時喰込可能額三百七十六億五千一百万リラ乃至四百九十四億一千二百万リラト推測サル（尚ホ国民総生産價値額

二七三

ヲ基礎トセル戦時歳出予算計上総可能額ハ七百二十六億五千一百万リラ乃至八百四十四億一千二百万リラト推定ス）。右ノ内先ヅ国民所得戦時喰込可能額三百七十六億六千一百万リラ乃至四百九十四億一千二百万リラニ就キ考察スルニ、コレヲ以テ全部租税増徴財源ト見ルコトハ難シ。依ツテ右可能額中ノ五〇%ヲ最高増徴率ト見ルモノトセバ、一九四〇年ヲ基標トスル伊太利国民所得ノ担税余力ハ八百八十八億三千万リラ乃至二百四十七億六百万リラト算定サル。今右担税余力推定額ニ一九三九―四〇年度推定税収現額ヲ合算スレバ四百十一億三千万リラ乃至四百七十億六百万リラトナリ、即チ伊太利狭義国民所得ニ対シ、推定担税可能率八四一・一%乃至四八・二%ニ該当ス。次ニ国富ノ戦時喰込可能額四百四十一億三千二百万リラ乃至七百五十六億七千四百万リラニ就キ考察スルニ、這ハ有限額ニシテ国民所得ト異リ経常的租税財源トナスヲ得ズ。単ニ暫定財源トシテ何ケ年度カニ分割徴収シ得ルニ過ギズ、依ツテ仮ニ右ノ戦時喰込可能額ヲ五ケ年間ノ暫定税源トシテ分割使用スルモノトシ、該分割額ノ七〇%ヲ税源トシテ徴収スルモノト仮定スレバ一ケ年当リ六十一億七千八百万リラ乃

二七四

三百五億九千四百万リラノ担税余力ヲ推定シ得。

第二ノ伊太利國民生産力ノ向上ニ基ク将来ノ担税能力ノ増大ニ関シテハ、寧ラ伊太利参戦ニ依ル戦時消耗ノ増加ガ伊太利生産力ノ拡張ニ如何ナル影響ヲ及ボスカガ決定的要素トシテ作用スベシ。一九三九年ヨリ四〇年ニ至ル一ケ年ノ伊太利國民生産價値総額ノ増加ハ約一千一百　リラ、前年対比一〇%内外ト算定サル。戦時消耗ノ増大、空爆其他ノ戦禍ニ依ル損害発生等ハ一九四一年以降ニ於テ斯クノ如キ生産増大ヲ許サザルモノト推察サルルモ、他面軍需産業ヘノ全力集中・各生産部面ノ最高能率ノ発揮等ニ依リ、尚ホ或ル程度ノ國民生産價値増ヲ期待スルモ不当ナリトセズ。依ツテ一九四一年以降ノ平均生産價値純増加ヲ最低四%、最高八%ト想定スレバ四一年度ハ四十八億三千六百万リラ乃至九十六億七千二百万リラノ生産増、四二年度ハ五十億三千万リラ乃至百四億四千五百万リラ、四三年度ハ五十二億三千万リラ乃至百十二億八千万リラノ生産價値増ニ達ス。右生産價値増加額ニ対シ最大限七〇%ノ課税能力ヲ想定スルモノトセバ四一年以降四三年ニ於テ各年最低三十三億八千五百万リラ最高七十八

二七五

億九千六百万リラノ担税余力ノ増加ヲ推定シ得。

叙上ノ諸統計ヨリ一九四〇年ヲ基準トスル一九四一年以降ノ伊太利担税総能力（國富及國民所得ノ戦時動的能力）ヲ綜合スレバ次ノ如ク

伊太利担税總能力推定　（百万リラ）

	平準増徴余力	最高増徴余力
國民所得ヨリ	一八、八三〇	二四、七〇六
國富ヨリ	六、一七八	一〇、五九四
生産増ヨリ	三、三八五	七、八九六
基準税收額	二二、三〇〇	二二、三〇〇
合計	五〇、六九三	六五、四九六

平準五百六億九千二百万リラ、最高六百五十四億九千六百万リラト算定サル。

c、公債消化力（貯蓄額）

二七六

次項「八、金融力ノ測定」ノ「1　公債消化力」ニ移述ス。

d　外債募集ノ可能性

次項「八、金融力測定」中ノ「b、対外金融力」ニ移述ス。

二七七

附録

参考資料Ｉ

伊太利國家財産對照表（單位百万リラ）

科目	一九三四年	一九三八年
借方		
一、処分シ得ル財産		
不動産・動産・信用・債券	二九、五九八	二七、三〇〇
生産的事業財産	二九、〇三〇	三〇、一七九
二、処分シ得ザル財産		
陸海空軍ノ軍事資材	二二、一九一	三八、九七九
公共施設財産	四、五一八	五、九五〇
三、科学及藝術財産	一四、一〇三	一四、一九四
合計	九五、四四〇	一一六、六〇四
貸方		
一、整理公債、不償還公債、償還公債其他	一二五、八六一	一六二、八九六
合計	二五、八六一	一六二、八九六
貸方超過	三〇、四二〇	四六、二九二

（Annuario statistico italiano 1939-XVII. P 259）

二七九
二八〇

参考資料 II

伊太利株式會社現勢（一九三八年）

業種別	会社数	拂込資本
信用及銀行業	二〇一社	三、七〇七百万リラ
金融業	一三七	四、〇三三
保険業	七四	七九四
船舶業	一四〇	一、五二三
鉄道業	一一〇	六四七
電軌業	六一	二二三
自動車運輸業	四〇七	一四〇
其他ノ運輸業	二八五	四二〇
電信電話業	七	七八三
蚕種業	一四	二
製糸業	六四	一一八
絹織業	六一	一四六
棉花業	三二六	一、三二四
羊毛	一〇二	六一二
製麻業	七〇	二四四
其他ノ織物業	三四一	三三四
衣服業	一四九	九一
製帽業	六一	七四
鉱業	一八〇	二、五〇八
石材業	二三五	一四九
製煉業	一五七	三、一八一

二八一
二八二

機械業	八七九	三、〇四五
自動車工業	一八五	九七三
電気器具工業	一五四	五五二
発電業	三九〇	一一、二八〇
肥料業	三四	一五九
油脂業	五二	二〇〇
化学工業	九四三	三、四三五
人絹業	二〇	九二八
鞣革業	七四	九九
皮革加工業	一二五	八九
木材業	二八一	二三一
建築業	六八〇	六三六
洋灰業	一四五	四四九
煉瓦業	二一五	一五〇

二八三

製陶業	七〇	一二四
硝子工業	一〇五	二五八
製粉麺業	三〇六	五四九
製酒業	一五六	四二一
製酪業	一一三	一四三
製糖業	一七	五九九
飲料業	一三三	一七五
食料品業	二三六	二四〇
製薬業	一三〇	一四四
漁業	四〇	四七
製紙業	一七一	五四三
製図業	二三五	七八
出版業	一七二	一〇九
新聞業	一三四	七六

二八四

水道業	九一	五五三
瓦斯業	五〇	五九〇
旅館業	五一八	四三七
温泉業	六七	一〇五
医療業	九七	七一
劇場業	三五五	一六七
教育施設業	五八	二〇
其ノ他ノ事業	五二	八〇九
商事會社	三、五九八	一、四九一
農業不動産業	八〇七	一、一一二
都市不動産業	四、六六二	三、七九四
其他	六五八	一九四
総計	二〇、八〇九	五三、一二九

二八五

参考資料 III

一九三八年以降伊太利鑛産額増加状況（單位 千瓲）

項目	一九三八年一月―七月	一九三九年一月―七月	一九四〇年一月―七月
石炭	七六三	一、〇四〇	一、二一一
褐炭	五一四	五三三	一、〇〇九
無煙炭	七六	五四	八九
鉄鉱	六二九	四九三	六五一
水銀鉱	一一八	一〇四	一四八
ボーキサイト	二四三	一九四	三一四
黄鉄鉱	五四九	五六一	六〇四

二八六

アスファルト	一四六	一二三	一三三

（伯林景気研究所週報）

参考資料 Ⅲ

各國國民所得及ビ公課負擔表

國家	一人当リ國民所得	一人当リ歳出額	一人当リ税負担
日本	一六五円（一九三〇年）	三九・五円（一九三八年）	二三・三円（一九三八年）
独逸	一、〇五〇馬克（一九三七年）	九五・六馬克（一九三三年）	七八・八馬克（一九三三年）
英國	一一八磅（一九三七年）	二一・四磅（一九三八年）	一八・九磅（一九三八年）
佛國	六、三六〇法	一、三〇四法	一、一一二法

	（一九三八年）	（一九三八年）	（一九三八年）
伊太利	二、〇二六利（一九三六年）	五七五・四利（一九三八年）	五二六・七利（一九三八年）
米國	四九一弗（一九三八年）	七三・六弗（一九三八年）	四〇・八弗（一九三八年）

（内閣統計局編、列國國勢要覧、昭和十五年版ヨリ算出）

参考資料 Ⅴ

伊太利全國産業從業者平均時間收入

（單位リラ）

	一九三六年	一九三七年	一九三八年
一月	一・八〇	一・九八	二・一八
二月	一・八〇	一・九八	二・一六
三月	一・八〇	一・九八	二・一六
四月	一・八二	一・九八	二・二二
五月	一・八二	二・一七	二・二五
六月	一・八四	二・一七	二・二五
七月	一・八七	二・一九	二・二八

八月	一・九九	二・二八	二・三九
九月	一・九七	二・一七	二・二六
十月	一・九六	二・一七	二・二九
十一月	一・九六	二・一六	二・三〇
十二月	一・九九	二・一八	二・三七
全年平均	一・八八	二・一一	二・二六

参考資料VI

一九三七―三八年度　各省別反類別歳出内譯（單位百万リラ）

	実際支出		資本移動勘定	合計
	經常歳出	特別歳出		
大蔵省	八、六六七	三、二五六	一、五九〇	一三、五一四
司法省	五三五	六	一	五四一
外務省	二六九	一〇〇	一四四	五一四
伊領阿弗利加省	二〇	五、七五四	四六	五、八二〇
文部省	一、八六六	九三	一	一、九六〇
内務省	一、〇〇三	四六六	七一	一、四六九
土木省	三六九	九六六	六六三	一、三三六
逓信省	五五六	二九二	一	八四九
陸軍省	三、五二八	三、七〇一	二一	六、二五一
海軍省	二、一九一	七八四	六五	三、〇四〇
空軍省	一、五〇六	二、五六〇	二〇	四、〇八六
農林省	一五一	六〇八	九一	八五一
協同省	一一〇	一七〇	一	二八〇
國民教化省	六九	三八	一〇	一一七
合計	二〇、八四三	一七、七八八	一、九九〇	四〇、六三二

（註）茲ニアル資本移動勘定トハ我國ノ各種特別会計ニ該当ス。

（*Annuario statistico italiano* 1937, P259）

参考資料VII

伊太利租税收入内譯（單位百万リラ）

稅目	一九三七―三八年	一九三六―三七年	一九三五―三六年
1. 直接稅			
地租	四八九	四八八	四八四
動産收入稅	三、七八七	三、三九二	三、一五五
独身者稅	二二六	二一八	一九三
土地負担金	一	一	一
綜合收入累進稅	三九二	三七〇	三五五
無記名証券配当ニ対スル一〇％稅	一五六	一四五	一一三

戦時超過利得税			三
臨時財産税	二六四	二八二	三一九
臨時不動産税	四五〇	二三八	|
会社資本税	一八六	|	|
其他直接税	|	|	|
合計	五、九五四	五、一三六	四、六二五
2 交通税			
相続税	一八三	一六一	一二七
非相続財産税	二四	二七	三七
登記税	八七二	七七九	八二二
印紙税	七九一	七五四	七〇九
代替税	三七四	三四二	二九二
抵当税	一四六	一三三	一三七
ラヂオ機具税	二八	二六	二三

二九五

ラヂオ聴取税	七三	五九	四九
政府免許税	二〇五	一九八	二〇三
船車税	一三六	一三三	一一六
映画観覧税	八〇	六七	六一
興行税	二〇	一七	一五
トランプ税	九	八	七
販売税	二、二四一	一、五五二	一、三一一
輸送切符税	一八	一七	一六
自動車輸送税	一九七	一八〇	八六
其ノ他業務税	九四	八四	八九
合計	五、四九四	四、五三九	四、一〇一
3、間接消費税			
酒税	二二八	一九二	一六六
麦酒税	三八	三三	三〇

二九六

珈琲代用税	四七	四四	四二
国産砂糖税	一、一八六	一、一二一	一、〇八一
各種糖税	九	九	八
種油税	六五	六四	五三
瓦斯電力税	四二三	三八八	二六〇
照明税	三三	二九	二四
関税	一、三六五	一、三〇二	一、四一〇
国境付加税	二八七	二三四	一五〇
小麦輸入税	六四	三三二	九五
輸入鉱油販売税	五三五	七七七	一、一三七
国産油販売税	一、〇七二	二六五	二四二
珈琲税	三八三	四一一	三九一
繊維品税	八一	四〇	二〇
其他間接税	一	六	八

二九七

合計	五、八二一	五、二五二	五、一一一
4、雑税			
逓信省所管販売税	一五	一四	一三
外務省所管販売税	三〇	二五	一九
合計	四五	三九	三二

二九八

第四章　経済組織ヨリ見タル伊太利ノ抗戦力

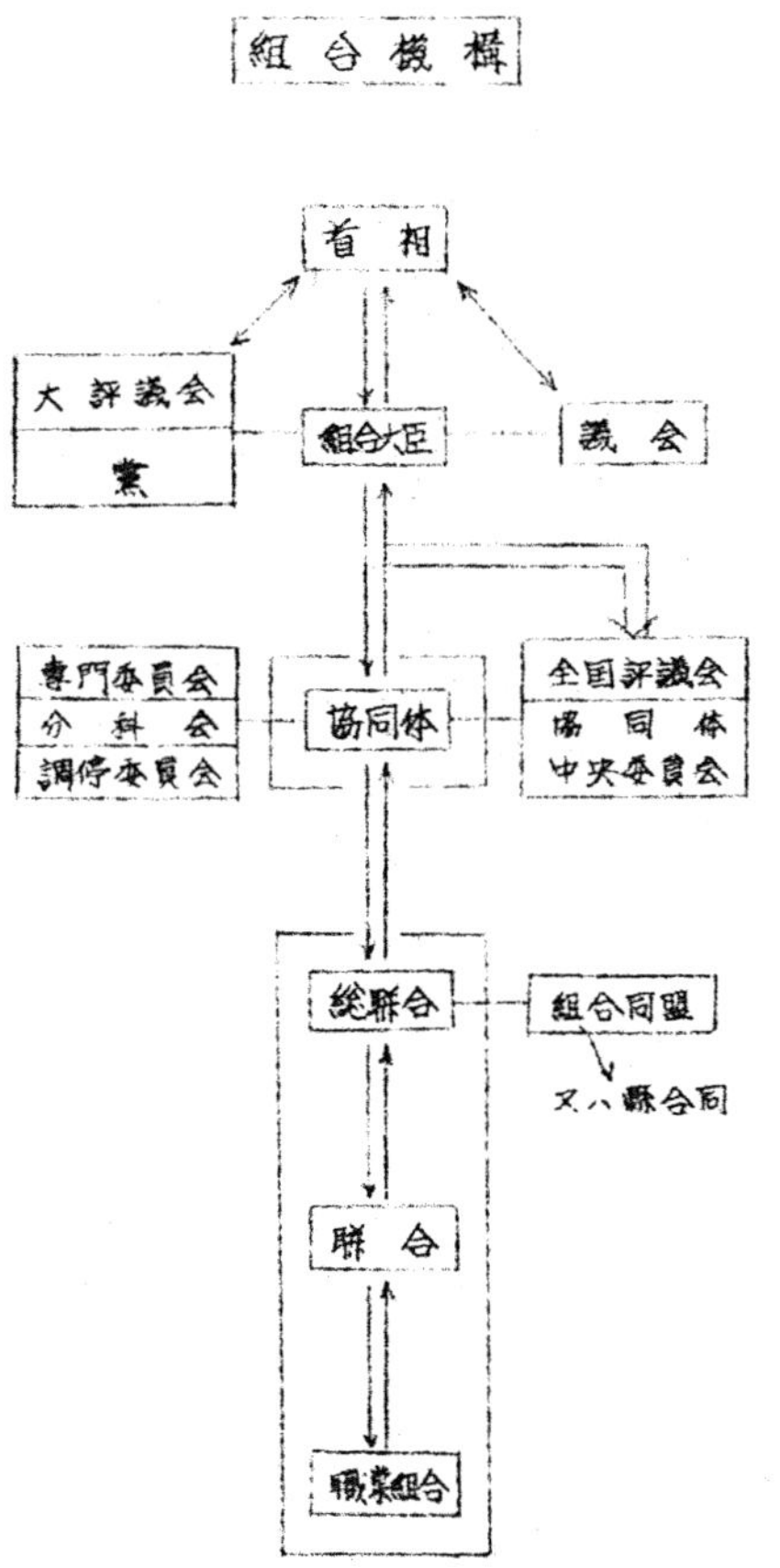

二九九

第一節　協同体組織ノ特質

第一項　組合機構ノ組織任務ノ現勢

組合機構生成ノ第一段階ハ一九二六年四月三日付法律第五六三號「団体的労働関係ニ関スル法規」ニ基ク公認ニ依リ合法的発足ヲ見、第二段階ハ一九二六年七月一日付職業組合ノ機能ト団体的労働関係ニ関スル勅令ニ依リ加入資格、組合ノ等級等、組合制度ノ具体的原理ヲ示セリ。

第三段階ハ一九三四年二月五日付法律第一六三号「協同体ノ設立ト任務」ニ関スル諸規定ニヨル基本法、一九三四年八月十六日付勅令及ビ一九三五年四月十八日付勅令第四四一号ニヨル協同体全国評議会ノ整備ヲ見、一應協同体建設ノ完結ヲ得タリ。

A. 職業組合、聯合、総聯合ノ組織任務現勢、

個人ハ単位組合又ハ職業組合（*sindacato*）ヘ、職業組合ハ聯合（*Federazione*）ヘ、聯合ハ総聯合（*confederazione*）ヘト編成ヲ進ム。

三〇〇

○職業組合ハ縣ヲ以テ基礎単位トシ、小地區的必要ニヨリ市町村組合ヲ設ク。但シ縣組合単位ト謂フモ、航空運輸事業ノ労働者ノ場合ハ縣又ハ全国ニ跨ル例外アリ。市町村府縣「シンダカート」ハ府縣行政長官ノ監督下ニ置ク。組合員ハ縣組合ノ指導者ヲ選挙シ、該指導者ハ所管組合ノ評議員トナル。

而シテ職業組合ノ組織ヲ図示セバ左ノ如シ。

職業組合ノ組織図示

	雇傭者	労働者	自由業者
地方的組織	地方的組合	地方的組合	地方的組合
	縣合同	縣合同	縣合同
中央的組織	全国聯合	全国聯合	全国聯合
	全国総聯合	全国総聯合	全国総聯合

三〇一

一九二六年七月一日勅令第一一三〇号ニ依レバ

一、組合員ノ資格トシテ、男女十八歳ニ達シタル伊太利国民、合法的認可ヲウケタル商事会社及伊国籍ヲ有スル其他法人ニツキ指導者ニ於テ道徳的政治的ニ善良ト認ムル者、及十年間伊太利ニ居住セル外国人ハ組合員タルヲ得。但シ本件外国人ハ幹部ニ選任スルヲ得ズ。又政府、縣、市町村行政官、公共施設会員、国鉄、郵便、電信電話、預金局、発券銀行、「ナポリ」銀行、「シチリア」銀行其他ハ組合員タルヲ得ズ。

一、尚認可申請手続等規定アルモ省略。

更ニ職業組合ニハ管理委員会ヲ設ケアリ、議長ニハ組合ノ管理及ビ代理ヲ職務トスル、組合長ハ書記ガ之ニ就ク（第十六條）

組合ノ費用ハ義務的或ハ随意的ノ二種アリ（第十八條）

義務的支出トハ組合組織、経済的及ビ社会的扶助ト道徳的及ビ宗教的保護国家教育及ビ職業教育ノ諸費用ヲ云ヒ之ニ「ドーポラヴォーロ」母子救護事業、又寄附行為、保証資金設定ニ要スバリツルラ事業ノ諸費用ヲモ加ヘ居レリ

三〇二

ル支出モ義務費用トセリ。

其ノ他ハ随意支出トス。

第二十三條以下第二十八條マデ会費ニ関スル規定ヲ掲グ。会費ノ徴收ハ徴税員之ヲ行フ而シテ之ヲ国立金庫ノ縣支局内地方長官ノ特別会計ヘ引渡シ（第二十六條）、地方長官ハ所轄中央官廳ノ提案ニ基ヅキ組合大臣ノ命令ニヨリ確定スヘキ配分方法ニ拠リ、徴收会費ヲ各組合並ビニ其上級組合ニ対シ支拂フベキコトヲ命ズ。又入金額ノ一割ヲ国家ガ留保シ之ヲ在羅馬国立金庫内組合省特別会計ニ寄託ス（第二十六條）

監督及統制

一縣ノ限度内ニ於テ活動スル組合ノ場合ニハ地方長官ガ、ソノ他ノ組合ノ場合ニハ大臣ガ、夫々証明書及ビ報告ノ提出ヲ求メ、組合ノ事務状態ノ監察及ビ調査ヲ命ズルヲ得（第二十九條）

縣管理委員会ハ「シンダカート」ノ監督裁判所トナリ、地方長官ヲ議長トシ、二名ノ縣会議員及ビ縣経済評議会ニ於テ二年間指命サレタル四名ノ委員ヨリ成ル（第三十一條）

職業組合数一〇四三（一九三七年）

組合同盟又ハ縣合同（Unione）

之レハ職業組合ノ如キ独立的存在ニ非ズ又法人格ヲ有セズ、組合総聯合ニ從属シ一縣以上ノ地域ニ対シ個々組合ノ活動ヲ調査シ生産ノ一般的利害ノ調和ヲ計リ又会計管理等ノ任務ヲ有ス

聯合（Federazione）

之ハ第一級組合ニシテ其ノ構成ハ評議会（シンダカートノ指導者会議）、実行委員会及ビ聯合指導者（聯合会長又ハ書記）ノ三者ヨリ成ル・後ニ者ハ評議会会議ノ選任ニ依リ任期ヲ三年トス。

任　務

聯合ハシンダカートノ上位ニアリ法人格ヲ有ス。コレニヨリシンダカートノ団体的労働契約ヲ認可スヘキ権能ヲ有ス。

又聯合自体ノ権能ニ於テ団体的労働契約ヲ締結スルヲ得。之レ全ク自主的ニシテ総聯合ノ干渉ヲ許サズ。

聯合ハ協同体ニ対スル代表者ヲ直接指命シ議会ヘノ候補者ヲ指命スルヲ得

聯合ノ指導者ハ同時ニ総聯合ノ評議員ナリ聯合数二二（一九三七年）

総聯合（Confederazione）

之ハ上級組合ニシテ聯合ト同様法人格ヲ有ス・

総聯合ノ評議員ハ大体個々ノ聯合指導者ヨリ成リ之ニ聯合ノ評議会員ヲ加フ。

実行委員会ハ総聯合評議会之ヲ決定ス。

総聯合会長ノ指命ハ政府之ヲ行フ・

任　務

定款規定ニ示ス如ク、個々ノ組合部門ヲ超エテ、ヨリ統一的ナ部門全体ヲ代表シテ生産諸部門ノ全体的利益ヲ擁護シ、労働憲章ノ精神ニ則シテ、生産性ノ昂揚ヲ計ルタメ、公益上ノ業務ノ設定、運営ヲ督励シ、下部組合ノ経済的管理ヲナス・

総聯合数九個、ソノ内訳左ノ如シ・

一、農業雇傭主 (1)　農業労働者 (2)

二、工業雇傭主 (3)　工業労働者 (4)

三、商業雇傭主 (5)　商業労働者 (6)

四、信用及保険雇傭主 (7)　信用及保険労働者 (8)

五、自由職業及藝術家 (9)

以上述ベタル「シンダカート」、「フエデラチオネ」、「コンフエデラチオネ」組織ハ、ソノ中心勢力ヲ「フエデラチオネ」ガ掌握シ居リ、コレハ国民ノスベテノ生産的諸勢力ノ統合ト調整ノ任務ヲ有シ「ファシスト」国家ノ根基タル組合機構ニ直接ソノ執行機関的地位ヲ有スルニ反シ「コンフエデラチオネ」

ハヨリ抽象的ナル社会的任務ヲ有シ居レリ。

B. 協同体（Corporazione）ノ組織現勢任務

本章ノ始ニ掲ゲタル図示ニヨリ協同体組織ノ頂点ハ首相ナリ。コレガタメ一、協同体組織自体ノ分散ヲ防衛シ一ハ国家ノ全機能ヲ一点ニ集中シテ政治経済及ビ社会各版ノ機能ヲ一元的系統ヨリ発動スルコトヲ得。

ファシズム協同体ノ主要構成分子ハ協同体全国評議会及ビ二十二個ノ職能協同体之ヲ形成ス。

依テ前者ヲ協全ト略称シテ之ヲ説明シタル後、職能別協同体ヲ説述スベシ

一、協全ノ組織

本会ノ構成任務ニ関スル基本法ハ一九三〇年三月二十日附法律第二〇六号（本法ハ其後三度即チ三二年三月並ビニ八月、三三年一月ノ修正ヲウク）ニシテ本法ハ全文二十條ヨリ成ル

第二條以下ソノ構成ヲ示ス。

三〇七

イ、部及ビ課

一、自由職業及ビ藝術部ソノ下ニ自由職業課及ビ藝術課

二、工業及ビ手工業部ソノ下ニ工業課、手工業課

三、農業部

四、商業部

五、国内陸上運輸及ビ河川運輸部

六、海上航空運輸部ソノ下ニ海上運輸課・航空運輸課

七、銀行部

ロ、特別常任委員会（第六條）

総会ニ所属スル人員中ヨリ構成サル

本委員会ノ意見ヲ得タル事項ニ関シテハ、総会ノ意見ヲ徴ズ

ハ、総　会

組合大臣、内務、農林大臣、党書記長、組合次官、雇主及ビ被傭者総聯合ノ前述七部ニ対スル代表者ヲ以テ構成ス

三〇八

ニ、協同体中央委員会（C.C.C）

前記大臣ノ外、司法、大蔵、土木、交通、文部諸大臣、諸協同体会長、協全書記長ヲ以テ構成ス

一九三五年四月十八日付勅令ニ依リ協全各機関ノ全機能ガ「C.C.C」ニ委任サレ、規則、賃率ニ関スル立法権ヲ附與サル。

右勅令ニ依リ「C.C.C」ハ協同体ノ中枢トナリファシスト国家ノ最有力機関化シアリ。

協会ノ任務

第十條以下第十四條ニ規定アリ。

労働憲章ニ則シ労働生産ニ関スル秩序・規則ノ完成、ソレニ件フ協同体活動ノタメノ生産、文化、藝術施設ノ向上整備ヲ計ル。又、職業組合ノ承認・取消ノ決定、組合費ノ規定等、企畫及ビ法制上ノ立案ヲ主務トス

三〇九

二、協同体ノ組織任務

協同体ノ構成及ビ任務ニ関スル基本法ハ、一九三四年二月五日付法律第一六三号ニシテ本法ハ全文十五條ヨリ成ル。

先ヅ協同体ノ職能別構成ヲ規定スルコト左ノ如シ。

I、農業商業

一、穀物協同体（一九三五年九月二十八日）

二、蔬菜花卉果実協同体（三五年十一月二十一日）

三、葡萄及葡萄酒協同体（三五年九月七日）

四、油脂協同体（三五年七月八日）

五、甜菜及ビ砂糖協同体（三五年三月三十日）

六、畜産及水産協同体（三五年一月八日）

七、木材協同体（三六年一月十一日）

八、織物協同体（三五年一月十四日）

II、工業商業

三一〇

九　金属機械共同体（三六年二月二十二日）
十、化学協同体（三五年十一月二十八日）
十一、被服共同体（三六年五月二十九日）
十二、紙、印刷共同体（三五年三月十六日）
十三、建築協同体（三六年二月一日）
十四、水道、瓦斯、電氣協同体（三六年二月八日）
十五、保険協同体（三五年十二月十九日）
十六、硝子及ビ陶磁器協同体（三五年十二月二十八日）

Ⅲ、奉仕

十七、共済信用協同体（三五年六月十一日）
十八、自由職業藝術協同体（三六年一月十六日）
十九、海運空運協同体（三五年二月二十三日）
二十、国内交通協同体（三六年二月十五日）
二十一、興業協同体（三〇年）

三、接待協同体（三六年一月二十五日）
（括弧内日附ハ創業日附ヲ示ス）

右二十二協同体ハ共通ノ書記局、協同体委員会（常置）、協同体特別委員会ヲ置ク

又地方的機関トシテ協同体縣評議会及ビ協同体監督局アリ、前者ハ各縣ニ置カレ縣知事会長トナリ、雇傭者労働者及ビ自由業者ノ縣職業組合ノ代表者ニ依テ組織セラレ、後者ハ労働法制上ノ監視、保護、生産経済ニ関スル一般的職能ヲ有ス

任　務

一九二六年七月一日附勅令第一一三〇号第三章第四十二條以下ニ規定サル協同体ハ法人ニ非シテ国家行政機関ナリ。

第四十四條ニ

協同体ニ加入セル各組織員ノ紛議調停、生産ノ綜合ト施設改善奨励・補助、職業紹介所ノ設立等ノ権限ヲ附与サル。

協同体ハ一定ノ生産ノ関係スル経済的活動ノ規正ノタメ特別委員会ヲ設ケ経済部門代表、所管行政官廳ノ代表及ビ業代表ヲ召集スルヲ得（一九三四年二月五日付法律第六條）。

第二項　特殊會社ノ現勢及任務

一、産業金融特殊銀行

1. 伊太利動産銀行（*Istituto mobiliare Italiano* － I.M.I.）

本銀行ハ一九三一年十一月十三日付緊急勅令第一三九八号ニ依リ設立セラル。

本令ハ全文十五ケ條ヨリ成ル。

第一條本店ヲ羅馬ニ置ク。本機関ハ法人格ヲ有ス。資本金五億利トシ産業助成財団加盟ノ諸会社及ビソノ他大蔵大臣ノ許可ヲ得タルモノ之レニ資本参加スルヲ得、株式ハ有限トス。

第二條本機関ノ目的左ノ如シ。
イ、伊国籍個人企業ニ動産担保融通
ロ、伊国籍個人企業ヘノ株式参加
融通期限ハ十年ヲ超エルヲ得ズ（以下略）

右勅令ハ一九三二年十二月十五日附法律第一五八一号ヲ以テ左ノ如ク修正ヲ見タリ。

旧法第六條ノ直後ニ新規定ヲ挿入コレヲ第七條トス即チ一九〇五年七月十六日附勅令第六四六号ニ依ル土地信用機関ニ関スル規定ハ抵当附不動産ニ関シ之ヲ伊太利動産銀行ニ準用スルコト、セリ、又株式移譲ニ関スル制限規定ヲモ加味セリ。

而シテ本銀行ハ中小企業ニ対スル長、中期ノ融資ヲ行ヒ自給計畫ニ基キ重點主義金融ヲナス。本銀行ニ対スル信用需要ハ、生産技術改善ヲ欲スル中小企

業ガ大部分ヲ占ム大体八割内外ト認メラル。又特ニ危険性アル投資モ行フコトアリ、之ガタメ特別形式ニ依ル債務証券ヲ発行ス。

一九三七－八年ニ於ケル申込総額四億三千九百万利ニ付（産業新設資金一億一千一百万利）コノ内承認ヲ得タルモノ二億七千三百万利ニシテ資本調達ハ比較的簡易ナリ。

2. 産業復興機関（Istituto per la ricostruzione industriale — I.R.I.）

本機関ハ国家的持株会社トシテ一九三三年創立セル一九三七年六月二十四日附緊急勅令第九〇五号及ビ関係冶金工業ニ関スル金融施設ニ関スル同日附緊急勅令第九〇六号ニ依リ恒久的法人ノ地位ヲ保証セラレタリ。

左ニ九〇五号及ビ九〇六号ヲ略述セン。

A、緊急勅令第九〇五号ハ全文十二條ヨリ成リ第一條ハ目的ヲ示シ関係協同

体ノ表示セル政府ノ経済方策ニ基キ参加投資ノ有効妥当性ニ関スル綜合審査ヲ経テ適正ナル金融措置ヲ行フ。

第二條ハ資本金約十億利トシ準備金ノ帰属ハ大蔵大臣ノ承認スル規定ニ従フコトヽス。

第三條ハ新規融資ノ場合ヲ示ス。

イ．大産業企業ガ国土防衛ノ必要又ハ自給経済ノ強化ニ関スル問題ノ解決、伊領東阿ノ農工業開発ヲ負担セル場合

ロ、所有資本ノ保護又ハ管理改善ニ要スル増資ノ場合

第七條ハソノ組織ヲ示ス。即チ総裁ハ一九三三年一月二十三日緊急勅令ノ規定ニヨリ指名、副総裁ハ科学技術界ノ有力者ヨリ選ビ組合大臣及ビ大蔵大臣ノ推薦ニ依リ首相之ヲ任命、ソノ他評議委員、執行委員、技術諮問委員等ヨリ成ル。右委員ニハ官有財産局長、組合省産業局長、為替局代表及ビ軍需品製造総委員会代表等ヲ包含スルコトヲ規定ス（以下略）

B．緊急勅令第九〇六号ハ全文十條ヨリ成ル。

即チ第一條ニ産業復興機関ハ精錬業金融会社ト称スル株式会社資本ニ参加スルコトヲ得、右精錬業金融会社（Società Finanziaria sider-urgia - Fin Sider）ノ本店ヲ羅馬ニ置キ資本金ハ九億利トス。

而シテ産業復興機関ノ目的ハ精錬工業会社ヘノ株式参加ヲ行ヒ、且ツ其ノ技術的協力ヲ誘導シ金融助成ノ機会ヲ附與セントスルコト尚本機関ハ自己ノ所有スル左記諸会社株式ノ一部又ハ全部ヲ該会社ニ譲渡スルコトヲ得。

即チ

イルバ（Ilva）伊太利高爐製鋼所　在ジエノバ

テルニ（Terni）工業及ビ電氣会社　在ローマ

ダルミーネ工場　在ミラノ

コルニリア伊太利製鋼会社　在ジエノバ

而シテ譲渡價格ハ株式ノ内、株式市場ニ上場サレアルモノハ一九三七年五月ニ於ケル平均市場價格ヨリ五分低ク、上場サレザルモノハ額面價格トス。

第二條ハ本機関ハ前記精錬業金融会社ノ株式資本ニ應ジ期限二十年ヲ限リ「イリーフエルロ」IRI-Ferro債券ヲ発行スルヲ得、該債券ハ年利四分五厘、等ヲ規定ス（以下略）

次ニ一九三九年ニ於ケル業務状況次ノ如シ（ポポロデイタリヤ紙所掲年次報告ニ拠ル）

戦時増産ト物價水準ノ騰貴ニ起因スル資本需要ヲ充スベキ大口融資ハ、十二億五千万利ヲ計上セリ。コレ、諸会社ガ再生産資本調達ニ付、原價償却ト積立金ニ依ル支拂能力ノ他伊太利興業銀行及ビ工業助成財団ヨリノ普通又ハ長期融資金及ビ増資ニ依リ一時ノ需要ヲ充足セルモ該増資ノ一部ハ産業復興機関之ヲ負担シ、ソノ額ハ前年ニ比シ五億利ノ増大ヲミタリ。而シテ本機関ノ持株事業左ノ如シ

一、製鉄事業

前出精錬業金融会社ヲ通ジテ前記緊急第九〇六号第一條掲載ノ四大製鉄会社「イルバ」、「テルニ」、「ダルミーネ」、「コルニリア」ヲ支配ス、一九三九年ニ於テハ伊国鉄生産ノ七五％ヲ占ムル製鉄会社及ビ鋼生産ノ四五％ヲ占ムル製鋼会社ヲ支配セリ。

二、船舶艤装業

ＦＩＮＭＡＲＥ（註）ヲ通シ総噸数ノ内九〇％ヲ占ムル主要航路就役客船所有者ヲ支配ス。

（註）該会社ハ海事金融会社（*Società Finanziaria marittima－Fin-Mare*）ノコトニシテ本店在羅馬。

三、造船工業

「ジェノバ・セストリ」、「ラスペチア」、「リボルノ」、「ナポリ」、「テイレノ」、「カステラマアレ」、「モンフアルコオネ」、「トリエステ」及ビ「フイウメ」等ノ造船工業ヲ支配ス、上記会社ハ伊太利国産商船総噸数ノ七八％ヲ供給、現役軍艦ノ中、潜水艦七二％、水上艦九一％ヲ供給セリ。

三一九

四、鋼、砲口、装甲車輌工場

国産百％ヲ支配ス

五、繊維素工業

ＩＲＩニ依リ助成セラレタル企業生産ハ百万キンタル水準ニ達シ高級セルローズ及ビ製紙用セルローズハ百四十万キンタル生産ニ向ケ努力中ナリ

六、合成ゴム工業

個人企業生産ノ二分ノ一水準ヲ計畫。

七、電話事業

八、水力電氣事業

一九三九年発電総量ノ二七％ヲ供給

以上ノ外ＩＲＩノ計畫ニ含マレル事業ハ航空機工業、機械工業、水雷製造工業等アリト雖モ列記基礎産業部門ニ全力ヲ集中スル方針ナリ。

三二〇

3．産業助成財団又ハ産業價値補償財団（*Consorzio per sovvenzioni su valori industriali*）

之レハ共同融資団体即チ「シンジケート」ニシテ、一九一四年十二月二十日付勅令第一三七五号ニ依リ設立セラル。該勅令ニ依レバ資本金二千五百万利ヲ以テ伊太利発券銀行、ナポリ銀行、シチリヤ銀行ノ間ニ於テ、結成シ、ロムバルデイア縣貯蓄銀行、トリノサンパオロ官営質、ソノ他二千万利ヲ超ユル資産ヲ支配スル普通貯蓄銀行之ニ加盟スルヲ得（第一條）

又一九一五年及ビ一六年ニ於ケル「ミラン」、「トリノ」、「ジェノバ」、「フイレンツェ」、「ローマ」、「ナポリ」、「パレルモ」ニ於ケル流通証券ニ対シ総額二億五千万利以内ノ補償ヲ行フ外、国内産業ノ必要ニヨリ外国産原料ヲ担保トスル信用操作ヲ行フ等ヲ目的トス（第二條）。而シテ融資割当ヲ三銀行間ニテ協定シ本財団ニ対スル手形割引ノ場合規定割引率ヨリ一分五厘低クスベキヲ規定セリ（第五條）。而シテコノ場合融資割当率ヲ伊太利銀行七五％、ナポリ銀行二〇％、シチリア銀五％トス。

三二一

以上ノ設立当初ノ規模ハ累年拡大シ伊太利銀行（発券銀行）ト協力シツツ国内企業ノミナラズ「エチオピヤ」ニ於ケル各種事業ニ投資スルニ至レリ。

一九三七年ニ於ケル投資状況左ノ如シ。

総額十六億二千四百万利、内十億利ノ半額ハ手形割引、公共団体貸付、他ノ半額ハ補償並ニエチオピヤニ於ケル軍事的及ビ土木事業投資ナリ。

今左表ニヨリ信用供與状況ヲ示サン

助成財団ノ信用供與（單位百万利）

	一九三三	一九三四	一九三五	一九三六	一九三七
公債担保貸付	六一九	八八八	八六〇	一,一〇二	一,〇三六
国内手形割引	一三五	一三四	一四五	二四九	五四五
商品担保貸付	七	三	一	四	一
船舶担保貸付	一五五	一一四	八七	六五	四三
計	九一六	一,一三九	一,〇九二	一,四二〇	一,六二四

三二二

右表ニヨレバ財団業務ノ主要ナルモノハ、公債担保貸付及ビ手形割引ニシテ殊ニ前者ハ逐年飛躍的増加ヲ示シアルハ公債政策ノ内面的事情ヲ充分ニ示スモノナリ。

之ヲ信用資源ハ一部ヲ一―五年期限利付債券発行ニヨリ一部ヲ伊太利銀行ニ於ケル再割引ニヨリ調達セル外、小額ニ付テハ瑞西国バーゼルノ国際決済銀行ニ於ケル再割引モ行ヒ居レリ。

二、貯蓄統制機関

1. 貯蓄保護及ビ信用調整調査会

右ハ会社団体ニ非ルモ有力ナル統制機関ナルヲ以テ参考的ニ掲グ。

一九三六年三月十二日付緊急勅令第三七五号及ビ上記修正法一九三八年三月七日付法律第一四一号、一九三八年四月七日付法律第六三六号ニ依リ現行組織ヲ得タリ、

内閣直属トシ、会長ハ首相、委員ハ大蔵、農林、組合大臣トス、任務ハ各

三二三

貯蓄銀行ヲ統御シ、各種動産、債務、株式ノ発行、動産市場及ビ取引所上場ニ関スル統制ヲ行フ。

三、生産及ビ販売統制会社

1. 伊太利土地厚生株式会社（*Società Anonima fertilizzanti naturali - Italiana - S.A.F.N.I.*）

一九二七年七月三十日設立、一九二七年八月五日付緊急勅令第一四一九号ニ依リ国家資本ノ参加ヲ認メ、資本金六百万利内国家出資四百八十万利、労働銀行六十万利。

農業コンソルチオ聯合六十万利トス。

目的ハ農業関係ノ原料ニ関スル金融、商工業上ノ工作ヲ行フ外、穀物輸入及ビ智利国産硝酸塩輸入ヲ一手ニ管理シ、農業原料タル肥料及ビソノ製造資材取得ヲ主要務トス。

2. 伊太利農業コンソルチオ聯合

三二四

農業カルテル聯合ニシテ一八九二年四月十日設立、資本金制限ナシ。

生産品機械等ノ販売購入、土地生産品及ビ農業ト関係アル諸工業ノ適材適所配分ノ助成、農業機械ノ貸与、農事試験所ノ設立助成及ビ生産者等ニ於ケル保証信用供与ヲ行フ外、肥料ノ製造、購入、販売及ビ肥料製造用原料ノ販売購入ヲ行フ、

3. 伊太利燃料会社

一九三五年二月十六日国有鉄道及ビ「モンテカチイニ」ノ参加ヲ以テ設立。

一九三六年五月十一日付緊急勅令ニヨリ石油精製ソノ他石油抽出等ノ重要任務ヲ帯ビタリ。

「リヴオルノ」及ビ「バーリ」ニ工場ヲ有シ年産十五万噸原油処理能力アリ。

4. 伊太利石炭会社

政府ハ一九三五年エチオピヤ紛争ニ基ク戦時経済体制準備ノタメ石炭管理ヲ実施シ、外国炭ノ輸入ヲ政府独占ニ移シソノ配給統制ヲ断行、又国内資源開発強化ノタメ、

三二五

一九三五年七月二十八日付勅令第一四〇六号ヲ以テ伊太利石炭会社ヲ設立セリ。

右勅令左ノ如シ。

第一條　本令ニ依リ羅馬ニ本店ヲ有スル会社ヲ設立シ其ノ名称ヲ伊太利石炭会社トス

同社ハ定款ヲ定メ取締役ヲ選任ス

同社ノ株式資本金ハ五千万利トシ政府之ガ引受ヲ行フ但シ国立銀行、貯蓄銀行並ニ保険会社ハ前記資本金ノ四〇%マデ引受クルコトヲ得。

各出資者ハ其出資額ノ限度ニ於テ会社ニ対シ責任ヲ負フ。本令公布ノ日ヨリ三ケ月後ニ政府及ソノ他ノ出資者ハ其ノ應募額ノ四分ノ三ヲ拂込ムヘシ、未拂込額ハ組合大臣ノ認可ヲ経タル同社取締役会ノ決議ニ従ヒ之ガ拂込ヲナスヘシ

但シ其ノ拂込期日ハ一九三六年七月以降トス

第二條　同社ハ国内石炭ノ探査・生産及消費ノ助成ヲ行フヲ目的トス、同社

三二六

ハ左ノ事項ヲナスコトヲ得

(一)　既設会社又ハ王国所在ノ炭坑開発ヲ目的トシテ設立サルコトアルヘキ会社ノ株式取得

(二)。自己又ハ他人ノ為炭坑開発ヲ目的トセサル土地ノ取得ニ関スル許可申請

(三)　同社ガ株式ノ多数ヲ所有スル会社ニ対スル貸付、但シ大蔵大臣ノ許可ヲ得ルヲ要ス

(四)　生産者ノ如何ヲ問ハズ其生産サレタル石炭販売ヲ目的トスル機関ノ設置及其経営

第三条　政府ハ同社ノ設立及業務執行ノタメ一九三五－六年度以降十ヶ年間年額三百万利ノ補助金ヲ交付ス、交付金ノ支出ハ総テ四半期毎ニ大蔵大臣並ニ組合大臣ニ報告スルヲ要ス

第四条　同社ノ業務ハ七名ヨリ成ル取締役会之ヲ執行ス、国有鉄道局技師、鉱山最高評議会及国立燃料統制協会代表者各一名ハ之ヲ取締役ニ選任ス

三二七

第五条　会社業務ノ執行ハ三名ノ支配人ヨリ成ル委員会ヲシテ之ヲ行ハシム

第六条　同社ハ大蔵大臣及組合大臣ノ監督ニ服シ各年度始ニ事業計画書ヲ提出スルモノトス

第七条　同社定款ノ変更ハ組合大臣之ヲ申出デ勅令ヲ以テ之ヲ裁可ス

以上ニヨリ新設セラレタル同会社ノ使命ハ政府ノ補助ノ下ニ国内鉱区ノ試掘奨励同社子会社ニ対スル貸付ヲ行フノ外、自ラ「イストリアレ」ノ「アルサ」鉱区及「サルディニアレ」鉱区ヲ開発シ、又石炭販売ニ関シテハ全国的ナ共販機関タラントスルニ在リ。即チ政府ハ石炭ノ生産及消費ニ就テハ本会社ヲシテ統制セシメ、又石炭輸入ニ付テハ前述ノ国有鉄道局補給部ヲシテ独占的管理ヲ行ハシメ、以テ国内生産ノ増加ト輸入ノ統制及重点主義配給ヲ確保セントセリ。

5.　伊太利石油会社

一九二六年四月三日付勅令第五五六号ニ依リ設立。資本金三億利

三二八

目的、石油生産及販売管理ヲ行フ外、組合大臣及大蔵大臣ノ承認ヲ得タル五ヶ年計画ニ基キ伊太利本土及植民地ニ於ケル石油資源調査ヲ執行ス、

6.　アルバニア伊太利石油会社

一九三六年一月設立、資本金七千万利、鉄道局主管

四、社会施設統制会社

1、保険会社

2、ファシスト社会救済会社

五　運輸統制会社

1　運輸会社

海上・航空諸会社ヲ統制ス

三二九

第二節　生産機構

第一項　国民的生産ニ於ケル農業ト工業ノ地位

ファシズム経済革命ニ因ル産業構成ノ変化ハ従来ノ農業優位ヲ工業ニ転化セシメタル点ニ特質ヲ認ム。

即チ伊太利近代資本主義ノ生成発展ハ、十九世紀世界ノ技術及労働機構ノ高度水準時代ニ芽生エタルタメ優秀ナル近代ノ技術ヲ一挙ニ採用シ、巨大銀行トノ提携ニヨリ大イニ普及シ、タメニ生産激増ヲ招来スルヤ内外市場ノ拡大ヲ急グニ至レリ。

而シテ之ガ対外政策ノ要因ニハ伊太利独自ノ自然的原料ノ不足亦大イニ影響シ、一九二九年世界恐慌後ニ於ケル非常事態ノ進展ハ、其ノ世界観ニ堂々原料及ビ土地配分ノ倫理ヲ掲ゲ伊エ戦争ノ段階以来ハ国家水平運動生起ノ転機ヲ作リ遂ニ今日ノ如キ状勢ニ突入セリ茲ニソノ間ニ於ケル機構的変化ノ例証ヲ示サ

三三〇

ン。

国民的諸生産類ニ於ケル工業生産及ビ農業生産ノ比重（%）

	工業	農業
一九一二年	五〇	五〇
一九二六年	六〇	四〇
一九三一年	六七・七	三一・三

右表ニ掲ゲタル百分率ハ伊国経済学者ツーゴ・ペツレグリーニ氏ノ数字ヨリ算定ス。
右表ハ大戦後工業生産ノ著ルシキ飛躍ニ反シ農業生産ノ相対的低位化ヲ示シ居レリ。
而シテ経済的特徴ノ最モ明瞭ナ証左ヲ貿易ニ認ムルヲ得。

三三一

一九一三年ヨリ一九二九年ニ至ル期間伊国貿易構成ノ変化亦工業優位ノ事実ヲ示セリ。

三三二

今商品輸入構成ヲミルニ左ノ如シ。

主要商品類別ノ輸入（単位百万利）

三ケ年平均	食料品及ビ家畜	原料	半成品	完成品	輸入総額
一九一一—一三	二、六一一	四、八九九	二、四五六	三、〇五五	一三、〇四九
一九二七—二九	五、二七〇	七、六二三	四、三二四	三、七三五	二〇、九五五
増加率	一〇一・八	五五・六	七六・〇	二二・二	六〇・六

右表ハ一九三二年統計年鑑ヨリ計算、金貨金塊輸入ヲ除ク一九三一年平價ニヨル。
右表ハ食料品家畜ノ二倍強ノ増大ニ反シ完成品ハ最低ノ増率ヲ示セリ。原料輸入ノ増大亦顕著ナリ。原料及ビ半製品輸入ヲ綜合スレバ世界大戦前ノ該輸入水準ノ六二、四%ニ相当セリ。
次ニ輸出ニヨル変化ヲ見ルニ

主要商品類別輸出（単位百万リラ一九三一年平價ニヨル）

三ケ年平均	食料品家畜	原料	半成品	完成品	全輸出
一九一一—一三	二、六九七	一、二四五	二、〇七〇	二七三二	八、六四五
一九二七—二九	三、五七〇	一、七二七	三、三五二	六、一九二	一四、八三四
増加率	三二・二	三八・〇	六三・三	一二六・六	七一・六

右表又一九三二年統計年鑑ニヨル、金貨金塊輸出ヲ除ク。
右表ハ半製品及完成品輸出ノ顕著ナル飛躍ヲ示セリ。一九二七—二九年ニ於ケル完成品輸出ノ総輸出額ニ対スル比重ハ四一、七%完成品及ビ半製品ノソレハ六四、三%ヲ占メ斯クシテ完成工業品ノ輸入比重ハ輸出比重ノ相対的及ビ絶対的増強ニ伴ヒ低下ヲ来セリ。而シテ食料及ビ家畜ハ輸入構成ニ於ケル最大増率ヲ示シ、輸出構成ニ於ケル最少増率ヲ示セリ。

三三三

三三四

然ルニ一九二九年世界恐慌以来貿易不振ノ傾向著ルシク、工業原料ノ輸入ト工業製品輸出トノ間ニ重大ナル不均衡ヲ認ムルニ至レリ。即チ

(一)　一九二九—三四年間商品別輸入（単位百万利）

年次	食料品	工業用原料	半成品	完成品	輸入総体
一九二九年	四、六三五	八、〇二七	四、四一五	四、二二四	二一、三〇三
一九三二年	一、九三三	二、九八一	一、六八六	一、六六八	八、二六八
一九三三年	一、一四〇	三、一四六	一、五九八	一、五四八	七、四三二
一九三四年	一、一三〇	三、四六〇	一、五五三	一、五四二	七、六六七
減少率	(—)七七・一	(—)五六・九	(—)六五・六	(—)六三・七	(—)六四・二

(二)　一九二九－三四年間商品別輸出（単位百万利）

年次	食料品	工業用原料	半成品	完成品	輸出総体
一九二五年	三、五八六	一、六一四	三、二五三	六、四三一	一四、八八四
一九三〇年	二、二〇〇	六二七	一、二九六	二、六八九	六、八一二
一九三三年	一、九六七	六二九	一、一六七	二、二〇二	五、九九一
一九三四年	一、六五二	六六〇	一、〇六三	一、八五〇	五、二二五
減少率	五九・八	五八・三	六八・九	七一・三	六五・七

右表ハ一九二九年ニ於ケル完成品輸出ガ輸出総額ノ四三・二%ニ対シ一九三四年ニ於テハ三五・四%ト低落、食料品ノ割合ハ一九二九年ノ二四・一%ヨリ一九三四年ニハ三一・六%ト上昇セルヲ示セリ。

(三)　輸出入類別ノ出入超左ノ如シ（単位百万利）

年次	食料品	原料	半成品	完成品	全体貿易差額
一九二九年	(－)九九八	(－)六、四一三	(－)一、一六七	(＋)二、二〇七	(－)六、四一九
一九三四年	(＋)五五二	(－)二、八〇〇	(－)四九〇	(＋)三〇八	(－)二、四四二

以上ニヨリ完成品食料品輸出ハ工業用原料輸入ヲ遥カニ下廻リ貿易尻ノ逆調ヲ知リ得ベシ。コレ即チ生産物輸出ノ絶対量ノ減退持続サレアルニ反シ原料輸入ハ一九三二年以来ノ工業生産増大ニ伴ヒ入超ヲ続ケ居ル理由ニ因ルモノト認ム。

タメニ金準備ノ減少ヲ派生スルニ至レリ。

左ニ参考マデソノ概要ヲ示サン。

伊国貨幣流通及ビ金準備（単位百万利）

年次	貨幣流通	金準備	相対関係(%)
一九二九年	一八、七六五九	一〇、三四一、三	五四
一九三三年	一五、三八四、八	七、三九六、七	四八
一九三四年	一五、二八九、八	五、八八三、二	三八・四

以上国民的生産ニ於ケル工業優位傾向ヲ説キタル処右情勢ハ高度国防国家ヲ標望スル近代国家ノ共通性ニシテ伊太利亦ソノ例ニ漏レザルトコロナリ。

第二項　工業生産ノ地理的分布トソノ中心地帯

イ．繊維工業

北部伊太利ニ密集ス。

「ミラノ」、「トリーノ」ヲ中心トシ「ヴェロナ」、「ヴェネチア」、「ヴディネ」

コレニ次グ。

中部伊太利　「フイレンチェ」、「ピサ」附近

南部伊太利　「ナポリ」附近

ロ、重工業

冶金工業

鉄
- 北伊「アオスタ」、「セルボラ」（トリエステ附近）
- 中伊「ピオムビナ」「フオロニカ」
- 南伊「バニヨーリ」（ナポリ附近）
- エルバ島「ポルトフェルライオ」

鉛
- 北伊「ラスペチア」附近
- サルヂニア島「モンテポニ」「ガビノ」

銅
- 北伊「ピストリル」「リヴォルノ」

「亜鉛」 北伊「ダルマチオ」「ヴアド」
サルヂニア島「モンテポニ」
アルミニユーム工業
北伊コーニヱ附近 モリ
中伊コルネト
南伊クロトネ
兵器工業
北伊トリノ、コオモ、ラスペチア
南伊ナポリ附近
刃物工業
北伊マツセラノ、マニアゴ、ブレツシヤ
機械工業
北伊トリノ、ピネロオロ、サビリアノ、フオツサノ、モンドビ、レヂオヱミリア、ミラノ、ヂェノバ附近、ピアチエンザ、ブレツシヤ、ヴヱロナ、

三三九

ヴヱネチア
中伊 リボルノ、ピストイア、アレツオ、ローマ
南伊 ナポリ
自動車工業
北伊 トリノ、ミラノ、ブレツシヤ、
鉄器工業
北伊 トリノ、ミラノ、ベルガモ、スキルパリオ、レツコ、
鉄道資材工業
北伊 トリノ、ピネロオロ、ヴアド、ヂヱノバ、ミラノ、サビリアノ、チヱサノ、ブレツシヤ、モデナ、ピストイア、
中伊 リミニ、アレツオ、ナポリ、
精密器具工業
北伊 イブレア、サビリアノ、ミラノ、ブレツシヤ、パドバオ、ヴヱネチヤ附近

三四〇

中伊 フイレンチヱ、ローマ
造船工業
北伊 ヂヱノバ及ビソノ附近、ヴヱネチア、モンフアルコオネ、トリエステ、リバトリゴオソ、フイウメ、ポラ
中伊 リボルノ、アンコオナ、
南伊 ナポリ、タアラント、ブリンデイジ、シチリー島、パレルモ
航空機工業
北伊 セストカレンデ（マジオレ湖岸）
ヴアレーゼ （ヴアレーゼ湖岸）
ミラノ
硝子工業
北伊 ヴヱネチア、ムラノ、クレモオナ、トリノ、ガレツシオ、サヴォナ、マジオレ湖岸
中伊 ピサ、リヴオルノ、サンジオバンク附近、ローマ、ペスカラ

三四一

南伊 ヱレナ、ナポリ
シチリー島 パレルモ
電氣化学工業
北伊 サンマルチヱル、ヴオゴオニヤ附近、コーニヱ附近、カルスコ、ブレツシヤ、レニヤノ
中伊 フオリニヨ、テルニ、パピニヨ、モントロ、ローマ、ブツシ、ナポリ
化学工業
北伊 カライロン、モンドビ、ヴアド、サボナ、マヂオレ湖西部地區、フリオラ、パドバ、メラノ、フイウメ、オレンタノ、
中伊、ロシニヤノ、チビタヴヱツキア
南伊、ナポリ、ブツシ、バレツタ、レツヂオ、
シチリー島 アメツシナ
サルデニア島 サンタパンタレオ

三四二

第三項　工業構成

伊太利資本主義ノ特質的要件タル自然的條件及ビ歴史的社会的要素ヲ基礎トシテ、伊太利工業構成ガ従来軽工業中心ニ生成発展シ、重化学工業ハ資本、原料、生産手段ノ関係等ヨリ外国依存度頗ル大トナリ、タメニソノ発展ヲ阻碍サレタル事実ハ争ヒ難シ。

然ルニ一九三五年エチオピヤ紛争以後、伊太利軍需工業ノ未曽有ノ拡張ヲ必要トシ、軍需工業ハ最早従来ノ如キ外国依存的地位ヲ許サレザル状勢ニ至レリ、依テ茲ニ重工業化ノ急進過程ヲ検討セン。

第一表　卸賣物價類別指數（一九二八＝一〇〇）

年次		一九三四	一九三五	一九三六	一九三七	一九三八
生産財	総計	七九・七	九〇・六	一一一・四	一二二・〇	一三八・六
	金属機械	六七・七	七四・八	八七・四	一〇三・六	一一一・四
	石炭石油	八一・四	九四・四	一一八・四	一二四・〇	一四六・一
	化学製品	六七・一	九三・七	八三・七	九七・七	一〇四・五
	建築用材	八〇・四	八六・二	九八・七	一三四・七	一五〇・七
消費財	総計	六〇・四	六六・二	七三・一	八五・六	九〇・九
	食料品	六〇・〇	六八・五	七六・六	八七・九	九一・三
	紡織、皮類	四五・八	四九・七	六一・九	七九・〇	八三・〇
	紙	六一・五	六三・四	八〇・六	九七・九	一一九・一

三四三

三四四

第二表　対平均拂込資本利益率（統計年鑑ヨリ作成）

摘要	一九三七年	一九三八年
重化学工業及鉱業	%	%
冶金工業	八・三五	八・六一
機械工業	五・九六	八・四四
化学工業	七・〇一	八・三八
電燈電力	七・五三	八・〇二
鉱山業	七・五五	八・四八
平均	七・三	八・四
（指数）	（一〇〇）	（一一五）
軽工業		
紡績業	二・八六	四・五三
人絹業	六・一八	七・七六
製絲業	六・九二	五・九〇
製紙業	七・六三	七・九一
麦酒業	四・〇三	三・七六
平均	五・五	五・九七
（指数）	（一〇〇）	（一〇八）

三四五

三四六

一九三五年以後、国防国家ノ要請ニヨリ重工業製品ヘノ需要激増ハ先ヅ卸賣物價指数ノ変遷ニ於テ認メルコトヲ得。

即チ第一表ニ示ス如ク一九二八年ヲ基準トシテ消費財ハ一九三六及一九三七年ニ於テ未ダ恐慌後ノ回復ニ至ラザルニ対シ生産財ハ一割一分乃至二割二分ノ騰貴ヲ示セリ。コノコトタル、明ラカニ消費財ニ比シ生産財需要ノ相対的増大ヲ実証スルモノナリ。

右ノ如キ生産財ノ騰貴ハ必然的ニ生産財部門ノ収益率増加ヲ来セリ。

払込資本ニ対スル利益率ノ増加ヲ見ルニ、第二表ノ示ス如シ。同表ニヨレバ一九三七年ヲ一〇〇トシテ、一九三八年ニ於テハ重工業ハ一割五分ノ増加率ヲ示セルニ対シ軽工業ハ八分ニ止マレリ、斯ル利益率増加ノ結果トシテ、当然資本、労働、原料ノ重工業流入ヲ来シ、重工業生産ノ飛躍ヲ現出セリ。

第三表ハコレガ事実ヲ示スモノナリ。

即チ軽工業ト雖モ若干部門ノ好況ヲ認メ得ルモ伊エ戦争ヲ轉機トスル重工業部門ノ飛躍的増産ニハ比スベクモナシ。

実ニ伊エ戦争ハ斯ル労働資本原料ノ重工業ヘノ跛行的流注ニ対シ消費財工業ノ退行トイフ不均衡状態裡ニ勃発セリ

第三表　工業生産指数（一九二八＝一〇〇）

	一九三九半期	一九三八	一九三七	一九三六	一九三五	一九三四
重工業						
冶金	一二三・一	一二一・一	一二四・一	一〇六・〇	一一二・二	九一・七
機械	一四三・七	一三四・四	一三一・八	一二〇・〇	一〇一・九	七五・五
化学	一五一・五	一二九・九	一三三・二	一〇七・四	九九・六	—
電燈電力	一六九・七	一五七・三	一五四・六	一四〇・五	一三五・八	一二五・五
軽工業						
紡績	八五・九	八三・〇	八三・七	七〇・一	七九・八	七三・六
建築	一一六・七	九〇・六	九五・九	九一・九	一六二・三	一三六・〇
製紙	一五四・四	一四二・六	一五〇・〇	一二三・二	一三九・七	一二〇・五

サテ政府ハ曩ニ一九三三年一月十二日付法律第一四一号工業新設許可ニ関スル授権法ノ公布ヲ以テ一般経済状態ニ應ズル工業活動ノ調整ヲ行ヒタルガ、コレハ組合大臣ノ提案ニ基キ大蔵大臣関係閣僚ノ賛同ヲ得タル上、施行スルモノナリ。右許可ナクシテ新設ヲ行フトキハ一万利以下ノ罰金ヲ課スコトヽセリ。

右法律ニ次イデ、一九三六年三月十二日ニ公布セラレタル「貯蓄保護及信用調整ニ関スル緊急勅令」所謂金融統制令ニヨリ資金調整行ハレ居ルトコロナリ。

又一九三五年九月五日「商事会社利益配当制限ニ関スル緊急勅令第一六一三号ニ依リ公債消化及ビ社内留保ヲ強化シテ、生産資本形成ノ一助トナセリ。

斯クシテ利潤追求主義投資ノ国家的統制ノ確立ニヨリ資本移動ハ直接軍需産業又ハ之ト関係アル基礎産業ニ優先的集中ヲナスニ到レリ。

次ニ僅少ナル統計資料ヨリ新設拡張資本及ビ計畫資本ニツキテ工業構成ヲ説明セン。

第四表　一九三八年新設拡張資本（單位千利）

	新設	拡張
重工業	＝四四六、三三四（八七%）	＝三二九、五六七（七〇%）
金属機械	九七、三三五	一七七、八九八
化学	三四八、九九九	一五一、六六九
軽工業	＝一〇、六五六（二%）	＝一四〇、七一一（二九%）
紡績	四、八一六	一三三、三二九
製紙	三、一四〇	四、〇三七
建築材	二、七〇〇	三、三四五
其他	＝五六、六九七（一一%）	＝一五、八九五（一%）
計	五一三、六八六（一〇〇%）	四八六、一七三（一〇〇%）

第五表　一九三七年計画資本（千利）

(イ)	重工業（冶金機械、化学ノミ）	
	新設拡張	一、三九一、六八三
	繰込資本	一、二八八、二六九
	計（計画資本）	二、六七九、九五二
(ロ)	軽工業（紡績、製紙、建築材ノミ）	
	新設拡張	五〇、〇一七
	繰込資本	二一九、四四五
	計（計画資本）	二六九、四六二

（統計年鑑ヨリ作成）

第四表ニヨレバ一九三八年ニ於ケル新設資本ニ付、重工業ノ比率ハ八七％ナルニ対シ軽工業ハ僅カニ二％、拡張資本ニ於ケル重工業ノソレハ七〇％ナルニ

対シ軽工業ハ二九％ヲ占ム。又一九三七年ニ於ケル計画資本ヲミルニ、第五表ハ夫々若干部門ノ摘要ナルモ尤ニ角計画資本ノ重工業優先給付ハ極メテ明瞭ニシテ今次戦争ニ於ケル金融統制ノ方向モ概ネコノ範疇ニ在ルモノト認ム。

次ニ労働関係ヨリ見ルニ一九二七年四月二十一日所謂労働憲章ノ決定ニヨリ政府ハ職業紹介所ヲ国営ニ移管シ之ヲ各県ニ設置シ協同体県評議会之ヲ監督シ管轄内失業者ノ就業斡旋ヲ行ヒ来レリ。軍需工業ヘノ労務優先配置ハ第六表ニ窺フヲ得ベシ。

又石炭業ノ如キ基礎産業ヘノ労務増配モ著ルシク、コレガ現在独逸炭坑ヘ採炭夫トシテ派遣セラレ、ソノ数ハ数万ヲモツテ称セラル。

第六表　月平均就業者数（単位千人）

	一九三八年	%	三七年	%	三六年	%
重工業						
冶金	九三		九六		八九	
機械	二六五		二五二		二三〇	
化学(a)	｜		｜		二六〇	
自動車	三〇		三一		二六	
鉄道材料	一八		一五		一五	
電力材料	四七		四二		三八	
造船	三〇		二九		二六	
計	四八八	五〇	四六五	四九	四七五	三五
軽工業						
繊維	四二三		四一二		三二〇	
製紙	三〇		二九		二六	
製材(b)	｜		｜		四五〇	
セメント	一七		一五		一四	
食料品	一八		一八		一八	
計	四八八	五〇	四七六	五一	八二八	六五
合計	九七六	一〇〇	九四一	一〇〇	一三〇三	一〇〇

（註）但シ(a)(b)ハ四月二十一日国勢調査ニヨル

右表ニ於テハエチオピヤ戦争後、重工業人口ノ比重ハ殆ンド軽工業ト比肩スルニ至レリ。而モ化学工業人口ヲ加算スレバ重工業ハ更ニ上昇スベシ。今左ニ一九三四年ヲ一〇〇トスル業種別就業指数ヲ示サン。

	一九三七年十二月	一九三八年七月	一九三八年十二月
生糸	一四四・二	一一九	一二〇・八
絹紡	一一八・六	八七一	九二・八
絹織物	一三三・六	一一七・四	一二〇・一
人絹	一五一・三	一四〇・五	一四六・五
羊毛工業	一一六・二	一一〇・一	一一三・〇

大麻工業	一五一・九	一三八・五	一四二・〇
黄麻工業	一二五・五	一二二・四	一二七・七
靴下	一三一・一	一二二・〇	一二六・九
メリヤス	一〇一・六	九八・七	九四・八
帽子	八一・一	八七・六	八四・二
金属	一二九・四	一五三・七	一五三・八
鋳物	一四四・二	一三七・八	一四二・七
自動車	二一三・九	二〇四・二	二〇一・八
自動車体	一三九・五	一四三・一	一三六・三
鉄道材料	一二六・四	一四七・二	一六五・七
電気材料	一八七・六	一九四・七	二〇七・〇
特殊機械	二三一・九	二三七・二	二四二・八
ソノ他機械	一六一・三	一六三・五	一六八・三
海運造船	一八六・四	二〇五・三	二〇三・二

三五五

ゴム	一三五・一	一三四・一	一五三・七
肥料	一二一・七	一〇八・七	一一一・七
製紙	一四二・六	一四四・二	一四六・四
硝子	一五五・七	一四一・三	一六〇・四
製粉	一一八・九	一一三・五	一一八・三
総指数	一四二・一	一三五・三	一四三・六

右表ニヨレバ工業労働者ノ就業率ハ全体トシテ向上セルモ之ヲ業種別ニ見レバコヽニ著シキ跛行性ヲ認ム。即チ生糸ノ如キハ七月ハ夏枯季トイヒ一一・九トイフ惨憺タル不振ヲ示セリ。繊維工業ノ一般的不活潑ニ対照シテ海運造船、機械、金属、電気、鉄道材料、ゴム等ノ軍需産業ハ何レモ繁忙状態ヲ一貫シアリ。更ニ原料消費ノ角度ヨリ工業構成ノ変化ヲ検討スル計画ナリシモ、資料不足ノタメ省略スルコトヽセリ。

三五六

第四項　経営規模及組織

国土狭隘、資源貧弱、資本不足ハ必然的ニ伊太利近代工業後進性ノ社会的要因ヲ形成スル処ナリ。伊太利ニ於ケル独占資本主義国的型態ハ、世界大戦ヲ契機トシテ現出セリ。其ノ実情ハ封建的遺制ヲ墨守セル農村経済ヲ基礎トスル跛行的資本主義国ノ様相ヲ有セリ。従ツテ工業経済型態ノ地盤ヲ築カンタメ、金融資本ノ積極的協力ヲ要請シ、政府ハ斯ル資本家ノ利益ヲ擁護強化セリ。

初期ファシスト政府ノ金融政策ハ、スベテ右ノ方針ニ則セリ。一九二六年銀行改革ハ、「デフレーション」政策ト通貨安定策ニ直面シテ、中央銀行ノ金融統制力ヲ強メ、自由主義金融ノ放漫主義ヨリ、国内資本形成ヘノ国家意思ヲ強調シ、以テ貯蓄保護政策ノ開始ヲミタリ。他方紐育「モルガン」商会及伊太利銀行間ニ、九千万弗借款成立ヲ遂ゲ、通貨価値ノ保持ニ務メルト共ニ「産業価値補償財団」又ハ「産業助成財団」「伊太利動産銀行」及ビ伊太利産業復興銀行ヲ通ジテ、工業金融統制ヲ実現セリ。他方保護貿易政策ハ金融資本ノ利益擁護ヲ

三五七

主眼トシ殊ニ自動車工業ノ如キ対米競争ヲ止揚シ以テ自動車工業資本ヲ保護セリ。

斯ル資本形成ハ一面農業優位経済ニ圧迫ヲ加ヘ、近代産業建設財政ハ、農民ノ地租負担ヲ加重セリ。

更ニ重工業原料ノ輸入確保ノタメ、外国為替獲得政策ヲ強化シ、輸出工業振興ヲ計レリ。紡績業ノ発展ハ斯ル需要ヲ満足セリ。紡績業発達ノ原因ハ埃及米国及印度棉輸入ニ地理的便宜アリシコト、動力源トシテ電力ノ豊富ナルコト等考慮セラル。

伊太利資本主義ノ特質ハ中小工業ノ重要性ナリ。後ニ述ベル如ク伊太利工業生産ノ九〇%内外ハ家内工業ノ占ムル処ナリ。

斯ル家内工業ノ比重大ナル一ハ、国内資本蓄積ノ不足一ハ過剰労働者ノ小規模経営ヘノ分散一ハ大規模企業ノ後進ヲ補完スルタメ中小企業ノ促進ヲ見、後ニ大規模企業ノ下請工業的地位ヲ存続シ一ハ組合組織ニ於ケル構成員トシテ合目的的地位ヲ認メラレタル原因等ヲ挙ゲ得ベシ。

三五八

斯ル弱少企業ハ、戦時生産組織ニ於テハ、早晩整理統合セラルベキ必然性アルモ、現ニ此ノ国ニ於ケル組合体制ノ確立ハ即時戦争準備ヲモ意味スベク、労働憲章及ビ協同体構成法ニヨリ雇主、従業員及ビ自由業者ハ夫々有機的組合ノ下ニ協同セラレ保護セラレ居リ、協同体中央部ノ指令ニ基キ、ソノ生産計画ヲ踏襲シ、ソノ間生産ノ国家統制ニ服従ス。工業部門ニ於ケル組合ハ、金属機械協同体、化学工業協同体、被服協同体、紙印刷協同体、水道瓦斯電気協同体、採掘協同体等ニ分立セリ。斯ル組合結成ハ明カニ産業機構改革ノ問題ニシテ、別ニ販売等ノ統制ヲ実施スルモノニ非ズ。

斯ル統制ヲ実施スル方法トシテ、国家ハ「カルテル」ヲ利用セリ。「カルテル」ヲ通ジテ原料ノ重点主義的配給ヲ行ヒ来レリ。

エチオピヤ戦時ニ於ケル「カルテル」結成ハ極メテ顕著ナル事実ナリ。

製鉄原料取得会社（一九三五年十月十一日設立）

ピエモンテ屑鉄会社（一九三六年六月三十日設立）

解体用外国船買入ノタメノ船舶解体業会社

三五九

（一九三六年五月二十八日設立、解体用外国船ノ購入及関係業者間配給統制並ビニ右買入ニ必要ナル外国為替獲得措置ヲ講ズ）

航空機輸出会社（一九三七年三月二十二日設立）

ソノ他一九二二年十一月二十八日設立ニ係ル曹達及ビ塩素販売会社、一九三四年五月二十五日設立ニ係ル鉱力販売会社等、悉ク販売ノタメノ「カルテル」会社ガ大部分ヲ占メ居レリ。

元来「カルテル」結成ハ一九三一年十二月卅一日付勅令第一六七〇号（註一）ニヨル製鉄部門ニ於ケル強制カルテル設立令ヲ端緒トシテ翌三二年六月十七日付法律第八三四号（註二）ニヨリ経済各般ノ部門ニ強制カルテルノ設立ヲ促進セシメタリ。然ルニ一九三六年四月十六日付緊急勅令第一二九六号ニ基ク（註三）生産販売ノタメノ任意的カルテル設立ヲミタリ。

斯クシテ同一企業総数ノ七割ヲ占ムルト同時ニ最近三ケ年間生産ノ七割ヲ占ムル関係業者ノ要請ニヨル「カルテル」及ビ生産合理化ノ急ニ應ジ政府強制的ニ命ズル「カルテル」ハソレガ大「コンツェルン」ニ属スルト否トニ拘ハラズ動的資本型態ノ様相ニ、国家統制ノ加重ヲ示セリ。

三六〇

（註一）一九三一年十二月卅一日付勅令第一六七〇号製鉄部門ニ於ケル強制的「カルテル」設立ニ関スル組合大臣ノ権能及ビカルテル定款ノ一般規定

第一條　組合大臣ハ省令ヲ以テ一九三二年一月一日ヨリ九月卅日マデ製鉄部門ノ強制的カルテル設立ヲ命ジ生産者間ニ於ケル当該工業品ノ生産及ビ販売ヲ統制スベシ

第二條　加入條件、内部組織及機能ニ付伊太利ファシスト工業総聯合ノ召集ノ下ニ各カルテル会議ニ於テ決定スベシ。而テ決議ハ最近三ケ年間ニ於ケル生産ガ国内生産ノ五分ノ四ヲ下ラザル「カルテル」ノ三分ノ二ノ出席ヲ得ルニ非レバ効力ヲ有セズ。

第三條　第一條規定ノ「カルテル」ハ罰則トシテ義務ヲ履行セザル組合員ヨリ本令第二條ノ規定ニ違反シテ売却シタル商品価格ノ三分ノ一ニ相当スル額ヲ請求スルヲ得（以下略）

三六一

（註二）一九三二年六月十六日付法律第八三四号、経済各部門ニ於ケル強制的カルテル設立及機能ニ関スル規定

第一條　首相ノ提案ニ基キ関係閣僚ノ協議ヲ経、閣議ノ承認ヲ得タル上、勅令ヲ以テ生産及競争ヲ統制スル目的ヲ以テ各経済部門ニ強制的カルテル設立ヲ命スルヲ得

カルテルノ設立期限ハ各定款ニヨリ五年ヲ超エルヲ得ス

関係協同体ノ意見ヲ求メ前項同様ノ手続ヲ経テ各強制的カルテルニ対シ国民経済ノ立場ニ於テ各協力スヘキコトヲ命ス

第二條　カルテル設立ハ左ノ場合ニヨル

（イ）企業総数ノ七割及最近三ケ年ノ平均生産ノ七割ヲ占ムル当該関係業者ノ要求ニヨル場合但シ農業生産者カルテルノ設立ニツキテハ其生産ノ七割ヲ占ムル業者ノ要求ニテ可

（ロ）関係協同体ノ議ニ諮リ国内生産ノ技術的経済的合理化達成ノタメ一般経済界ノ実状ニ應ジ政府ソノ設立ヲ支持スル場合

三六二

第三條　アル「カルテル」生産部門内ニ国家会社或ハ国家ソノ株式資本ノ五割ヲ占ムル会社ノ存スル場合、政府ハ当該会社ノ「カルテル」加盟ヲ認メズ、該会社ト「カルテル」活動ノ調和ノタメ充分ナル機会ヲ促進スヘシ

第五條　加盟條件規定並ビニ上規違反ニ対スル民法的制裁、カルテル内部組織、代表、機能ハ多数投票ニ基キ「カルテル」会議ノ協議ニヨリ定款ニ明示スベシ

又定款ニハ別ニ合議機関ノ設立ヲ規定スベシ、同機関ハ関係業者ノ要求ニ基キ、「カルテル」ニ課セラレタル割当及義務ニ関スル決議ヲ取消又ハ修正スルヲ得、同機関ハ三名ヨリ成ル

第七條　関係協同体ハ左ノ任務ヲ有ス

(イ) カルテルノ活動ヲ監視シソノ一般方針ヲ検討ス

(ロ) ソノ結果ヲ所管大臣ニ報告ス

(ハ) 右報告ニ基キ、「カルテル」ノ一般活動及其生産成績ニ関シ随時

三六三

協同体中央委員会ニ提出スベキ報告書作成ヲ指導ス

(註三) 一九三六年四月十一日付緊急勅令、第一二九六号、生産販売ノタメノ任意的カルテルノ規定

第一條　同一業種或ハソレト関聯スル産業ノ生産又ハ販売ヲ統制スル目的ヲ以テ任意的カルテルハ一九三二年六月十六日付法律第八三四号トハ別個ニ毎年関係協同体書記ニ対シ「カルテル」活動ノ報告書ト共ニ会計報告書ヲ提出スベシ

又関係協同体ハ右「カルテル」ニ対シ價格表、販賣数量表及「カルテル」統制ニ基ク経済活動ニ関スル日記帳ノ提出ヲ要求スルヲ得

右資料ニ基ク審査ノ結果ニヨリ組合大臣ハ一九三二年六月十六日付法律第八三四号第六條規定ニ違スル場合ヲ含メテ該カルテル活動ノ変更ヲ命ズルヲ得

第三條　本令ノ規定ハ特定経済部門ニ於ケル其生産ガ七割五分以下ノ「カルテル」ニハ適用セズ、国家行政ニ属スル「カルテル」統制及

三六四

監督ノ権限ニ付現行規定ハ変化ナシ

以上述ベタル「カルテル」ニ対シテ資本ノ量ヨリスル「コンツェルン」ノ存在モ看過シ難シ。

伊太利ニ於ケル基本工業ノ国営特ニ軍需工業ノ国家管理ハ、一九三六年三月二十三日全国組合大会ニ於ケル首相演説ニ明示スル如ク「IRI」及ビ「IMI」ヲ通ジテ着々ソノ実現ヲ示シ居レリ。例ヘバ既述ノ如ク「IRI」グループノ基礎工業支配ハソノ適例ナリ。コノ他化学工業部門ヲ独占スル「モンテカチイニ」財団、織維工業ヲ支配スル「スニアヴイスコオザ」等ハ屈指ノ「コンツエルン」タルヲ張ハズ。

右三大「コンツエルン」ノ株式資本ハ総額三十八億利、内「イリイ」十八億利「モンテカチイニ」十三億利「スニアヴイスコオザ」十三億利ヲ占ム、又各事業範囲モ概ネ劃定セラレアリ。

「イリイ」ハ直接軍需工業、造船及船舶航行、合成護謨工業、製紙用織維工業、

三六五

鉱山業ヲ「モンテカチイニ」ハ化学製品即チ重化学工業、肥料、タール染料、爆薬、医薬、動力燃料及軽金属工業ヲ

「スニアヴイスコオザ」ハ人造織維工業ヲ支配ス。

以上ノ如キ企業ノ大規模化ガ如何ナル工場規模ノ上ニ行ハレアルヤ左ニ之ヲ検討セン。次ニ述ブル使用統計ハ一九二七年十月十五日ニ於ケル商工業調査ニ拠ル処、稍時代遅レノ感アルモ大体ノ標準ヲ窺フヲ得ベシ。

(イ) 織維工業

工場数一万、従業員六四万之ヲ従業員数ニヨリ経営主体数ニヨリ経営主体数ヲミルニ、十人迄六千、十一―五〇人二千、五一―二五〇人千七百、二五一―千人五六八、千人以上七一トナリ、十人―二五〇人迄ノ中小企業ハ総体ノ九七%ヲ占メ、二五〇―千人以上ノ大企業ハ極メテ少数ナリ。

人造織維工業ハ「スニアヴイスコオザ」ノ支配ニ属ス。

(ロ) 機械工業

工場数ハ〇、七〇五、従業員四七八、八九六之レヲ従業員数別ニミルニ、十人迄

三六六

約八万、十一－五〇人三千　五一－二五〇人七百、二五一－千人二百、千人以上四六ニシテ十人以内ノ家内工業ハ総体ノ九九％ヲ占ム。一九三六年四月二十一日調査ニヨレバ機械工業総人口ハ八四万人ニ達シ、ソノ内自動車工業八万人、航空機工業四万人、造船工業六万三千人、兵器及戦用資材工業五万人、電気機械工業六万三千人ヲ計上セリ。因ミニ一九三八年ニハ航空機工業人口六万人ニ達セリ。

造船、銅砲口装甲車輌工業、航空機工業等「イリイ」ガ支配シ居レリ。

(ハ)　鉄鋼工業

工場数二、一〇二、従業員一二二、五一九、之レヲ十人迄千三百、十一－五〇人迄五四〇、五一－二五〇人迄二百、二五一－千人迄一〇、千人以上一ト分類ス。

一〇－五〇人程度ノ中小企業ガ総体ノ八八％ヲ占ム。

右事業ハ「イリイ」「フイアート」「ダルミーネ」「テルニ」「アンサルド」「モンテカチイニ」「ブレーダ」「フアルク」等諸工業コンツエルンニ属シ

三六七

居ル処、「イリイ」ハ国家的持株会社「フインシデル」（資本金九億利）ヲ通ジ製鉄事業ヲ支配ス。

(ニ)　化学工業

工場数五、一五四、従業員九九、四七五

十人迄四千、十一－五〇人迄八六〇、五一－二五〇人迄三〇〇、二五一－千人迄五〇、千人以上八ニシテ、十人程度ノ家内工業ハ全体ノ七七％ヲ占ム。

一九三六年四月二十一日調査ニヨレバ大略三十万人ヲ算セリ。

右化学工業ハ「モンテカチイニ」ノ支配ニ属ス。同社ノ支配工場数ハ一九四〇年二百ヲ超エ従業員数一九三七年六万一千人、一九三八年六万七千人、一九三九年六万五千人、一九四〇年初七万二千五百人ヲ計上セリ。

工場数ヲ業種別ニ分類スルニ、一九四〇年初ニ於テハ、過燐酸塩ソノ他燐酸肥料工場六十、硫酸工場六二、窒素肥料工場八、苛性曹達工場三、炭化カルシユーム工場二、硫酸銅工場八、硫黄工場一二、「アルコール」及「エーテル」工場一、醋酸及醋酸人絹工場二、合成樟脳工場一、重化学品工場五〇、

三六八

染料工場五〇、人造樹脂工場四、人絹工場一、製薬工場二、爆薬工場一〇、脂肪油工場一、ソノ他二〇工場等ヲ支配ス。

左ニ持株会社ノ主要ナルモノヲ挙ゲン。

A.C.N.A（*Aziende Colori Nazionali Affini*）

染料会社（資本金一億利）

Ammonia e Derivati Società generale per i prodotti azotati sintetici

硫安肥料会社（三億利）

A.N.I.C.（*Azienda Nazionale Idrogenazione combustibili*）

動力燃料会社（七億五千万利）

Cokitalia S.A.　コークス会社（一億利）

Dinamite Nobel S.A.　爆薬会社（一億利）

Buro S.A.　ニトロセルローズ会社（一千万利）

Farmaceutici Italia S.A.

三六九

伊太利医薬会社（二千五百利）

Soc. generale di Esplosivi e munizioni

爆薬及弾薬会社（一千五百万利）

以上経営規模及組織ノ概略ヲ説明セリ。

第五項　原料及燃料関係

工業界ニ於ケル生産活動ノ飛躍ハ当然工業用原料輸入ノ増大ヲ随伴セリ。即チ工業用原料輸入指数（量）一九二八年＝一〇〇

	一九三三	一九三四	一九三五	一九三六	一九三七	一九三八
鉄鋼屑	七三・一	八四・九	一一四・九	四六・五	六三・三	七一・四
銅	七七・二	八〇・二	一一四・四	一〇五・七	九七・〇	九八・四
石炭	一〇四・五	一三九・一	一五九・四	一〇一・二	一四一・二	一三一・四
原油	二六七・九	二八三・二	四三五・八	五九五・九	一八五三・九	二九二〇・二

三七〇

生ゴム	二三二・二	二〇〇・三	一三二・八	二〇九・二	一七二・〇	一五五・七
棉花	七〇・三	七四・五	四五・四	六四・〇	八〇・六	九四・五
羊毛	七五・七	九一・三	三七・八	一〇六・八	一三六・七	一八〇・六

右表ニヨレバ、伊エ戦争以来ノ鉄鋼屑及ビ銅ノ原料需要ハ、四割乃至二割ノ減退ヲ示シ居レリ。従ツテ、機械、自動車、造船、造車工場ノ原料手当ハ相当ニ窮屈ヲ来シ居ルハ掩フベカラズ。斯カル事情ハ、伊エ戦争ニ際シ、各国ノ経済封鎖打開策トシテ、緊急左ノ如キ措置ヲ要請セリ。即チ鉄鋼屑ノ購入配給ニ関スル統制機構トシテ、製鉄原料取得会社（一九三五年十月十一日設立）、「ピエモンテ」屑鉄会社（一九三六年六月廿日設立）ノ創設之レナリ。而テ、伊太利屑鉄ノ輸入ハ、其ノ過半数ヲ米国ニ依存シ居リタル処、第二次欧洲戦勃発以来、米国ノ対枢軸輸出許可制度、在米資金凍結令ニ依リ、右依存関係ハ極度ニ圧迫ヲ蒙レリ。之ガタメ、伊太利ハ、佛国、瑞西、西班牙等ヨリノ屑鉄買付ヲ増加セントナシツツアリ。依テ伊太利製鉄鋼界ノ苦心多大ナルモノアラン。

三七一

繊維工業ニ於ケル棉花羊毛輸入ハ、一九三六年以後漸増ヲ示シ居ル処、右原料製品ハ悉ク之レヲ輸出及ビ軍需ニ振向ケ、民間需要ニ対シテハ、人絹ヲ以テ之ニ充テ、タメニ人絹工業ノ殷賑ヲ来セル次第ナリ。

人絹生産（一万キログラム）

一九三八年	一九三七年	一九三六年	一九三五年	一九三四年
一二、六五一	一三、四三九	九、二二四	七、二三六	五、一〇〇

然ルニ、棉花羊毛共ニ、英米経済圏ニ依存シ居ル事情ヨリ、現欧洲戦ノ結果、殆ンド輸入杜絶状態ナリ。

今左ニ一九三四―三九年ニ於ケル棉花消費状況ヲ示サン

三七二

綿絲工場ニ於ケル棉花消費

年月日	錘数	消費（梱） 米棉	印度棉	埃及棉	其ノ他	計	紡錘千ニ付キ梱数
一九三四・一・三一	五、三七八、三八〇	三三二、一四九	七六、六九九	三六、六七〇	八、二九五	四五三、八一三	八四・一九
一九三四・七・三一	五、四九三、〇六八	三〇五、一八二	七〇、五〇〇	四〇、三六一	四、七四四	四二〇、七八七	七六・六〇
計	—	六三六、三三一	一四七、一九九	七七、〇三一	一三、〇三九	八七三、六〇〇	一六〇・七九
一九三五・一・三一	五、四七六、七三六	二二二、八三七	九二、七九一	四三、九一六	三〇、七九一	三九〇、三三五	七一・二七
一九三五・七・三一	五、四八二、五一六	二三二、五八一	九一、八四〇	五〇、三七八	二二、七四〇	三九七、五三九	七二・五一
計	—	四五五、四一八	一八四、六三一	九四、二九四	五三、五三一	七八七、八七四	一四三・七八
一九三六・一・三一	五、四七〇、三〇四	二一七、〇九四	六〇、九六八	四三、九六六	一〇、七〇五	三三二、七三三	六〇・六四
一九三六・七・三一	五、四四三、五四六	二一三、一八七	二六、一四八	二六、五七二	七、一八三	二七三、〇八九	五〇・一八
計	—	四三〇、二八一	八七、一一六	六九、五三八	一七、八八八	六〇四、八二二	一一〇・八二
一九三七・一・三一	五、四〇一、四〇〇	一八四、七二九	二七、〇一六	二六、一〇三	八、二三五	二四六、〇八三	四五・五六
一九三七・七・三一	五、三八九、四〇〇	二二三、五二六	四七、〇一〇	四四、四三三	一三、五五六	三二八、五二五	六〇・九六
計	—	四〇八、二五五	七四、〇二六	七〇、五三六	二一、七九一	五七四、六〇八	一〇六・五二
一九三八・一・三一	五、三九五、〇〇〇	二三五、〇五一	四四、五八七	三八、一九八	一八、七六八	三三六、六〇四	六〇・五四
一九三八・七・三一	五、三五〇、三一四	二二〇、五四七	二九、〇七五	三八、八五六	三一、六一六	三二〇、〇九四	五九・八三
計	—	四四五、五九八	七三、六六二	七七、〇五四	五〇、三八四	六四六、六九八	一二〇・三七
一九三九・一・三一	五、三二四、三二二	二一六、〇九二	三四、六四〇	四二、七三五	四一、〇三二	三三四、四九九	六二・八三

右表ニヨリ、綿絲工場ニ於ケル紡錘数ハ一九三四年以来季節的消長ニ拘ラズ、同年七月三十一日五四九万ヨリ一九三八年七月三十一日五三五万ト約三%ノ減少ヲ示セリ。

従テ、棉花消費量亦、一九三四年八七万梱ナルニ対シ、一九三八年ニハ、六五万梱ト約二五%ノ大幅減少ヲ示セリ。又原棉ノ輸入先ハ、米国、印度、埃及等ニシテ一九三四年ニ於ケル消費総量ニ対スル夫々ノ比重ハ米七三%、印度一七%、埃及一〇%ヲ占ム。然ルニ一九三八年ニハ米六九%、印度一〇%、埃及一二%ト変化シ、地中海国ヨリノ輸入量増大ヲ見タリ。

「ゴム」工業ニ付テハ、該工業生産ノ戦時増産ニ伴ヒ、必然的ニ原料「ゴム」輸入ノ飛躍ヲ生ジ、本項初ニ掲ゲタル輸入指数ハ右事実ヲ裏書シ居レリ。

因ミニ、生護謨輸入先左ノ如シ（キンタル）

	一九三八年		一九三六年		一九三五年	
佛国	三一三	〇・四%	—	—%	—	—%

三七三

セイロン	一四、一四七	五	二、四〇二	一	一四、五七九	五
英印	六、〇〇七	二				
蘭印	二八、三七〇	一〇	二五、三九八	一四	四三、六八五	一六
英馬来	二四二、三四六	八一	七九、二九七	四七	一九〇、八四〇	七一
合衆国	五五〇	〇.六	四五、二五八	三〇	四四四	〇.二
ソノ他	二、五五五	一	一五、七九一	八	一五、二六三	五.六
計	二九四、二八八	一〇〇	一六八、〇四六	一〇〇	二六四、八一一	一〇〇

次ニ燃料関係ヲミルニ、既述ノ通リ、石炭及ビ石油ノ自給率ハ夫々、石炭一〇%内外、石油〇・八%ヲ占メ居ル処、本項初ニ掲ゲタル工業用原料輸入指数ハ伊エ戦争ノ一九三五年以来著ルシキ減退ヲ示セリ。「ストック」量ノ増大、国内ニ豊富ナル水力電気、ソノ他人造石油ノ利用等楽観材料少シトセザルモ、石油ノ需給関係ハ極メテ困難ナリト認ム。

三七四

第三節　平時工業力ノ研究

第一項　生産設備及生産能力

1. 繊維工業

（月平均能力、錘数単位一万）

	一九三四年	一九三五年	一九三六年	一九三七年	一九三八年
生糸錘数	一三三	一三五	一三五	一三八	一四三
一錘能力月平均二千キログラム					
人絹錘数	四五	六九	六八	七一	七三
一錘能力月平均五万五千キログラム					
綿糸錘数	五五一	五五〇	五四七	五四五	五四七
ラニタール錘数(a)	一	一	二九六	四六七	五六八
一錘能力月平均〇・〇〇三噸					

三七五

一錘能力月平均〇・〇三万キログラム

(a)ハ単位数　一

2、機械工業

一九二七年十月調査ニ依レバ、工場数八万、従業員四八万人ヲ算ス。而シテ機械工業ノ生産指数ハ一九二八年ヲ一〇〇トシテ一九三五年ノ一〇二ヨリ、一九三八年ノ一三四ト三割上昇ヲ示セリ。斯ル生産能力ノ飛躍ニ伴ヒ、輸入量モ亦増加セリ。

即チ一九三六年四億万利、三七年六億万利、三八年七億六千万利ヲ示セリ。同時ニ工業新設ニ振当ルダメ、各種資材ノ無税輸入ヲ行ヒ居ル処、一九三八年ニ於ケル無税商品ノ内、機械類ハ五万キンタル価格六億万利ノ輸入ヲ見タリ。

工作機械ノ仕入先ハ、独逸、米国、英国ソノ他ノ順ニシテ、一九三八年ニ於ケル工作機械輸入量ノ六六%ヲ独逸、九%ヲ米国、五%ヲ英国ニ帰属セリ。

従テ現欧洲戦ニ於ケル機械工業生産ハ、独逸ノ機械及ビ技術ニ依存スルトコロ大ナルト共ニ、機械工業生産能力亦相対的上昇ヲ来セリ。

三七六

3. 鉄鋼工業

一九二七年十月調査ニ拠レバ、工場数二、一〇二、従業員十二万人ナル処、一九二八年ヲ一〇〇トスル国内生産ハ、一九三九年ノ一一二・二ヨリ一九三八年一二一・一ト約一割上昇セリ。

即チ鉄鉱石百万噸生産ニ應ジテ、製鉄工業生産モ亦左ノ如ク飛躍セリ、即チ生鋼一九三四年百八十万噸ヨリ一九三八年、二百三十万噸ヘ、銑鉄ソノ他一九三四年七十万噸ヨリ一九三八年、百万噸ヘト夫々三割乃至四割ノ増産ヲ示セリ。殊ニ現欧洲戦ニ於テハ、一九三九年後半期ヨリ、本格的独伊提携行ハレ、機械、技術ノ協力具体化サレアル処、経営ノ重点主義組織ト共ニ一部工業生産能力ハ「フル」ニ達シアリト認ム。

生鋼製造工場数四八、銑鉄ソノ他二九（一九三八年）

三七七

三七八

第二項　生産余力、操業率

一、繊維工業操業率

	一九三四年	一九三五年	一九三六年	一九三七年	一九三八年
生絹	七〇・二%	七一・一%	六五・一%	七七・六%	六三・〇%
人絹	八六・九	八九・三	九一・三	九〇・五	八七・五
綿糸	八五・六	八四・四	七七・九	八七・五	八八・四
ラニタール	―	―	五〇・〇	七五・二	五三・〇
羊毛	七〇・〇	七三・八	六四・八	七六・八	七一・〇

右表ニヨレハ一九三八年度ニ於ケル繊維工業操業率ハ、八割乃至五割ヲ示シ、巨大ナル遊休設備ノ顕在ヲ知リ得ベシ。

「ラニタール」生産ノ減退ハ一ハ技術的難点、一ハ價格的理由ニヨルモノナリ。

二、鉄鋼工業

以下述ブル重工業操業率ノ算定ハ殆ンド不可能ナリ。例ヘバ、本件鉄鋼工業ノ如キ、「スクラップ」ノ供給杜絶、「ストック」統制ハ、現欧洲戦ニ於テ、或ハ溶鉱爐ノ改廃、機械ノ回収、等、設備ノ縮少再生産ヲ免レ難カルベシト推測セラルル処、新領土即チ伊領東阿及ビ「アルバニア」ニ於ケル建設資材ノ需要充足ノタノ一九三八年鉄鋼類輸出四五万キンタルニ達シ、ソノ他第三国向輸出三十万キンタル、合計七五万キンタルヲ概算セラル。

三、機械工業

本件工業ノ操業率又算定不可能ナル処、参考マデ、輸出能力ヲ示サン。

一九三八年ニ於ケル動力機関輸出ハ、独英等七百キンタル、伊領植民地方一万二千キンタル、合計一万二千七百キンタルニ達セリ。

建設資材製作機械輸出ハ、伊領植民地向ニ万キンタル・発電機械ハ第三国向ハ百キンタル、伊領植民地千キンタル。

三七九

三八〇

工作機械ソノ他輸出ハ独逸、西班牙向五百キンタル、伊領植民地向ニ万四千キンタル。以上要約スレバ機械類輸出ハ大略十二万四千キンタルニ及ブ。

4 自動車工業

本件操業率ノ算定ハ不可能ナル処、伊太利自動車工業ノ特殊性ニ鑑ミ、輸出工業的見地ヨリ之ヲ検討セン。

即チ伊太利自動車工業ガ北伊太利ニ創設セラレテ以来、政府ハ本件工業ヲ輸出奨励政策ノ恩恵下ニ置キタルモ、国民購買力ノ貧弱ト價格割高ノ理由ニ因リ、国産車ノ市場独占ニ到ラズ、大量生産ニヨル米国製自動車ノ需給旺盛ニ委セ、タメニ国産自動車生産ハ恐慌前ニ比シ一九三一年ニハ六〇%減少シ従業員モ三五%方減員ヲ見タリ。

自動車工業関係者ハ頻リニ政府ニ対シ、米国車ノ輸入防遏ニ関シ、適宜ノ措置ヲ講ズベキヲ陳情セルモ、政府ハ、米国ガ伊太利産食料品ノ重要輸入国ナルニツキ、軽々ニ自動車関税ヲ引上グルヲ得ズト応酬セリ。

然ルニ、一九三〇年六月、米国ニ於テ「スムートホーレー」関税法制定ヲ見ルヤ、伊太利ノ対米輸出ニ重大ナル衝撃ヲ与ヘ、之ヲ好機トシテ、伊太利政府ハ外国産自動車ノ輸入ニ対シ、高関税ヲ賦課シ、特ニ米国製自動車輸入ニ対シ差別的待遇ヲ加ヘタリ。ソノ結果一九二八―三〇年ニ於テ自動車輸入ノ八〇%ヲ占メタル米国車ノ大幅減退ヲ来シ、伊太利自動車工業ノ新基礎ヲ定ムルニ至レリ。一九三八年伊領植民地ヲ除ク第三国向輸出概ネ二万台、右ハ一九三七年ヨリ七分方減少。

6、飛行機工業

本件操業率モ不明ナル処、参考マデニ輸出状況ヲ示サン。

一九三八年伊領植民地ヲ除ク第三国向輸出、一四一機ニ達シ、前年ノ約四倍弱ニ及ベリ。

右ハ匈牙利、「チエッコスロヴァキヤ」「ユーゴスラヴィア」「ルーマニア」「ハンガリー」「イラク」等欧洲及ビ近東国、「智利」「パラグワイ」「ペルー」「サルヴァドル」等南米諸国ノ注文ニ因ル。

右重工業生産体制ヲ要約スベク左表ヲ掲ゲン。

三八一

一九二八年ヲ一〇〇トスル重工業生産指数

	一九三八年	一九三七年	一九三六年	一九三五年
金属及ビ機械	一三三・二	一三〇・一	一一八・七	一〇二・六
化学	一二九・九	一三三・二	一〇七・四	九九・六
自動車	一六一・八	一八二・三	一五三・六	一一九・九
造船	一〇一・六	一〇一・九	九三・一	七五・八

即チ各工業トモ伊エ戦当時ヨリ生産力拡充ヲ示シアルモ、一九三八年ニ於ケル指数ハ或ハ重工業ノ新動向ヲ暗示スベシ。即チ縮少再生産的傾向之レナリ。

茲ニ国内供給トハ別個ニ、海外需要的見地ヨリ右必然性ヲ推測スルヲ得ベシ。

先ヅ、工作機械類ノ輸入表ヲ左ニ掲グ。

工作機械（単位キンタル）

	一九三八年	一九三七年	一九三六年	一九三五年
独逸	七七、九六一	六五、五二一	五五、九九一	五五、六五九
英国	七、二一七	二、六三三	九、五〇七	一一、五一二
米国	一二、五二六	一一、二五四	一四、九〇九	二六、七九八
致国	二、〇七二	三、四五八	—	—
俳国	三、七〇六	一、二五五	—	—
瑞西	五、七九九	五、二二六	—	—
其他	七、三二六	三、九八四	八、八二三	一四、三八一
計	一一六、六〇七	九三、三三一	八九、二三〇	一〇八、三五〇

右表ニ於テ、一九三五年当時輸入総量ノ五五%ヲ独逸、三〇%ヲ合衆国ガ占メ居リタル処、一九三八年ニ於テハ、独逸六六%、合衆国九%ト変化シ、独逸

ノ比重加増ニ反シ、米国勢力ノ退行ヲ来セリ。而テ瑞西、俳国等ノ抬頭アルモ米国ニ代ハルヲ得ズ。依テ、今次欧洲戦ニ於ケル対独依存度ノ強化ハ避ケガタカルベシ。之ニ亦限度アリ。依テ重工業ノ新設拡張ハ、既存遊休施設ノ転換活用ト共ニ、経営資本ノ減価償却ノ緩和化、蓄積部分ノ枯渇化ヲ伴フベク、コトニ所謂縮少再生産ノ危険ノ潜在ヲ推測スルヲ得ベシ。

第三項　技術水準

伊太利ニ於ケル科学振興政策ハ、政府ノ自給自足経済完成ヘノ重大政策ニ属シ居リ、一九三七年六月二十五日付「科学調査評議会創設ニ関スル」緊急勅令第一一一四号ニヨリ、技術水準ノ向上ニ資セントセリ。

該評議会ハ首相直属、各大学、高等工業学校教授、技術員養成所技師、軍部諸技術官、官民技師代表等ヨリ成立ス。

技術向上ノタメ左ノ如キ職務ヲ行フ。

一、科学調査ヲ促進奨励シ、技術及ビ経済ノ進歩

二、科学諸部門ノ協力、国土防衛及ビ自給経済ニ関スル科学調査ノ最大活用

三、科学ニ関スル文献記録ノ蒐集、分類、出版、

斯クテ科学技術ノ水準ハ高度化ノ過程ニアリ、繊維工業就中人絹及ビ「ラニタール」工業技術、電気化学工業、「アルミニューム」工業技術、航空機工業技術及ビ造船技術ハ高ク評価セラル。

第四節　戰時工業力ノ測定

第一項　工業生産ノ戰爭準備施設

伊太利ニ於ケル戰時総動員体制ハ、一九二五年公布ノ戰時國家組織法ニヨリ、其ノ基本体制ヲ與ヘラレタルガ、其ノ後

一九二八年國防最高委員會組織及工業監督官ノ任命ニ関スル單行勅令

一九二九年國防必需品生産統制令

一九三〇年國防必需品生産ニ係ハル基礎工業ノ指定

一九三三年産業新設許可ニ関スル法律改正令

等々ノ相次グ公布ニヨリ、戰時工業生産ノ編成替ヲ餘儀ナクスルニ至レリ、

而シテ戰時工業ノ統制機関左ノ如シ・

三八七

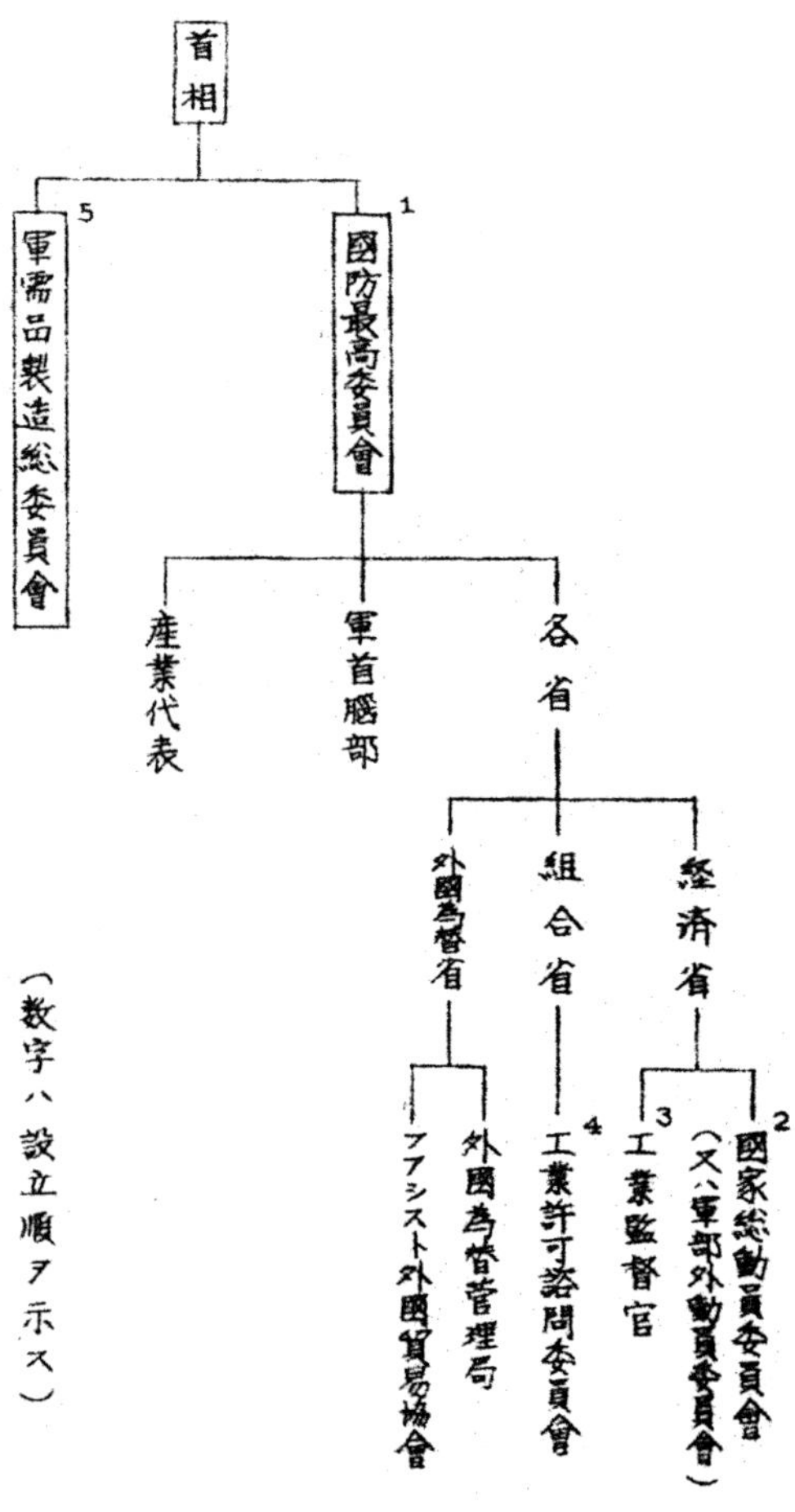

（数字ハ設立順ヲ示ス）

三八八

イ　國防最高委員會

國防最高委員會ハ、戰時國家組織法（註二）実施ニ係ハル行政機関トシテ、一九二八年一月八日付法律第一六五號ニヨリ設立セラル。同法第一條ニ「國防問題研究及解決ヲ統理シ且ツスベテノ國家活動ヲ國防目的ニ動員セシムル諸規定ヲ決定センガタメ、之ヲ設立」セルモノナリト、廣汎ナル國土防衛ノ最高機関タルヲ示ス・

其ノ構成ハ首相ヲ委員長トシ外務・植民・内務・大藏・陸軍・海軍・空軍経済・交通諸大臣及ビ決議権ヲ有セザル参謀総長・陸軍参謀本部長・海軍参謀本部長・海軍将官會議長・空軍参謀本部長及ビ國家総動員委員會委員長ヲ委員トスル所謂決議委員會ト陸軍参議官會議・海軍将官會議・空軍技術委員會・國家総動員委員會ヨリナル諮問機関ヨリ成ル・

ロ　國家総動員委員會（又ハ軍部外動員委員會）

國家総動員委員會ハ、國防最高委員會ノ諮問機関ナリ・一九二八年一月八

三八九

三九〇

日付勅令第一六五号第五條ニヨリ経済省ニ設立セラル（註二）
ソノ目的ハ、スベテノ國家活動ノ動員・準備・組織及ビ戰時必需資源ノ使用ニ関スル諸問題ニツキ、國防最高委員會ノ諮問ニ應ズルモノナリ。
ソノ構成ハ委員長勅任官トシ、委員ハ陸海空軍各省代表一名、技術及ビ文化経済ニ関スル重要機関ノ代表者及ビ科学工業農業並ビニ経済諸部門ノ代表者八名、國防最高委員會総務部長一名、計十名ヲ以テ通常委員トシ、兵器及ビ軍需品生産・電気事業又ハ電力運輸ニ係ル特殊問題ニ付、一九二六年三月七日付勅令第四〇八号及ビ第四〇九号（註五）ニヨリ設置セラレタル技術最高委員會ノ代表又ハ軍事化学工業ノ代表ヲ出席セシムルヲ得。

ハ、工業監督官
軍備ニ関係アル國内諸工業ノ操業及生産ヲ監督スル目的ヲ以テ一九二八年一月八日付勅令第一六五号ニヨリ設置セリ。

ソノ構成ハ、定員五五名、ソノ内譯、陸軍四〇名、海軍一二名、空軍三名トス、

ニ、工業許可諮問委員會
工業許可諮問委員會ハ、一九三三年五月十五日付勅令第五九〇号（一九三三年一月十二日付工業新設許可ニ関スル法律第一四一号改正令）第五條ニ基キ組合省内ニ設立セラル（註三）。

ソノ構成ハ、委員長組合省次官、委員ハ組合省代表二名、大蔵省代表一名、交通省代表一名、土木省代表一名、農林省代表一名、國防最高委員會幹事長、伊太利工業ファシスト総聯合代表一名、工業労働者ファシスト総聯合代表一名ヨリ成ル。

而シテ國防必需品生産統制ニ関スル一九二九年十一月十八日付緊急勅令第二四八八号ニヨリ政府ハ國防最高委員會ノ提案ニ基キ、國防必需品生産ニ係ハル基礎工業ヲ決定スベキ任務ヲ有シ、依テ一九三〇年七月十八日付勅令第一四五五号ニヨリ兵器工業、各種戰用機具工業、軍需品工業、火薬工業、ラ

三九一

三九二

ヂオ工業、電信器材工業、ソノ他軍事品生産工業、航空機工業、造船工業、陸上運輸手段製造工業ヲ基礎トナシ、原料、機械ノ優先配給ハ勿論金融上ノ特典ヲ賦與セリ。

ホ、軍需品製造総委員會
一九三五年七月十四日付緊急勅令第一三七四號ニヨリ設立セラレタル首相直屬機関ナリ（註四）。ソノ目的ハ軍需品製造ニ関スル諸活動ノ統制並ビニ物的及ビ人的資源ヲ必要目的ニ利用スルニアリ。而シテ政府ハ軍需品製造総委員會ニ対シ、軍需品生産計畫及ビ國内工場ニ対スル発註ニ関シ、予メ助言ヲナスベキ義務ヲ有ス。

而シテ本委員會ノ職務ハ主トシテ國家総動員委員會委員長之ヲ行フ。

次ニ以上諸機関ニヨリ行ハルベキ工業生産統制ノ主要方法ヲ説明シ、更ニ原料確保ニ必要ナル外國貿易管理及ビ工業金融ノ諸点ニ及ベン。

イ、生産統制
國防ニ関スル最高企画及ビ執行機関ハ、國防最高委員會ニシテ、本委員會ノ決定、指令ニ基キ、國家総動員委員會・工業監督官・軍需品製造総委員會ハ夫々法令ノ規定ニ基キ工業生産ノ監督統制ヲ行フモノナリ。

國家総動員委員會ハ左ノ如キ職務ヲ行フ。
イ、各種ノ戰時必需品ノ必要生産量算定
ロ、戰時ニ必要ナル企業ノ新設計畫
ハ、戰時ニ於ケル生産施設ノ轉換準備
ニ、動力源ノ管理
ホ、代用品ニ関スル生産計畫
ヘ、空襲並ニ敵國代理人ニ対スル工場施設ノ防衛
以上ノ諸統計資料及ビ生産計畫ノ蒐集施行ノタメ、工業監督官ハ法規ニ從ヒ、諸官私工場ノ臨檢ヲ行フ。

三九三

斯ル監督統制ノ強化ハ更ニ、一九三三年ニ至リ、工業新設ヲ統制シ、一層積極的ナル國家統制ヲ推進スルニ至レリ。

即チ一九三三年五月十五日附勅令第五九〇号第一條ニヨレバ、新設又ハ拡張ヲ行フニ政府ノ許可ヲ要スル工業左ノ如シ。

岩金工業・化学工業（特殊薬剤品ヲ除ク）

製氷業・人造繊維工業

寫眞用乾板並ニ「フイルム」工業

活動寫眞工業

製糖工業・製油工業・耐火性原料製造業

ガラス工業・セメント工業・製紙業

生絲及絹紡工業・製麻工業・ゴム工業

電気器材工業

航空機工業・造船工業・陸上運輸工業

之レニ一九三〇年七月十八日付勅令第一四五五号ニヨリ、兵器工業・各種戦用機具工業・軍需品工業・火薬工業等ヲ加フベシ。又販賣ノタメノ電力生産設備ノ新設又ハ擴張モ亦、政府ノ許可事項ナリ（勅令第五九〇号、第二條）。

依テ許可申請ニ対シ、政府ハ別ニ報告書ヲ要求シアリ。

例ヘバ、工業ノ種類・位置・資本・生産施設・動力・使用原料・技師職工数・製造週期・最高生産能力・市場消費能力等ヲ掲載スルコトヲ要シ、之ニヨリ政府ハ國家総動員委員會ト協力組合省内ノ工業許可諮問委員會ニ付託シ可否ノ決定ヲ行フモノナリ。

以上國家統制ニ基キ既存工業ノ新設拡張ヲミタルガ、又重要ナ執行機関トシテ、軍需品製造総委員會ノ活動アリ。

之レハ軍需品ノ生産計畫及ビ國内工場ニ対スル発注ヲ行フモノナリ。而シテ、コレガ圓滑ナル遂行ニ資センガタメ、関係官廳ト聯絡シ、報告及情報ヲ交換シ、戦用資材製造ニ関スル物的並ビニ人的統制ヲ強行ス。斯クシテ、原料問題ノ逼迫ニ伴ヒ、一九三五・六年ニ於ケル各生産部門ノ「カルテル」結成ハ極メテ著ルシク、殊ニ製鉄界ニ於テハ、強制的「カルテル」ノ成立ヲミ

タリ。

コノ種「カルテル」ノ性質ハ、大体ニ於テ、購買又ハ販賣「カルテル」ニシテ、屑鉄購買及ビ販賣「カルテル」會社・解体用外國船購入ニ関スル船舶解体「カルテル」會社・航空機輸出「カルテル」會社・曹達及ビ塩素販賣「カルテル」會社等スベテ、コノ例ニ属ス。

以上「カルテル」ノ結成ハ、スベテ

一九三一年十二月三十一日付勅令第一六七〇号、製鉄部門ニ於ケル強制「カルテル」設立令

一九三二年六月十六日付法律第八三四号、経済各部門ニ於ケル強制「カルテル」設立法

一九三六年四月十六日付緊急勅令第一二九六号、生産又ハ販売ノ自発的「カルテル」統制令

ニ基キ、設立セルモノナリ。

「カルテル」形成ノ動因ガ、原料確保政策ニアルハ謂フ迄モナク、コヽニ又外國貿易管理トノ関聯ヲ生ズ。

ロ、貿易管理

伊太利國際收支ノ逆調ハ、貿易外收入ノ減少ニ伴ヒ、殆ンド恒久化状態ニアリ。タメニ金保有高ノ減退ヲ来セルハ既述ノ如シ。依テ一九三五年二月十六日附大藏省令ヲ以テ、一九二六年十一月十四日付緊急勅令第一九二三号輸出入禁止品目ニ関スル單行令添付(イ)号表(註六)ニ基キ、大藏大臣ノ許可ナキ輸入ヲ禁止セリ。

又一九三五年三月二日付大藏省令ヲ以テ清算ニヨル商品輸入措置ヲ講ジタリ。

斯クシテ貿易統制ハ、一般ニ左ノ如キ方針ヲ持スルニ至レリ。

A　一九三五年二月十六日付省令附表ノ品目輸入割當率ヲ前年輸入ノ一割乃至三割五分トス。但シ原料及半製品ノ如キハ各四半期毎ニコレヲ決定ス。

B　伊太利亜國ト清算協定ヲ有スル國ニ対スル輸入優先許可

C　伊国ヨリノ輸出ニヨリ相殺サルベキ個人的相殺方法ニ基ク輸入許可

即チ輸出ヲ伴ハザル輸入ヲ抑制シテ、求償主義ヲ採用シ来レリ。

以上強化シ来レル輸入制限ニ應ジテ、國内生産部門ニ対スル輸入割當ハ、必然的ニ國防的見地ヨリ考慮セラレ、國防最高委員會・國家総動員委員會・軍需品製造総委員會及ビ組合省等ニ於テ有機的配慮ヲ加ヘ、更ニ為替監督官ハ、為替省内「ファシスト」外國貿易協會ト協力、海外物資購入ノ決定必需物資輸入ノ指定及ビ金融方法等ヲ統理ス。

ハ、工業金融

以上述べ来レル伊太利工業生産統制乃至補強政策ハ、同時ニ國民経済独立政策ノ一班ヲ成スモノナリ。伊太利金融界ニ於ケル一九二六年以来ノ銀行組織改革乃至金融統制ハ左ノ如キ目標ニ帰一スルコトヲ得べシ。

(イ)　金融ハ個人ノ自由選択ヲ脱シテ　生産諸部門ノ統制方針ト同調シ、協同体秩序ノ発展ト計畫経済ノ円滑ナル実現ニ資ス。

(ロ)　現世紀ヲ支配スル経済的國際主義ト相反スル「ファシズモ」社會理念実現ヘノ通貨自主性ノ確立

(ハ)　國際價格ニ対スル國内價格ノ保護ノタメ産業生産ニ対スル「アウタルキア」的金融ヲ行フ。

右述ベタル三ツノ金融原理ハ、即時戦時段階ニ於ケル統制方針ト同一趣旨ヲ有スベキハ論ナシ。而シテ戦時金融ノ機能トシテ重要ナルモノハ

一、支払機関

二、投資機関

三、生産力促進ヲ挙ゲ得ベシ。

第三ノ生産力促進機能ハ、國家総動員委員會ノ工業新設拡張計画及ビ組合省ニ工業許可諮問委員會並ビニ軍需品製造総委員會ニ於ケル戦時生産計画ニ基キ伊太利銀行ヲ中心トスル重點金融計画ヲ樹立ス。

コレニ基キ、伊太利動産銀行ハ中間信用即チ生産用資金ヲ、伊太利産業復

興銀行ハ長期信用即チ巨大ナル固定設備ヲ有スル基礎的工業ヘノ投資ヲ、産業助成財団ハ各種工業ノ証券発行ヲ補償シ、國内工業原料輸入ヘノ融資措置ヲ擔當シ居レリ。尚一九三五年八月二十八日付勅令第一六一四号ニヨリ伊本土及属領ニアル総テノ伊国人所有ノ在外信用及外國証券ヲ國庫勘定ニ移シ以テ原料輸入手段ヲ強化セリ。

(ニ)　以上工業生産ニ関スル統制方針ノウチ、原料統制機関トシテ次ノ諸施設ヲ注目スベシ。

政府ハ戦略的原料確保ノ見地ヨリ石炭・石油ヲ始メ鉄類・錫・ニッケル・棉花・羊毛等ノ各一元的統制會社ヲ設立シ、之ニヨリ戦時重要産業ノ操業維持乃至製品販売ヲ管理統制スルニ至レリ。

即チ伊太利石炭會社・伊太利石油會社・伊太利「アルバニアト」石油會社ヲ始メ、外国貿易協會・蚕絲協會・羊毛委員會・伊太利棉業協會及ビ「石炭・銅・錫・ニッケル及ビ各層ノ海外取得独占會社」（一九三五年七月二十八日付緊急勅令第一三七五号ニヨリ設立、鉄道局主管）等、外國産原料輸入ノ國家管理ヲ断行セリ。

(註一)　戦時國家組織法（全文十五條）

（一九二五年六月八日付法律第九六九号）

第一條　政府ハ國家全体ヲ戦争ニ適スル組織ニ変更シウルガ如ク平時ヨリ之ヲ準備スル任務ヲ有ス

第二條　前條ニ基ク組織ハ之ヲ國家総動員ト称シ、之ヲ軍部動員ト軍部外動員トニ分チ、各全部若クハ一部ニ付之ヲ実施ス。軍部動員トハ陸海空軍及税関兵団動員ヲ謂ヒ、軍部外動員トハ、武装団体以外ノ國家ノ全勢力ヲ平時組織ヨリ戦時組織ニ轉換スルヲ謂フ

第三條　全部若クハ一部動員ノ場合、政府ハ必要ト認ムルトキハ適宜ノ方法ニヨリ、全國民並ニ合法的組織ニ基ク全団体ニ対シ、國家ノ有形及無形ノ防禦ニ協力シ且軍律ニ服スルノ義務ヲ課ス

第四條　軍部外動員実施ノタメ政府ハ必要ト認ムルトキハ、直ニ國防最高會議ノ協力ノ下ニ関係各省ニ隷属スル次ノ機関ヲ設ク

(イ) 軍部及一般國民ノ需要ニ應ズル原料品輸入ニ関スル貿易機関

(ロ) 軍需品製造諸原料及製品ノ蒐集分配及ビ官私工場監督ニ任ズル機関

(ハ) 軍部及一般國民ニ要スル食料品ノ蒐集分配及官私食料工場監督ニ任ズル機関

(ニ) 對内外宣傳・出征軍人及帰國移民ノ家族ノ救護・戰爭廃疾者ノ救護・戰時扶助料支給ニ任ズル宣傳及救護機関

以上四機関ノ職務執行ノタメ管區ヲ分チテ地方委員會ヲ組織シ、更ニ之ヲ工業・農業・商業・救護及宣傳ノ各小委員會ニ分割ス。

第五條　労務動員ハ國防最高委員會之ヲ準備ス但シ兵役義務ヲ有スル人民ノ使用ニ付軍部各省ト協議スベシ　労務ハツトメテ兵役関係ナキモノヨリ之ヲ求ムルモノトシ兵役義務ヲ有スル者ノ待遇ハ動員セラレタル人民ノ待遇ト同等タルベシ

國家総動員ニ方リ、労務及俘虜使用ヲ管掌スルタメ特別機関ヲ設ケ軍官憲之ニ任ズ

第六條　各機関ハ對外関係事項（工業・商業・宣傳）ニ付外務省ト緊密ナル連絡ヲトリ、外務省ハ在外使臣ヲ通ジ各機関並ニ其ノ派遣員ノ海外ニ於ケル事業ヲ統理スベシ

國外ニ於テ財政問題ヲ取扱フ場合必ズ在外外交使臣ヲ経由スベシ

第七條　各省ハ國家総動員ニ関スル一般事務ヲ知得シ且ツ其ノ固有ノ動員計画ヲ準備スベシ　該計画ニ於テ兵役義務ヲ有スル職員ヲ他ノ者ヲ以テ代ラシムル方法並ニ本法第四條規定ノ諸機関設立事務ニ任ズベシ

コノタメ特ニ調査シタル統計書類ハ之ヲ國防最高委員會ニ提出スベシ

他人ヲ以テ代フベカラザル職ニアル官吏ニ付テハ各省ハ関係軍部官廳ト協議スベシ

國防最高委員會ヨリ指定セラレタル団体ハ、戰時兵役義務ヲ有セザ

ル者ノミヲ以テ其ノ業務ヲ継続シ得ル如ク予メ計画スベシ

第八條　関係各省ハ平時ヨリ國防最高委員會ノ指示ニ基キ第七條規定ノ統計ヲ基礎トシ食料品消費計画ヲ樹テ又國内ニ全ク生産セザルカ、又ハ一部産出スル食料品ノ貯藏計畫ヲナスベシ

第九條　國家動員ノ一部又ハ全部実施ニ方リ政府ハ軍部及一般國民ノ需要ニ應ズルタメ必要ト認ムル範囲ニ於テ左ノ徴発ヲ行フコトヲ得

(イ) 國民全部ニ付個人又ハ集団労役

(ロ) 國内諸団体ノ労役

(ハ) 國内動産不動産又ハ伊太利國民ニ属スル動産不動産但シ特ニ免除セラレタルモノヲ除外ス

第十條　政府ハ戰時徴発ニ関スル規則ヲ定ムベシ

第十一條　政府ハ國家総動員ノタメ平時ヨリ規則ヲ設ケテ必要ト認ムル各種調査ヲ実施スルコトヲ得但シソノ結果ハ國家総動員以外ノ目的ニ利用スルヲ得ズ　且ツ秘密ヲ保持スベシ

第十二條　政府ハ本法第三條ノ軍律ヲ定メ該軍律ニハ本法違反ニ関スル刑罰ヲ規定スベシ

第十三條　政府ハ軍事行政及戰爭ノタメニ設立サレタル特別官廳ニ要スル経費ノ支出並ニ普通官廳ノウチ一部又ハ全部ガ戰爭関係業務ヲ行フニ要スル経費ニ付規則ヲ定ムベシ

第十四條　本法ハ伊太利植民地及ソノ人民ニモ之ヲ適用ス

第十五條　政府ハ國防上必要ト認ムルトキハ全部又ハ一部ノ國家動員実施ニ先立チ、本法ノ全部又ハ一部ヲ施行スルヲ得ヘシ

（註二）　國防最高委員會ノ組織及ビ工業監督官任命ニ関スル單行勅令ハ（全文十七條）

（一九二八年一月八日付勅令第一六五号）

第一章　戰時最高委員會ノ組織

第一條　國防問題ノ研究及解決ヲ統理シ且スヘテノ國家活動ヲ国防目的ニ動員セシムル諸規定ヲ決定スルタメ行政機関タル国防最高委員

會ヲ設立ス

第二條　國防最高委員會ハ決議委員會及ビ諮問機関ヨリ成ル

第三條　決議委員會ハ左ノ組織ヲ有ス

委員長　總理大臣

副委員長　元帥公爵アルマンド・ディアツ

委　員　外務・植民・内務・大蔵・陸軍・海軍・空軍・経済・交通諸大臣

ソノ他國務大臣ト雖モソノ主管事項ニ関スル問題ニ付本會議ニ召集セラレ決議権ヲ行フコトヲ得

又評議権ヲ有スル委員トシテ本會議ニ加ハルモノ左ノ如シ

参謀総長・陸軍参謀本部長・海軍参謀本部長・海軍将官會議長・空軍参謀本部長及ビ国家総動員委員會委員長

第四條　諮問機関ハ各管掌ニ関スル諸問題ニ付左ノ如キ組織ヲ有ス

陸軍参議官會議

海軍将官會議

空軍技術委員會

國家総動員委員會

第五條　國家総動員委員會ハ、スベテノ國家活動ノ動員・準備・組織及ビ戦時必需資源ノ使用ニ関スル諸問題ニ付、國防最高委員會ノ調査及ビ諮問機関ナリ。

本委員會ハ経済省内ニ置カレ左ノ組織ヲ有ス

委員長　首相ノ奏請ニヨリ勅令ヲ以テ任命シタル者

委　員　陸海空軍各省代表一名

技術文化及ビ経済ニ関係アル重要団体ノ代表者及ビ科学工業・農業並ニ経済界ニ於ケル諸機関ノ代表八名

國防最高委員會総務部長一名

而シテ議題ノ研究ニ関シ委員長ハ関係國務大臣ノ出席ヲ求ムルヲ得

本委員會ト経済省間ノ直接関係ヲ規制スベキ方法ハ委員長及ビ経済

大臣ノ協定ニヨル

兵器及ビ軍需品生産、電気事業又ハ電信交通ニ係ハル特殊問題ニ関シ委員長ハ一九二六年三月七日付勅令第四〇八号及ビ第四〇九号ニヨリ設立セル技術最高委員會ノ代表又ハ軍事化学工業ノ代表ノ出席ヲ求ムルヲ得

第二章　工業監督官

第　條　軍備ニ関係アル國内諸工業ノ操業及生産（施設・企業主・技術能力及生産能力）ヲ監督スル目的ヲ以テ工業監督官ヲ任命ス

第八條　工業監督官ノ定員ハ五五名トス

ソノ内譯左ノ如シ

陸軍省　四〇名

海軍省　一二名

空軍省　三名

右工業監督官ハ経済省主管ニ属シ、特ニ特殊業務ニ付國家総動員委員會ノ指示ヲ仰グモノトス

第十條　工業監督官ハ第九條規定ノ外、陸軍・海軍・空軍所屬ノ生産実験及研究諸機関ソノ他工場・支所・技術工場ニ出張ス、コノ場合右諸施設ハ該監督官ノ職務執行ノ便宜ヲ計ルベシ

第十一條　第七條規定ノ職務執行ノタメ、工業監督官ハスベテノ國内工場ニ自由ニ出入スルヲ得

工場及其代表者（技師及事務家ヲ含ム）ハ、工業監督官ニ対シ必要ナル報告ヲナス義務ヲ有ス、工業監督官ハ本令規定ニヨリ知得シタル報告ノ秘密ヲ厳守スベシ

右知得シタル報告ハ極秘裡ニ國家総動員委員會幹事ニ通告スベシ、同幹事モ亦秘密厳守ノ義務ヲ有ス

第十二條　工場及其支所、前條ニ規定スル義務ヲ拒否シ又ハ虚偽ノ報告ヲナセルトキハ、千利乃至一万利ノ罰金ニ處ス

又工業監督官本法規定ニヨリ諸工場ヨリ知得セル報告ヲ口外セル時

ハ三十ヶ月ノ禁錮及三十利以内ノ罰金ニ處ス

又右報告ガ不注意若クハ怠慢ニヨリ漏泄セルトキハ三月以内ノ禁錮及千利以内ノ罰金ニ處ス

第十三條　工業監督官ハ陸軍中佐・少佐・大尉、海軍及空軍ノ同相当官並ヒニ上記軍事官衙ノ化学技師ヨリ選任ス

第十四條　本法規定ノ工業監督官ハ夫々原官職ヲ保有ス　又工業監督官ノ各受持区域ニ於ケル工業機関ノ臨検ニ付出張旅費ヲ支給セヘ　但シ大蔵省豫算内ニ計上スベキ項目ヲ以テ第八條規定ノ工業監督官ノ総員数ニ対シ月額二万五千利ヲ限度トシテ月手當ヲ支給スヘシ　右手當ハ受持区域ノ廣狭及同地区内工場ノ数内容及位置ニ應シテ之ヲ決定ス（以下略）

（註三）　工業新設許可ニ関スル法律改正令

（一九三三年五月十五日付勅令第五九〇号）

第一條　左ニ掲グル工業ノ新設又ハ拡張ハ予メ政府ノ許可ヲ受クベシ

冶金業

硫黄製煉業

化学工業（但シ持殊薬剤ヲ除ク）

製氷業

人造繊維業

寫真用乾板及フイルム製造業

活動寫眞工業

製糖業

種油製造業

耐火性原料製造業

硝子製造業

セメント製造業

製紙業

生絲業

リンネル・麻工業

ゴム工業

電信器材工業

航空機工業

造船工業

陸上交通機関製造業

第二條　販賣ノタメニスル電力生産設備ノ新設又ハ拡張ハ政府ノ許可ヲ受クルコトヲ要ス　本許可ハ組合大臣・土木大臣之ヲ行フトス　但シ一九一九年一〇月九日付勅令第二一六一号第八條ニ定ムル発電ノ用ニ供スル公共河川使用権ニ関スル現行規定ハ有效ナルモノトス　但シ一九一九年一〇月九日付勅令第二一六一号第八條ニ定ムル水路ノ著シキ変化ヲ生ズル場合ニハ予メ組合大臣ノ許可ヲウクルコトヲ要ス

発生電力ノ送電線又ハ販売線ニ関シテハ組合大臣ノ許可ヲ得タルノチ現行規定ニ依リ管轄官廳ノ許可ヲ受クルコトヲ要ス

第三條　武器・軍需品・爆発物・其ノ他戦争ノ用ニ供スル物資ヲ製造スル工業ハ一九二九年一一月一八日付勅令第二四八八号（國防上心需品生産統制ニ関スル）ノ規定ニ従フモノトス

第四條　許可申請書ハ組合省監察機関ニ提出スルコトヲ要ス　該申請書ニハ次ノ諸項ヲ含ム詳細ナル報告書ヲ添付スベシ

(イ)　工業ノ種類・製品

(ロ)　企業ノ名稱及主タル営業所

(ハ)　工場ノ位置

(ニ)　拂込資本及総資本竝ニ企業ノ金融方法

(ホ)　機械設備（國産タルカ否カ明記スヘシ）

(ヘ)　動力（種類及数量ヲ記載スヘシ）

(ト)　使用原料

(チ)　技術員及職工数（外人使用範囲竝ニ職務ノ性質ヲ明記スヘシ）

(リ)　製造週期

(ヌ) 最高生産能力
(ル) 國内及海外市場ニ於ケル製品販賣状況

許可申請ニハ必ズ當該企業ノ法定代理人又ハ設立中ノ商事會社ニアリテハ其ノ発起人ノ署名ヲ附スルコトヲ要ス

組合省監察機関ハ許可申請書ニ意見ヲ附シテ組合大臣ニ回付スヘシ

組合大臣ハ許可ニ関スル意見ヲ得ルタメ必要ナル調査ヲ行フ

第五條　前條ニ掲グル許可申請書ニ関シ必要ナル意見ヲ求ムルタメ組合省内ニ委員會ヲ設置ス

委員會ハ組合省次官又ハ其ノ任命スル者ヲ會長トシ左ノ委員ヲ置ク

組合省代表者　二名
大蔵省代表者　一名
交通省代表者　一名
土木省代表者　一名
農林省代表者　一名
國防最高委員會幹事長
伊太利工業ファシスト総聯合代表　一名
工業労働者ファシスト総聯合代表　一名

委員會幹事長ハ組合省職員ヲ之ニ充ツ

委員會ハ組合大臣ノ命ニ依リ委員會ノ決定スヘキ事項ニ付專門委員ヲ任命スルコトヲ得

第六條　組合大臣ハ前條ニ定ムル委員會ノ意見ヲ徴シタル後提出セル申請書ニ関シ命令ヲ以テ決定ヲ行フ

組合大臣許可ノ決定ヲナス場合、當該企業ノ始業期間ヲ定メ之ヲ許可取消ノ條件トナスコトヲ得ス

(註四)　軍需品製造総委員會ノ設立
（一九三五年七月十四日付緊急勅令第一三七四号）

第一條　戦用資材ノ製造並ニ人的・物的資源ノ使用ニ関スル諸活動ヲ統制スルタメ首相直属ノ下ニ軍需品製造総委員會ヲ設立ス

第二條　會長ハ國家総動員委員會委員長ヲ以テ之ニ充ツ　委員ハ関係官廳ト聯絡シ必要ナル報告及情報ソノ他職務執行上ノ協力ヲ求ムルコトヲ得

第三條　各官廳ハ、戦用資材製造計画及ビ諸工場ニ対スル注文及委託ニ付本會委員ニ対シ予メ通告ヲナスヘキ義務ヲ有ス

第四條　本委員會ノ職員ハ　首相命令ニヨリ國家総動員委員會幹事ヲ以テ之ニ充ツ

第五條　大蔵大臣ハ本令執行ニ必要ナル経費ヲ支出スル權能ヲ有ス
（以下略）

(註五ノ一)　兵器及ビ軍需品技術最高委員會ノ設立
（一九二六年三月七日付勅令第四〇八号）

第一條　陸海空軍共通ノ研究及試験ヲ行ヒ動員準備及関係法規ヲ決定スルタメ諮問機関タル兵器及軍需品技術最高委員會ヲ設ク

第二條　委員會ハ一二名ヨリ成ル
陸軍五名、海軍五名、空軍二名トス
委員長ハ右委員長中、位階ノ高キモノ又ハ年長者之ニ任ズ
委員會ハ二名ノ常任幹事將校ヲ置ク

第三條　決議ハ絶対多数投票ニヨリ之ヲ行フ　決議ハ一般法規的性質ヲ帯ビルモ陸海空軍ノ有スル技術的權威ニ属スル特殊責任ヲ侵サズ

第四條　諸問題ニ付委員會ハ専門委員會ヲ置クコトヲ得
専門委員會ノ委員ハ官吏軍人及民間「エキスパート」ヲ以テ構成ス

第五條　特殊問題ニ付委員會ハ軍事化学工業ト協力、國家総動員委員會・官営及ビ私営會社ト協同スルヲ得（以下略）

(註五ノ二)　軍用電力使用及電信交通ニ関スル技術最高委員會ノ設立
（一九二六年三月七日付勅令第四〇九号）

第一條　陸海空軍共通ノ研究及試験ニ協力シ動員準備及関係法規ヲ決定スルタメ軍用電力使用及電信交通（ラヂオ・電信・電話）ニ関スル技術最高委員會ヲ設ク

第二條　本委員會ハ九名ノ委員ヨリ成ル
陸海空各三名トス
委員長ハ委員中ノ位階高キモノ又ハ年長者之ニ任ズ
本委員會ハ、三名ノ常任幹事将校ヲ置ク（以下略）

（註六）　輸出入禁止品目ニ関スル單行令
（一九二六年一一月一四日付緊急勅令第一九二三号）

第一章　禁止品目ノ指定・適用範囲

第一款　一般規定

第一條　本令添付ノ(イ)号表及(ロ)号表ニ掲ケタル商品ノ輸出入ヲ禁止ス
第二條　大蔵大臣ハ省令ヲ以テ、外務・経済大臣ト協議ノ上、國内消費統制ノタメ必要ト認ムル輸入禁止ヲ行フ
(イ)号表ノ改正ハ大蔵省令ヲ以テ之ヲ行フヘシ
第三條　禁止規定ハ商業取引及契約ニ属スル範囲ニハ適用セズ
第四條　禁止品目ニ関スル特別猶豫ハ、ソノ都度大蔵大臣ニ対シ関係者ヨリ申請スヘシ

第二款　禁止品目ノ郵便小包ニヨル輸入

第五條　(イ)号表記載ノ商品輸入ハ同表記載ノ例外ヲ除キ小包郵便ヲ以テナスコトヲ得

第三款　船舶用積荷・沿岸貿易及ビ輸出禁止品ノ臨時輸出

第六條　輸出禁止品ノ積載ハ出発港税関ノ決定セル期間内ニ確実ニ該商品ガ再ビ帰戻スル如ク大蔵大臣ノ決定セル規定ニ従フベシ

第四款　伊領植民地向積荷

第九條　輸出禁止ハ伊太利領植民地ニハ適用セス　但シ穀類・家畜類ハ例外トシ、コノ場合ノ輸出数量ハ大蔵・経済・植民大臣ニ於テ之レヲ決定ス

第二章　違反及罰則

第一款　輸出入禁止違反

第十一條　輸出禁止品ヲ輸出セル者又ハ、第六條ノ規定スル期間ヲ守ヲザル者又ハ故ナクシテ伊太利港若クハ伊領植民地向ケ外國産物資ヲ第三國ヘ振向タル者若クハ振向ケントセル者ハ六月ノ懲役及ビ商品没收ノ上五千利以内ノ罰金ニ處ス

第二款　輸出入許可ノ譲渡禁止

第十二條　第四條規定ノ禁止品目ノ輸出入許可ハ、許可ヲ申請シ許可ヲ得メル者ニヨリ行ハルル輸出入品ニノミ有效トス（以下略）

(イ)号表　輸入禁止品目

生玉子・酒類・コニヤック・「棉花・羊毛・麻・生絲製」レース・毛製敷物・ピストル・鉄砲・爆発物・自動車・硫黄・硝子製品・木製家具・木製額椽・香料・紙製品・「銀・プラチナ・金」製品・象牙製品・ピアノ・婦人毛髮・扇子・造花・羽毛・雜貨・人形・帽子・煽情的冩眞フイルム。
菓子類輸入ハ一九二六年八月十三日付緊急勅令第一四四八号ニヨリ統制サル。

(ロ)号表　輸出禁止品目

増殖用驢馬・牛・小麦・米・煙草・麻種・麻布・鉄鉱石（黄鉄鉱ヲ除ク）・鉄鋼屑・銅屑・錫鉛屑・胃・皮革・燕麦。
金銀銅ニッケル貨・政府ソノ他國内會社発行証券。

第二項　代用原料

1、石油

地下発生瓦斯ノ利用
人造メチルアルコール（一九三五年、三万五千瓩）
「アルコール」及木炭ヨリ「カービユレット」ヲ合成

四二二

「モンテカチーニ」會社ハ「フランクフルト」ノ「ファルベン」式褐炭水素添加法ノ「パテント」ヲ獲得。

褐炭ヨリ「ベンジン」十万瓲、頁岩ヨリ五万瓲ヲ抽出ス。

2. 石　炭
水力電気、一九三三年石炭消費ノ約二割ヲ代位ス

3. 棉　花
各種セルローズ・
大麻・亜麻・黄麻ノ浸解法ニヨル「セルローズ」
脂肪品ヲ除去セル乳ノ殘滓・
ラミー麻・蘆・桑等ノ纎維・

4. 羊　毛
ラニタール（アントニオ・フェレッチ技師発明）

5. 鉄
電気爐操作ニヨリ黄鉄鑛ヨリ抽出。

6. セルローズ
伊工戦後躍進「マントバ」・「トルメツオ」及「フオヂヤ」ニ工場新設

7. ゴ　ム
合成ゴム（樹脂又ハ圧縮瓦斯操作ニヨル合成）。
エチオピヤニ於ケル第二流ゴム植物「グアユール」ヲ試驗栽培中。

8. ソノ他金属ーアルミ合金ノ使用

四二三

四二四

三　工場轉換及労働轉換ノ可能性

國家総動員委員會ハ戰時ニ於ケル生産施設ノ轉換準備ヲ施シアル處　其内容ハ窺知スルハ不可能ナルモ統計年鑑工業統計資料ヨリ類推スルコトトシ大体操業率ニ従ヒ工場数ヲ三割程度、労働人口三割ヲ軍需工業ニ轉換可能ト看做セリ。但シ戰後復員経済ノ建設ニ際シ、直チニ平和産業ヘノ復帰困難ヲ來スベキ諸施設ニ付テハ、遊休又ハ未働状態ノ儘推移スベキモノト考慮シツツ類推セリ。

	一九三六年四月一日		一九三七年一〇月一五日	
	人口（万）	轉換可能（千）	工場（万）	轉換可能（千）
製材工業	四五	一三五	一〇・〇	三・〇
製革工業	六	二〇	〇・八	二・四
製紙工業	五	一五	〇・二	〇・六
印刷工業	九	二七	〇・八	二・四
建築工業	九八	二七四	｜	｜
紡績工業	五六	一七〇	｜	三・〇
商業	一五〇	四五〇	｜	｜
計	三七一	一、〇九〇	一二・八	一四・〇

右ノウチ、紡績工業ノ操業率ハ八割乃至五割ナルヲ以テ轉換可能率ハ稍餘猶ヲ存ス。

四　生産力擴充ノ可能性

戰時工業生産力ノ拡充ハ、一ハ機械・原料　一ハ労働人口、一ハ燃料、一ハ資本ノ諸点ヨリ検討スルヲ要ス。今諸資料ヲ利用シテ拡充計画ノ一端ヲ示サン。

一、電　力　一五〇億キロワット時乃至一八〇億キロワット時

四二五

一、石　炭　年産四〇〇万噸
一、石　油　アルバニア油田開発、十万噸計画
一、鉄　鉄鉱石一一〇万噸
一、ニッケル　五〇〇乃至六〇〇噸
一、セルローズ　「リビア」産「アルファ」草ヨリ一万二千噸
製紙用纖維素一五〇万キンタル
織物用纖維素　六〇万キンタル
纖維素工業生産ヲ四〇〇万キンタル水準ニ引上計畫

右ノ如キ増産計画実現ノタメ、前述工業生産諸機関ノ作用ヲ起ストコロナリ。労働力補給ハ軍事動員ニ伴ヒ窮屈化ヲ來スモノト認ムル處、機械及原料燃料ノ配給調達ハ或ハ「カルテル」ノ結成、或ハ石炭、石油等政府直営會社ノ独占配給等、各種統制機関ノ成立ニヨリ戦時重要工業生産ノ操業確保ヲ計リツヽアルハ、屡々指摘セリ。

最後ニ金融部面ニ於ケル工業生産ノ助成乃至指導ハ「IRI」「IMI」「工業助成財團」ヲ中心トシテ遂行シ居リ、政府ノ公債政策ト相俟チ、前記「IRI」社債ノ発行ニヨリ、製鉄鋼界・造船界ヘノ特殊融資ノ外、化学工業ヲ支配スル「モンテカチイニ」財團ヘノ信用供與等其ノ成績ハ見ルベキモノアラン。

斯クシテ前掲電力・石炭・石油・セルローズノ最高水準達成ハ近キ将來ナリト稱セラル。

第五節　戰時工業力ノ對戰強弱性

伊太利戰時工業力ノ強味タルベキ要素ハ

一、人口勢力ノ豊富ナルコト
一、組合組織・ファシスト黨統帥ニヨル一元的政治力ノ結集体ニ於ケル財政上ノ強權行使ノ直接的ナルコト

等ナリ。

後者ノ場合、緩漫ナル國内資本形成ヲ人為的ニ敏速ナラシメ、生産用資金ノ撒布ニ便ナラシム。斯クシテ労働・資本ノ二面ハ一應戰時生産ヲ維持スルヲ得ベシ。

次ニ問題タルハ工業生産ノ國土計画及ビ原料確保政策之レナリ。之レヲ換言スレバ前者ハ戰術的強弱点、後者ハ戰略的強弱点ト言ヒ得ベシ。

(一)　工業分散

敵ノ攻撃目標タルベキ軍事工業施設、例ヘバ國境附近ノ発電所・兵器工場・ソノ他大軍事工業ハ、軽工業ト共ニ、北部伊太利ニ集中シアリ。殊ニ「アルミニューム」工業・反物工業・機械工業・自動車工業・鉄器工業・航空機工業・電気化学工業・化学工業ハ其ノ全部若クハ大部ガ北伊「トリノ」・「ミラノ」・「ブレッシャ」・「ヴァレーゼ」・「モンドビ」・「ピネロオロ」・「ラスペチア」・「トリエステ」ヲ中心ニ繁栄シアル處、北伊ヲ制スルモノ能ク全伊ヲ献フヲ得ベシ。斯ル軍需工業地帯ノ戰時脆弱点ヲ救正スベク、近年冶金工業・電気化学工業・化学工業・造船工業・機械工業ノ一部ヲ本土及シチリー島・サルヂニア島ニ分散セリ。

以上ノ分化ハ、原料・動力・労力資源ヲ除配シ現ニ、化学工業・冶金工業ノ如キ、エルバ島ノ製鉄工場、サルヂニア島ノ鉛工業、シチリア・サルヂニア島ノ化学工業等ソノ例ナリ。

之ニ伴ヒ、自動車専用道路ノ拡充ハ、戰時鉄道機能ノ破綻ヲ考慮シ、「シチ

リア島」ニ於テハ地形ヲ利用シテ爆撃及砲撃ニ対シ、戦時輸送路ノ安全ヲ計リ居レリ。

（二）戦略的脆弱点

戦時重要資源ノ補給ガ、ソノ一部又ハ全部ヲ外国ニ依存スル場合ナリ。

即チ伊太利原料問題ハ極メテ深刻且廣汎ニシテ殊ニ戦時経済ノ根幹タル機械工業・化学工業・ゴム工業等ハ致命的缺陥ヲ有シ居ルハ既述ノ通リ、即チ鉄鉱石自給率三三%、鉛自給率三五%、石炭一五%、石油〇・八%、ゴム〇%等、国際環境ノ如何ニ因リ、直チニ重大ナル事態ヲ顕現スベキモノナリ。

輸入先別ヲ見ルニ、英・米勢力圏ガ優勢ニシテ、現欧洲戦ニヨリ蒙ル苦痛ハ豫想外大ナラン。

然ルニ、硫黄・ボーキサイト・水銀等ハ自給率一〇〇%ヲ保持シ化学工業及航空機工業ノ原料ハ原料問題ノ圧迫ヲ緩和スルニ力アリト認ム。殊ニ鉄道電化ニ伴フ送電用銅線ハ「アルミニューム」線ヲ以テ代用、鉄道機関車石炭ノ電気代替等ハ戦略原料問題ノ打開策ナリ。

更ニ戦略関係トシテ注目スベキハ地中海政策ノ動向ナリ。

対英米ソ戦ニ際シテハ「ジブラルタル」及「スエズ」ルートハ、早晩、封鎖又ハ破壊ヲ受クベキ危険アリ、殊テ対ソ作戦ノ現段階ニ於テハ「ダーダネルス」「ボスフォラス」海峡通過又不安ヲ呈ス。役ノ一九三七年ニ於ケル輸入ルート比重ニ重大ナル変化ヲ来セルハ戦時地中海政策ノ動向ヲ示スニ足ル。因ミニ一九三七年ニ於ケル輸入ルートノ比重左ノ如シ。

スエズ経由　一六・三%
ジブラルタル経由　四七・八%
地中海経由　一二・三%
黒海経由　二三・五%

而シテ之ガ輸入原料品種別ニツキ一應供給ルートノ概況ヲ次ニ示サン。

一九三四年ニ於ケル伊太利工業原料輸入
（原産地及品種別輸入総額比較%）

一、伊太利ノ完全不足物資（%）

	スエズ経由	ジブラルタル経由	地中海	黒海
銅	英阿 二二・四	米国 三二・七 チリー 三・五	—	—
棉花	英印 一七・〇	米国 六一・六	埃及 一七・九	—
麻	英印 九九・九	—	—	—
石油	イラン 一二・二 蘭印 三・〇	米国 一一・〇 中米 一〇・四	イラク 一・〇	ルーマニア 三一・二 ロシヤ 二九・九
燐鉱石	埃及 七・八	モロッコ 二九・三 米国 一七・三	チュニス 四〇・七 アルゼリア 二・三	—
苛性加里	—	独逸 六九・二 ベルギー 一五・四	—	—
ゴム	印度セイロン 四七・八 蘭印 四五・四 馬来 六・〇	—	—	—
錫	馬来 七四・〇 ビルマ 七・〇	英国 一一・九	—	—
羊毛	濠洲 四四・四	アルゼンチン 二〇・九 南阿 一五・〇	—	—

二、伊太利ノ一部不足物資（％）

	スエズ経由	ジブラルタル経由	地中海経由	黒海経由
石炭	英国　三一・一 独逸　三八・九 ポーランド　九・一	―	トルコ　二・〇 佛国　一・二	―
鉄鉱石	―	ソ聯　三〇・〇	アルゼリア　二一・五 スペイン　一一・一 サイプラス　一一・一 ギリシヤ　八・九	―
屑鉄	―	米国　二七・四 ベルギー　一〇・二	佛国　三四・四 地中海国　一〇・〇	―
満俺	佛印　二六・一	ソ聯　六〇・〇	―	―
油類	英印　五六・〇	―	―	―

右表ニ依リ一九三四年ニ於ケル平時石油輸入ハ羅馬尼・ソ聯ガ優位ヲ占メ、石炭ハ英独ガ優位ヲ占ム。ソ聯ノ参戦ニヨリ右原料輸入杜絶セルタメ「スエズ」及「ジブラルタル」ルートノ比重ハ微弱化シ「地中海ルート」及「対独陸上ルート」ノ比重ハ七乃至八割方加重セリト推定ス。而シテ完全不足原料タル熱帯産棉花・ゴム・錫ノ輸入断絶ニヨル支障ハ思ヒ半バニ過グ。

要之、輸入ルートノ問題モ亦戦時工業力ノ消長ト重大ナル関聯ヲ有シアルニ鑑ミ、自給自足経済ノ計画性ハ、今ヤ代用品工業及合成化学工業ノ基礎ヲ育成強化シ、戦時財政措置・公債消化策ト相俟チ、原料政策ノ自主性確立ヘノ努力ハ着々成果ヲ挙ゲツヽアリ。

参考資料

1. 「伊太利統計年鑑」一九三六―一九四一年版。
2. E・マンチィニ著「公経済ト国防国家」一九三九年版。
3. ナンニー著「原料争奪ノ世界戦」一九三八年版。
4. ガイダ著 *Was will italien.* 独逸版、一九四一年版。
5. ナルディ著 *Il sistema bancario nell'ordine corporativo.*
6. エリザベス・モンロー著 *Mediterranean in Politics.* 一九三八年版。
7. 北澤新次郎「各国統制経済ノ研究」。
8. 雑誌 *L'Economia italiana.* 全三巻、一九三八年版。
9. ソノ他伊太利工業書誌一九四一年一月號ヨリ四月號。
10. 「企画」第三巻、一號、九號、企画院。
11. 「世界政治経済情報」第三輯、清和書店。
12. 「伊太利法令集」（世界大戦後現在ニ至ル）。
13. 新聞
Popolo d'Italia.
Corriere della Sera.
Giornale d'Italia.
14. *London Economist* 誌。

第五章　配給機構ヨリ見タル伊太利ノ抗戰力

第一節　戰時統制配給制度

a　特殊配給會社

食料品部門ニ於テハ既ニ述ベタル如ク強制貯蔵團体ヲ以テ集荷・貯蔵ヲ行ハシメ、農業生産者間カルテルヲ以テ共同販売ヲ行ヒ居レリ。而シテ重要部門ニハ穀物・穀粉・麦粉練製品配給局、食用油脂配給局ノ如キ生産業者並ニ商業者組織ノ代表ヨリ成ル業者側監督機関ヲ設ケ、農林省ノ指導下ニ配給業務ヲ遂行ス。

魚介類・野菜類ニハ卸賣市場ノ機能強化ヲ見ル。

肉類ニ於テハ前記農業生産者間カルテル畜産部ノ指導ノ下ニ、夫々肉類販売

業者組合聯盟・農産品加工及諸種食料品製造業者組合聯盟ノ設立セル肉類販賣株式會社（直接消費用肉）並ニ食料品加工業カルテル（食料品工業原料肉）ノ二特殊配給會社ヲ設ケ、購入販賣ノ独占ヲ行フ。

既ニ組合組織下ニ強制カルテル（會社組織ヲナサズ）・強制貯蔵團ヲ配給機構トシテ設立セル伊太利ニ於テハ、食料品配給部面ニ特殊會社組織ノ代表的施設ヲ見ズ。

斯ル特殊配給會社ノ事例ハ工業部門ニ於ケル「鉱屑配給會（エンディロット）」ニシテ、同會ハ鉄鋼業會社間ニ鉄・銅並ニ鑄鉄等鉱屑ノ蒐集・配給ヲ目的トシテ一九三八年ローマニ設立サレタル法人組織ニシテ、加入會社ハ戰用資材製造監督局ノ許可取締ヲ受ク。同會ハ自己ノ計算ヲ以テ前記原料品ノ共同購入ヲ行ヒ、生産業者間ニ再分配ス。創業資本一千万リラニシテ一九三八年七月一日ヨリ三七年六月三十日迄ニ於ケル鉄鋼ノ生産実績ニ比例セル出資ヲナス。

爾後ノ新設諸會社ハ新操業年度生産高ヲ出資額ノ基礎條件トナス。各三ヶ年毎ニ出資金額ヲ右三ヶ年間ノ平均生産力ニ應ジテ改訂ス。會長・指導部委員會・執行委員會・株式総會ヲ以テ業務機構トナセリ。加入會社ハ同會ヲ経ズシテ原料調達ヲナシ得ズ。又配給サレタル原料ノ轉賣ヲ禁止サル。而シテ同會ノ活動ハ新ニ銅屑・銅製品ニ及ベリ。工業部門ノ配給機構ト稱スルモ、原料品ガ総ベテ輸入サル、伊太利ニアリテハ即チ輸入独占組織ガ取リモ直サズ該原料品ノ独占配給権ヲ有スルハ自明ナリ。之ヲ原料品毎ニ見レバ準戰時ニ於テ

一、石　炭　　半官半民ノ伊太利石炭會社ヲ創設シ輸入独占ヲナサシメ

二、石　油　　輸入業者ヲ指定シ

三、金属原料　　伊太利金属鉱會社ヲ新設セリ

而シテ三六年以後輸入貿易ノ國営断行ニ依リ工業原料品輸入独占組織ハ完全ニ國営乃至半官半民會社トナリタリ。

即チ一九三五年七月二十八日勅令ヲ以テ、石炭・銅・錫・ニッケル及ビ屑ノ輸入ヲ國鉄當局ノ物資調達部ニ独占セシメタリ。而シテ之ガ配給ノ実権ハ協同体省工業局並ニ戰用資材製造監督局ニ帰属セリ。

b. 指定・元賣・卸・小賣商制度

強制貯藏政策ノ措ラルヽ小麦・玉蜀黍・米・オリーヴ油・羊毛・蚕繭・棉種子・サフラン・マンナ等ニアリテハ強制貯藏團ヲ結成スベキ業者ハ指定業者團体ニ加盟セルモノニシテ、之等指定業者團ハ該生産物ノ独占的集荷貯藏ニ當リ、而シテ生産物ハ生産者及地主等ノ自家消費量ヲ控除セル全量ヲ強制的ニ右営團ノ手ニ出荷委託セラルヽガ故ニ、準專賣制度ト稱スベシ。而シテ之ガ元賣機関トシテ生産業者間強制カルテルガ結成セラレ強制貯藏セラレタル生産品ノ共同販賣ニ當ル。

強制貯藏団並ニ強制カルテルハ從來ノ自由主義的配給機構ニ替リテ全体主義的市場統制ノ責任ヲ帯ビタル民間當業者ノ組織ナリ。而シテ從來ノ利潤追求ヲ目的トセル営団組織ノ機能ヲ喪失シ、價格決定權ハ完全ニ國家的監督機関ニ帰屬シ、配給時期モ亦政府ノ指令ニ依ル。而シテ消費者ヘノ配給段階ニ於テハ割當切符制・指定小賣制（肉類）等ノ嚴重ナル統制ニ依リ配給機構ノ整備ニ万全ヲ期シタリ。

伊太利ニ於テハ一九二七年ニ卸賣業従業員一七二、〇〇〇人、小賣業従業員九二八、〇〇〇人ノ割合ニテ、業種別ニテハ食料品販売業六〇五、〇〇〇人以上ヲ主トシ、織維品販売業ノ一七二、〇〇〇人ヲ以テ第二位トス。爾後ニ於ケル統制資料ヲ缺クモ一九三二、三三両年ニ於ケル消費ノ減退ハ甚ダシク配給業者数ヲ減シタルモ、一九三四年卸賣業者ハ稍恢復セルガ如シ。

而シテ戦争継続期間中ヲ通ズル價格停止令ニ基ク卸売・小売價格ノ停止、公定制並ニ生活必需品（衣服類）ノ規格品製造販売令ニ依リ業者ノ活動ハ著シク制約セラレツヽアルモ、他面不正競争ノ防止ノ為ニハ即チ組合組織ノ自治的統制ト嚴罰主義ヲ以テ豫防策ヲ講ゼリ。

伊太利ニ於テハ一九三五年十月價格統制ニ関スル任務ハファシスト党ノ手ニヨリ着手サレ、三六年五月ヨリ引続キ協同体組織ニヨリ続行サレタリ。即チ一九三六年十月五日付緊急勅令「國内市場ノ動揺並ニ生計費ノ不當昂騰防止令」ニ依リファシスト党ニ依ル卸賣・小賣價格ノ統制ヲ開始セリ。而シテ卸賣・小賣最高價格ハ中央物價監視委員會及全國府縣職業組合委員會ノ決定セルモノトナシ、然ラザル商品ハ一九三六年九月ノ市場價格ヲ最高價格トセリ。而シテ各商店ハ所屬職業組合組織ヲ通ジテ九月ニ於ケル價格ノ申告ヲナシ、公定價格表ノ備付ヲ実施セラレタリ。ファシスト商業総聯盟ハ各所屬部門單位ノ商業聯盟組織内ニ於テ、比較的價格監督ノ容易ナル小賣業者ガ卸売業者ノ價格昂騰ヲ制裁スル如キ行為ニ依リテ苦シメラレザル様、卸賣・小賣業者間ノ均衡監視ニ当リ。農業総聯盟ハ前生産期價格ヲ最大限度トナス農産物價格ノ安定ニ力ヲ傾注セリ。各府縣ニ於テハ卸賣及小賣業者ノ包含サレタル職業組合ト同数ノ物價監視専門委員會ヲ設置シ、各生産品毎ニ生産・配給ノ全過程ニ汎リ公正價格ノ審査・決定・維持ニ當ラシメタリ。申告範囲ハ中央委員會、全國府縣職業組合委員會ノ公定價格表記載ノ商品ニ留ラズ蔬菜・果実・生鮮魚類ノ卸賣市場ニ於ケル價格増加係数・製造費・修繕費ニ及ビタリ。公定價格表ハ卸売・小売ノ二種トシテ消費者側ヨリスル最高價格監視ヲ容易ナラシムベキ諸種ノ点ニ留意セリ。且ツ小売價格表中ニ卸賣價格ヲモ記載シ商品ノ銘柄・品質・取引條件ノ統一ヲ計リタリ。

闇値・賣惜・独占等ノ違反行為ハ摘発ヲ促シ嚴重取締ニ當リタリ。エチオピア戦争、経済制裁間ニ於テハ商品ノ稀薄・仕入ノ困難ヲ來ヒルモ表面ニ表ハレタル違反件数ハ比較的少シ。

一九三七年四月二十八日緊急勅令ヲ以テ價格統制ノ任務ハ中央協同体委員會並ニ府縣協同体委員會ニ委ネラレタリ。

而シテ一九四〇年ニ於テハ戦時期間中價格停止ノ延長ヲ行ヒタリ。

c. 配給監視制度

戦時ニ於ケル軍需資材ノ調達ヲ保證シ、割當制其他ノ配給統制措置ニ依リ一般國民ニ對シ出來ル丈供給ヲ増シ、商品生産者並ニ販売業者ノ投機行動ヲ抑止センガ為ニハ前項ノ如キ價格操作ノミニテハ物資ノ充分ナル需給円滑ヲ期スルコト不可能ナルニ依リ、工業品ノ配給統制機構ヲ新ニ整備セリ。

之ガ為メ一九四〇年十二月二十七日付緊急勅令ヲ以テ「戦時工業製品配給消費統制法」ヲ公布セリ。同法ノ内容左ノ如シ。

一、戦時ニ於テ國軍並ニ一般國民ニ對スル供給ヲ調整シ之ヲ保護スベキ為、協同体省ハ國内生産又ハ輸入セラレタルヲ問ハズ非食料工業生産品ノ配給消費統制ヲ行フ。

之ガ為、協同体省ハ伊太利國領土内ノ工業生産品ノ調査・購入・徴発ニ必要ナル有ラユル手段ヲ採用シ得。同省ハ工商業経営活営活動ノ監督ニ適當ナル措置ヲ講ジツヽ、工業施設ヘノ原料分割ヲ調整シ並ニ國軍及一般國民ノ要求ニ順應セル完成品ノ配給統制ニ當ル。

協同体省ハ食料以外ノ工業生産品ニ在リテモ一般國民ニ對シ割當配給ノ必要アリト認メラレタル時ハ割當制ニ依ル消費統制規定ヲ定メ得。

二、戦用資材製造監督局・農林省・財務省ノ職掌・任務ニ変更ナシ。協同体省ハ他ノ主務官廳トノ協定又ハ提議ニ基キ諸種ノ手段ヲ採用スルモノトス。

三、協同体省ハ一九四〇年九月一日設立ノ工業品消費局並ニ中央・地方事務機構ヲ通ジ、其他協同体府縣評議會・職業組合組織・協同体省監督下ノ経済機関ヲ通ジ工業品ノ配給統制ヲナス。

四、協同体大臣ハ財務大臣並ニ其他主務大臣ト協議ノ上勅令ヲ以テ工業品配給業務組織ノ改善適應ニ必要ナル法規発布ヲ奏請シ得。

故ニ工業品ノ配給消費統制ノ管轄ハ協同体省系ノ組織ニシテ、協同体府縣評議會並ニ職業組合組織、其ノ地方的取締ニ任ズルモノナリ。

他方食料品部門ノ統制機構ニ關シテハ食料品統制ノ項ニ於テ掲ゲタル如ク「一九四〇年一二月二七日緊急勅令、戦時食料品ノ調達、配給、消費ノ統制並ニ同業務制度ニ関スル規定」ノ公布アリ。即チ工業品ノ配給統制機構タル協同体省ニ対シ食料品ノ統制ハ農林省並ニ其ノ中央・外廓組織ナリ。而シテ農林省ハ市場ヲ有利ニ統制シ投機ヲ抑制シ需給ノ圓滑ヲ図ル目的ヲ以テ生産者・加工業者・商業者ノ自治的統制機関即チ強制カルテルノ如キ組織ヲ設立セシメ得ル權ヲ有ス。割當配給並ニ價格形成ニ関スル權限ノ外輸送・貯藏・加工業問題ニ

關シ徴用手段ノ如キ強力ナル權限ヲモ有ス。而シテ中央ニ食料局ヲ設置シ、外廓ニ協同体府縣評議會食料分科會ヲ有ス。

配給過程ノ監視ノ任ハ民間自治組織タル職業組合組織ニ之ヲ分担セシム。而シテ末梢部タル市町村ニ到リテハ市町村食料課ヲ活動セシメ消費者ヘノ配給過程ヲ完了ス。

d　切符制

切符制ノ施行ハ一九四〇年五月六日付法律、消費割當規定ニ基キテ九月十二日ノ同法律ノ施行規定ヲ以テ行ハレタリ。

而シテ現行切符制ノ対象品目ハ食料品ニシテ、切符制ノ特徴ハ食料品ノ項ニ述ベタルガ如シ。

而シテ団体切符ヲ以テ団体配給ヲ受クルモノハ左ノ如ク規定サル。

「継續的ニ共同生活者ノ居住セル集団・養育所・修道院・僧院・養成所ニシテ、共同生活者ガ五十人ニ満タザル場合ハ個別的食料切符ヲ支給シ、五十人以上ノ場合ハ共同生活食料切符ヲ支給ス。即チ団体切符ニシテ其ノ使用細則ハ個別的切符ト類似ス。旅館・下宿・病院等ノ増減アル共同生活ニアリテ、各人ノ有スル個別切符ヲ使用ス」

切符制ノ施行セラレタル小麦粉・玉蜀黍粉・米・油脂等ハ第一種必需食料品ト稱シ、一九四一年一月一五日嚴重ナル調査ヲ施行セリ。

伊太利ニ於ケル食料品割當ハ、榮養價即チカロリーノ科学的計量ヲ基トシテ定メラル。一月七日コリエーレ・デラ・セーラ紙ハ次ノ如ク割當制ノ現状ヲ報告セリ。

消費規整方法	品目	國民的平均消費率	労働者平均消費率
割當制ニ依ルモノ		二六・〇%	四二・八%
	内譯 米・粳粉・玉蜀黍粉	一三・〇	二一・二
	油脂	九・五	一六・二
	砂糖	三・五	五・四
割當制以外ノ統制方法ニ依ルモノ	肉	四・〇	四・八
非統制品	パンヲ含ム其他食料品	七〇・〇	五二・四
	（パン）	（三六・〇）	（三六・七）
	合計	一〇〇・〇	一〇〇・〇

切符制品目ノ消費割合ハ國民カロリー消費ノ二六%、労働者ニアリテハ四二・八%ヲ占ム。

切符制ハ砂糖・油脂・米其他ノ順ヲ追ヒ施行サレタリ。

一、米・粳粉・玉蜀黍ハ各種スパゲッチ・米・玉蜀黍粉ハ最初ハ小麦粉ナリシモノ）ヲ含ミ、米・玉蜀黍粉ハ「スープ材料」トシテ配給サルヽモノニシテ二月以降之等全量ニツキ月一人二キログラムヲ割當セリ。而シテ二キログラムヲ構成ヒル各種品目ノ割合ハ地方的変化ヲ與ヘ居レリ。即チ生産地ノ自給自足並ニ地方的消費ノ習慣ヲ考慮シ、併セテ輸送力ノ節減ヲ企図セリ。

右品目ノ割合左ノ如シ。

（單位瓦）

	粳粉類	米	玉蜀黍粉	計
高峻部伊太利（シチリア・サルヂニヤ）	一、八〇〇	二〇〇		二、〇〇〇
ラツイオ及南伊太利（カラブリア・カンパーニヤ・ルカニア・プリエ・アブルッツオ・モリーセ・ラツイオ）	一、五〇〇	三〇〇	二〇〇	二、〇〇〇
ウムブリア・トスカーナ・マルケ・リグリア	一〇〇	六〇〇	四〇〇	二、〇〇〇
エミリア・ピエモンテ・ロンバルデイア・ヴェネツイア	六〇〇	一〇〇	一〇〇	二、〇〇〇

配給ハ月二回ニ施行ス。

二、油脂ハバター・ベーコン・食用油ニシテ一人月四百グラム（バター百瓦、ベーコン其他三百瓦）ナリ。而シテ二月以前ノ割當量ハ八〇〇瓦ナリシガ半減セリ。

三、砂糖

一人當リ六〇〇グラムナリ。

e. 卸賣市場ノ機能

専ラ卸賣市場ノ強化ニ依リテ配給統制ヲ受ケタル部門ハ魚類・野菜類ニシテ一九三五年六月二十日付法律魚類卸賣市場統制規定、一九三八年七月十二日付法律同上新規定、一九三七年八月二一日付緊急勅令蔬菜花円果実卸賣市場統制法等ノ發布ヲ見タリ。

卸賣市場ノ設立ハ市町村直接之ニ當リ、且ツ直接之ガ経営ニ當ル事ヲ得ルモ、又市場業務ノ一種又ハ其以上ヲ関係業者団体ニ委任セシムルコトヲ得。而シテ右ノ業務委任ハ府縣協同体評議會ノ意見ヲ聽取シ府縣行政参事會ニ認可アリタル時ハ之ヲ優先的ニ生産業者ノ協同組合團体ニ賦與スルモノトナスモ、市場取締・治安・衛生・統計・入札業務等ノ取締事項ハ管轄官廳之ニ當ルモノトナセリ。

而シテ全國的統制中枢機関トシテ、魚類ニアリテハ農林省ニ、野菜類ニアリテハ協同体省ニ各々卸賣市場統制委員部ヲ設置シアリ。

而シテ統制強化ノ強弱モ生産品ニ依リテ多少ノ差違ヲ有シ、魚類ニアリテハ平均二〇〇トン以上ノ生産物ヲ一年間ニ陸揚スル沿海市町村並ニ年消費量五〇トンヲ超ユル市町村ハ卸賣市場設立ノ義務ヲ有ス。

市場取引ノ為メ商人又ハ委托販賣人宛ニ生産者ノ販賣又ハ委托スル生産物ハ必ズ卸賣市場ニ直接送付シテ之ヲ引渡スコトヲ規定シ、市場出荷ヲ保證セシメ

且ツ配給價ノ不當增加ヲ抑制スベク卸賣市場ニ委托販賣ヲナシ得。而シテ販売業務ヲ許可サレタル者ハ

イ、生産者
ロ、卸賣商人
ハ、生産者・卸賣商人ノ委托者。

ニシテ、卸賣・小賣商ノ外旅館・團体生活經営者ハ購買ヲ許可サレ得。但シ入札以前ニ於テ他ノ市場ヲ選ビテ轉送スルコトヲ許可シアリ。

而シテ制裁規定トシテハ

イ、一時若クハ永久ニ市場ヘノ搬入ヲ禁ズ
ロ、入札業務ノ停止若クハ取消
ハ、千リラ未満ノ科料

ノ三項目ヲ適用ス。

野菜類卸賣市場ニ於ケル販賣資格ハ

一、生産者

二、生産業カルテル及協同組合
三、卸賣商

ニシテ、(二)ノ団体以外ハ職業組合組織ノ證明書ヲ要ス。販賣者ハ仲介業者・公共団体ヲ利用スル義務ナシ。而シテ野菜類卸賣市場ノ設立拡張ハ内務省ノ許可ヲ要シ協同体省・農林省ノ意見ニ添ハシメ且ツ取締規則中関係業者ノ活動ノ監督・支拂條件・規格ノ決定、最低品質條件等ニツキ主ナル規定ヲ見ルハ、魚類ノ統制ガ水産品ノ出荷促進ヲ目的トセルニ對シ、野菜類ノ其レハ過剰生産物ノ品質改善・業者ノ整理統一ヲ目的トヒルモノナルコトヲ語ル。購賣資格者ハ

一、卸賣商人
二、加工業者
三、小賣商人
四、行商人

ノ外、共同生活所・旅館・レストラン等ノ大口消費者ノ需要ヲ満サシムベク規定ノ購買時間ヲ之等ニ開放セリ。

第二節　切符配給能力

a、貯藏量（在庫品）

切符制商品ノ貯藏量左ノ如シ。

（單位クインタル）

品目	一九三二	一九三三	一九三四	一九三五	一九三六
小麦	二,五九七,三三一	三,五〇一,七七一	三,四九八,九八六	二,七五七,五三三	二,四三二,七六三
米	一〇八,九五三	五八,八〇〇	四四八,六六五	一三一,一二八	八六,四五三
オリーブ油	一〇,四七六	二,七一九	四,七八三	六,三七一	一,七〇〇
チーズ及酪乳品	八四,二五三	一〇二,五一九	七七,五二六	七四,五七七	六九,二六四
砂糖	四三三,〇三八	四三一,二〇一	四五七,四四七	四〇八,六三一	二五七,三四三
倉庫数	六六	七二	七一	八一	八一

尚砂糖ハ倉庫・工場・精糖所ノ全ストック合計量左ノ如シ。

（單位クインタル）

一九三二年	一九三三年	一九三四年	一九三五年	一九三六年
二,九三一,六三七	二,七二七,五九九	二,九八六,〇〇〇	二,六八二,〇〇〇	二,三〇七,四〇〇

同様製粉・製油工場等ニハ強制的ニ一定ストックヲ保有セシメアルモ数字ハ未詳ナリ。而シテ切符制ノ施行サレタル四十年前後ニ於テハ資料ヲ入手ナシ得ズ。

卸賣・小賣商手持高並ニ民間ストック量等ノ重要資料ハ全然不明ナリ。

B. 刑事犯関係

切符制割当消費規定ニ反スル者ハ左ノ罰則ニ依リテ処罰セリ。

一、違反者ガ製造業者・商人又ハ之等ノ組織セル経済団体指導者ナル時ハ五百リラ乃至千リラノ罰金ニ処シ、最モ重キ場合ハ六ケ月以内ノ拘留処分ヲ行フ。

二、違反者ガ消費者ナリシ時ハ五十リラ乃至百リラノ罰金ニ処ス。

三、公務ニ携ハル者或ハ医師ガ職務執行上ニ於テ割当無キニ関ラズ若クハ割当量以上ニ之等商品ヲ直接第三者ニ与フルカ配給業者ヲシテ第三者ニ与ヘシメタル場合ハ百リラ乃至千リラノ罰金ニ処ス。

四、司法処分トハ別ニ協同体府縣評議会長タル府縣知事ハ違反行為アリタル公衆販売業者ニ対シ三ケ月以内ノ営業停止ヲ命ジ得。

四五八

經研資料調第八八號

ファシスタイタリアの國家社會機構の研究

第二部　政治編

昭和十七年十一月
陸軍省主計課別班

ファシスタイタリアの國家社會機構の研究

第二部　政治編

序

本論考は「ファシスタイタリアの國家社會機構の研究」、第一部「経済編」、第二部「政治編」中、後者即ち第二部「政治編」を取扱ったものであり、全四章及び附錄より成つてゐる。

第一章は「緒論」と題し、ファシスタイタリアの政治機構が、如何なる原理に基いて樹てられ、また如何なる精神によつて導かれてゐるかを概説したものであるが、それは第一部「経済編」の緒論に於て展開されてゐる指導原理と多くの点に於て重複するものであるが故に、極めて簡略なる敍述に止めて置いた。第一部の緒論と併読されるならば幸甚である。

第二章は「ファシスタ党」と題し、ファシズモの政治組織の実質的中核たる、全國ファシスタ党につき、專ら現行党定款（党規）の規定を中心として之が構成及び機能を概観したものである。

第三章は「組合議院」と題し、一九三九年、従來の下院（代議院）に代つて

一

新たに創設された「結束団及び組合議院」の構成及び機能を、專ら新議院創設法を中心として概説したものである。新議院創設の效果は尚将來の運営如何に係するものであつて、遽かに其の是非を云々すべきときではないが故に、努めて之が批判に亘ることを避け、單に法律の規定に基く形式的の敍述に止めて置くことにした。或は其の論述の平凡さに不満を抱かるることなきを保し難いが、それは筆者の右の如き考慮に依るものであつたことを諒とせらるれば幸である。

第四章は「ファシズモ大評議會」と題し、党の最高評議會であると同時に、それは現在憲法上の機関ともなつてゐるものであつて、之が概要の説明を最後の一章として加へたものである。

尚附錄として加へた諸法令は、第二章以下右三章の敍述の法的根據を示すものであつて、本論考に缺くを得ない重要法令である。併し、煩を避ける意味で、重要なる用語にも原則として原語の挿入を割愛したが（尤も其のことは本文に於ける原語の投入によつて幾分は其の缺が補はれてゐる）、出來るだけ忠実な邦訳を試みたつもりである。其の為め、訳文が日本文として好ましくないとこ

二

ろのあることは筆者自ら大いに認めてゐるところであつて、其の点膠柱のそしりは豫め覚悟してゐるものである。

云ふ迄もなく、本論考第一部「経済編」が、現ファシスタイタリアの経済機構の全部でなかつたと同じやうに、此の第二部「政治編」の敍述がイタリアの政治組織の全部ではない。現ファシスタ少壮政治家ボッタイの言を借りるならば「コルポラチオーネが党によつて課せられる政治問題を経済の分野に於て解決する役割を有つてゐるものであるとすれば、党はまたコルポラチオーネによつて課せられてゐる経済問題を政治の分野に於て解決する役割を有つてゐるものである」が故に、第一部及び第二部が実は共に経済編であると同時に、それはまた同時に政治編でもあるわけである。之を其の色彩の濃淡によつて第一部「経済編」と第二部「政治編」とに分つて論述した所以のものは全く一に説明の便宜からであつたに外ならぬものである。

第一部「経済編」に於て繰返へし述べられてゐる通り、ファシスタイタリアに於ては、政治と経済とはあくまで有機的・立体的に組立てられてゐるのであ

三

つて、所謂組合経済とは単的に云へば政治的経済に外ならず、ファシスタ政治とは、逆に経済的政治であるとも云へるのである。そこにはじめて全体主義的経済の運営が可能であり、また他面全体主義的政治の運行が約束されるのである。卑見によれば、右の全体主義経済と全体主義政治との不二的一体の様相こそ正に國防國家体制の実体に外ならぬと解するものである。

尚本編の執筆に當つて用ひた参考書は前編所掲のものの外、左の如き諸文献であることを玆に附加して置く。

(1) *Emilio Crosa; Diritto costituzionale, Torino, 1937.*

(2) *Carlo Costamagna; Dottrina del fascismo, Torino, 1938.*

(3) *Carmelo Caristia; Corso di istituzioni di diritto pubblico, Roma, 1938.*

(4) *Sergio Panunzio; Teoria generale dello Stato fascista, Padova, 1939*

四

尚法令の原據は專ら *Lex legislazione italiana* の一九四一年五月迄のものであることをお断りして置く。

昭和十七年十一月

陸軍省主計課別班

五

目　次

一

二

第一章　緒　論

第一節　序　説

私は前回の研究に於て、ファシスタイタリアに於ける経済原理について一應の概観を試みたのであるが、其の節、ファシズモにとつては、経済原理も政治原理も要するところ一であり、唯之が具体的示現の形相を異にするに過ぎないことを指摘して置いた筈である。蓋し、茲に改めて附言する迄もなく、元来政治運動として発生し、それがたまく当時の改新的経済再編の運動を合体して発展したものであつて、従つてファシズモの及ぶところ一切の活動が一應凡て政治的性格を帯びるであらうことは寧ろ当然と云ふべきだからである。

本論考第一部経済論に於て明かにして置いた通り、イタリアの経済原則は、全体性理論に基く全体先行の思想即ち国家先行の精神に裏付けられた所謂公益

一

優先の原則であつた。政治の分野に於ける根本精神も、其の基体とする原理は、此の全体先行の思想に外ならず、其の具体的表現として見られるのは、一国一党主義であり、之に基いて現実に結成されたのが全国ファシスタ党（Partito nazionale Fascista）に外ならぬと考へることが出来る。云ふ迄もなく一国一党としてのファシスタ党は、民主主義国家群に於て見受けられる所謂政争団体としての政党（Partito politico）ではない。其の名称にも示されてゐる通り、それは国民党（partito nazionale）であり、国家党（"stato partito"）であつて、国家内に他党の存在を許さぬ唯一の広い意味に於ける政治団体とは、云ひ換へれば直接には経済的目的を有たぬ団体であることを意味し、より端的に云へば、非経済的国民組織（organizzazione nazionale）に外ならぬのである。

ファシスタ党の何たるかに関する詳細については、章を改めて論ずる筈であるが、兎に角、現イタリアの総人口四千五百万の中、既に二百数十万を其の党員として有するファシスタ党が、単なる政党に非ざることは云ふ迄もなく、そ

二

れは名実共に最も強力なる一体的国民組織であり、党定款の文言を借用するならば、それは必要とあらば自己の血をも捧げて国家に奉仕する義勇的民軍（milizia civile）に外ならぬものである。

ファシズモ擡頭の抑々の起縁は、周知の如く政治経済の改変であり、再組織であつた。従つてファシズモが、本来哲学的思潮としてではなく、寧ろ政治原理として生成発展し来つたことは当然である。併し、ファシズモは、生哲学の開花として、今日世界思想史の中に多くの頁を割き供へられてゐるのであつて従つて其の限りに於て、ファシズモが単なる政治的原理として乃至経済原理としてのみ終るものでないことは明かである。

ファシズモの経済的原理に於ける其の具体的示現の形相は本論考第一部に於て、またそれが哲学的思潮としての一端も、之と関聯せしめつゝ其の都度断片的乍ら触れて置いた筈であつた。ファシズモの政治原理としての思辯的内容は本章第二節に於て、そして最も端的な之が具体的示現の実相は本編第二章以下に於て論述されてゐるところである。

三

四

第二節　ファシズモの政治原理

ファシスタイタリアの政治原理の何たるべきものであるかは、労働憲章第一宣言中に其の最も有力なる手掛を見出すことが出来るのであるが、同憲章の規定するところによれば、イタリア国民は「政治的統一体」（*unità politica*）として把握せらるべき有機体であり、それは、ファシスタ国家に於て、イタリア国民の他の二つの根本的性格、即ち「精神的統一体」（*unità morale*）及び「経済的統一体」（*unità economic*）と共に、三者夫々相互不可分の関係に於て（*integralmente*）実現せらるべきものとされてゐるのである。

経済的統一体としてのイタリア国民は、第一部に於て解明して置いた通り、上下の階序によつて秩序づけられてゐる経済団体即ち*Federazione*及び*Confederazione*を縦系とし、其の中央統一機関たる*Corporazione*を横系として組立てられた組合国家（*stato corporativo*）を形成してゐるのであつた。其のことと相対して、政治的統一体としてのイタリア国民は、戦闘結束団（*Fasci di combattimento*）を構成単位とし、其の結合体として戦闘結束団聯盟（*Federazione dei fasci di combattimento*）へ上昇し、それは最後に唯一の全国ファシスタ党（*Partito nazionale fascista* P・N・F）に統合するファシスタ国家（*Stato fascista*）を形成してゐるのである。

右によつても明かなる如く、ファシズモの政治原理は、一言にして云へば、一国一党主義として規定せらるべく、またそのことの故に、之を裏から云へば、所謂民主主義的政党の否認として現はれ、政党を根幹とする議会主義（*Parlamentalismo*）の否定を結果する。政党政治の否定が決して立憲政治の否定でない如く、議会主義の否定はまた決して議会（*assemblea*）の否定を意味しない。即ちファシズモは民主主義的思想に基く巨大なる残骸として最後迄其の影を印してゐた代議院（*Camera dei deputati*）は此の程漸く之を

五

六

跡方なく處理したが、併し、それによつて、二院制に基く議会を迄抹殺して了つたのではなかつた。現在に於ても王国上院（*Senato del regno*）と所謂組合議院（*Camera dei fasci e delle corporazioni*）とは相合して憲法上の立法共力機関たるに於て何等の変更を受けてゐないのである（一九三九年一月一九日法律第一二九号、第二條、附録〔二〕参照）。

本来議会とは、或る意味に於て国民の「代表」（*rappresentanza*）と同意語である。従つて眞に国民を代表する実体の存しないところには眞実の意味に於ける議会の存在は考へられないわけである。併し乍ら、吾々が茲で注意しなければならないことは、形式上乃至概念上此の代表機関が存在すると云ふことゝ、果して其のことによつて眞に国民が之によつて代表されてゐるかどうかと云ふことゝは、全く別の問題であると云ふことである。更にまた、より以上充分注意しなければならないことは、此の代表機関を構成する実体（議員）が、法律技術の観点に於て、国民の代表者なりと看做され得る方法（例へば最も一般的意義に於て解される選挙）によつて構成されてゐるかどうかと云ふことゝよつて眞に国民が代表されてゐるかどうかと云ふことゝは、やはり全く別個の問題であると云ふことである。其のことはローマ共和制時代に於ける*Senato*（元老院）は、成る程選挙に基くローマ人の代表機関であつたが、ローマ人は決して元老院によつて代表されなかつたし、また今日、民主主義国家群に於ける代議士が、一般的常識的には殆ど何等の異論なく国民の代表者なりと看做され得るにも拘らず、其の実彼等は何人の代表者でもなく、強いて実質上の代表機関を詮索すれば、精々金権商人の手代たるの域を脱し得ない実情を想像しても、右の問題の区別は自ら明かである。

従つて国民が代表機関を有ち、またこれによつて眞に代表されてゐるかどうかと云ふことは、単に代表機関の構成員が代表を擬制し得る公選によつて選定された者であるかどうかと云ふことに係つてゐるのではなく、況や単に形式な代表機関があるか否かに係つてゐるものではない。

茲に改めて註釈を加へる迄もなく、普通選挙とは、理論的には、国民の一人一人が任意且つ自由なる判断に基き、各々自己の代表者を選定し、之を代表機

七

関の構成員として送り込むわけであつて、其の際学者が商人を選定しやうと、それは全く勝手である。成る程そう云つた理論に基く構成方法が其の事の故にのみ一概に排斥せらるべきものではないが、更に問題となるのは、候補者が法定代理人員を超過する競争選挙の場合の処置である。此の場合最も普通に採られてゐる方法は、候補者中最高得票者から順次法定人員に達する迄の下位得票者を当選人即ち代表者と看做すと云ふ奇怪なる手続である。即ち、自己の任意且つ自由なる判断に基いて投票した候補者が、不幸にして右の便宜的処置の結果、代表者たり得ない場合、投票人は其の代表者を失ふことになりはしないかと云ふことである。

併し、此の種選挙方法の代辯人は、次の如き擬制的論理法を以て之を辯護するのである。即ち、其の陳辯するところによれば、「仮りに自己が投票した候補者が、不幸落選したにしても、私は決して代表者を失ふものではない。何となれば、当選した代表者は、一旦代表者として当選した以上は、彼は決して現に自己に投票して呉れた選挙人のみの代表者ではなく、全国民の代表者たる地

八

位を有するものであつて（実は「有し得ると看做さるべきであつて」と云ふべきである）、それのみならず彼は単に選挙資格ある限られた国民のみの代表者ではなく全国民の代表者であつて、従つて現に当選洩れの者に投票した者も、其の限りに於て一様に代表者を有する筈である（正確には代表者を有すると看做さるべき筈である）」と。

思ふに、若し選挙なるものが、右の論者の主張するが如きものであるとするならば、選挙とは要するに徹頭徹尾「看做さるべき」の擬制的作為に外ならず、従つてそれに由来する代表も「看做さるべき」代表関係に過ぎないであらう。斯る「看做さるべき」の連続によつて擬制から擬制へと作為されてゐる社会は、恐らくはそれ自体擬制的社会に外ならざるべく、擬制された国家に外ならぬであらう。此の種の論法を更に徹底するならば、国民も単に擬制的国民に外ならず、やがて自己自身すらそれは擬制的自己となるの外はあるまい。

ファシズモは云ふ迄もなく右の如き擬制（擬制は一回のみ許さるべきであり、擬制から擬制へと擬制のベキ化されたものは欺瞞以外の何ものでもない）に基

九

く代表制を採らない、何となれば、議会特に下院が国民の代表機関であり、真の意味に於て此の機関構成員が国民の代表者であり得る為には、従来の如き、擬制の連続によるの外説明し得ない選挙によることを得ないからである。選挙と云ふ詞が如何に流行的な魅力ある化粧品であらうとも、「現実の生」に立脚するファシズモにとつては、それは一塊の糞土にも足らないものでしかないからである。

吾々が擬制的自己であつてはならぬと同様またそれ以上に、国家社会は擬制的な国家や社会であつてはならぬ。苟くも擬制的粉飾を排する真実且つ実存の国家は、国民の代表を求めるに当つて、擬制から欺瞞へと一挙に転落するやうな方法を採ることは許されない。それには先づ人々の現実の生活に即応した代表関係が如何せば成立するかを深く考へてみなければならぬ。従つて学者が商人に投票し得たり、画家が辯護士に其の一票を投し得たりするものであつてはならぬこと勿論である。蓋し、假に擬制によらずして甲が乙の代表者たり得るとしても、甲の生活環境とこの生活環境とが甚だしく隔絶遊離してゐるやうな

一〇

場合に、果して甲が真に乙の代表者としての実を挙げ得るかどうかは頗る疑問とせざるを得ないからである。人は成る程政治人（homo politicus）としても規定され得るし、また経済人（homo oeconomicus）としても規定され得るであらうが、何よりも先づ人が「生命実存体」である以上、彼は労働人として、従つて広い意味に於ける職能人（homo faber）として規定されねばならぬであらうことは深く論ずる迄もないところである。人の経済人たる性格も、政治人たるの性格も、人がホモ・ファベルとしての本性を内在するが故にであつて、従つて、人のこの本質的根本性格と強く且つ直接に結びついてゐる代表関係（少くとも其の成立の過程に於て）でなければ、甲乙の代表関係は全く観念的な形式的代表に止るの外はない。かゝる根本的要請を離れ、単に人の政治人たるの傾向に基く代表関係、例へば政党的地盤関係に基く代表関係が、其の内部に於て常に背反離合の絶え間ないことは、其のことを教へて充分である。

斯くてファシズモは原則として職能代表制を採用する。

一一

職能代表制とは、云ふ迄もなく、国民の職能的秩序に基いて組織される代表関係であるが、其の代表関係の成立には、やはり一般の直接選挙によるよる方法と、公選的性質は有するが、直接選挙によらざる云はゞ階序的複重選良の方法とが考へられる。併し、直接選挙による場合は、職能代表制を採る場合に於ても其の代表関係には幾重かの擬制によらなければ、代表者と被代表者との代表関係は結び付き得ない缺陥が存する。

斯くてファシズモは、代表関係構成の方法として、階序的複重選良の方法を採用する。

玆に階序的複重選良の何たるかに関しては第三章「組合議院」に於て詳細に解明する筈であるが、簡單に一言して置くならば、(イ)直接選挙の場合投票人に相当する選挙人は個人ではなくして団体であると云ふこと（云ふ迄もなく此の団体は個々の職能人を実質的にも法律的にも共に完全に代表する職能団体であること勿論である）代表者は、單に憲法上の代表機関たる議会を構成する為にのみ選出された、云はゞ代表専門の代議士ではなく、直接には各種職能組織の上層部の幹事乃至役員としての選良であり（後にも説く如く彼は本来此の職能団体の評議員であり、議会の議員たる身分に於ても彼は代議士即ち *deputato* とは呼ばれず、相変らず評議員即ち *consigliere* と云はれる）、其の身分に於て且つ其の身分を有する限りに於てのみ、法律上議会の構成員たる資格が附與せられるのである。其のことはファシスタ党より参加する議員についても同様である。

此の機能を基礎とする階序的複重選良による代表関係が、如何に優れた実質上の代表関係を構成するものであるかは、後述するところによつて次第に明かとなるところである。

第三節　ファシズモの政治組織

ファシスタ党は、既に一言して置いた通り、所謂政党ではないが、ファシスタイタリアの政治組織の実質的中枢を形成してゐるものであることは深く論ず

る迄もない。

ファシスタ党は後にも説く如く、国家公認の党（*Partito*）であり、巨大なる法人格の所有者として、ファシスタイタリアの非経済組織の中核を形成してゐると同時に、凡ゆるファッシヨ的活動の源泉を為してゐるものであるが、現行の成文法的解釈に於ては、国家の機関たる性格は與へられてゐない。併し乍ら、本来党の最高合議体として成立し、発展し、且つ現在に於ても其の本質を失つてゐないファシズモ大評議会（*Gran Consiglio del Fascismo*）は、一九二八年以来は憲法上の機関となつてゐるが故に、党と国家との関係は決して單なる公法人と国家との関係の如く稀薄なものではない。

右と異り、形式的にファシスタイタリアの政治組織の中核を構成してゐるものは、組合議院、正確には「結束団及び組合議院」（*La Camera dei fasci e delle corporazioni*）であることは多言を要しない。

所謂組合議院が、具体的に如何に構成されてゐるものであるかは、第三章に於て詳論するところであるが、既に一言して置いた通り、ファシズモの政治原理が、職能代表主義であり、階序的複重選良主義であるといふことから考へれば、其の構成は略想像するに難くないところである。即ち組合議院の議員は、其の議員たる身分取得の前提條件として、必ず特定の職能人であり、其の職域の選良であるわけであつて、初めから組合議員の議員として直接選出されたものではない。従つて他国のそれと異り、彼には議員としての任期の定めはなく其の前提要件とされてゐる法定の身分を有する限りに於てのみ議員たるわけであつて、其のことの当然の結果として組合議院には所謂解散なるものが存しないのである。即ちイタリアの議会は両院とも常設且つ不断の立法協力機関たる性格を有してゐるわけである。

右の如くファシズモの政治組織の構成原理は、決して従来の選挙法の單なる改正乃至修正（*revisione*）によつて得られたものではなく、それは全く、文字通りの革新であり、端的に云へば国民代表制度上に於ける革命（*revoluzione*）に外ならぬものである。僅か二十年足らずの短期間の内に、其の出発点と帰着点との斯も甚だしき相違を見れば、成る程それは革命の文字に相当す

一六

る変化であらう。併しファシズモは一名無血革命（*rivoluzione senza sangue*）と云はれてゐる通り、其の茲に達する迄には、後にも述べるであらう如く、幾多の選挙法の改正が先駆してゐるのであつて、此の代表制度の確立迄には、実は議会当事者及び政府の並々ならぬ不断の努力が続けられてゐることを見逃すことは出来ないのである。

其のことは何れにすると、兎に角、従来の二院制度に於ける下院乃至衆議院にも相当する此の「結束団及び組合議院」は、其の名称が端的に示してゐる通り、一面国民の政治組織の代表者たるファッシイと、他面本来経済組織の中心たるコルポラチオーネとの一体的組織として理解することが出来るわけであつて（云ふ迄もなく職能人の代表者が数に於て圧倒的多数であること勿論である）、そこにファシスタイタリアに於ける職能を基礎とする人の経済活動の分野と、其の人の政治活動の分野との一体的不可分の相似的合同の様相が看取され、それによつて国民の日常生活の実際に則した眞実の代表関係の成立が所期されてゐるわけである。

国民の経済組織の中心たるコルポラチオーネの何たるかについては、既に前編第一部に於て概観した。然らば国民の政治組織の代表者たるファッシイ、其の組織としての全国ファシスタ党とは抑々如何なる実体を有するものであるか。更にこの両者の一体的組織として理解される組合議員、さては全国ファシスタ党の最高合議体にして、且つ憲法上の機関と迄なつてゐるファシズモ大評議会とは抑々如何なるものであるか、等々。以下順を追つて筆を進めてみなければならぬ。

一七

第二章　ファシスタ党

第一節　序　説

全国ファシスタ党（*Partito nazionale fascista*）は、それがファシスタ党として名実共に生誕したのは、黒襯衣党のローマ進軍直後、即ち一九二一年一一月七日のことであつた。併し乍ら、党の前身とも云ふべき、而して党の構成単位として今日尚其の名称を残してゐる所謂戦闘結束団（*Fasci di combattimento*）は、それより早く、一九一九年三月二三日、ミラノに於て結成されてゐたのである。併しファシスタ革命史家は、それより古く、既に第一次欧洲大戦当時、即ち一九一四年末、飽く迄イタリアの参戦を主張して起つた革命行動結束団（*Fasci di azione rivoluzionaria*）の結成に、党発生の沿革の筆を起すのが普通である。此の革命行動結束団は、別の名を参戦結束団（*Fasci interventisti*）とも云ふのであるが、翌一九一五年五月、イタリアの参戦によつて其の主張を貫徹し、其の目的の成就と共に解散したのであつて、其の名称的遺産は兎も角、其の党との実質的連繋は必ずしも直接の連がりを有つてゐないものである。

一九一九年三月結成された右の戦闘結束団は、主として大戦の還還勇士を以て組織されたものであつて、最初の加入人員は僅かに百五十名に過ぎなかつたと云はれてゐる。然るに半年後の同年一〇月には、早くも二二の団体と一万七千人の団員を擁し、更に翌年五月には、五六の団体と三万人の団員に増加し、結成後足掛三年目、即ち団が党として発展的解消を遂げた一九二一年一一月には、二二〇〇の団体と、三十一万人の団員とを数へる程の大世帯に発展してゐたのであつた。

前述する如くファシスタ党が、党規則としての定款（*Statuto*）―それは党規と云つてもよいであらう―を具へて、名実共に党（パルテイト）とて出発したのは一九二一年であるが、現在の一国一党、云ひ換へれば、パルテイトとしてより

一八

一九

は寧ろ国民組織(organizzazione nazionale)として確固たる基礎を固める迄には、幾度か脱皮工作が為されてゐることは云ふ迄もない。其の形式的な党定款の変更について見ても、一九二九年末には大々的の改正増補が施され(一九二九年一二月二〇日勅令第二一二七号)、次いで一九三二年に再度の修正が加へられ(一九三二年一一月七七日勅令第一四五六号)、更にやがて遠からず実現せらるべき新議院の登場を予想し、一九三八年には、第三回目の根本的修正増補が加へられて今日に至つてゐるのである(一九三八年四月二八日勅令第五一三号)。尚其の後も極めて小範囲の部分的変更ではあるが、再度改正が加へられてゐるのであるが(一九三八年一一月二一日勅令第二一五四号及び一九四一年二月一七日法律第六五号)、附録に加へた党定款の邦訳は、此の一九四一年の改正法に基く現行の党定款を集録したものである。

二〇

第二節　党の構成

既に一言して置いた通り、ファシスタ党は決して単なる政党としての一部政界人の団結ではなく、寧ろ新らしい意味に於ける国民組織として理解すべきものであるが、其のことは単に観念上然るべきものではなくして、其の組織の実体が正に国民組織としての内容を有するが故に外ならぬものだからである。

成る程正規の党員として数へられる人員は、現在イタリア総人口四千五百万人中、其の約二十分の一たる二百二三十万人ではあるが、一国総人口の二十分の一と云へば、青、壮年者の殆んど全部が加入してゐると云つてよく、其のことは最近日本に於て成立した大日本婦人会の会員数と日本総人口との比率を引合に出す迄もない。

併し党が国民組織であると云ふても、党がイタリアの社会組織の全部であることを意味するものではない。後にも述べる如く、ファシスタ党は各種各様の諸団体を其の傘下に収めてゐるのであるが、党自体としての固有の構成を有つてゐるのであつて、本節に於て述べるのは専ら此の党自体としての構成についてゞあること勿論である。

二一

イタリア人たる者は、男女を問はず、生来のイタリア人であれば、任意に党員たり得ることになつてゐる(党定款第八條)。一九三八年四月の定款改正では名義上イタリア人としての国籍を有する者は其の人種の如何を問はず入党し得たのであるが、同年一一月の再改正によつて、定款第八條に、第二項として「法律の規定に基き、イブライ人種と看做されたるイタリア市民は、全国ファシスタ党に登録せらるることを得ず」と附加し、本来ユダヤ人たるイタリア人は、正規の党員たり得ないことになつた。思ふに此の処置は、ドイツのユダヤ人排斥と歩調を合せたと云ふ政治的意味もあつたであらうが、兎に角党員は「神及ビイタリアノ名ニ於テドウチエノ命令ヲ実行シ且ツ自己ノ全力ヲ以テ而シテ、必要トアラバ自己ノ全力ヲ以テ而シテ、必要トアラバ自己ノ血ヲ以テ、ファシスタ革命ノ目的ニ奉仕スルコトヲ誓フ(Nel nome di Dio e dell'Italia, giuro di eseguire gli ordini del Duce e di servire con tutte le mie forze e, se necessario, col mio sangue, la causa della rivoluzione fascista.)」

二二

ことを要するのであつて(定款第九條)、眞実イタリアを唯一且つ絶対の祖国として観念し得る名実共にイタリア人になり切り得る者でなければ、其の資格なしとしての改正を見るのが寧ろ正当な見方であらう。

全国ファシスタ党の構成単位は、地域別的に組織される戦闘結束団である(定款第一〇條)。右の宣誓文言は、党員として戦闘結束団へ入団するに際し、結束団の統裁者たる政治書記(Segretario politico)に提出する場合のものである。

戦闘結束団は大体市町村単位に設置されるのが普通であり、権利義務の主体として法人格が附与されてゐる(定款第一一條)。戦闘結束団が法人格を有つてゐると云ふことは、それが独立の権利義務の主体であると云ふことは云ふ迄もなく、更にそれは独立の行為主体であることをも意味する。

此の戦闘結束団は、全国各府縣を単位として戦闘結束団聯盟として、より上位の組織体として結合する。此のことは、植民地及び属領地に於ても亦同様である(定款第一〇條第二項)。

二三

戦闘結束団聯盟も亦独立の権利義務を主体として法人格を有し、独自の行為能力が附与されてゐる。そして此の戦闘結束団聯盟が全国的に唯一の結成体として統合されたものが所謂全国ファシスタ党に外ならぬものである（通常P・N・F.と略称される）。

右の如く戦闘結束団は、戦闘結束団聯盟へそして全国ファシスタ党へと、順次上級階序への起点を為してゐると同時に、他方党の下部組織の起点をも為してゐるものである。即ち、戦闘結束団は其の結成されてゐる市町村の状況に応じ、ファシスタ分団（*Gruppo rionale fascista*）に、此の分団は更に分会（*Settore*）に、分会はまた支部（*Nucleo*）へと細分化されてゆくのである。併し、法人格を附与されてゐるのは、戦闘結束団以上の組織体だけに限られ、分団、分会及び支部は、戦闘結束団の云はゞ地方機関であるに止り、法人としての独立の存在は認められてゐないのである。

二四

一、全国ファシスタ党（P・N・F・）

全国ファシスタ党の党首は、云ふ迄もなくドウチエ即ちムッソリーニ首相であり、其の最高評議機関はファシズモ大評議会である（定款第一條第二條及び第一三條）。ファシスタ体制の続く限り、ファシスタ党の党首は常に当然政府首班として内閣を統裁し、国政の最高執行機関たるべき者であるが故に、其の限りに於ては、ファシスタ党は所謂政党ではないけれども、ファシスタイタリアが徹底した一種の党国家（*Partito-Stato*）としての色彩を有ってゐることは明かである。併し乍ら党首ドウチエ及びファシズモ大評議会は、党の最高機関であると云ふよりは、寧ろ国家の憲法上の機関としての方がより大きな存在であるが故に、此等の機関に代り法人としての党其のものゝ運営を直接に担当する専任機関が必要であることは言ふを俟たない。

全国ファシスタ党が、法人として当然有たねばならぬ機関のうち、最高位にあるものは普通邦訳上党幹事長と云はれてゐる全国ファシスタ党書記（*Segretario del P.N.F.*）である。

二五

(1) 全国ファシスタ党書記

党書記は、ドウチエの奏薦に基き、勅令を以て任命せられる者であり、党の常任最高執行機関たるの地位を有し党の行為及び処分に付きドウチエに対し全責任を負担する者である。併し彼も亦単に一法人の内部機関であると云ふに止らず党書記たる身分により、且つ此の身分を有する限りに於て、法律上当然次に述べるファシズモ大評議会の書記を兼ねると同時に国務大臣たるの資格及び権能を行使する。のみならず、第一部に於て一言して置いた国防最高委員会、コルポラチオーネ全国評議会、コルポラチオーネ中央委員会、小麦常設委員会、全国教育最高評議会等の各委員及び評議員たる資格を兼任するものであって、彼も亦国家枢要の機関構成員としての地位を兼有してゐるわけである。其の外、党の内部組織との関聯に於ても、党所属団体との関係に於ても彼は其の最高執行機関少なくとも理事たる身分を有するものであって、例へば、彼は

(イ) ファシスタ大学生団書記
(ロ) イタリアリットリオ青少年団総司令官
(ハ) 革命傷病没者家族ファシスタ組合、イタリア退職官吏全国同盟、全国餘暇修養協会、全国オリンピック委員会、イタリア海員聯盟、農村ラヂオ協会等の理事たると同時に、
(ニ) 党所属の各種団体の最高統裁者たるの資格を兼有してゐるのである。

書記の諮問機関として、また党書記に次ぐ執行機関として党の運営に参画するものは、合議体を為すP・N・F・全国指導部会（*Direttorio nazionale del P.N.F.*）である。

二六

(2) P・N・F・全国指導部会

P・N・F・の全国指導部会は左の如き人員を以て構成される。即ち

(イ) 全国ファシスタ党書記（云ふ迄もなく此の党書記が其の議長である）。
(ロ) 全国ファシスタ党副書記（所謂副幹事長）。党副書記は通常三名置かれてゐるが、三名共指導部会に参加する。
(ハ) 計理書記。計理書記は党の一切の財務を管掌する云はゞ党の大蔵大臣で

二七

あり、常に一名である。

(ニ) 指導部会構成員。指導部会構成員とは右(イ)(ロ)(ハ)の各役員の如く其の身分によつて指導部会の会議に参加する者ではなく、特に指導部会のメンバーとして専任された者である。八名が普通である。

右の如く、指導部会は通常都合一三名を以て構成されるのであるが、党書記は場合により、副書記及び指導部会構成員を各一名宛、即ち二名の増員をドゥチエに請求し、都合一五名を以て指導部会を構成することも出来る（定款第一六條）。

党は其の党員に対し、各種の規律的制裁を科するのであるが、其の目的の為めに党員の規律及び其の道徳の維持向上を図る使用を有つた固有の検察的機関を有する。所謂P・N・F・検察使（Ispettore del P.N.F.）と云はれるものが之である（定款第二二條）。

(3) P・N・F・検察使

党検察使の具体的内容については、定款は別段の規定を有しないが、其の名称からしても略判断され得る通り、党の検察的事務を司る機関であることは明かである。員数についても特に規定はなく、必要に應じ数名或はより以上存するものであらうと考へられるのであるが、併し其の複数なるが故に特に合議体を形成するものではなく、独任制の機関であり、各種察使共夫々党書記の委任に係る事務を遂行する任務を有つてゐるものである。

全国ファシスタ党の固有の内部機関は右の三者であるが、此等三機関は夫々上級及び下級の階序的関係を有するものである。併し此の階序的関係の列外に立つ機関も勿論幾つかあるわけであるが（所謂補助機関）、其の中特に注意すべきものとしては、(イ)党副書記　(ロ)党計理書記及び独自の存在を成すものとして、(ハ)P・N・F・全国評議会がある。

(イ) 党副書記（Vice-segretario del P.N.F.）

党副書記は党書記を補佐し、其の不在又は職務を執行し能はざる場合党書記

に代位して事務を處理する者である。また党書記と同様其の副書記たるの身分に於て、且つ其の身分を有する限りに於て、法律上当然コルポラチオーネ全国評議会及びコルポラチオーネ中央委員会に参加する資格を有し、イタリアリットリオ青少年団の副司令官を兼任する（定款第一九條）。尚副書記の特徴の職権として注意して置かねばならぬものは、党の最高規律委員会とも称し得べき中央規律法院（La Corte centrale di disciplina）の構成者であり院長であると云ふことである（定款第三一條第二項）

(ロ) 党計理書記（Segretario amministrativo del P.N.F.）

党計理書記は、党の一切の財産を管理し、其の管理の責に任ずる。其の当然の結果として、彼は全国ファシスタ党の下級組織体たる戰闘結束団聯盟及び戰闘結束団の計理を監督すると同時に、党の予算案及び決算報告の作成を担当する。

党計理書記も亦其の身分に於て、且つ其の身分を有する限りに於て、当然コルポラチオーネ全国評議会及びコルポラチオーネ中央委員会に参加し、大学関係の諸事業に対する中央委員会の委員を兼任する（定款第二〇條）。

(ハ) P・N・F・全国評議会（Consiglio nazionale del P.N.F.）

P・N・F・全国評議会は特殊の合議体を形成するものであるが、其の有する機能は、専ら党書記の諮問的機関たるに止まり、党の全国指導部会の如く、自らその意思を決定し得る執行的機能は有つてゐない。此の評議会は略次の如き人員を以て構成される。即ち

(a) 全国ファシスタ党書記（議長）
(b) 全国指導部会構成員
(c) 党検察使
(d) 各戰闘結束団聯盟書記
(e) 在外ファシスタ党書記副書記及び検察使
(f) 戰傷病者全国組合理事

(9) 在郷軍人全国組合理事（定款第一七條）。

此等全国評議会員は、其の評議員たる資格に於て且つ此の資格を有する限りに於て、法律当然新議院たる所謂組合議院の議員たる身分を兼有する（新議院法第三條、定款第一八條）。茲に党と新議院との密接な関係が見出されるわけであるが、其のことは更に次章に於て充分触れられる筈である。

二、戦闘結束団聯盟（F・F・C）

戦闘結束団聯盟は、各市町村に結成されてゐる戦闘結束団の府縣別毎の結合体であり、之を逆に云へば、党の府縣別的組織に外ならぬものである。即ち戦闘結束団聯盟は、全国ファシスタ党と、戦闘結束団との中間組織体たる地位を有する云はゞ地方ファシスタ党とも云ふべきである。全国ファシスタ党と同様それ自身権利義務の主体として、法人格を有し、夫々の府縣に在つてファシスタ体制の地方的中核を形成してゐるものである。そして次の如き階序的諸機関によつて運営されてゐる。

(1) 聯盟書記（Segretario federale）

聯盟書記は、戦闘結束団を統裁し、当書記の命令を服し其の指導を実行し、戦闘結束団及び党所属の地方団体の活動を促進し之を監督する。前述する如く聯盟書記は、P・N・F・全国評議会の評議員であり、從つて其の身分に於て法律上当然新議院の議員たる資格を有するものである。

聯盟書記の権限及び機能は、党定款第二三條に於て詳細に規定されてゐるところであるが、要するに府縣に於ける党の代表者であり、また党に直接又は間接に所属する地方諸団体の幹部である。例へば彼は、

(イ) イタリア青少年団聯盟司令官

(ロ) 地方餘暇修養協会理事

(ハ) 農村ラヂオ協会府縣委員会委員

(ニ) コルポラチオーネ地方評議会の理事会理事

等々を兼務してゐるのである。併し、党固有の階序的内部機関に於ける地位は、後に一括して揭げた表によつても知られる通り、全国ファシスタ党検察使の次位である。

(2) 聯盟指導部会（Direttorio federale）

聯盟指導部会は、全国ファシスタ党に於けるP・N・F・全国指導部会にも相当する合議制の諮問的及び執行的機関である。そして左の如き人員を以て構成される。即ち

(イ) 聯盟副書記

(ロ) 聯盟計理書記

(ハ) 七名の指導部会構成員

尤も場合により、党書記は、聯盟副書記を二名に、専任構成員を九名に迄増加することが出来る。

聯盟指導部会は、聯盟書記の指導に基き、諮問的及び執行的機能を行使するものである（定款第二六條）。

(3) 聯盟検察使（Segretario federale）

全国ファシスタ党に、党検察使の附置されてゐる如く、戦闘結束団にも、略同一の目的と任務とを持つた検察機関が置かれてゐる。所謂聯盟検察使が之である。党規の維持、党員の粛正機関としての検察制度は、全国ファシスタ党と戦闘結束団聯盟にだけ設けられてゐるもので、党の最下位構成單位たる戦闘結束団には設けられてゐない。

戦闘結束団聯盟の固有の階序的内部機関は右の三者であるが、此の外、階序的関係の例外に在る補助的機関には、全国ファシスタ党に於けると同様、次の如き諸機関が設けられてゐる。

(イ) 聯盟副書記（Vice-segretario federale）

聯盟副書記は、聯盟書記を補佐し、其の不在又は職務を執行すること能はさる場合聯盟書記に代位して其の事務を處理する者である。党副書記が通常三名

置かれてゐるに反し、聯盟副書記は通常一名である。

(ロ)　聯盟計理書記（Segretario federale amministrativo）

聯盟計理書記は、戦闘結果団聯盟の財産を管理し、其の管理につき全責任を負つてゐる者である。

以上各書記とも、聯盟書記の推薦に基き党書記之を任命する。

三六

三、戦闘結束団（F・C・）

先にも一言せる通り、戦闘結束団は大体市町村を一区域として構成される全国ファシスタ党の構成単位団体である。上級の組織体と同様、戦闘結束団も権利義務の主体として法人格を有する。そしてその活動の機関として次の如き内部諸機関を有つてゐる。即ち、

(1)　政治書記（Segretario politico）

政治書記は戦闘結束団を統裁し、之を代表する。縣廳所在地に於ける戦闘結束団の政治書記は特に聯盟書記が兼任することになつてゐるが（定款第二六條）、其の他一般の政治書記は聯盟書記の指導を実行し、其の命令に服し、党と国家機関及び地方公共団体との聯絡統一を維持する任務を有する（定款第二四條）

(2)　戦闘結束団指導部会（Direttorio del F.C.）

戦闘結束団の指導部会は、政治書記の指導に基き、諮問的及び執行的機能を行使するものであつて、上級組織体に於ける夫々の指導部会と其の設置の趣旨を同じくする。そして左の如き人員を以て構成されるのである。

(イ)　副政治書記

(ロ)　計理書記

(ハ)　六名の専任構成員

特に縣廳所在地の戦闘結束団の指導部会に在つては、専任の構成員を七名とする（定款第二六條）。尚党書記は場合により、其の専任構成員を九名に増加することが出来る。

三七

戦闘結束団の階序的内部機関は右の二者であるが、此の外、階序の列外に在る云はゞ補助機関としては、

(イ)　副政治書記（Vice-segretario politico）

副政治書記は、政治書記を補佐し、其の不在又は職務を執行すること能はざる場合、政治書記に代位して一切の事務の処理に当る者である（定款第二四條）。

(ロ)　計理書記（Segretario amministrativo）

計理書記は戦闘結束団の財産を保管し、之を管理し、其の管理に付責に任ずる。右二書記共、政治書記の推薦に基き、聯盟書記之を任命するものである（同右）。

四、其の他の下部組織

党は以上の三階序のピラミッド型の構成を以て組織されてゐるものであるが、最下位の単位組織体たる戦闘結束団は、其の地域的状況により（多く大都市に於てゞあることは云ふ迄もない）、更に細分された組織に分化し得ることになつてゐる。分団、分会及び支部が即ちそれである。即ち戦闘結束団は分団へ、分団は分会へ、分会は支部へと細分化されてゆくのであるが、併し此等分団、分会及び支部は、必ずしも総ての各戦闘結束団に残れなく設けられるわけのものではなく、其の市町村の状況に應じ、聯盟書記の適宜設置し得るものであつて云はゞ、戦闘結束団の地域別的下級機関であり、従つて独立の権利義務の主体としての法人格を有しない。

(1)　ファシスタ党分団（Gruppo rionale fascista）

分団は分団長とも云ふべき信任委員（Fiduciario）之を代表し、其の一切の指揮に当り、政治書記の命令に服し、其の指導を実行する者である。諮問的機関としては、分団諮問会（Consulta del gruppo）を有し、補助機関としては一名の副信任委員（Vice-fiduciario）及び一名の計理

三九

諮問委員（Consultore amministrativo）を有する。副信任委員、計理諮問委員共に分団諮問会の構成員中より、信任委員の推挙に基き、政治書記之を任命する（定款第二五條）。

(2)　分　会（Settore）

分会は分会長（Capo-settore）の指揮に於て、分団の下級機関として活動する。

(3)　支　部（Nucleo）

支部は支部長（Capo-nucleo）の指揮に於て、分会の下級機関として活動する。

分会長及び支部長何れも戦闘結束団の政治書記之を任命する。

戦闘結束団の細分化の方式は通常右の如くであるけれども、市町村の状況によつては、分団を設けず、戦闘結束団から直ちに分会へ、又は支部へと細分されることもある。併し其の場合に於ても、会会長は信任委員の下位に立ち、支部長は分会長の次位に立つものである。

以上述べた党の構成を要約するならば、戦闘結束団を中核体とし、それは府縣別に戦闘結束団聯盟へと結合し、戦闘結束団聯盟は唯一の全国ファシスタ党へと上昇統合される。そして下部組織への分化としては、分団へ、分団から分会へ、最後に支部へと下降細分されて行くのである。

今、之を図示するならば、

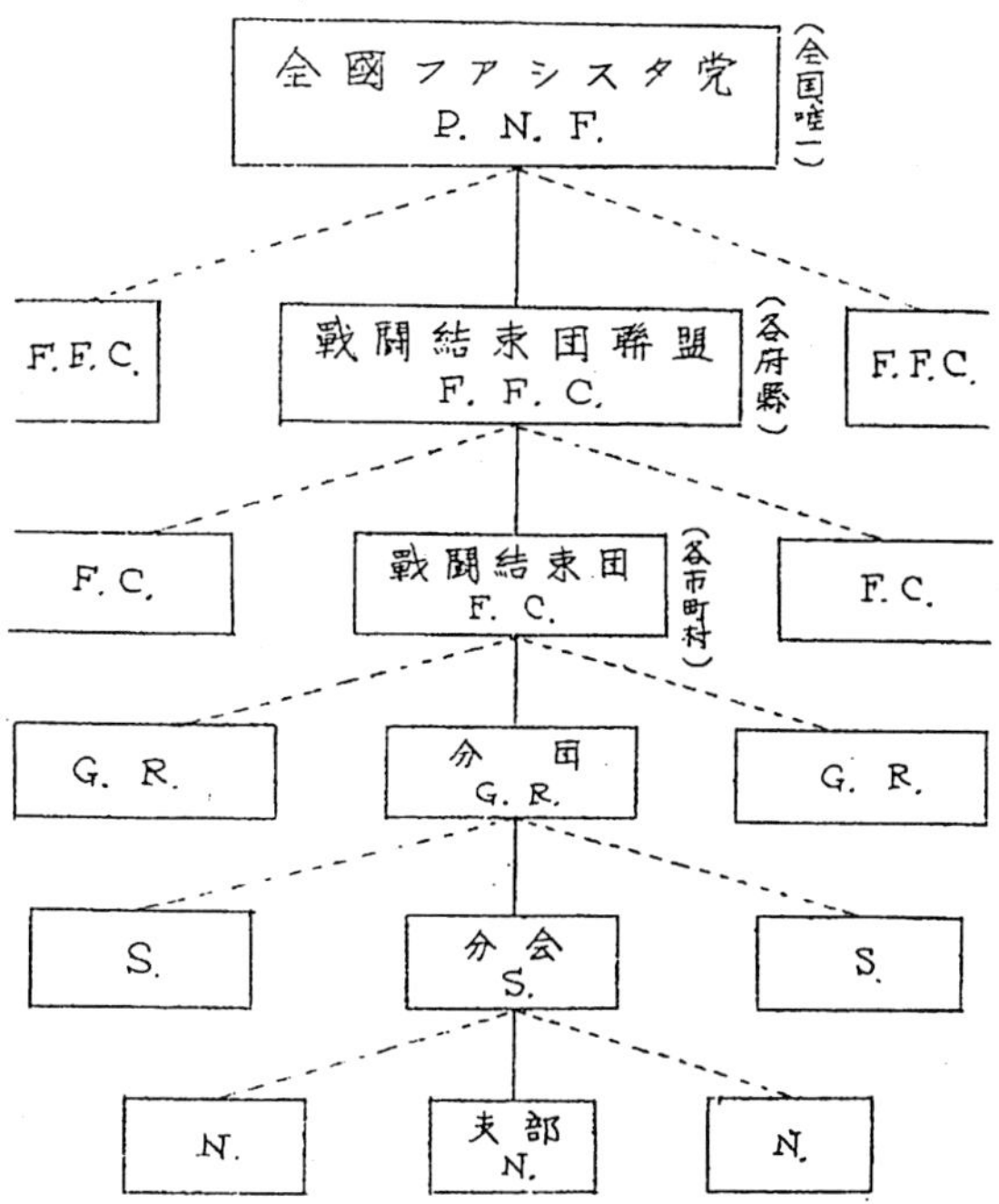

そして右の各組織体を運営する内部機関は、党首ドゥチェを除き、次の如き一二段の階序的幹部より成つてゐるのである。

第一、全国ファシスタ党書記（所謂党幹事長）
第二、全国ファシスタ党全国指導部会構成員
第三、全国ファシスタ党検察使
第四、聯盟書記
第五、聯盟指導部会構成員
第六、聯盟検察使
第七、戦闘結束団書記（所謂政治書記）
第八、戦闘結束団指導部会構成員
第九、ファシスタ分団信任委員
第一〇、ファシスタ分団諮問会委員
第一一、分会長
第一二、支部長

四四

尚序なら党の合議制機関を列挙して置くならば、最高位に在るファシズモ大評議会を除き次の如き階序に分れる。即ち、

第一、全国ファシスタ党指導部会
第二、ファシスタ党全国評議会
第三、戦闘結束団聯盟指導部会（所謂聯盟指導部会）
第四、戦闘結束団指導部会
第五、ファシスタ分団諮問会

と云つたやうな順次である。

第三、節　党の機能（目的及び使命）

一、以上前節に於て述べた如き機構を有つたファシスタ党が、如何なるものであり、また如何なる任務を有つてゐるものであるか、それに應じて党員たるものゝ行態如何の問題は、現行党定款の冒頭に明規されてゐるところである。

即ち其の規定するところに依れば、

第一、全国ファシスタ党はドウチエの命令に従ひ、ファシスタ国家に奉任する義勇的民軍であり（*Il partito nazionale fascista è una milizia civile volontaria agli ordini del Duce, al servizio dello Stato fascista*）（定款第一條）、

第二、そして党は、ファシスタ革命の防衛及び強化（*la difesa e il potenziamento della rivoluzione fascista*）並にに、イタリア人の政治教育（*l'educazione politica degli italiani*）を其の任務とする（同右第三條）。

従つて、

第三、ファシスタ党員は其の生命を義務、向上、征服として理解し、且つドウチエの指揮「信ぜヨ従へ闘へ」を常に体してゐなければならぬ（*Il fascista comprende la vita come dovere, elevazione, conquista e deve avere sempre presente il comanda-*

四五

四六

mento del Duce "Credere obbedire combattere"）（同右第四條）。斯くて党員は、其の入党に際しては、次の如き文言を以てする厳粛なる宣誓を為さねばならぬ。即ち「神及ビイタリアノ名ニ於テドウチエノ命令ヲ実行シ、且ツ自巳ノ全力ヲ以テ而シテ、必要トアラバ自巳ノ血ヲ以テ、ファシスタ革命ノ目的ニ奉仕スルコトヲ誓フ」。

二、元来党生誕の起縁は、イタリア国家を損ひ、イタリア国民の精神を傷ける一群の徒輩を駆逐打倒するに在つたことは、其の成立当時のイタリアの国情に照して疑ひなきところであるが、併し、如何なる徒輩が国家を損ひ、国民精神を傷けるものであるかは、豫め何が眞にイタリア国家の国是とすべきか、イタリア国民の眞に向ふべき精神が如何なるものであるかを確固として明識してゐるものでなければならぬ。蓋し或るものゝ、善悪良否の評價に際しては前以てその評價の尺度たるべき規準が先行してゐなければならぬものだからである。云ふ迄もなくその評價の規準となつた先行観念は、祖国イタリアの偉大への憧れであり、国民全体の生活水準の向上であつたことは勿論である。此のイタリアの偉大を実現し、生活水準の向上を企図する為には、先づ第一着手として此の理想の実現を損傷妨害しつゝある雑草の駆逐であり刈取である。ファシズモの三大標語の一たる「闘へ」（*Combattere*）とは正に国の内外を問はず、右の理想の烈成を阻害する凡ゆる有形無形の敵と敢闘することを意味する。党が最初自ら「戦闘結束団」と命名して出発した意向も多分に斯る趣旨をも盛つたものに外ならぬ。其処にまた党が「民軍」（*milizia civile*）として把握され得る実質も見出されるわけである。

同胞の損害に於て自利を喰み、私慾の追及に耽る輩、国民の犠牲に於て自党の利益をのみ謀り、政権の争奪に餘念なき団体は、此の際祖国イタリアの偉大を実現する為め、涙を飲んで根こそぎ清掃するのも亦已むを得ないことに屬する。国内にはびこつた斯る雑草の刈取りは広い意味に於て正しく革命と云つてもよいであらう。ファシズモが好んで用ひるファシスタ革命（*rivoluzione fascista*）とは、決して常識的意義に於ける国体の改変を意味するもので

四七

は決してないが、国民精神の根本的転換を企図すると云ふ限りに於て、それは決して単なる改革や修正でなかつたことは事実である。ファシズモが祖国イタリアの理想とするところを理想とし、それに即応すべき国民精神の根本的転換（併し、それは次にも述べる通り、祖先の有つてゐた古代精神への復帰で大部分事足りるものである）を理想とするものとせば、ファシスタ革命が決して一夜のうちに成就すべき性質のものではなく、また実際それは決して一挙に其の革命の目的を達成したものではなかつた。否現にファシスタ革命は日々遂行されつゝあるのであつて、それはファシスタ体制の続く限り、不断に且つ永遠に革命の日が続いてゆくのである。其処にファシスタ革命の特質があり、無血革命としての一面の実質が看取されるわけである。其の限りに於て、ファシスタ革命は多分に復古的運動であり、また所謂国民精神の作興と其の実質を異にしなのである。

ローマ史を繙いて心ある史家がひそかに驚歎する史外の事実は何であるか、七丘の岡に国を建てゝ以来、幾度か外敵の侵入を受け、時に一物をも残さす首府ローマを焼き拂はれたに拘らず、畢ひに大ローマ帝国を建設して世界史に其の不朽の名を印した初期ラテン民族のあのねばり強い不屈の精神、自己を捨てゝ顧みないあの滅死奉国の精神である。所謂自由を愛し、自由の為めに死んで行くことを無上の光栄としたギリシヤ人は常に最後まで一国を形成せずして終つてゐる。ローマ帝国を殆と全く餘すところなく滅したのは、実はこのギリシヤの自由であり、それはローマ人のギリシヤ化に外ならぬものであつた。

成る程ギリシヤは幾人かの個人的傑物は之を輩出せしめてゐる。之に反しローマの歴史にはさう云つた個人的偉大さの跡は見出せない。併し、だからと云つてローマに傑人が居なかつたわけではない。国家の偉大さの前に個人が其の影を淡くしたであらうことも事実であるが、より根本的な理由は、元来ローマ人が常に国家を通してのみ且つ国家への自己を見てゐたからであり、端的に云へば、自己自身にのみ沈潜することなく全く自己を国家に没入して了つてゐたからである。何よりも優つて人の自由を愛してゐたギリシヤの文化人が、反つて現実には何世紀かの間自由の味を知らなかつたまた知らうとしなかつたロー

マ人の家婢となり下僕となり、ローマ帝国の奴隷となつて生活しなければならなかつたか。云ふ迄もなくそれはギリシヤ人が自由なる個人（個人をも見捨て得る自由人、祖国に背き得る自由なる個人）であつたに反し、ローマ人が個人の自己を語り得ない団結的国家人であつたが故である。併し、やがてローマ人が、個人の自由を語り、個人的自由を愛するやうになつたとき彼等を待ち受けてゐたものは何であつたか。それは外敵への屈服であり、ローマ帝国一千年の終りであつた。そして個々の個人はかつてのギリシヤの文化人と同一の悲運を経験しなければならなかつたと云ふことである。

一八四八年、現イタリア王国が成立して以来も、此のギリシヤ的自由は能く迄イタリアの統一を妨げ、イタリアの発展を阻止してゐたのであつた。そして第一次欧洲大戦直後はイタリアの国情は内外共ローマ帝制末期と殆ど同一の症状を呈してゐたのである。人々は自由を語り、自由を呼んでゐたが、それがかつて彼等の偉大なる祖先を亡ぼして行つた外来の思想であることに気附いてゐた人は極めて稀であつた。ドウチエ、ムツソリーニの所謂「ローマ帝国の再現」とは、ローマ帝国の外形的残骸を其の墓場から掘出すことではあるまい。ローマ帝国をしてローマ帝国たらしめた彼等の祖先の精神、それは不屈の精神であり、滅私奉国の精神であつた其の偉大なる精神への復帰に外ならぬものであらう。

党の目的も使命も、要するところ、かつてのローマ精神の二十世紀的再現であり、再生に外ならぬといふことが出来る。入党宣言の文言にある「必要トアラバ自己ノ血ヲ捧ゲテ国家ニ奉仕スル」精神は、ローマ人が未だヘレニズムの自由を知らなかつた当時何人も生れ乍らにして有つてゐたローマ的、イタリア的な古代精神に外ならぬものだからである。

第四節　党の性格

ファシスタ党は現行成文法上の形式的解釈に従へば、党自体としては何等国家の機関でもなければ、国家構成上の必要的団体でもない。それは能く迄「義

勇的民軍」であり、党員の任意なる加入意思に基く国民組織であつて、其の活動の様様から云へば、国家の政治活動の補充兵団であり、国家要員の練兵場であり練兵教官であるに過ぎない。

併し乍ら党は単に国家公認の政治的法人であると云ふに止まつてゐるものでもなければ、議会人の単なる政治結社でもない。左の数点を契機として、ファシスタ政治機構の特質を形成してゐるのである。

(1) 党首

党首は党の最高統裁者であるが、法人としての党の代表者ではない。併し党の一切の活動に対する根元的命令者であり、法律上は当然政府首班即ち国務総理たる身分を有するものである。茲で注意しなければならないことは、所謂政党政治の常識に於て、政党の首領なるが故に政府首班たる地位に就くのではなく、党首に関する限り、考へ方は正に逆であつて、国王の信任に基き国王親から任命するところの政府首班なるが故に、ファシスタ党の党首を兼ねるのであつて、其の限りに於て、ファシスタ党は正に国家党(Stato-Partito)たる性格を有するわけである。

(2) ファシズモ大評議会

ファシズモ大評議会の詳細については、第四章に述べるところであるが、既に一言して置いた通り、此の大評議会は党定款の制定変更等は云ふ迄もなく、其の他党の組織に関する重要案件を審議する党の最高の合議制機関を形成してゐるものであるが(定款第一三条)、此の評議会は其の儘の構成を以て憲法上国政の最高諮問府たる地位を有するものであり、後に述べるが如き、国務の重大案件を審議する機関である。茲に党と国家との全き形に於ける不二的一体が見出されるのであつて、此の意味に於てもファシスタ党は能く迄国家党たる実質を具へてゐるわけである。

(3) 党書記(党幹事長)

既に述べた如く、ファシスタ党全国評議会は、元来党及び党書記の諮問機関であり(定款第一七条)、議長たる党書記、全国指導部会構成員、全国ファシスタ党検察使、各聯盟書記、在外イタリアファシスタ党書記、副書記及び検察使、戦傷病者全国組合理事、在郷軍人全国組合理事を以て構成される合議体であるが、此等評議員は、其の評議員たる資格に於て法律上当然組合議院の議員たる身分を兼有するのであるが、茲にもファシスタ党が法律上一種の政党たる大きな一面を見出すことが出来る。

以上の外、党は第一部「経済論」に於て述べた如く、全国二二のコルポラチオーネ(コルポラチオーネは国家の経済統一機関である)に夫々党の代表者を三名宛(内一名は原則としてコルポラチオーネ評議会の副議長である)都合全部で六六名を送り出す外、地方の政治団体例へば縣行政会(日本の府縣会に相当する)に其の代表者を参加せしめるのであつて、茲に党に国家の政治活動の補充兵団たる面目が看取されるわけである。

云ふ迄もなく党員は、党の代表者として送り込まれるのであるが故に、其の活動の効果は国家要員として直接には国家に帰属するものではあるが、それはまた同時に党にまで帰属するものであつて、其の限りに於てファシスタ党はファシスタ国家と表裏一体を為す真実の意味に於ける国家党たるの実質を有するものであると云ふことが出来る。

冒頭に一言せる通り、或る程現行法規上は党は直接国家の憲法的必要団体ではないが、併し党の国家活動への浸透は、形式的な法制化を今更必要としないまでに徹底してゐるものであるとも見られるわけである。

第三章　組合議院

第一節　序説

イタリアに於ける近代的議会制度は、一八四八年三月四日、王国基本法第六七四号（*Statuto fondamentale del Regno, 4 marzo 1848, n. 674*）、所謂カルロ・アルベルト憲法に始まる。即ち同憲法の規定するところによれば、イタリア王国の議会は、上院（*Senato*）（同上第三三條以下）及び代議院（*Camera dei deputati*）（同上第三九條以下）の二院より成り、合して王国の立法参與機関を形成するものであつた。此の二院制に基く議会は、形の上では近代民主主義国家に於けるそれと甚だ酷似するものであるが、英米其他の諸国に於けると異なり、成立後一世紀を通じ、議はあつたが竟に議会主義（*Parlamentalismo*）に徹底する事は出来なかつたものである。其の理由は数多小数派の分立と云ふところにも之を求めることが出来るが、要するにイタリアの国民性が之を要求しなかつたところにより本質的な原因であるやうに思はれる。

イタリアの議会、殊に代議院は、成立後屡々改変を受け、其の構成や権限に幾多消長の跡を見出すことが出来るのであるが、一九三九年の新議院の成立迄・約百年足らず第二九議会を経験する迄も存続してゐたのであつた。

ファシスタ政権の確立以後は、議会自体の罪とは云へ、議会の権限は次第に且つ加速度的に縮少されつゝあつたのであるが、特に一九二五年一二月二四日法律第二二六三号、政府首班即ち国務総理大臣の権限及び特権に関する件（*L. 24 dicembre 1925, n. 2263, sulle attribuzioni e prerogative del Capo del Governo, Primo ministro segretario di Stato*）の制定以後は、従来曲り乍ら其の生存を続けてゐた議会は、全く生きながらの残骸と化し、やがて近い将来に於て之が根本的な改革が必要であらうことは何人にも豫想され得るところであつた。併し右の法律第二二六三号は、特にイタリアに限つて設けらるべき種のものではなく、純然たる民主主義国家でない限り、即ち立憲君主国乃至立憲王国である限り、当然政府の有すべき権能であつて、従つて本法はイタリアが第一次欧洲大戦後、最も悪い諸点だけを加味した議会主義へ轉落せんとしてゐたのを未然に救つた迄であるに過ぎないものである。何となれば、君主乃至国王が一国の元首であるところに於ては、政府首班即ち内閣総理大臣は当然君主又は国王親ら其の信任に基いて任命するところであり、従つて彼は其の施政全般に亘り一に君主又は国王に対して其の責に任ずれば足り、直接議会に対して其の責を負ふべき者ではないからである。其の他の閣員につてと同様であり、彼等も直接国王の任命する者であつて、決して議会の代理人として議会に対して責を負ふ者ではない。本法の主眼点は此の事理を明らかにしたものである。

云ふ迄もなく議会改組の骨子は選挙方法の改正に在る。イタリアに於ては、当初其の議員選挙の方法は普通単記記名投票制であり此の方法が最も永く続いたものであるがやかて比例代表制に変り、間もなく、リツトリオ単一名簿による全国単一選挙区制となり、最後に現行の職能的身分に基く複重選良制に落ち付いたものである。

右に所謂リツトリオ単一名簿による選挙方法とは一九二八年五月一七日法律第一〇一九号を以て制定された選挙制度であるが、それは一九二六年四月三日法律第五六三号によつて制定された職能組合組織を基礎として選出する方法であり、職能的身分に基く複重選良制への第一歩であり、過渡的現象であるとも云へる訳である。即ち一九二八年の改正法によれば、一九二六年の職能組合法によつて創設された全国一三個の総聯合組合（農業、工業、商業、海上及び航空運輸、陸上及び内水運輸、金融諸業労働提供者全国総聯合六個同一職業部門に属する労働者側の全国総聯合組合六個及び自由職業者藝術家全国総聯合組合一個都合一三個）によつて先づ八〇〇名の候補者が推薦される。更に此の八〇〇名の候補者の外、非経済的な国家公認の法人及び法人ではないが国家的重要性を有し文化、教育、扶助救済又は宣傳の目的を有する事実上の団体から若干名が推薦され、此等推薦候補者の中から、ファシズモ大評議会が四〇〇名を選び（大評議会は自己の見解により推薦者以外の者を加へることが出来る）其の單一名簿を作成して之を官報に発表し、発表後の第三日曜日を期し、有権者に其の名簿に対する si（諾）又は no（否）の投票を行はしめ、有効投票数中 si が過半数であれば右の名簿記載のものが当選者として確定する仕組である。no の投票数が過半数である場合は、ファシズモ大評議会は再び人選し直すことは云ふ迄もない。

此のリットリオ單一名簿による選挙方法が、従来の選挙方法と甚だしく其の型を異にしてゐるものであることは容易に想像され、ファシズモの議会改組もやがて大詰に近づいたことが看取されるのであるが、推薦者と決定者との間の二倍の数の開きあることは、何人か之を決定するにしても、未だ眞に職能的身分に基く選良制度としては多少の缺点あるを免れなかつた。其処でファシズモが最後案として採つた制度は、所謂選挙と云ふ概念を全く混入せしめない選択方法であり、従つて代議院の廃止と之に代る新議院の創立であつたのである。

しからば、新議院の議員は如何にして充当されるものであるか。節を改めて次に概説したい。

第二節　組合議院の構成

所謂組合議院とは、一九三九年一月一九日法律第一二九号（*L. 19 gennaio 1939, n. 129. Istituzione della camera dei fasci e delle corporazioni*）を以て創設されたものであり、正確には「ファシヨ及びコルポラチオーネ議院（結束団及び組合議院）」であつて、一九三九年三月二三日、恰も一九一九年三月二三日、現在の全国ファシスタ党の前身たる戦闘結束団結成の二十週年記念日をトし、ローマのモンテチトリオ宮殿に於て、現国王ヴイツトリオ・エマヌエーレ三世の台臨を仰ぎ、盛大に第一回の議会開院式を挙げたものである。

新議院の議員は、従来の常識的概念に於ける選挙によつて充当されるものではなく、一定の職能的身分を有する者が、其の身分を有する限りに於て法律上当然議員たる身分を兼有するものであつて、二院制に於ける下院乃至代議院に相

当する議院の議員選定に関し、此の種新制度を敢行した国は史上ファシスタイタリアを以て嚆矢とする。

一定の職能的身分とは、本法によれば次の三種の身分であるが、此の職能的身分を有し得る為には、極く少数の特殊勲功者の終身的身分（第一範疇に属するファシズモ大評議会員であり、それはローマ進軍の四巨頭であるが、彼等の死亡後は此の種終身議員は跡を絶つわけである）を除く外、幾重幾回かの選良段階を経て達し得る身分であるが故に、單なる辯舌の巧者又は低級なる大衆的人気を以てしても或る種の群衆心理を巧に利用することによつて偶然且つ安價に議会人たる身分を取得するものとは本質的に其の趣を異にし、従つて新議院の議員たる者は議員たる前に例外なく天下の有能者であつて、稍々もすれば選挙に際してのみ大衆に媚を賣るが如き輩とは根本的に其の人選の種を異にするものである。

本法所定の法定の職務的身分とは、

(イ) 全国ファシスタ党全国評議会構成員（新議院創設法第三條、附録(二)参照）
(ロ) コルポラチオーネ全国評議会構成員（同右）
(ハ) ファシズモ大評議会構成員（同右第四條第二項）

であり、此等評議会の評議員は、イタリアアカデミー会員（*accademico d'Italia*）でない限り、法律上当然此等評議員たる身分に於て新議院の議員たる身分を兼有する者である。

一、全国ファシスタ党全国評議会構成員

全国ファシスタ党全国評議会が如何なるメンバーを以て構成されるものであるかは前章に於て述べたところであるが、念の為め茲にもう一度其の内容を摘記するならば、

(イ) 全国ファシスタ党書記（所謂党幹事長）
(ロ) 全国ファシスタ党全国指導部会構成員
(ハ) 全国ファシスタ党検察使

(ニ) 各聯盟書記
(ホ) 在外イタリアファシスタ党書記、副書記及び検察使
(ヘ) 戦傷病者全国組合理事
(ト) 在郷軍人全国組合理事

である。

(四)の全国ファシスタ党全国指導部会が如何なる人員を以て組織されるものであるかは、之も既に前章に於て述べたところであるが、念のため其の構成員を摘記するならば、

(イ) 党書記
(ロ) 三名の副書記
(ハ) 一名の計理書記
(ニ) 八名の専任構成員

を以て構成されるものである。即ちファシスタ党副書記（副幹事長）、党計理書記及び八名の専任指導部会構成員が何れも新議院の議員たる身分を兼有するわ

六四

けである。

右の構成員の顔振を見ても、新議院の議員として議会に列する者は、ファシスタ党の一流どころの幹部連であることが窺はれ、此等党の幹部が、党の内部に於て厳選に厳選を重ねて然る後之等の任務に就くものであらうことは多言を要しないところである。

党員の養成及び党内幹部の人選は、本編の論述と直接の関係ないが故に省略したが、今其の一端を茲に概説するならば、党員が正常なる途を歩んでファシスタ党員となるには、先づバリルラ青少年団へ入団しなければならぬ。此のバリルラ青少年団は、満六年から満一八年迄の青少年の訓育機関であり、団員の年齢によつて次の如き幾つかの段階に分れ、団員は各段階に於ける夫々の訓育を受けつゝ上昇して行くのであるが、今其の段階の名称だけを摘記するならば、

(イ)「狼の子」（*Figli della lupa*）満六年より満八年迄、二ケ年、
(ロ)「バリルラ遠足隊員」（*Balilla escursionisti*）満八年より満一二年迄、四ケ年、

六五

(ハ)（以下リツトリオ青少年団と云はれる）
「前衛隊員」（*Avanguardisti*）満一二年より満一七年迄、五ケ年、前衛隊員は更に、小銃前衛隊員と機関銃前衛隊員との二段に分れてゐる。

右のバリルラからリツトリオ青少年団の課程を終へた者は、ファシスタ党への入党の準備教育を受ける為め「青年戦闘結束団」（*Fasci giovani di combattimento*）に入団し、茲で満二一年迄みつちり訓育されるのである。

以上の如く、ファシスタ党員は将来国民の指導者たるべき者として右の如き課程に於ける厳格なる身心の訓育を受けるのであるが、党内幹事として党員の指導者たるべき者は、更に此等党員の有能者より選抜されるのであつて、彼等が如何に身心共に秀れた国民の粒選りであるかは、之によつても略々推察され得るところである。

六六

二、コルポラチオーネ全国評議会構成員

コルポラチオーネ全国評議会（*Consiglio nazionale delle corporazioni*）が如何なるメンバーを以て構成されるものであるかは、既に第一部経済編に於て述べて置いたところであるが、それによれば、全国二二の職業別的コルポラチオーネの実行評議員を以て成立するものであり（合計五〇〇名）、彼等は夫々の職業部門に於て職業人の一切を代表する聯合組合（*Federazione*）から選出されるものであつた。従つて此等評議員は、ファシスタ党の代表者として各コルポラチオーネに参加する六六名を除く外は、イタリアを組合国家たらしめてゐる職能組合即ち各フェデラチオーネの代表者であり、彼等こそ全く真実固有の意義に於て職能人であり、職能的選良人たるものであつて、茲に新議院が職能議院であり、また組合議院たる実質を具へてゐる契機をなすものである。

コルポラチオーネ全国評議会の実行評議員が五〇〇名であるといふことは、新議院の議員総数六八四名中正に其の七分の五に相当する数であつて、新議院が如何に真実固有の意識に於ける職能人を以て充たされてゐるかゞ窺はれるわ

六七

けである。今各コルポラチオーネより選出される評議員数を表示するならば、

(1)	穀類コルポラチオーネ	三〇名
(2)	野菜・花卉・果実コルポラチオーネ	三一名
(3)	葡萄栽培及び油脂コルポラチオーネ	三一名
(4)	家畜飼養及び漁業コルポラチオーネ	三三名
(5)	木材コルポラチオーネ	一九名
(6)	織維製品コルポラチオーネ	三四名
(7)	衣類コルポラチオーネ	二三名
(8)	金属及び冶金コルポラチオーネ	一四名
(9)	機械コルポラチオーネ	二〇名
(10)	化学コルポラチオーネ	二二名
(11)	液体燃料及び石炭コルポラチオーネ	一七名
(12)	紙及び印刷コルポラチオーネ	二二名
(13)	建築コルポラチオーネ	一九名
(14)	水道、ガス及び電気コルポラチオーネ	一六名
(15)	採鉱コルポラチオーネ	一四名
(16)	硝子及び陶磁器コルポラチオーネ	一六名
(17)	内国交通コルポラチオーネ	一五名
(18)	海上及び航空運輸コルポラチオーネ	二〇名
(19)	興業コルポラチオーネ	一〇名
(20)	接客コルポラチオーネ	一四名
(21)	自由職業及び藝術コルポラチオーネ	三三名
(22)	保険及び信用コルポラチオーネ	四七名
	以上合計	五〇〇名

と云った内容である。

三、ファシズモ大評議会構成員

ファシズモ大評議会については次章に述へるところであるが、其の構成の概略を一言するならば、大体次の如き人員を以て組織されるものである。

(イ) 政府首班即ち国務総理大臣

(ロ) ローマ進軍の四巨頭

(ハ) 上院及び組合議院の各議長

(ニ) 外務、内務、司法、大蔵、文部、農林、組合、及び宣傳省の各大臣

(ホ) イタリア・アカデミーの総裁（但し総裁は新議院法第九條の規定により議員たる資格はない）

(ヘ) ファシスタ党書記（後にも述べる如く党書記は此の評議会の書記をも兼ねるものである）

(ト) 国民保安義勇軍総司令官

(チ) 国防特別審判所長官

(リ) ファシスタ全国総聯合組合の各理事長、工業及び農業ファシスタシンダカート全国総聯合組合理事長

(ヌ) 一九二二年以後閣員たりし者又は全国ファシスタ党書記及び其の他の名義を以て国家及びファシスタ革命に功労ありたる者中より特に勅選されたる者

以上列挙した評議員は法定欠格者を除くの外、其の評議員たる資格に於て法律上当然新議院の議員たる身分を兼ねるのである。

右の如き構成員の顔振から推しても、新議院の議員が何れも例外なく各界の粒選りの選良であることは殆ど疑ひの餘地なきところであって、其の身分に達する迄幾多の難関を突破して来たものであるかも容易に想像され得るところである。正に選良の名に背かぬ者はかりであると云はねばならぬ。

第三節　組合議院の内部機構及び機能

前節に於て述べたやうな諸議員を以て成立する組合議院は、上院と合して議会を構成し、政府と共に法律の制定に協力する所謂立法府を為すものであるが、此の立法機能を行使する為め、議院は議長及び之を補佐する副議長（何れも勅令を以て任命される）指揮の下に、次の如き内部機構の下に夫々の任務を遂行する。即ち、

(イ) 全院会議（*assemblea plenaria*）
(ロ) 予算総委員会（*commissione generale del bilancio*）
(ハ) 立法委員会（*commissione legislativa*）
(ニ) 及び其の他の特別委員会（*commissione speciale*）

之である。

一、全院会議

全院会議とは、議員全部を以て成立する会議であり、云はゞ議員総会とも称し得べきものである。そして左の如き重要法案の審議及び票決に任ずるものである（第一五条）。

(1) 一九二八年一二月九日法律第二六九三号第一二条に規定せる国家構成的性質を有する法律案

右の一九二八年一二月九日法律第二六九三号とは、次章に述べるファシズモ大評議会の構成及び権限に関する法律であるが、其の第一二条の規定とは、次の如き諸事項に関するものである。即ち

(イ) 王位継承、元首の権限及び特権、
(ロ) ファシズモ大評議会、上院及び組合議院の構成及び機能

(ハ) 政府首長即ち国務総理大臣の権限及び特権
(ニ) 法規範を発布し得る政府の権能
(ホ) 職能組合及びコルポラチオーネの秩序制度
(ヘ) 国家と法王庁との関係
(ト) 国家及び植民地の領土の変更又は領土取得の抛棄を含む国際条約

等々であり、此等諸事項に関する法案の審議及び票決は常に全院会議の方法によることを要する。

(2) 一九二六年一月三一日法律第一〇〇号第一条末項所定の事項に関する法案

一九二六年一月三一日法律第一〇〇号とは、政府の法規範制定権能に関する法律であるが、其の第一条末項の規定とは、

(イ) 国庫及び国庫に関する諸事項
(ロ) 裁判所の組織及び裁判官の権限
(ハ) 枢密院及び会計検査院の組織
(ニ) 裁判官及び其の他の終身官吏の身分の保障

等々に関する諸事項である。

(3) 一般的性質を有する立法委任に関する事項

(4) 国家及び国家の自治的営業、並びに直接又は間接に国家の補助を受ける全国的重要性を有する凡ゆる種類の行政機関の予算案及び決算報告に関する件

(5) 其の他の事項に関しても、政府が特に全院会議によることを要求せる場合

(6) 全院会議又は委員会が、特に全院会議を以て審議すべきことを要求した

七六

る其の他の諸事項

右列挙した各事項は、夫々権限ある委員会の報告に基き常に全院会議の審議に附し、公開投票の方法を以て票決することを要する。

二、予算総委員会

予算総委員会とは、所謂予算総会のことであり、右の全院会議と其の会議の内容を同じくし、唯其の審議事項が単に国家の予算案に限られてゐると云ふだけの相違である。尚予算案の審議は、イタリアに於ても日本の衆議院に於けると同様、之が先議権を有する。

三、立法委員会

立法委員会は、議長之を組織し（第一三條）、全院会議の専属審議事項以外の全国的一般的性質を有する一切の法律案の審議に当り之を票決するものである。

茲で特に注意して置かねばならないことは、我が国の議院内部の各種委員会の如きは、其の委員会の決定はそれだけでは議院としての意思の決定とはならないが、組合議院の内部に於ける各種委員会殊に立法委員会の決定は、それだけで組合議院自体の決定たるの效力を有し、直ちに議長を通じて他院即ち上院の立法委員会に回附することが出来ると云ふことである。委員会の権能実に大なりと云はねばならぬ。

各院の全院会議及び立法委員会によつて議決された法律案にして、元首即ち国王の裁可を経て公布されたものは、形式上法律たるの効力を有し、同一の方法及び手続（立法手続）を経なければ、廃止又は変更され得ないこと、他国に於けるそれと全く同一である。

云ふ迄もなく政府は、緊急の場合右の立法事項に関しても緊急処置を講じ得るものであるが（第一七條及び第一八條）、所謂此の緊急勅令は、其の後開かる

七七

七八

べき三議会中に法律案として議会に提出し、之が承認を求めることを要する。此の場合に於ては其の規定事項の内容に従ひ或は全院会議により、或は立法委員会によつて之が諾否の決定せらるべきことは言ふ迄もない。

四、特別委員会

各種特別委員会も亦議長の組織するところであり（第一三條）、夫々各特定の議案に付き之を審議決定する。例へば労働立法特別委員会や、国民教育制度特別委員会等の如き之である。各委員会の議決の効力は立法委員会の議決に於けると同様である。

組合議院は右の如き内部機構を以て、其の固有の立法的機能を遂行するのであるが、前節に於て述べた如く、全議員は例外なく、何れも各界の一流の専門家、実際家、有識者であつて、夫々の立場から其の法案の審議に当るものであつて、其の点時に実際界の実情を無視し、専門家よりは一笑に附せられるが如き結果が絶対に見られないと云ふことは、全く羨やしき限りであると云はねばならぬ。

以上の組合議院の内部の機構は、上院にも其の儘適用される（第一四條末項）。即ち上院にも全院会議、予算総委員会、立法委員会及び各種の特別委員会が設けられるのである。然らばイタリアの上院は如何なる人員を以て組織されるものであるか。以下附節として簡単に其の構成だけを略記して置きたい。

附節、上院の構成

上院の構成は、一八四八年のカルロ・アルベルト憲法（第三三條）に規定されてゐるところであり、制定後代議院と異りさしたる改正変更を見ずして今日に至つてゐる。そして議員は二種に分れ、法律上当然議員たる者と、一定の資格要件を具へてゐるものから勅任される勅選議員とがある。第一種に属する議員は、満二〇年に達した王族男子であり（第三四條、但し満二五年に達する迄は

七九

票決権を有してゐない)、第二種に属する者は、次の二一個の範疇から、満四〇年に達した者より勅任せられる者である。上院議員は法定の制限はないが(第三三條第一項)、一九三九年六月末現在の調査では、議員総数四三五名で、一八四五年生れ(九四年)を最高齢とし、一八九〇年生れ(四九年)の者を最低年者とする。

憲法第三三條所定の法定範疇とは略左の如きものである。即ち、

(1) 国家の大司教(*arcivescovo*)及び司教(*vescovo*)
(2) 代議院議長(組合議院議長)
(3) 三会期に亘り代議院議員たる者又は六年間議員たる者、
(4) 国務大臣(*ministro di Stato*)
(5) 国家の行政大臣(*ministro segretario di Stato*)
(6) 大使(一九二五年六月一八日法律第九八七号を以て、各植民地の総督は上院議員勅選の特権に関しては、本号の大使と同様に取扱はれることになつた)

八〇

(7) 三年間大使として在職せる者にして特に召請せられたる者
(8) 大審院長及び会計検査院長
(9) 控訴院長
(10) 大審院所属辯護士会長及び検事総長にして五年間此の職に在りたる者
(11) 三年間控訴院部長たりし者
(12) 五年間大審院判事及び会計検査院の評議員たりし者
(13) 五年間控訴院所属の辯護士会長なりし者
(14) 陸海軍の将官、但し五年間将官として現役に在りたる者
(15) 五年間国務評議員たりし者
(16) 三回に亘り、府縣参事会議長として選出されたる者
(17) 七年間府縣知事たりし者
(18) 七年間王立科学アカデミーの会員たりし者
(19) 七年間国民教育最高評議会の評議員たりし者
(20) 特殊の任務を有し又は顕著なる功績ありたる者にして祖国を顕揚せる者

八一

(21) 其の財産又は産業により、三年に亘り直接国税年三、〇〇〇リラを納めたる者

である。以上列挙した二一個のカテゴリーに該当する者は上院議員として勅任せられる資格を有するものであるが、第一範疇に属する大司教及び司教に付ては、一八六六年以後は勅選の例なく、また最後の範疇に属する所謂多額納税者は、今日に於ては経済界の実際に適せざることは餘りにも明瞭である。

何れにしても併し、上院議員が、右列挙せるカテゴリーを見ても想像され得る通り、全般的に見て頗る官僚的色彩が濃厚であることは明かである。併し四〇年以上の者から勅任されるものであるが故に、議員が皆何れも夫々の領域に於て第一流の老練家であることも亦殆ど疑ひの餘地なきところである。そして前述せる通り、上院も其の院内機構は略組合議院に於けると同様、全院会議、立法委員会、予算総委員会及び各種の特別委員会によつて其の立法的機能を遂行するのである。唯上院は、其の特殊の権限として、組合議院の有してゐない司法的権能を有つてゐるのであつて、

八二

(イ) 国家の保安に関する犯罪
(ロ) 代議院議員(組合議院の議員)によつて告発された国務大臣の刑事事件に関する件
(ハ) 上院議員に対して告発された刑事事件に関する件

の三事項の裁判に付ては、イタリア国の最高司法法院(*Alta Corte di giustizia*)を構成して其の裁決に任ずるの権能を有つてゐる(第三六條)。之他国のそれに全く其の例を見ない上院の特殊権限である。

八三

第四章　ファシズモ大評議会

第一節　序　説

ファシズモ大評議会は、元来ファシスタ党の内部に於ける諮問的及び議決的機関であつたが、党と国家との関係の密度が次第に濃厚となるに及び、政府は一九二八年末、此の評議会を憲法上の諮問府として法制化することになつた。一九二八年一二月九日、ファシズモ大評議会の構成及び権限に関する法律第二六九三号（*L. 9 dicembre 1928, n. 2693, sull'ordinamento e le attribuzioni del Gran Consiglio del Fascismo*）が即ちそれである。併し乍ら、ファシズモ大評議会が本法によつて突如として国家的機能を担当するに至つたわけのものではなく、それは従来から、実質的には既に国家的機能を行使してゐたものであつたが故に、本法は云はゞ斯る実

八四

状に在つた事実上の機関を唯法規を以て宣言したに過ぎないとも云へるのである。蓋し、ファシズモ大評議会は、それ以前から、政府が諸法律案を議会へ提出するに際しては、予めこれを審議して其の意見を表示してゐたものであつて、始めから議会と政府との調整の役を買つてゐたものだからである。即ち、例へば、ファシスタ国家の実質上の憲法と迄云はれてゐる労働憲章も、組合秩序の基本的法源とも云ふべき一九二六年四月三日の職能組合創設法も、皆ファシズモ大評議会が予め法案を審議決定したものであることは余りにも有名な事実である。其のことは労働憲章の前文にも明記されてゐるところであつて、一九二七年四月二一日（此の日は周知の如くローマの誕生日である）、キヂ宮殿に於て本憲章の最後の決定をしたのは此のファシスタ大評議会（*Gran Consiglio fascista*）——当時はさう呼ばれてゐた——に外ならなかつたのである。

其のことは何れにしても、一九二八年一二月九日の法律以後（本法は公布日より施行されてゐる。第一三條）、ファシズモ大評議会は形式的にも憲法上の諮

八五

問府となり、法定の重大案件については、政府は此の評議会の意見を徴しなければならぬことになつたものである。其の後一九二九年一二月一四日法律第二〇九九号を以て一部改正されて今日に至つてゐるが、前述する如く、ファシズモ大評議会の評議員は、其の評議員たるの資格に於て且つその評議員なるの故を以て、法律上当然組合議院の議員たる資格を兼有するのであつて、其の限りに於てファシズモ大評議会は、またファシスタイタリアの政治組織の大きな一翼を担つてゐる一環であると云へよう。更に極言すれば、ファシスタイタリアの一切の重要国策は、此の大評議会を中軸として運営されてゐるとも云へるのである。然らば此の評議会は如何なる人員を以て成立し、また如何なる諸機能を果しつゝあるものであるか。以下節を改めて此等の諸点を概説したい。尚以下章に「第何條」とあるは、附録〔三〕の法律の該当條文を示すものである。

第二節　ファシズモ大評議会の構成

ファシズモ大評議会の構成は、前記法律第四條以下の規定するところである。か、それによれば評議員は左の三種に之を分けることが出来る。即ち

第一、終身評議員
第二、任期不定の評議員
第三、任期三年の評議員

政府首班即ち国務総理大臣は、法律上当然ファシズモ大評議会の議長であり（第二條）、全国ファシスタ党書記は、法律上当然ファシズモ大評議会の書記を兼ね（第三條第一項）、且つ副議長格たる身分を有する。蓋し、政府首班即ちファシズモ大評議会の議長は、其の不在又は其の職務を執行し能はざる場合、書記に大評議会を召集し及び其の議長たるべきことを授権し得るものだからである（第三條第二項）。

八六

八七

一、終身評議員

終身評議員は、一九二二年一〇月、所謂黒襯衣党を率いてローマに進軍した四人の旗頭、称してローマ進軍の四巨頭（*Quadrumviri della Marcia su Roma*）と云はれてゐる者である（第四條）。尤も此等四巨頭の死亡後は、此の種終身評議員のカテゴリーは自ら消滅するものであらうことは云ふ迄もない。

二、任期不定の評議員

特に評議員として任期の定めなき者とは、現に一定の身分を有することにより、且つ其の身分を有する限りに於てのみ評議員たる者であつて、左の各種カテゴリーに該当するものがそれである（第五條）。即ち

(1) 上院議院の議長及び組合議院の議長
(2) (イ) 外務大臣
(ロ) 内務大臣
(ハ) 司法大臣
(ニ) 大蔵大臣
(ホ) 文部大臣
(ヘ) 農林大臣
(ト) 組合大臣
(チ) 宣傳大臣
(3) 王立アカデミー総裁
(4) 国民保安義勇軍総司令官（*Comandante generale della milizia volontaria per la sicurezza nazionale*）
(5) 国防特別審判所長官（*Presidente del Tribunale speciale per la difesa dello Stato*）

(6) ファシスタ全国総聯合会の各理事長（並びに工業及び農業ファシスタシンダアート全国総聯合組合の各理事長）

である。右第七号の括弧内のものは、其の後の組合体制の変更に伴ひ、現在では之に該当する者はなくなつてゐる。

三、任期の定めある評議員

評議員として特に任期の定めある者とは、一九二二年以降、即ちファシスタ政権確立後に於て、(イ)閣員たりし経歴を有する者、(ロ)全国ファシスタ党書記たりし者、(ハ)又は其の他の資格に於て国家及びファシスタ革命に特に功労ありたる者中より、政府首班の命令を以て、評議員に任命された者である。任期は原則として三年であるが、重任又は再任されることを妨げない（第七條）。

大評議会は右列挙の如き人員を以て構成されるのであるが、其の顔振を見ても解る通り何れもファシスタ体制に於ける元老であるか、乃至政界及び産業界の現役若くは予備の大物揃であることが窺はれる。蓋し、ファシズモ「大」評議会の名に背かず、またファシスタ政府の最高諮問府たるの実質に恥ぢないものであらう。

第三節　ファシズモ大評議会の機能

ファシズモ大評議会の機能は、大別して之を二つとすることが出来る。一は諮問的機能であり、一は議決的機能である。云ふ迄もなく第一の機能が大評議会の本来の機能であること勿論であるが、第二の機能も亦之を見逃がすことは出来ぬ。尤も一九二九年の改正によつて、此の第二の機能が幾分縮少されて今日に至つてゐることは後述する如くである。

一、諮問的機能

ファシズモ大評議会は、一九二二年一〇月、ファシスタ革命によつて創られた所謂ファシスタ体制の一切の活動を調整し、統合する最高機関であつて、法律の定むる場合に於ける議決的機能を有すると同時に、国民全般の利益に関する政治的、経済的又は社会的諸問題に関する政府の下問に対し、其の意見を映へるものであるが（第一條）、尚大評議会は、王室関係の事項についても亦最高諮問府たるの地位を有するものである。

政府首班即ち国務総理大臣は、政治的、経済的及び社会的諸問題の一切の事項につき随時大評議会を召集して其の意見を徴し得べきこと、右に規定されてゐる通りであるが、特に国家構成的性格を有する事項、即ち憲法的性質を有する諸事項については、常に必ず大評議会の意見が徴せられなければならぬことになつてゐる（第一二條）。即ち左の事項に関する法律案は常に憲法的性質を有

するものとして、政府は必ず大評議会の意見を求めることを要する。

第一、王位継承、元首の権限及び其の特権に関する事項

第二、大評議会、上院及び下院（組合議院）の構成及び権能に関する事項

第三、政府首班即ち国務総理大臣の権限及び特権に関する事項

第四、法規範を発布し得る政府の権能に関する事項

第五、組合及び組合協調的秩序（ordinamento sindacale e corporativo）即ち所謂組合体制に関する事項

第六、国家と法王廰との関係に係る諸事項

第七、国家及び植民地の領土の変更、又は領土取得の拋棄を含む国際條約に関する諸事項

右列挙の事項は、必らずしも国家構成上の案件を洩れなく掲げたものではないが、少なくとも右列挙の諸事項に就ては、大評議会は之が必要的諮問府であり、政府は必ず大評議会の意見を求めなければならぬことになつてゐる。

尚、政治問題に関し、大評議会が特に重要なる役割を果しつゝあるものは、

後任諸大臣の候補者名簿の作成及び之が保存である（第一三條）。即ち後継内閣首班に関し、元首の御下問ありたる場合、大評議会は予め作成せる首相候補の名簿を上呈することであり、また首相の権能及び特権として留保されてゐるものを除き、閣員補充につき予め後任大臣の候補者名簿を作成し置き、必要に應じ、直ちに首相の諮問に應へ得ることになつてゐる。従つてファシスタ体制が続き、ファシズモ大評議会が其の機能を停止せざる限り、将来イタリアに於ては、所謂政変等によつて国政が一時たりとも停滞したり、それによつて時に人心に不安を生ぜしめるが如きことは先づあり得ない仕組になつてゐるものであつて、仮令ムツソリーニ首相亡き後に於てもファシスタ体制は微動だもしないことになつてゐる。更に閣員の補充に当つても右の如くであるが故に、屡々閣員の顔振が変つてゐるに拘らず、一糸紊れざる施政の統一と円滑なる内閣の若返りが繰返へされてゐるのである。ファシズモ大評議会が、国政運営の中枢を形成してゐるところも正に斯る点に之を求めることが出来るわけである。

二、議決的機能

ファシズモ大評議会の議決的機能とは、大評議会が意思決定の機関としての役割を果す場合であり、かつては国家的事情についても、またファシスタ党に関しても可なり広範囲の議決権を有つてゐたものであるが、一九二九年の改正以後は、其の議決的機能は特に法律に之に関する明文の存する個々の場合に限られることになつた。即ちかつては、

(イ) 代議院議員の選出後、裁可に附すべき之が議員名簿に関する事項

(ロ) 全国ファシスタ党の定款、秩序及び其の政治的指導方針に関する事項

(ハ) 全国ファシスタ党書記、副書記、行政書記（計理書記）及び其の他指導部位員の任命及び解任に関する件

等につき、何れも議決的権能を有してゐたものであつたが、現在に於ては、此等諸事項は、大評議会の意見を徴したる後、勅令又は首相命令を以て執行されることになつてゐる。従つて現在に於ては、大評議会は専ら国家及び党の諮問

九六

機関として活動してゐるものであるが、併しかつての議決的事項は何れも必要的諮問事項であつて、それによつて大評議会の任務の重大性がそれだけ軽減されたわけのものではない。

何れにしても、ファシズモ大評議会は、現イタリアに於ける第一流の人物を以て成る評議機関であり、ファシスタ体制に於ける枢府であることは多く論ずる迄もない。そして大評議会が、全国ファシスタ党全国評議会及びコルポラチオーネ全国評議会と共に、新議院へ議院を送り込む母体であることは既に述べて置いた如くであつて、従つて大評議会は、成る程現イタリアに於ける云はゞ元老院であり、枢密院であるが、其の構成員は何れも他国のそれに於けるが如く、単に有能者であるばかりでなく、同時に最も有為なる現役人であるわけである。其のことは、行動主義をモットーとするファシズモには或は当然のことゝしても、他国には全く其の例を見ない特異の性格を持つた制度であると云はねばならぬであらう。

九七

結　語

以上私は前後二回に分つて、ファシスタイタリアの国家社会機構の大要を概説した。併し、其の論考の範囲は、専ら経済及び政治機構を中心としたものであつて、従つて現ファシスタイタリアの凡ゆる国家社会機構を残れなく解明したものではない。而も茲に取扱つた論考のテーマは、必ずしも私の専攻する分野ではないが故に、或は其の論述が的を外れてゐるところも少なくないであらう。

併し乍ら、専門の経済学者のものしたものとは異り、また社会学専門の学者の解明したものとも異り、其の論考は総べて現行法規に立脚したものであつて、単に漠然とした思潮や世界観的思辯の開陳とはいさゝか其の論述の趣を異にするものである。今日邦書に於てイタリアの社会事情を明かにせんと試みたものも強ち少なしとしないが、本論考に類する内容を有つた公刊書は、未だ一書も

九八

見当らぬところであり、其の点我が学界の淋しさを想ふと同時に私としては多少の自負をも有するものである。

本論考については、特に第一部経済論に於て取扱つた内容の大半については、追つて再考三思、遠からず一書を公刊する意思を有つてゐるが、本論考の不備は其節幾分なりと補ひたいと思つてゐる。

昭和十七年九月八日　　於京洛東山の偶居

九九

附　録

〔一〕　全国ファシスタ党定款　一九三八年四月二八日勅令第五一三号

（R. D. 28 aprile 1938, n. 513 —— Statuto del partito nazionale fascista）

(イ)　一九三八年一一月二一日勅令第二一五四号を以て一部改正

(ロ)　一九四一年二月一七日法律第六五号を以て一部改正

（以下訳出の定款は右改正後の全文である）

第一條　全国ファシスタ党は首領の命令に従ひ、ファシスタ国家に奉仕する義勇的民軍なり。

第二條　ドゥチェ（Duce）は全国ファシスタ党の統裁者とす。ドゥチ

工は党の起すべき行動に対する命令を與へ且つ、之を必要と思量するときは、全国ファシスタ党の諸幹部を大々的に召集す。

第三條　全国ファシスタ党の任務は次の如し、

ファシスタ革命の防衛及び強化

イタリア人の政治教育　〃

第四條　ファシスタ党員は其の生命を、義務、向上、征服として理解し且つドウチエの指揮「信ぜヨ従へ闘へ credere obbedire combattere」を常に体することを要す。

第五條　全国ファシスタ党の党章はファッショリツトリオ（fascio littorio）とす。

第六條　全国ファシスタ党の党旗は国民的指導のラバルウム（labaro）及びア・オ（A・O）の円棒ガリアルデットを以て構成す。

全国ファシスタ党の各組織は其の固有の団旗を有す。

全国ファシスタ党の党旗、戦闘結束団聯盟の団旗（ラバルウム）及び戦闘結束団の団旗（ガリアルデット）には軍としての名誉が與へられ且つ儀仗隊を附置す。

第七條　ファシスタ党員は全国ファシスタ党の記章を佩用することを要す。

第八條　イタリア人たることは全国ファシスタ党に所属する為の必要條件なり。

法律の規定に基き、イブライ人種と看做さるゝイタリア人は、全国ファシスタ党に登録せらるゝことを得ず。

第九條　ファシスタ党員の召募編入は毎年之を行ふ。

ファシスタ党員の召募編入は次の順序に從ふ、即ちイタリア幼少年団よりバリルラ団及びイタリア少女団へ、バリルラ団より前衛隊へ、前衛隊よりファシスタ大学生団又はファシスタ青年団へ、ファシスタ大学生団及びファシスタ青年団より全国ファシスタ党及び国民義勇隊（M・V・S・N）へ、而してイタリア少女団よりイタリア処女団へ、処女団よりファシスタ党婦人部へと上進す。

ファシスタ党員は次の文言を以て戦闘結束団の政治書記の手許に宣誓書を提出す。

「神及ビイタリアノ名ニ於テドウチエノ命令ヲ実行シ且ツ自己ノ全力ヲ以テ而シテ、必要トアラバ自己ノ血ヲ以テ、ファシスタ革命ノ目的ニ奉仕スルコトヲ誓フ」

第一〇條　全国ファシスタ党は戦闘結束団を以て之を構成す。

戦闘結束団は国内各府縣、植民地の各州、リビアの各縣及び多島海のイタリア各属領地に於て戦闘結束団聯盟に加盟編入せらるゝものとす。

戦闘結束団にはファシスタ分団、分会及び支部を設くることを得。

各戦闘結束団聯盟所属の戦闘結束団は各府縣に於て地域別に再団結す。

全国ファシスタ党の各組織は次の如し。

革命傷病没者家族ファシスタ組合、ファシスタ大学生団、イタリアリツトリオ青少年団、ファシスタ党婦人部、ファシスタ学校組合、ファシスタ官公吏組合、ファシスタ国有鉄道従業員組合、ファシスタ郵便電信従業員組合、ファシスタ国営産業企業所属組合、全国餘暇修養協會、イタリア退職官吏全国同盟、イタリアオリンピック委員会、イタリア海員聯盟、

全国ファシスタ党に直属する団体次の如し、

ファシスタ上院議員全国同盟、ファシスタ全国文化協会、戦傷病者全国組合、在郷軍人全国組合、イタリア義勇国民軍、ガルバルディア国民軍、イタリア挺身隊、儀仗隊、リツトリオムツソリーニア組合、森林委員会、農村ラヂオ協会。

各戦闘結束団聯盟内には次の如き諸団体が構成せらるゝものとす。

イタリアリツトリオ青少年団聯盟司令部、ファシスタ大学生団、ファシスタ党婦人部聯盟、革命傷病没者家族ファシスタ組合、ファシスタ学校組合、官公吏組合、国有鉄道従業員協會、郵便電信従業員組合、国営産業企業所属員組合の各分会、地方餘暇修養協會、イタリア退職

一〇四

官吏全国同盟分団、海員聯盟分会、全国イタリアオリンピック委員会地方委員会、ファシスタ全国文化協会分会、全国森林委員会分会、及び農村ラヂオ協会地方委員会。

第一一條　全国ファシスタ党はファシスタ体制の唯一の党にして且つ法人格を有す。更に戰闘結束団聯盟及び戰闘結束団も亦法人格を有するものとす。

第一二條　全国ファシスタ党の階序は次の如し。

第一、全国ファシスタ党書記
第二、全国ファシスタ党全国指導部会の構成員
第三、全国ファシスタ党検察使
第四、聯盟書記
第五、聯盟指導部会の構成員
第六、聯盟検察使
第七、戰闘結束団書記
第八、戰闘結束団指導部構成員
第九、ファシスタ分団信任委員
第一〇、ファシスタ分団諮問会構成員
第一一、分会長
第一二、支部長

第一三條　ファシズモ大評議会は、最高合議機関にして、全国ファシスタ党の定款及び党活動の運営に関し評議するものとす。

諮問機関及び執行機関左の如し。

第一、全国ファシスタ党全国指導部会
第二、全国ファシスタ党全国評議会
第三、戰闘結束団聯盟指導部会（聯盟指導部会）
第四、戰闘結束団指導部会
第五、ファシスタ分団諮問会

第十四條　全国ファシスタ党書記は、ドウチエの奏薦に基き勅令を以て任

一〇五

一〇六

命及び解任せられ、且つ全国ファシスタ党の行為及び処分に付きドウチエに対し責に任ず。

全国ファシスタ党書記には国務大臣なるの名義及び機能を附與す。

全国ファシスタ党書記は、一九二八年一二月九日法律第二六九三号所定の意義に於けるファシズモ大評議会の書記を兼ね、且つ、国防最高委員会、コルポラチオーネ全国評議会、コルポラチオーネ中央委員会、小麦常設委員会、及び全国教育最高評議会に参加す。党書記はファシスタ大学生団書記、イタリアリットリオ青少年団総司令官を兼ね、革命傷病兵者家族ファシスタ組合理事、イタリア退職官吏全国同盟、全国餘暇修養協会、全国オリンピック委員会、イタリア海員聯盟及び農村ラヂオ協会の各理事を兼務す。書記は自己に直属するものとして、ファシスタ大学生団、イタリアリットリオ青少年団、ファシスタ党婦人部、全国ファシスタ党の諸組合（ファシスタ学校組合、官公吏組合、鉄道従業員組合、郵便電信従業員組合、国営産業企業所属員組合の各組合）、ファシスタ上院議院同盟同盟、ファシスタ全国文化協会、戰傷病者全国組合、在郷軍人全国組合、イタリア義勇国民軍、ガリバルヂア国民軍、イタリア挺身隊、儀仗隊、リツドリオムツソリーニア組合、全国森林委員会、の各団体を有す。

全国ファシスタ党書記は、其の一切の効果に付き、全国ファシスタ党を代表す。

第一五條　全国ファシスタ党書記は、党の全国指導部会構成員及び聯盟書記の任命及び解任をドウチエに推薦し、

全国ファシスタ党の検察使を任命及び解任し、且つ其の一人若くは数人の検察使に「イタリア領アフリカに於ける党検察使」及び「イタリア領アフリカに於ける労働検察使」たる資格を附與する権限を有し次の如き者を直接任命し及び解任す。即ち聯盟指導部会構成員、党組織の中央及び地方の幹部、党に所属する組合の全国的権能を有する役員、ファシスタ上院議員全国同盟の役員、全国ファシスタ党の会計検

一〇七

査員、戦闘結束団聯盟に所属する特別の委員。

書記はドゥチエに対し、ファシスタ全国文化協会の理事及び副理事を推挙し、組合大臣に対しては、コルポラチオーネに於ける党の代表者及びコルポラチオーネ地方評議会の分科会理事を、イタリアアフリカ植民地大臣に対しては、植民地労働組合技術諮問会理事、植民地組合技術諮問会副理事を、内務大臣に対しては、地方行政会に於ける全国ファシスタ党の代表者を指名推挙す。

党書記は戦闘結束団を組織する資格を有する者にして、且つ
全国指導部会の活動を指揮し、之を召集し之が議長となり、
党の全国評議会を召集して之が議長となり、
党の各組織及び其の所属団体の機関の機能遂行に対する規則及び規範を発布し、
党と国家の諸機関との聯絡統一を維持し、
ファシスタ体制の各組織及び政治的性格を有する役柄並びに任務を党員に附与することに関し其の政治的統制を行ひ、
党の幹部及び黒シャツ党、党に所属する各組織への登録者を召集する資格を有し、
下級幹部の処分を取消し又は変更し及び下級幹部に代位する権能を有し、
所属下級幹部を党の役柄及び任務より除斥する資格を有す。

第一六條　全国ファシスタ党の全国指導部会は党書記之が議長となり、三名の副書記、一名の行政書記及び八名の構成員を以て之を構成す。

党書記の請求に基き、ドゥチエの命令を以て副書記の員数は之を四名に、而して全国指導部会の構成員の員数は之を九名に増加することを得るものとす。

党の全国指導部会は、党書記の指揮に従ひ諮問的機能及び執行的機能を行使す。

第一七條　党の全国評議会は、党書記、全国指導部構成員、党検察使及び

聯盟書記、在外イタリアファシスタ党書記、副書記及び検察使、戦傷病者全国組合理事、在郷軍人全国組合理事を以て之を構成す。

評議会は党書記之を召集し之が議長となり、其の議事日程を定む。

党の全国評議会は党書記の発案に対し諮問的機能を行使するものとす。

第一八條　全国ファシスタ党の全国評議会の構成員は「結束団及び組合議院」に参加す。

第一九條　党副書記は全国ファシスタ党書記を補佐し、其の不在又は職務を執行し能はざる場合書記に代位し、イタリアリットリオ青少年団の副総司令官を兼ね、且つコルポラチオーネ中央委員会に参加するものとす。

第二〇條　全国ファシスタ党の行政書記（計理書記とも云はれる）は党の財産を管理し且つ其の管理の責に任じ、戦闘結束団聯盟及び戦闘結束団の計理を監督とすると同時に、党の予算及び決算報告の作成に任ず。

此等の処置に付ては全国ファシスタ党書記の調査及び承認に服す。

全国ファシスタ党の行政書記はコルポラチオーネ全国評議会、コルポラチオーネ中央委員会及び大学関係の事業に関する中央委員会に参加す。

第二一條　党の会計に対する監督は、全国指導部会の構成員以外の者より、全国ファシスタ党書記によりて任命されたる三名の構成員より成る、会計検査会議に属す。

検査員は其の会議の報告書を毎年全国ファシスタ党書記に提出することを要す。

第二二條　党検察使は全国ファシスタ党書記が彼等に委託せる任務を遂行するものとす。

第二三條　戦闘結束団聯盟は聯盟書記之を統裁す。

聯盟書記は全国ファシスタ党書記の指導を実行し且つその命令に従ひ、戦闘結束団及び全国ファシスタ党に所属する団体の活動を促進し

之を監督し、ファシスタ体制の諸組織及びその地方に於ける党員に対する役柄及び任務の賦與を監督し、党と国家の府縣機関及び地方公共団体の代表者との聯絡統一を維持す。

聯盟書記はイタリア青少年団の聯盟司令官なり。

聯盟書記は縣廳所在地の戰闘結束団の政治書記を兼務す。

聯盟書記は地方餘暇修養協会、農村ラヂオ協会府縣委員会の理事にして、コルポラチオーネ地方評議会の理事会及び大学の所在する都市に於ける大学関係事業委員会に参加するものとす。

聯盟書記は聯盟指導部会、其の地方に於ける幹部、党員及び其の地方に在る党所属団体の登録者の報告会を召集し且つ之が議長となるものとす。

聯盟書記は青年に対する政治教育の講演会を指揮す。

聯盟書記は、党書記に対し、聯盟副書記及び聯盟行使書記を含む聯盟指導部会の構成員の任命及び解任を提案し、党の諸組織及び党所属組合の地方幹部の任命及び解任を提案するものとす。

聯盟書記は聯盟検察使、其の地方に於ける戰闘結束団の政治書記、戰闘結束団の指導部会構成員、ファシスタ党分団の信任委員、分団諮問会の構成員、分会長及び支部長を任命し及び解任す。

聯盟書記は、戰闘結束団の指導部会及びファシスタ党分団の諮問会を解散せしむる資格を有し及び一時之に代って支配する任務を有する委員を任命する資格を有す。

聯盟書記はイタリア全国オリンピック委員会によりて指示されたる指導に関し権限ある団体の体育的活動を促進し及び規制す。

党の組織及び党に所属する団体の地方幹部は、其の地方に於て一切の効果に付き党を代表する聯盟書記に服従す。

聯盟副書記は聯盟書記を補佐し其の不在又は職務を執行すること能はざる場合之に代位するものとす。

聯盟行政書記（計理書記）は戰闘結束団聯盟の財産を保管し之を管

理し且之に付き責に任ず。

戰闘結束団聯盟、ファシスタ大学生団及びファシスタ党婦人部聯盟の會計に対する監督は、聯盟指導部会の構成員以外の者より、聯盟書記によりて任命されたる三名の会計検査員会議に属す。

聯盟検察使は其の配置されたる地域に於ける検察的機能を行使し又は聯盟書記より委託されたる任務を遂行す。

第二四條　戰闘結束団は政治書記之を統裁す。

戰闘結束団の政治書記は聯盟書記の指導を実行し且つ其の命令に服従す。

政治書記は党の組織及びファシスタ体制の活動を促進し且つ之を監督し及び戰闘結束団が其の活動する地域内に於て党員に対する役柄及び任務の賦與を監督す。

政治書記は党と国家の諸機関及び地方公共団体との聯絡統一を維持す。

政治書記は聯盟書記に対し、戰闘結束団の指導部会構成員、政治副書記を推挙す。此等構成員、ファシスタ党分団の信任委員、党分団諮問会構成員、分会長及び支部長の任命及び解任を提案す。若し分会及び支部がファシスタ党分団に編入せらるる場合は、分会長及び支部長任命に対する提案はファシスタ党分団の信任委員の意見を徴することを要す。

政治書記は戰闘結束団の指導部会及び党員の報告会を召集し之が議長となる。

政治書記は聯盟書記に対しファシスタ党分団の設立を提案し且つ分会及び支部を設置し及び解散せしむる資格を有す。

政治書記は市町村の扶助委員会に其の代表者を推挙す。

戰闘結束団の副書記は政治書記を補佐し且つ其の不在又は職務を執行することを能はざる場合之に代位す。

行政書記（計理書記）は戰闘結束団の財産を保管して之を管理し且

つ之に付き責に任ず。

第二五條　ファシスタ党分団は信任委員之を統裁す。

ファシスタ党分団の信任委員は戰闘結束団の政治書記の指導を実行し及び其の命令に服從す。

信任委員は戰闘結束団の政治書記に対し、其の分団の諮問会の構成員中より選ばれたる一名の副信任委員及び一名の行使諮問委員（計理委員）を推挙す。

第二六條　戰闘結束団聯盟の指導部会は聯盟副書記、聯盟計理書記及び七名の構成員を以て之を組織す。

指導部会は聯盟書記の指導に基き諮問的及び執行的機能を行使す。

全国ファシスタ党書記は二名の聯盟副書記を任命し及び聯盟指導部会の構成員の員数を最高限九名迄増員する資格を有す。

戰闘結束団の指導部会は副政治書記、計理書記及び六名の構成員を以て之を組織す。

縣廳所在地の戰闘結束団の指導部会は副政治書記及び七名の構成員を以て之を組織す。

全国ファシスタ党書記は構成員の員数を九名迄増員する資格を有す。

戰闘結束団の指導部会は戰闘結束団の政治書記の指導に基き諮問的及び執行的機能を行使す。

ファシスタ党分団の諮問会は副信任委員、計理委員及び四名の構成員を以て之を組織す。

諮問会は分団の信任委員の指導に基き諮問的及び執行的機能を行使す。

第二七條　党の政治的及び道徳的規律を犯したる党員又は刑事裁判の訴追を受けたる党員は之を権限ある規律的機関に附託す。

第二八條　規律的制裁は之を左の如きものとす。

第一　譴　責

第二　一定期間に亘る（三ヶ月以上一ヶ年以内）党員資格の停止

一一六

一一七

第三、無期的党員資格の停止

第四、党員章の剝奪

第五、取　消

第六、除　名

第二九條　第二八條第一号、第二号及び第三号所定の制裁は党員たるの道徳的体面を傷けざる軽微の懈怠に対し之を科するものとす。

党員章の剝奪は重大なる規律的懈怠に該当する党員及び党の規律に從ひ訓育するに値ひせざる党員に之を科するものとす。

第二八條第五号所定の制裁は道徳的体面を傷けたる行為を為し又は斯る罪を犯したる党員に之を科するものとす。

第二八條第六号所定の制裁はファシスタ革命の目的の反逆者に対して之を科するものとす。

如何なる種類の制裁と雖も其の告発を確め且つ之が辯明を吟味したる後に非らざれば之を提議し又は之を科することを得ず。但し現行犯の場合は此の限りに非ず。

第三〇條　各戰闘結束団聯盟には聯盟規律委員会を設置す。該委員会は聯盟副書記之が委員長となり、聯盟指導部会の構成員以外の六名の実行委員、四名の予備委員及び一名の書記を以て之を構成す。

任命権は聯盟書記の権限に属す。

各戰闘結束団及び各ファシスタ分団には夫々規律委員会を設置す。

該委員会は戰闘結束団の指導部会及び分団諮問会の構成員以外の者より、戰闘結束団の政治書記の提案に基き聯盟書記によりて任命せらる、一名の委員長及び二名の委員を以て之を構成す。

第三一條　全国ファシスタ党書記は第二八條所定の規律的処分は総て直接に之を科する権限あるものとす。

全国ファシスタ党書記は特別の吟味に値する場合は、常該党員の登録されある戰闘結束団聯盟の、聯盟規律委員会に、又は党副書記の統裁する中央規律法院に附託することを得るものとす。此の中央規律法

一一八

一一九

院は二名の実行員、二名の予備員及び党副書記の任命に係る一名の書記を以て之を組織す。

中央規律法院の審理の結果は之を決裁するため全国ファシスタ党書記に送付するものとす。

聯盟書記は、聯盟規律委員会の提訴に基き、党章剥奪の処分を科し、緊急なる場合には、第二八條第五号及び第六号所定の制裁に該当する一切の規律的処分を直接に科する権限あるものとす。

制裁が党よりの取消又は除名処分に係るものなるときは、聯盟書記は其の処分を、之が告発の提訴書類を添付して全国ファシスタ党書記に移送す。

聯盟規律委員会は、聯盟書記によりて其の審判に附託せられたる事件を吟味する権限を有し、及び譴責、一定期間に亘る党員資格の停止並びに無期的停止の処分を科する権限を有す。

聯盟規律委員会の審理の結果が、党員章の剥奪、取消又は除名の制裁に係るものなるときは、之に係る処分は之を聯盟書記に移送するものとす。

戦闘結束団及びファシスタ党分団に設置されたる規律委員会は、戦闘結束団の政治書記又は聯盟書記より附託されたる場合を吟味する権限を有す。其の為したる審理の結果は之を聯盟書記に通知することを要す。

第三二條　聯盟書記によりて科せられたる規律的処分に対しては、全国ファシスタ党書記に之に対する異議の申立を許す。

聯盟規律委員会によりて採択されたる規律的処分に対しては聯盟書記に之が異議の申立を許す。

処分は、異議の申立に拘らず、直ちに執行せらるゝものとす。

第三三條　第二八條第二、第三、第四及び第五号所定の処分の一に処せられたる党員は一切の政治的活動を停止せらるゝものとす。

第二八條第六号所定の処分を科せられたる党員は公的生活より放逐せらるべきものとす。

第三四條　上院議員及び組合議院の議員に対しては規律的処分は全国ファシスタ党書記によりてのみ科せらるゝことを得。

第二八号第二号及び第三号所定の規律的処分に附せられたる組合議院の議員及びコルポラチオーネの構成員は其の機能の行使を停止せらるゝものとす。

規律的処分のありたる日より組合議院の議員又はコルポラチオーネの構成員たるの資格に固有なる凡ゆる性質を有する一切の特権の享有は之を停止す。

第三五條　全国ファシスタ党書記は処分に附せられたる党員の地位を再吟味する資格を有し及び採択されたる規律的処分を取消し又は変更することを得。

聯盟書記は処分に附せられたる党員の地位を再吟味し自己又は聯盟規律委員会によりて採択されたる処分の停止、変更又は取消を決定することを得。それが党員章の剥奪、取消又は除名の処分に係るものなるときは、再吟味の決定権を有する全国ファシスタ党書記に之が提議の理由書を提出することを得。

第三六條　全国ファシスタ党に所属することを止めたる者は其の帯びたる役柄及び任務より却くものとす。

第三七條　ファシスタ暦年は一〇月二九日を以て始まるものとす。

(二) 結束団及び組合議院　一九三九年一月一九日法律第一二九号

(*L. 19. gennaio 1939. n. 129 —— Istituzione della camera dei fasci e delle corporazioni*)

第一條　代議院は第二九議会を最後として之を廃止す。之に代り、結束団及び組合議院を創設す。

第二條　上院及び結束団及び組合議院（以下單に組合議院と略稱）は政府と共に法律の制定に協力す。

第三條　組合議院は全国ファシスタ党の全国評議会構成員及びコルポラチオーネ全国評議会の構成員より成る、但し第九條に定むるところと抵触するものは此の限りに在らず。

全国ファシスタ党の全国評議会及びコルポラチオーネ全国評議会の構成に関する変更は法律を以て之を規定するものとす。

第四條　ファシズモの首領、即ち首相は、法律上当然、組合議院の議員とす。

ファシズモ大評議会の構成員（附録(三)参照）も亦之が議員とす。但し第九條に定むるところと抵触するものは此の限りに在らず。

第五條　組合議院の議員たる全国評議会員は王国憲法第四〇條に規定されたる資格要件を具備することを要す。但し年齢最低限の制限は、本法第六條所定の宣誓の日に於て之を満二五年と定む。

全国評議会員の資格は、官報に公示せらるべき、ファシズモの首領即ち首相の命令を以て承認せらるゝものとす。

第六條　全国評議会員は、其の職務の執行を許容せらるゝに先立ち、王国憲法第四九條の規定に従ひ、全院会議（議員総会を意味する）に於て

宣誓を為すことを要す。

第七條　全国評議会員は従来代議院議員に付き王国憲法によりて定められたる特権を享有す。

全国評議会員には、法律を以て定められたる歳費を支給す。

第八條　全国評議会員は、組合議院の構成と競合する諸評議会に於て行使する機能の喪失と共に其の任務を失ふ。

第九條　何人も同時に全国評議会員及び上院議員又はイタリアアカデミー会員たることを得ず。

第一〇條　上院議院及び組合議院の議事は夫々立法議会に之を分つ。

各立法議会の会期は、ファシズモの首領、即ち首相の提案に基き、勅令を以て之を定む。該勅令は勅語拝聴の為め両立法議会の一堂に会すべき日も亦之を決定す、立法議会は此の勅語と共に開始せらるゝものとす。

通常の立法的機能を行使するため両院はファシズモの首領、即ち首相により定期的に召集せらるゝものとす。

第一一條　組合議院の議院は勅令を以て之を任命す。副議長も亦同様に勅令を以て之を任命するものとす。

組合議院の議長は議院規則に定められたる其の他の役員を任命す。

第一二條　組合議院は、全院会議（議員総会）、予算総委員及び立法委員会の方法を以て其の固有の機能を行使す。

特定の議案につきては特別委員会を設くることを得。

第一三條　立法委員会は、特定の全国的活動に関し、組合議院の議長によりて組織せらるゝものとす。議長は随時之を召集することを得。

議長は第一二條第二項所定の諸委員会も亦之を組織し且つ召集するものとす。

第一四條　組合議員の議長及び、議長の授権により、副議長は、諸委員会の議事に参加し之が議長たることを得。

各大臣及び、大臣の授権により、次官は此等諸委員会に参加することを得。

本條の規定及び第一二條並びに第一三條の規定は上院にも之を規定す。

第一五條　一九二八年一二月九日法律第二六九三号第一二條に規定せる憲法的性質を有する法律案、一九二六年一月三一日法律第一〇〇号第一條末項に規定されたる法律案、一般的性質を有する立法委任、国家及び国家の自治的営業、並びに直接又は間接に国家予算の補助を受くる全国的重要性を有する、凡ゆる種類の行政機関の予算案及び会計報告付、権限ある夫々の委員会の報告に基き、組合議院及び上院の各全院会議に於て之を討論し之を票決するものとす。

政府が前項所定の討論の形式を要求し、或は各院の全院会議又は委員会が斯る討論の形式を提案し且つファシズモの首領、即ち首相が之を許可したるときは、其の他の法律案も亦前項所定の形式に於て之を討論す。

投票は常に公明なる方法に於て之を行ふ。

第一六條　第一五條に該当せざる法律案は専ら組合議院及び上院の立法委員会の審議に之を附託す。

議決されたる法律案は夫々議長を通じ一院より他院へ之を回附するものとす。

組合議院及び上院の立法委員会が討論し且つ議決したる原案はファシズモの首領、即ち首相により延期せられ得る期間たる、各法律案の提出後一ケ月以内に、之をファシズモの首領、即ち首相に傳達し、首相は法律上定められたる通常の方式に従ひ之を元首の裁可に附し且つ之を公布する手続を講ず。

前文には組合議院及び上院の立法委員会の議決せし旨を明記することを要す。

斯くの如くして発布せられたる規範は其の一切の効果に付き法律たるの効力を有す。

第一七條　第一六條に於て定められたる討論及び議決の形式は、ファシズ

モの首相、即ち首相が、緊急の理由により之を制定する場合には、第一五條所定の法律案にも亦之を準行することを得。

第一八條　戦争を原因とし又は財政的若くは租税的性質を有する緊急処分につき必要なる状態ありと認められたる場合には、第一六條所定の手続に従ふことなく、勅令を以て処置す。

同一の手続は委員会が、所定の期間内に、其の職務を遂行せざりし場合に之を準行することを得。

此等の場合には一九二六年一月三一日法律第一〇〇号第三條第二項以下に含まれたる規定を適用す。

第一九條　コルポラチオーネの制定したる組合規範及び利害関係ある組合の締結したる団体的経済協定は、其の規範又は協定の及ぶ部門の所属有の首相に於て、其の財的負担を設定するものなるときは、其の形式及び名称の如何に拘らず、権限ある立法委員会、又は、その必要あるときは、合同立法委員会に吟味及び議決に附せしめるため、ファシズ

モの首領、即ち首相の意見に従ひ、コルポラチオーネ中央委員会の吟味を経たる後、之を組合議院に提出することを得。

立法委員会又は合同立法委員会がコルポラチオーネの制定したる原案に修正を為したる場合には、議決は組合議院の全院会議に之を附することを要す。

確定したる原案は組合議院の議長よりファシズモの首領、即ち首相に之を傳達し、首相はその命令を以て王国法令公文集録に収録すべきことを公布す。

第二〇條　一九二六年一月三一日法律第一〇〇号の規定に基き政府の権限に属する法規範にして、之れがコルポラチオーネの特殊の活動に係る技術的若くは経済的性質を有する内容に関するものなるときは、緊急なる場合の外、予め権限あるコルポラチオーネの内部に構成されたる諮問委員会の意見を徴することを要す。

第二一條　本法に含まれたる規範に反するもの又は本法と両立せざる規範

せ之を廃止す。

㈢　ファシズモ大評議會　一九二八年一二月九日ファシズモ大評議會の構成及権限に関する法律、第二六九三号
（L. 9 dicembre 1928. n. 2693, sull'ordinamento e le attribuzioni del Gran Consiglio del Fascismo）
（註）本法は一九二九年一二月一四日法律第二〇九九号を以て一部改正されてある。以下訳出の全文は右改正後のものである。

第一條　ファシスモ大評議会は、一九二二年一〇月の革命によりて創られたるファシスタ体制の一切の活動を調整し且つ統合する最高の機関なり。之は法律によって定められたる場合に於て議決的機能を有し、

及び、更に、政府首長の諮問する、国民的利益に関する其の他凡ゆる政治的、經済的又は社会的問題に対し、意見を與ふるものとす。

第二條　政府首長、即ち国務総理大臣は、法律上当然、ファシズモ大評議会の議長とす。議長は其の必要なるとき之を召集し及び之が議事日程を定む。

第三條、全国ファシスタ党書記は大評議会の書記とす。

政府首長は、其の不在若くは職務を行使し得ざる場合又は其の職務に在らざる場合に於ては書記に大評議会を召集し且つ其の議長たることを授権することを得。

第四條　其の任期の定めなく、ファシスモ大評議の評議員たる者は、ローマ進軍の四巨頭とす。

第五條　其の職務に基き且つ其の職務在任中、大評議会の評議員たるものは之を左の如き者とす。

第一　上院議院の議長及び組合議院の議長

第二、外務、内務、司法、大蔵、文部、農林、組合、宣傳の各省大臣

第三、王立イタリアアカデミアの総裁

第四、全国ファシスタ党書記

第五、国民保安義勇軍の総司令官

第六　国防特別審判所長官

第七、ファシスタ全国総聯合組合の理事長並に工業及び農業ファシスタシンダカート全国総聯合組合の理事長

第六條　前三條所定の者に対する大評議会員たるの資格は、政府首長の提案に基き、勅令を以て承認せらるゝものとす。同一の方式を以て、其の承認は、何時にても、之を撤回することを得。

第七條　一九二二年以後閣員たりし者、又は国民ファシスタ党書記若くは其の他の名義を以て、国家及びファシスタ革命に功労ありたる者は、政府首長の命令を以て、任期三年而も重任せられ得べき権能附を以て、ファシズモ大評議会員に任命せられ得るものとす。

同一の方式を以て其の任命は、何時にても、之を撤回することを得。

第八條　大評議会員たるの資格は上院議員及び組合議院の議院たる資格と両立することを得。

第九條　大評議会員は何人と雖も、現行犯の場合を除く外、大評議会の許諾なくして之を逮捕し、之を刑事裁判に附し、又は之を警察処分に服せしむることを得ず。

全国ファシスタ党に所属する、大評議会員に対する党の規律的処置は其の如何なる処置と雖も、大評議会の議決を以てするに非らざれば之を採択することを得ず。

第一〇條　大評議会員の職務は之を無報酬とす。

如何なる費用と雖も大評議会の機能遂行に付き之を国家に要求することを得ず。

大評議会の会議は之を秘密会とす。大評議会の承認を経たる内部規則は、其の機能遂行に関する其他の規範を定む。

第一一條　大評議会の評議事項は之を左の如きものとす。

第一、一九二八年三月一七日法律第一〇一九号第五條の定むるところに従ひ、下院議員名簿に関する事項（註、本号は一九三九年新議院の創設に伴ひ、下院議員とあるは組合議院の議員と解すべきである）

第二、全国ファシスタ党の定款、秩序及び政治的方針に関する事項

第三、全国ファシスタ党書記、副書記、計理書記、及び其の他指導部会の役員の任命及び解任

第一二條　憲法的性格を有する一切の諸問題に対しては大評議会の意見を徴することを要す。

左の事項に関する法律案は常に憲法的性格を有するものと看做す。

第一　王位継承、元首の権限及び特権、

第二　大評議会、上院及び組合議院の構成及び機能

第三　政府首長、即ち国務総理大臣の権限及び特権

第四　法的規範を発布する行政府の権能

第五　組合及び組合協調的秩序

第六　国家と法王庁との関係

第七　国家及び植民地の領土の変更、又は領土取得の抛棄を含む国際條約

第一三條　大評議会は、政府首長の提案に基き、政府首長なき場合には、政府首長即ち国務総理大臣任命の為め、元首に提出すべき総理候補名簿を作成し且つ之を保有するものとす。

政府首長の権限及び特権として残されてゐるものを除き、大評議会は、閣員の欠缺ある場合、大評議会が政府の機能を行使するに適当なりと思惟するもの丶名簿を作成し且つ之を保有するものとす。

第一四條　「全国ファシスタ党書記、副書記、計理書記、及び其の他指導部会の役員は、第一一條の規定に基き、予め大評議会の議決を経、政府首長、即ち国務総理大臣の命令を以て任命せらる丶ものとす。此等の者の任期に之を三年とし且つ重任せられ得るものとす。同一の方式を以て、彼等は何時にても之を解任することを得。

政府首長の提案に基き、勅令を以て、全国ファシスタ党書記は閣議の席に列席するため召請せらる丶ことを得るものとす」

第一五條　本法は王国官報公布の日より之を施行す。

「註」本法第十四條は、一九二九年の法律で次の如く変更増補されてある。即ち、

第十四條、全国ファシスタ党の定款は、ファシズモ大評議会及び閣議の意見を徴し、政府首長、即ち国務総理大臣の提案に基き、勅令を以て裁可せらる丶ものとす（一九二九年一二月一四日法律第二〇九九号第六條）。

全国ファシスタ党書記は政府首長、即ち国務総理大臣の提案に基き勅令を以て任命せらる丶ものとす。

書記は法律上当然国務最高委員会、国民教育最高評議会、コル

ポラチオーネ全国評議会及びコルポラチオーネ中央委員会の一員たるものとす。

書記は、政府首長の提案に基き、勅令を以て閣議に列席する為め召請せらるることを得るものとす（右同法第七條）。

全国ファシスタ党の指導部会の役員（構成員）は、党書記の提案に基き、政府首長、即ち国務総理大臣の命令を以て任命せらるるものとす（右同法第八條）。

全国ファシスタ党書記及び指導部会役員の任期は之を三年とす（右同法第九條）。

全国ファシスタ党の聯盟書記は党書記の提案に基き、政府首長、即ち国務総理大臣の命令によりて任命せられ其の任期は之を三年とす（右同法第一〇條）。

（完）

經研資料調第二三號

全體主義國家に於ける權利法の研究

昭和十六年七月
陸軍省主計課別班

全體主義國家に於ける權利法の研究

はしがき

本文は當班の委囑に依り京都帝大教授石田文次郎博士の指導下に法学士風間鶴壽氏の研究せるものである、戰爭経済は必然的に統制経済の形態をとり社會概念を個人自由主義より全体主義へ轉回せしめる。そこに全体主義的法概念乃至權利概念が生るべきである。本研究は斯る見地から戰爭経済下の所有権を如何に規定すべきかの問題に答ふる序説的部分である。

昭和十六年七月

陸軍省主計課別班

凡例

(一)　欧語の邦音は日常語となつてゐるものゝ外は原則としてその発音に從つてある。

(二)　原語は特殊のものを除き殆ど之を割愛することにした。

(三)　引用句も一々その出典を明かにしなかつた。本論執筆に當つて參照した資料及び參考書類にして本文中に示さなかつたものは、一括して附錄の最後にまとめておいた。

(四)　引用文、引用句は全部「　」で包んでおいたが、その外引用語句ではないが特殊の意味を有たせた單語又は句も時々「　」で包んだものもある。

(五)　独立の註は一段下げてあるところがさうであるが、本文中（　）又は——……——内のものも註の役目を果してゐるところである。

(六)　尚ほ、本文中に最も多く參照された參考書は、附錄記載の中左の數書である。

一

(1) Giorgio del Vecchio; Lezioni di filosofia del diritto.
(2) A cura della confederazione fascista dei lavoratori dell' industria; I 10 anni della Carta del Lavoro.
(3) M. D'Amelio; A. Azara; O. Ranelletti; Principi fondamentali della riforma del codice civile (libro I e II).
(4) Sergio Panunzio; Teoria generale dello stato fascista.
(5) Carlo Costamagna; Storia e dottrina del fascismo.
(6) A cura della confederazione fascista dei lavoratori dell' agricultura; La concezione fascista della proprietà privata.

二

目　次

一

二

第一章　緒論

（本論の範囲及びその序列）

本論は全四章及び附録より成つてゐる。第一章緒論に於ては、先づ全体主義とは如何なる内容の思想であるか、換言すれば現代思想家の描いてゐる新らしい認識原理としての全体主義は抑々如何なる論理の下に構成されてゐる思想であるか、の素描を試み、その俗流的見解と実は甚だ異つてゐるものであることを簡單に指摘し、次いでナチス・ドイツ、及びフアシスタ・イタリアに於ける全体主義体制の思想的根據を概説してゐる。

第二章の全体主義的権利概念に於ては、第一章の意義に於ける全体主義的秩序思想によれば、権利は果して如何なるものとして把握さるべきか、そしてこのことと関聯して屡々所謂「権利概念のコペルニクス的転回」なる言葉を耳にするか、然らばコペルニクス的転回をなした後に於ける権利は如何なる構造

一

を有するものとして理解されてゐるか、即ち現在に於ける権利構造論は、従来の権利概念の単なる修正ではなくして、根本的にその構造原理を異にする全く新たなる権利概念を要求してゐるのであるが、然らば新たなる権利概念は抑々如何なる内容を盛つたものであるか、等々の諸問題が取扱はれてゐる。そしてこれら諸問題との関聯に於て、従来の個人主義的権利概念の如何なる点に於て誤謬を犯してゐるかゞ簡単に指摘されてゐる。従つて本章は可なり観念論的色調が濃厚である。

第三章所有権の「義務権」的性格に関するところでは、今日最も合理的全体主義に近いとされてゐるファシスタ・イタリアに於ける現行法制、特に労働憲章及び民法草案に於てみられる所有権が如何なるものとして規定されてゐるか。そして新らしい権利構造論よりみれば、これら諸規定に現はれてゐる所有権の本質は如何なるものであるか、等々の諸問題が取扱はれてゐる。

最後の第四章は、以上三章に亘つて述べられてゐるところを回顧的に要約したもので、特に本論の内容的結論を取扱つたものではない。尚ほ附録として附加されてゐる諸法令は労働憲章を除き、他は直接本文と関係あるものではないが、ファシスタ・イタリアの國家機構乃至社会機構の素描に代へて、その國家構成法の二三を邦訳して之が法的根拠を示さんとしたのである。

二

第一節　全体主義に関する一般的考察

一、抑々全体主義（*totalitalismo*; *Totalitätgedanke*）なる用語はその学術用語としての生誕は極めて近年のことに属する。筆者の知る限りに於ては、この「全体主義」の用語は、始めて全体主義学説の体系化を試みたオトマール・シュパンの *Universalismus* ―之はシュパンに於ては従来の所謂普遍主義として把握されてゐるのではなくして、後述する如く完全に *Ganzheit* の意味に用ひられてゐる― に端を発してゐるもの、如くである。既にシュパンに於ても可なり精緻にその概念規定が試みられてゐるけれども、種々の事情から、現在に於ては尚ほ全体主義を口にする学者間に於ても―特に

三

それは我が國に於ても甚だしい―他の用語の如くその一般的概念は未だ確立されてゐないものの如くである。その原因は多々あるであらうが、その主なるものとして次の様な理由を挙げることが出来る。

第一、用語が学術的に尚ほ新らしいこと

第二、全体主義の一般概念を確立せしむるが如き典型的対象が未だ実存せざること

第三、専ら政治的、政策的術語として普及したこと

第四、用語それ自体が稍々もすれば内容の誤解を招き易い表現であること、等々である。

(イ)　第一の点に関して云へば、既にシュパンの努力があるに拘らず、尚ほ今日学術用語として一般には承認されるに至つてゐないと云ふのがその実状である。併し乍ら今日に至つては、之を好むと好まざるとを問はず「全体主義」の名の下に包含される認識内容が如何なるものであるかの究明は極めて必要である。そして、果してこの全体主義なる用語をそのまゝ学術用語として存置すべきや否やは、目下世界の学者の課題となつてゐると云つてよいであらう。若し之を採るべきものとするならば速かにその明確なる一般的統一概念を樹立すべきである。

(ロ)　今日全体主義の用語が甚だしく多義的に用ひられてゐる所以は主として第二の理由に在ると云つてよい。蓋し、その用語の主として用ひられる対象に典型的なものの欠除すると云ふことは屡々その用語に種々なる制限語句乃至形容詞を附加することによつて、甚だしく用語そのもの、本来の意義を歪めて了ふ場合が多いからである。例へばナチス・ドイツの社会体制を民族全体主義と謂ひ、ファシスタ・イタリアのそれを國民全体主義と謂ふのはまだよいとしても、ソヴィエットロシアの社会体制をプロレタリア全体主義と称し、アメリカ合衆國のそれを金融資本的全体主義又は自由全体主義と呼ぶに至つては、何人も、然らば何が全体主義の本領であるかを反問しなければならなくなるであらう。之は特に我が國に於ては次の第三の理由と密接な関係がある。

四

五

(ハ)　英語流の「トータリタリアニズム」又は「ホーリズム」と云ふのは自称民主々義國家群がナチス・ドイツ及びファシスタ・イタリアの独裁政治乃至はその強力政策に対する政治的嘲笑の代名詞として云はゞ俗流的に用ひてゐるのであるが、それが我が國に於ては特殊の学者を除いては寧ろ全体主義の本来の意味であるかの如く誤解されてゐる場合が多い。尤も今日単に全体主義と云へば、一般には政治思想について云ふ場合により多く用ひられてゐるけれども、この用語の始祖シュパンに於ては、凡ゆる事物に対する認識原理としての深い哲学的反省の下に使はれてゐるのであつて、如何に第三者の俗流的見解が横行してゐるとは云へ、我々は無批判的に先覚の用ひた概念を畸形化することは避けねばならぬ。尤もこの点に関しては次の第四の理由に強く影響されてゐると云へる。

(ニ)　全体主義的認識の根本原理は云ふまでもなく「全体は個別に先だつ」ものとして理解されてゐるのであるが、シュパンに於ても明確に注意されてゐる如く、彼の所謂全体とは、プラトーやアリストテレスに於てみられてゐた抽象

六

的イデアとは甚しく異なるところのものであつて、それは常に内在的に発展し続けてゐる動的な具体的全体を意味し、決して完結してゐる静的な普遍的全体をみてゐるのではない。従つて屡々誤解されてゐる如く全体主義は決して普遍主義ではなく、個別者の奴隷化を意味する単一主義とはその本質を異にするものである。併し乍ら「全体主義」はその表現自体に於て稍々もすれば従来の個体主義（個人主義）の反対的対蹠物と考へられ易い欠点を持つてゐる。従つて例へば全体主義的國家と云へば直ちに個人の人格、個人の自由、個人の独自性を無視する専制國家主義乃至独裁的強力主義と早合点され易い。特にこのことが我が國の識者に比較的多いのは甚だ遺憾と云はねばならぬ。それは全体主義思想の何たるやの沿革を知らず、英米の俗流的見解の先入観念に囚はれてゐる者か乃至は右に云つた早合点の連中かの何れかであらうが、斯かる早合点を誘致し、それから誤解を生ぜしむるが如き用語自体――特に日本に於ける「全体主義」の表現は面白くない――にも一部の罪があると云はねばならぬ。そこでシュパンの動的全体主義や、我が國に於ける合理的全体主義、相対的全体主義

七

等の修正の試みがあるけれども、矢張り然らば全体主義そのものは何であるか、は最後まで問題として残らざるを得ない。

固より今日までの全体主義理論には首肯し難い多くの点があり、特に「ためにする」理論づけも絶無ではない。併し全体主義の名の下に包括される精神が、現代の科学の危機、國家の危機に直面して、従来の認識原理乃至思惟形式に対する打解の試みである以上、所謂全体主義的精神が従来の凡ゆる旧思想に対する革新思想であることは明かである。新らしい酒は飽くまで之に適する新容器に盛るべきものかどうか。之は尚ほ今後に残された問題である。――我が國に於ては全体主義と云ふ代りに、こと國家秩序に関する限り、公道主義又は皇道主義等と呼ぶ試みもある。

二、ナチス・ドイツの全体主義及びファシスタ・イタリアの全体主義を概説するに先だち、右に述べた如く之が甚だ多義的に用ひられてゐるが故に茲で学術上全体主義と云ふときは之が如何なる意味内容を有するものであるかの大要

八

を一瞥して置くことは必ずしも徒事ではないであらう。

英米に於ける云はゞ皮肉的嘲笑用語として用ひられる全体主義を除けば、論者によつて多少そのニューアンスを異にするけれども、今日全体主義（全体性理論）は大体次の如き認識原理に基く思想であると云ふことが出来る。

第一、全体は個別に先んずる。

第二、全体は動的発展的全体である。

第三、全体者は個別者にその全体性の示現契機を有つ。

第四、従つて全体主義は共同体（広義の有機体）をその基体とする。

(イ)　「全体は部分に先んずる」との認識命題を定式化したのは、周知の如くそれはアリストテレスである。彼によれば「エイドス」（イデア）は、「本質的により先なるもの」として把握されてゐるのであるが、その所謂エイドスは現代の全体主義に謂ふ全体者とは異なり、プラトンの謂ふイデアと同じく、それは云はゞ神と同居してゐる普遍的静的全体者（茲に所謂普遍主義たる所以がある）に外ならなかつたものである。ところが今日の全体主義に所謂全体者は

九

一〇

アリストテレスのエイドス＝イデアの如く完結された全能者ではなく、更にその上に全体者を持ち得る可能性ある諸全体として把握されてゐるものであつて、従つて個別者も完結的な個別者として止るものではなく、更にその下に個別者を持つ云はゞ小全体として理解されてゐるのである。全体者はその限りに於て相対的全体者であり、決してイデアとしての如く抽象的な完結的静的全体者ではなくして、具体的全体者であり、従つて発展的動的諸全体として、現実具体的に規定されてゐるのである。即ち全体主義理論は物理科学に於けるアインシュタインの相対性原理乃至はハイゼンベルクの不確定性原理――それはボアーの相應原理と共に所謂新量子論と云はれる――にも比せられるべき文化科学に於ける相対性理論であるとも云へやう。唯現在に於ては最高全体者、最下位個別者が規定されてゐない。尤もそこにこそ後述するが如く所謂相対性理論の相対性理論たる所以がある（シュパンは之を神の世界に求めてゐる様であるが、何等その必要はない）。

茲に全体主義に謂ふ全体先行の思惟形式は論理的先行であり、事実的、時間的先行を意味しない。論理的先行と感覚的先行、精神的先行と具象的先行とは常に必ず厳重に区別せられてゐることを要する（この区別の不徹底から稍々もすると全体先行の思惟形式に素朴的な誤解を生ずる）。即ち全体主義理論に於てはより根源的なもの、より第一次的なものは全体者に在り、それの個別者は全体者の全体性を帯具し、また帯具するが故にのみ始めて本来の具体的存在者たり得るとするものに外ならぬ。従つて全体者こそ正に先行的実在でなければならぬと結論する。この点に関するシュパンの例を借りるならば「三角形の各辺は単独的に抽象して之を考へることは不可能である。必ず三辺は相関聯してゐることを要し、その一つを欠くも三角形は成り立たない。そしてその何れの一辺も他の二辺を共力者としてゐるのであるが、そのことは即ち三角形の各辺は三角形といふ全体者のうちに於てのみ三角形の辺としての存在が可能である。また三角形の内角の和は二直角であると云ふ特性を有つた一つの全体者であるが、この特性は三角形の構成者たる個々の辺又は個々の角に固有なる特性には非ずして、まさに総べての諸構成者の相関性、正確に云へば諸構成者を把握し

一一

てゐる全体性の然らしむる結果に外ならぬ」。更に彼は生理的有機体にその例を求め、「手や心臓や、更にその構成者たる細胞は、雑然と積み重ねた石から個々の石を取り出すやうに、全体者（有機体）から之を取り出し、又は之を引き離すことは出来ない。成る程、手や心臓やその他の器官は或る程度独自の機能を有ち、またそれ自身特別の生活を営んではゐる、併しそれはそれらの全体者として考へられる一つの身体の他の総ての熱源から光熱を受くることによつてのみ、即ち全体性のうちに内在する生命の火があればこそ、それは可能なのである。この場合生命力は個別者のうちに在るのではなくして、常に全体そのもののうちに在るのである」。

（ロ）全体を動的発展的全体と観るところに現代の全体主義が従来の抽象的普遍主義とその実質を異にする重要なるプンクトがある。プラトン以来の古典的普遍主義に於て定立されたイデアは、完結的全能者云はゞ絶対者として神の世界に逃避してゐる「熱なき火」に外ならないものであつた。個別者はこの全能者に後から帰属することによつてその存在が与へられてゐるに過ぎないと観る

一二

ものである。併し全体主義に所謂全体者は、斯かる抽象的なイデアとしてではなく、自ら発展し生成してゆく内在性を有つた具体的諸全体として理解されてゐるものである。そしてその発展生成の契機は内部的にも外部的にも矛盾対立綜合の弁証法に求められてゐる。シュパンはその全体性理論に於て飽く迄へーゲルの弁証法に依らざる旨を明記してゐるが、併し彼の試みてゐる体系原理は矢張り一つの弁証法的思惟形式であることは否めない。矛盾を差異に書き代へ対立を対應に訂正してみても、そこに盛られてある酒は決して新らしい酒ではなささうである。そのことは何れにしても、全体主義理論が一つの学理としての生命を有し得るが為には、それは単なる世界観であつてはならぬ。事実現に世界観ではない。尤も次節以下に於て明かな如く、今日現に採られてゐる独伊の全体主義体制の理論づけは、多くの場合に於て世界観的色彩が支配的であるこれ今日全体主義が尚ほ非合理主義として甘んじなければならない主たる原因である。云ふまでもなく従来の人間性――それはパトスとロゴスとの性格を有するものと考へられる――から遊離し、単にロゴス的面に於て行きすぎて了つ

一三

一四

た抽象的合理主義は既に試験済みであり、それ故にこそ今日科学の危機に直面してゐるのであるが、だからと云つて、その反対物たるパトス的性格の強調横行は許されない。パトスとロゴスとの相互否定的媒介即ち弁証法的綜合統一こそ世界を救ふ根本原理でなければならぬ。全体主義理論は正にこのことを企図してゐる。尤も今日まで斯かる全体主義的精神の確立されてゐないのは遺憾であるが、やがて之が明確に定立されるであらうことは身近く感知される。特にアジアの解放、東亜の自立を使命として立つた我が国に於ては新秩序思想としての全体主義をナチスに於けるが如く単なる民族的・人種的世界観たらしめて了つてはならないであらう。全体主義が社会科学の領域に於て科学的原理としての真理性を帯有し、真に現代科学の危機、国家の危機を打解し得るが為には飽くまでその論理の形式は弁証法に基いたものでなければならぬ。それは必ずしもヘーゲル流の弁証法としてではないにしても、認識原理の核心として万有の絶対性を相対のうちに看、当為を具体的存在のうちに認識せんとする弁証法（といふ名称がわるければ）文化科学に於ける相対性理論に立脚するものでなければならぬ。全体主義に所謂全体が動的発展的全体として把握されてゐるのは、よしそれが仮令無意識的にではあつても、斯かる推論の形式を予想し、前提してゐるものに外ならぬ。シュパンに於て、相当神秘主義的な句はあるけれども、その出発点に於ては充分この用意のあつたことはその著書の随所に見受けられるところである。

（ハ）全体主義に於ける全体者は決して、従来の単なる普遍主義に於けるが如く、個別者から遊離して、云はゞ神の世界に神と同居してゐる完結的全能者（イデア）として考へられてゐるのでもなく、また個別者の滅却に於て之と原始的・未分離的に合一してゐる東洋の無規定的・無差別的全体者、例へばウパニシャッドの「梵我一如」に於ける「梵（ブラフマン）」や、荘子の思想に於ける「物我一体」の物、孟子の「天人合一」に於ける天を考へてゐるのでもない。更にまた佛教に所謂「空」の思想、老子の「道」の思想に於ける「空」「道」の如きも共に現代的全体主義に於ける全体者とは無縁ではないにしても甚だしく隔たりを有つてゐるものである。蓋し全体主義に於ける全体者は、個別者と遊離してゐる抽

一五

一六

象的全体者でもなければ、また個別者と未分離的に合一してゐる信仰的全体者でもなく、それ自身個別性、特殊性を夫々に於て内在せしめてゐる諸全体として理解されてゐる相対的動的全体者であつて、個別者に於てその全体性を示現してゐる具体的実在的全体者であるからである。従つてこの相対的動的全体者は五官的認知の対象であるか、精神的・論理的認識の対象であるかは別としても、具体的実存的認識の対象たらざるイデアや、単なる「悟（サトリ）」として信仰的にのみ感得されるが如き「梵」や「天」と異なり、飽まで弁証法的に認識の対象となる発展的具体的実存者として定立されてゐるものである。また事実斯かる全体者にして始めて我々の学問的、正確に云へば科学的認識の対象となり得るものである。全体主義に謂ふ全体者は右の如く云はゞ刻々に自らを生き作ら彫刻してゆく発展的生命体として把握されてゐるものであるが故に、究極的な最高全体者例へばイデアを偶像的に定立して之に固定する必要もなければ――また事実そのことは不可能である。相対的理論はこの不可能を敢へて侵すことをしない。併し稍々もすれば之を強いて現在に於いて定立せんとしたのが従来の神経衰弱的市民病患者＝抽象的観念論者である。遺憾乍らシュパンも亦その例に洩れない。相対性理論はこの不可能を知ることである。――また究極的な最下位の個別者を拾ひ上げて之を詮義立てする何等の必要もない。「別様にもあり得る *Anders-können*」ことは歴史の法則であると考へられてゐたが、因果律の法則が動揺してゐる現代に於ては、それは精密科学に於ても認められねばならぬ自然の法則でさへもある（新量子論）。併しこのことは歴史の法則、自然の法則を否定することではない。イデアに固定して之に追従し、世界像を仮想して因果律に固執することこそ反つて歴史の法則を誤解し、自然の法則を無視することに外ならぬ。必然と偶然（理論と実践、ロゴスとパトス）との相互規定的な弁証法的綜合統一こそ歴史の真実の姿に対する全体主義的把握であると云ふことが出来る。それはまた自然に対しても正しい認識態度でもあらう。

全体者は個別者に於て具現され、個別者はこの先行的全体性を帯具することに於て、両者は相関的に共に且つ同時に生成されてゆくとみるところに、全体主義理論に於ける全体者と個別者との具体的把握がある。そしてこの全体者は

一七

一八

諸全体者として、個別者は諸小全体者として把握されてゐるところに相対的認識原理があり、そこに真の弁証法的認識、従つてまた単なる世界観としてゞはない学理的認識原理が理解されてゐるわけである。相対的なもののうちに絶対性をみ、特殊に於て普遍を認識し、個別者のうちに全体者を把握してゐるところに現代の全体主義の正に全体主義たる所以がある。

(二)　全体者は個別者に於て示現され、個別者は全体性を帯有し、よつて以つて両者が共に且つ同時に生成発展してゆくとみるのが全体主義であるが故に、全体主義は共同体を基体として立つてゐるものであることは明かである。また事実今日までの全体主義は、それが畸形的であり、全体主義的な範囲を出でないものであつても、常に必ず何等かの意義に於ける共同体を基体としたものである。次に述べるナチス的全体主義は所謂民族共同体 *Volksgemeinschaft* を、ファシスタ的全体主義は國民共同体 *Comunità nazionale* を基体として立つてゐるのである。ナチスに於ける共同体の研究家として知られてゐるプフェニング(*Andreas Pfenning*)によれば、共同体を幾つかの類型に分つてゐるが――彼は共同体と目されるものに小市民的な感傷的共同体、ロマンティク共同体、組合主義的共同体、ナチスの如き意思的共同体等々があるとしてゐる――、併し共同体そのものは云はゞ原事実 *Urtatsache* として理解せらるべきものであつて之を単に知的共同体、情的共同体、意思的共同体とバラ〳〵にして観ることは許されないであらう。或る程その重点主義による分類を強いて試るならば、一應右の如き分類も不可能ではないであらうが、眞の共同体である限りそれは飽くまで知、情、意の綜合的統一とみらるべき廣義の精神共同体とみるのが至當である。現代的全体主義がその基体として有する共同体は右の意義に於ける精神共同体であることは云ふ迄もない。共同体の典型的原形とみられ得る夫婦共同体について見ても決して単なる知的共同体でもなければ、また単なる情的な乃至は意思的な共同体ではなく、それはこれらの綜合たる精神共同体とみなければならぬ。更に小さくは家族共同体に於ても、大きくは民族乃至國民共同体に於ても、共同体を成立せしめてゐる根原的な紐帯は決して単なる自然的な「血」又は単なる意思のみではなく、飽くまで原事実を共同体として自覚する共同体精

一九

二〇

神に外ならぬ。全体主義は斯かる精神共同体を基体として始めて可能であつて、然らざる共同体を予想してゐる自称全体主義は、表見的か然らずんば畸形的全体主義と云はねばならぬ。少くとも学理的には承認され得ないものである。ローゼンベルグの所謂「血の神話」に出発するナチス的全体主義が、眞の全体主義の体現に非ずとされてゐる所以も茲に在るものに外ならない。

第二節　ドイツに於ける全体主義

一、　以上は社会学者の試みてゐる目下通説ともみられる全体主義思想に関する哲学的基礎づけであるが、歴史の現段階に於て採られてゐる現実の全体主義的体制は必ずしも右に述べたところと完全に一致するものではない。そのことは今日一般に全体主義的体制に在ると考へられてゐるナチス・ドイツ及びファシスタ・イタリアの社会体制をみれば明かである。そこに今日ドイツ及びイタリアの社会体制に対する多くの批判の余地ある所以であり、特にドイツに於ては既に早くもそのよつて立つ思想の転回を余儀なくされてゐる理由もあるわけである。とりわけチエコの併合とポーランドの分割併合は「一民族、一國家、一指導者」の原則を何等かの形で修正しなければならないことになつてゐる。それは次に説くそのナチス的世界観の不合理性に内在する自己矛盾の然らしむるところである。

ナチス的全体主義は、周知の如くアルフレッド・ローゼンベルグの「二十世紀の神話」(一九三〇年)に於て代表される云はゞ神話的全体主義の体現である。そこに於ては一切の合理的なもの、科学的なものは排斥され、人種魂としてのナチス的世界観――世界観については後に簡単に触れるつもりである――が王座を占めてゐるのである。その世界観の根底をなすものは、世界文化の創造的担当者は独りアリアン人種殊に北方ゲルマン民族であり、他の人種又は民族はその追従者(アジア人種も之に含まれてゐる)に非ざれば、ユダヤ人種の如く文化の破壊者であると盲信してゐることに基いたものである。併し乍らその誇大妄想的な民族的自惚も、その由来を尋ねれば、フランス人、アルトゥール・

二一

ド・ゴビノーの「人種不平等論・Essai sur l'inégalité des races humaines」の悲観的学説から、フーストン・チェンバレンの「二十世紀の基礎 Grundlagen des 19. Jahrhunderts」へと一脈の糸を引く「血の神話」であり、云はゞ民族の「信仰告白」の域を脱しない非合理的・素朴的世界観の結実に外ならぬものである。或る程この点に関する限り人も云ふ如く、晩期資本主義の汚泥の中に咲き出でた真赤な「無駄花」の一つとも称し得るであらう。果してそれが謂はるゝが如き単なる「無駄花」として終るか否かは今後の推移と、その思想的基礎を如何に是正してゆくかに懸つてゐるが、少くとも現在に於ては欧洲新秩序建設に対する大きな力強い「希望の花」となつてゐることは否定できない。

然し乍ら、或る程度科学的合理的に体系づけられたシュパン的全体主義と異なり、ローゼンベルグの「血の神話」に基く現ナチス的全体主義は、飽く迄閉鎖的・排他的民族観としてのナチス的世界観の域を脱し切らない非合理的精神によつて一貫されてゐるものの如くである。ナチスは最高全体者を民族に求め、

而もこの民族を自然的血統に基くゲルマン民族とみてゐるが故に、甚だしく非文化的非合理的全体主義たらざるを得なくなつてゐる。一切の哲学、一切の科学、更にそれは国家でさへも、この民族の維持発展へ奉仕すべき巨大なる下僕であり、「装置(アパラート)」であるとみられるに至つてゐる。国家も亦多くの手段のうちの一つであると把握されてゐるところに、現ソビエット・ロシアに於ける所謂プロレタリア全体主義(それは飽く迄表見的全体主義に外ならぬ)思想と接近し得る可能性を有つてゐるのであつて、これ次節に於て述べるイタリアの全体主義思想と根本に於て相違するところである。

自然的血縁的民族を唯一最高の全体者として偶像化したところに、ナチス的全体主義の救ふべからざる思想的欠陥が伏在し、そこに心ある現代の思想家が、ナチスの体制に対し、甚だしく疑ひの眼を以て見てゐる理由もあるわけである。また事実、ナチス自身極力「全体主義」なる表現を避けてゐるが如く思はれるところもある。だが、それにも拘らず、ナチスが従来の個人主義的社会秩序(所謂ベルサイユ体制)の打倒と、人間性と遊離した抽象的合理主義への挑戦に於

て克ち得た「民族」概念への到達は、ナチス自身之を好むと好まざるとを問はず、それは畸形的にではあるが、ナチ党綱領第二十四條に示されてゐるGemeinnutz vor Eigennutz(公益優先)の精神に於て見られる如く、一つの全体主義的社会体制であることも否定出来ない。これナチスに民族全体主義の名ある所以である。併しナチスの民族全体主義は飽く迄非合理的畸形的全体主義であつて、早晩歴史の法廷に於て「歴史的審判」の裁きを受けねばならぬことも疑ひなきところである。思ふにその誇大妄想的な民族的世界観に立て籠る限り、之を完全に救ひ得るが如き弁護人の出現は到底期待することは出来ない。蓋し、ディルタイの言を借りるまでもなく、世界観は単なる思ひつき的な個人的思惟でもなく、また単なる宗教的信仰の如きものではないけれども、併しそれは飽く迄「生による生への直観」であつて、たゞそれだけでは、ロゴスを置き忘れたパトスの強調でしかなく、歴史的現実を直視し、具体的事実を媒介としての科学的認識ではないからである。固より従来の抽象的合理主義はロゴスの一面的強調に過ぎないものとして既に清算済みではある。併し、だからと云

つて、単にその反対物たるパトス的、即ち抽象的な非合理主義を以て之に代へることは許されない。蓋し、それでは従来の科学の危機、哲学の危機、国家の危機を解決するものには非ずして、唯新たに解決しなければならない問題をもう一つ提出したものに過ぎないからである。これ第二次欧洲大戦以来、ナチスがその思想的危機に直面してゐる主たる原因である。

思ふに、世界を救ひ、世界文化を創造してゆく精神が、西洋的か東洋的か、ナチス的か日本的かと云ふ様な問題ではなくして、要はそれが正しいか正しくないかと云ふことが本質的規準として要請されるとするならば、世界文化創造の根本原理は、より真理に近い哲学的根拠に基く思想であり、精神でなければならぬことは明かである。そして斯かる意味の哲学が科学的認識(現実具体的な歴史的認識)を媒介とする世界観の止揚であるとすれば、当然にも現代哲学の主流としての全体主義理論は、また世界観を否定的に媒介したものであることは明かである(ロゴスとパトスとの相互規定的・相互媒介的止揚)。従つてこの意味からすれば、「血の神話」に含まれてゐるナチス的世界観が無條件に否

定されて了ふ訳では勿論ない。特にその「土」との関聯に於て把握された「血」は、我等の大いに着目してよいところであるが、併しその民族の「血」を化学方程式に於て示される自然的血液として把握することは、余りにも素朴的な世界観と云ふべく、歴史的現実に対する盲目も甚だしいと称せざるを得ないであらう。蓋し、その謂ふところの民族も決して自然的血縁によつて結ばれてゐるが故に民族なのではなくして、それはより多く歴史的に従つてまた文化的に精神的に結ばれてこそ全体者としての民族となり得るものだからである。血の純潔の重視はよい。併しその謂ふところの血は、之を歴史的文化的「血」と解してこそ始めて世界文化の担当者たるに應はしい血たり得るものであらう。排他的な自然的血液の純濃度の必は寧ろ世界文化からの孤立を意味するのみならず、それはやがて、その種族そのものゝ絶滅をも結果するものであることはアメリカの例を引くまでもない。

二六

二、右に述べた如く、ナチスが思想的にみて如何に批判されるものであるにせよ、以下私は法の分野に於けるナチス的全体主義の権利概念の変更及び之が立法の概観を試みてみなければならぬ。

現在ナチス法学者のものした権利概念の云はゞ「コペルニクス的転回」に関する論述は頗る多い。寧ろナチス法学者にして何等かの意味に於てこの試みをなさない学者は殆どないと云つた方が適切である。そして特に「血」と「土」とに関する民族全体主義的単行法は益々その規定の範囲を拡げつゝあると云つてよい。未だ民法典に関してはその統一的改正の運びに至つてゐないが、ローマ法的個人主義の主流に支配されてゐる民法が個々の単行法による実質的改正の外、形式的にもやがて急角度の転回をした新権利概念を盛つて出現するであらうことは予想するに難くないところである。併し今は唯諸学者の之に関する見解の概要を摘要しておくに止める。

先づ第一に我々の注目に値する学者の論述としては「国民社会主義的ドイツ国に於ける民法」と題するボン大学教授ハンス・ドェーレ（*Hans Dölle*）氏の改正試案に関する論文である。この論文の発表されたのは（シュモラー年

二七

報第五七巻第五号）一九三三年ナチス政権獲得直後のことであり、その民族的世界観に基く「血」と「土地」とに関しては尚ほ僅かに「遺傳的疾病ある子孫防止に関する法律」と「プロイセン世襲農地法」の二つの単行法が制定されてゐるに過ぎなかつた。氏の民法全般に亘る具体的改正試案のうち、既に親族編相続編に関してはその後今日まで幾多の単行法によつて実現化されたものも少くない。やがてはその総則編、財産編（債権、物権編）に関しても氏の意見が直接又は間接に採用され、乃至は少くとも之が重視せらるべきものであらうことは疑ひないところである。

氏は民族全体主義に於ける法的思想の影響の下に民法が如何なる変化を受けるかに関し、問題を大きく二分し、(1)新たなる法律思想――それは *Gemeinnutz von Eigennutz* 即ち公益優先の思想に要約される――による民法の変化が始つてゐる部分ありや否や、若しありとせばそれは如何なる部分に於てゞあるか、(2)民法を改正してナチスの要求を実現すべしとせば如何なる規定が如何に改正せらるべきであるか、に関し比較的具体的の試案を提出してゐる。そしてその論述の前提として先づ公法と私法との関係を一瞥してゐるので、いる。尤も公法と私法との関係に関しては後述するが如くイタリアに於ても法律学者の大きな課題の一つであり、それは全体主義的法律思想に於ては必然的に解決されなければならない問題であるとも云へる。

ドェーレ氏の公法と私法とに関する端的な見解は「公法と私法との概念的区別の解消」であり、私法、といふよりも法律思想一般に於ける「公法的観照態度」の要求せらるべきを強調し、「将来は私法的関係に於ても単に二個の私的主体のみが関係当事者とみらるべきではなくして、この他にもう一つの入格者が常に直接関係ある第三の当事者として加入せらるべきである。この第三の当事者とは即ち民族共同体の利益の代表者としての国家であり、且つこの第三の当事者に対しては法律関係の形成に於て常に決定的意義が認めらるべきである」と主張する。そして斯かる主張の根據として「従来の法律思想によれば、私法は同位的な個人の生活関係をその対象とせる規範の総体であるとされ、従つて稍々もすれば私法の領域に於ては関係当事者たる個人の利益のみを考慮し勝ち

二九

三〇

であつた。そして斯く個人の利益を考慮し、平均化することによつて正当なる平和秩序について存する一般の利益も亦実現される、と説明する。云ひ換れば従来の法律思想の下に於ては、公共の福利なるものは個々の権利主体の相衝突する要求の適当なる調節によつて自ら保持されるものであるとせられたものであつて、従つて公共の福利（Gemeinwohl）なるものは間接的にのみ私法の形成に関係せしめられてゐたに過ぎなかつた。併し乍ら今やナチス國家に於ては、斯くの如き私法の個人主義的把握は許さるべくもない。即ち私法も亦その標準は之を全体の福利と云ふ点から把握さるべき一つの規範領域としてみらるべきであり、従つてその出発点は個々の関係当事者の利益状態には非ずして、寧ろ争ひの的たる問題に関してなさるべき解決は國民全体の利益と如何なる関係に立つやについての考慮でなければならぬ」が故であるとしてゐる。即ち氏の見解は一切の法律関係は常に必ず当事者の一人格者に國家を含む三面関係として把握すべく、従つて従来の分類による公法私法の概念的区別は止揚せらるべきであるとするものである。尤も氏は、斯かる主張によるも、私法の独自性

三一

は毫も害せられるものではないとして、「蓋し、法律秩序は、之が私有財産と私経済取引とを認める限り、同位的な権利主体相互の関係を対象とする規範は之を欠くを得ざるものであり、従つて右の主張は決して個人的関係は法律的承認と形成に値ひしないといふことを意味するものではなく、唯将来は斯かる個人的関係の法的形成も常に公の利益を第一次的に考慮しつゝ行はるべきである、との意味に外ならぬ」と注意書を添へてゐる。

氏は第一の問題、即ち新たなる法律思想により民法の変化が始まつてゐる部分ありや、に関し、之を更に三つの問題に分つて概説する。

(イ)　先づ第一に問題として取り上げたのは所謂「裁判官の形成権」である。即ちナチスに於ては裁判官の法規に対する地位如何の問題であるが、之に関しては相異る二つの見解がみられる。一は、「裁判官は飽く迄法規の具体的適用者としての『裁判機関』であるが故に、常に法規に対する高度の忠実のみがナチスの本質と一致する。従つて裁判官はナチスに於ては飽く迄立法者によつて発せられた一般命令に忠実に服し、立法者の意志の実現に努むべき義務を負ふ」

三二

と主張する一派と、之と対蹠的見解に立ち、「立法者による法規（ゲゼッツ）の設定行為は従来既に行はれてゐる法（レヒト）の調整の試みであるか、又は将来の法を新たに作ることの試みかの何れかである。前者に関しては之を何れにするも、後者の場合には設定された法規はそのまゝにては未だ法たるの資格なく、該法規の内容が民族共同体によつて承認せられ、現実に生活秩序の中に入り込むことによつて始めて法となるものなるが故に、裁判官は法規が真に共同体の意志に適へるものなりとの確信を有する場合に於てのみ之を適用すべきものであり、然らざる場合には自ら共同体の意思を究明してそれに適する裁判をなすべきである」と主張するランゲ（Lange）一派の説である。之に対しドエーレ氏は所謂指導者の原則（Führerprinzip）に基き、寧ろ前説に傾く折衷説を主張してゐるのである。即ち「思ふにナチスの指導者の原則によれば、指導せらるゝ者の行為の規準を決定する者は、唯指導者に外ならぬ。そして指導者と被指導者とは相互に忠実義務を負ふのであつて、指導者は規準の決定に当つては常に之を唯全体のための福利と云ふ観点からのみ行ふべき責任を負ひ、被指導者は絶対に斯か

三三

る指導者の決定に服する義務を負ふのである。而もこの原則はナチスの社会に於ては凡ゆるところに妥当すべきものである。果して然りとせば、その指導者（指導機関）によつて制定された法規は指導者の決定に外ならぬものと解すべく、単に将来の法の作成の試みと云ふが如き未成品ではない。従つて苟くも法規たる以上裁判官は之に服従するの義務を負ひ、指導者の決定に対し、これが果して共同体の承認するところとなつたか否かを向ふが如きことは許さるべくもない。然れども之に関しては次の諸点の充分注意せらるべきは云ふを俟たぬ。即ちナチス以前の見解から生じた規範にしてナチスの根本原則と背馳するものも尚ほ法規として有効なりや否やの問題と、裁判官の法規への忠実義務との問題との混同である。云ふまでもなく、元来裁判官の法規に対する忠実の要請は、個人をして法律効果の予測を確実ならしめ、よつて以て個人をして危惧することなく充分自由に活動せしめる、と云ふ個人主義・自由主義的見解から出たものではあるが、だからと云つて直ちに個人主義自由主義的見解から出た凡ゆる生活態度が常に本来的にいつ如何なる瞬間に於てもナチスと結び付き得ないと

結論するが如きことは許されないであらう。蓋し、ナチスが尚ほ過渡時代に在ること、それにもまして、ナチスの指導者が数次繰返へし言明せることによつて知られるやうに、個人の創意による経済の復興を期待せること及び企業家はナチスに於ても尚ほ指導的役割を演ずるものであり、而も彼等は長い期間に亘り動揺なき経営を可能ならしむる法の確実性を何よりも要求するものであつて、このことは裁判官が法規に忠実なることによつてのみよく之に答へ得るものなるが故である」としてゐるのである。

(ロ)　次に氏が問題として取り上げたのは権利概念一般に対して要求せらるべきナチス的態度である。裁判官の法規に対する地位は従来と原則的には変らないけれども、権利概念については根本的にその変更の要請せらるべきことを主張する。即ち、「自由主義的・個人主義的観察方法の下に於ては、個人は一定の範囲内に於てその意思の欲するがまゝの主張が許容せられ、且つこの許容は法律の保護するところに外ならぬ。而して斯くの如き意思力、支配力、法律上保護されたる意欲の存するところ即ち権利の存するところと考へられた。そして立法と云ひ、法律学と云ひ、何れも権利をその発生理由と社会的機能とから全く切り離して考察し、よつて以て個人の活動の自由を出来るだけ広範囲に於て認めることに努力した。斯くて権利の行使は僅かに善良の風俗に反する場合、又は単に他人に損害を加ふる目的のみを以てなされた場合と云ふが如き、極めて稀なる場合に於てのみ無効又は不法と認められてゐたに過ぎなかつた（独民法第二二六條）。之に反し、ナチスの原則は権利に関する従来の考へ方を是正して、権利を以て単に法の一機能を表はすに過ぎざるものとみること、即ち権利は個人自身の利益のために個人に与へられたものに非ずして個人をして共同体（民族共同体）の一成員としての義務を果すことを可能ならしむる手段として与へられたものとみることを要求する。換言すれば、権利は、ナチス的共同体に於ては、最早その内容の最後の一片までをも消耗し盡すことを許すが如き利己的な権利たることを止めて、共同体の利益のためと云ふ点に於てその行使の限界を課せられてゐる社会的な権利となるのである。従来親権、後見人の権利等二三の権利に就いてのみ説かれてゐたところの、かの権利の義務履行の手

段性と云ふ道理は、今や凡ゆる権利に関して妥当すべきである。ワイマール憲法に所謂『所有権は義務づけられる』との命題は『権利は義務づけられる』と広めらるべきである。右の如き考へ方に従へば、権利が反社会的な仕方に於て行使せられたるときは、その行使は不法なる行使となるや明かであらう云々」。

(ハ)　氏は最後にヘーデマンの所謂帝王條項即ち白地規定に関し、その考察態度の変更せらるべきことに言及する。「法規がその時々の社会的観照に應じてその内容の補充を受くべき白地方式及び白地概念を用ひてゐるところに於ては法規の文言そのものには何等の変更がなくとも、新なる法律思想は直接之に貫徹さるべきことは明かである。従つて、信義誠実、善良の風俗等の白地概念が従来とは全く異れる内容を盛るに至つたことは疑ひなきところである。即ちこれらの規準は今や社会的規準（Soziale Maßstäbe）として理解されるところとなつたのであつて、例へば債務者又は債権者の行為は従来の如くそれが特定の相手方に対する行為として適はしきものなりや否やと云ふが如き個人的観点からではなく、それが果して公共の福利と云ふ共同体の要請と一致せるものなりや否やと云ふ観点から吟味せられなければならなくなつたのである」。

次いで氏は第二の問題、即ち民法を改正してナチスの要求を実現すべしとせば先づ如何なる規定が如何に改正せらるべきであるか、に関し、之を現行民法の編別の順に従ひ、次の如き比較的具体的な改正試案を提出してゐるのである。

(イ)　総則篇

(1)　「公益は私益に先だつ」といふナチス的思想の根本原則の最も巧妙なる立法の表現手段は、反社会的な自己の利益のみを追及する意思に対してその欲する法律效果を拒絶すると云ふ方法である。この点からみて先づ改正せらるべきは第二二六條であらう。同條は他人に損害を加ふるの目的のみを以てする権利行使を禁止した規定であるが、同時に所謂『他人』は、他の個人のみを顧慮せる点に於て全く個人主義的思想に立脚せるものなるのみならず、それは通説に於ても夙に認められてゐる如く余りに狭い規定だからである。よつて同條は之を『公共の福利を害するが如き権利行使は之を禁止す』と改正すべきである。

三八

これと同時に、公益優先の原則からして、公共の福利に反する法律行為の無效たるべきは当然である。既に第一問の(い)に於て述べた如く、第一三八條は善良の風俗に反する法律行為は之を無效としてゐるのであるが、今日に於ては公共の福利を脅かす事態こそ正に何よりも善良の風俗に反するものであることは一般に知られてゐるから、公共の福利に反する法律行為の無效は既に実質的に現行法となつてゐると云つてよい。併し疑ひを避ける意味に於て同條第一項は之を『善良の風俗に反する法律行為は之を無效とす、殊に明かに公共の福利を害するが如き法律行為は無效とす』と補充せらるべきことが望ましいことである」。

「右の改正に関聯して一應茲に問題となるのは、斯くの如く実体法が公共の福利に反するが如き法律行為を無效と規定することによつて、果して共同体の利益が予期された如く充分に保護せらるゝを得るやである。我等の常に考へなければならぬことは、実体法が行為の無效を定むることによつて、個人意思はその欲する法律效果を獲得し得ないと云ふ単に観念的な結果が得られるに止るだけであつて、斯かる規定のみを以てしては決して当事者が法律的義務又は拘

三九

束の存せざるに拘らず尚ほ無效行為を事実上履行しへ後述する不当利得の問題参照)、よつて以て公共の利益を害し得るが如き事態の発生を防止するを得ない、と云ふことである。然るに従来の立法者は、善良の風俗又は強行規定に反するの理由によつて法律行為の無效なるが如き諸場合に於ては、当事者又は利害関係ある第三者の自己利益は、彼等自らをして法律行為の無效を主張せしむるであらう、との単純なる個人的欲望本能に期待し、単に行為の無效を抽象的に宣言する以上に何等積極的方策を講じなかつたのであるが、併し斯かる個人的自由主義こそ正に根本的に否定する新法律秩序に於ては、右の如き消極的態度に甘んずることは出来ない。即ち今や新法律秩序に於ては、無效なる法律行為の事実上の履行が共同体の要求に反するに拘らず、而も当事者の自己的利益は敢へて彼等をしてその履行を欲せしむるが故に、何れの当事者もその行為の無效を主張せざることの余りに多い事実に注意の眼を注がねばならぬ。よつて斯かる不合理なる事態の防止策としては国家をして一般利益の番人たるの役割を担当せしむることが最も適当であることを提唱するものである。のみならず、か

四〇

くしてこそ前述せる国家の参加せる私法関係に於ける三面関係の把握が実際的意義あるものともなるであらう云々」。

(2)「(1)に於ては、如何なる制度によつて公共の福利を害する惧れある行為から、その実質的作用を奪ひ得るか、について考察したのであるが、我々は民法の改正に着手せんとするとき、如何にして公共の福利を促進し得るが如き私法関係に対する阻害物を除去し得るやの問題も同時に考慮に値するものであることをも知らねばならぬ。こゝで先づ我々の考へねばならぬことは、我が民法典が法律行為を全く無效なるものと宣言するか、又は有效なりと宣言すると云ふ両極端の断定以外には原則として無関心であり、法律行為の一部にして無效なるときは、その無效の部分なかりしとするも尚ほ該法律行為をなしたるならんと推定せらるゝ場合の外はその法律行為は全部無效である(第一三九條)と定めてゐることである。併し乍ら思ふに斯かる規定は、一般の利益を常に重視する法律秩序の立場からは肯定され得ないものである。何となれば、無效なる行為又は取消し得べき行為の一部の維持と実行とが、当事者の利益に合すると

四一

共に全体の利益に合致するが如き場合が考へられ得るからである。こゝに現行民法典の硬直なる規定が弾力性ある規定を以て置き代へらるべき必要が存するのであつて、我々は利害関係ある当事者又は検事(公益の代表者)の要求あるときは法律行為の無效を、その滅却するに値ひする部分にのみ限定し、他の価値ある部分を維持する権限を裁判所に附與するのが妥当であると考へるのである」。

(3)「最後に民法典の改正に於て看過し得ざるものに、所謂担保的譲渡(Sicherungsübertragung)一般的に云つて信託的行為(Treuhand-geschäft)の問題がある。その有效なる行為であることに関しては、既に第二二三條第二項の規定から帰納し得るものではあるが、併し之が明文の規定を欠くといふことは、この種の法律行為は或は法律の回避行為に非ざるやの疑ひを抱く者が絶無ではないから、この際斯くの如き疑ひを一掃するため、信託的行為に就いての規定を明文化することが望ましいことである。云ふまでもなくそれに際しては古いドイツ法的思想に基き、之を蘇生すべきものであることは

論を俟たない」。

(ロ) 債権編

ドェーレ氏が債権編に関して取り上げたのは、契約自由の問題と、損害賠償問題、及び不当利得の返還問題の三つである。特にその最後の問題に就いては可なり思ひ切つた結論を下してゐるのである。

(1) 債権法を支配せる契約自由の原則は、云ふまでもなく自由主義・個人主義の法の分野に於ける典型的現象形態であるが、我々は実際的理由から尚ほ或る程度まで之を維持せねばならぬ。蓋し、債権法は取引に関する法であり、経済生活に於ける殆ど凡ゆる事象は当事者間の債権法的約束、即ち当事者相互の権利と義務とを前提としてゐる。思ふに我々の近代的経済生活は複雑極まりなきが故に、之を一定の不可変的典型に押し込め、この典型以外の方法で相互の権利義務の形成を全然禁止するが如きは、事実上不可能と云ふべきである。されば我々は債権契約に関しては後に説くが如き意味に於ける締結の自由と、内

容形成の自由とを原則として保持せねばならないのである。併し、既に屡々述べた如く、右の自由は無規定的な単なる個人的恣意たり得ざるや論を俟たぬ。即ち法律の禁止、善良の風俗等の従来の限界の外に、更に公共の福利と云ふ限界が強い力を以て之に作用するのである。斯くて今後は二人の個人間の債権関係は、各自がその個人的利益を法律秩序の保護の下に飽く迄も追及し得る闘争関係（従来は債権法関係は個人間の戦争規定とみられてゐた）として理解せらるべきではなく、その中から全体の為めに有益なる結果の発生すべき共同体関係として理解せらるべきものである。而して斯かる考へ方こそは当事者をして信義誠実と公共の福利とに合致する行為をなさしむる所以である。立法者は既に賃貸借法及び労働契約等に関しては、当事者の同位的地位の擬制を打破して弱者の保護にまでその歩を進めてゐるが、今後は一層斯かる経済的勢力の相違や知識の隔たりのために、契約の自由が、実質的には不自由となれる場合に対して意を用ふべきである」。

(2) 「現行民法の規定にして不合理極まるものに損害賠償に関する硬直的規

定がある。現在に於ては凡ゆる損害賠償義務の発生に当り、仮令加害者の過失が極めて軽微なるときと雖も、加害者はその全損害を賠償しなければならぬ。例へば極めて些少なる過失に因つて百万長者の財産を傷けた労働者も被害者に対しその全損害を賠償せねばならぬ規定になつてゐる。このこと自体が既に甚だしく不合理であるが、裁判の実際に於ては客観的な過失概念が専ら判断の基礎とせられ、個々人の予見能力が殆ど顧られない実状に想到するとき、その結果は更に恐るべきものとなる。然るに一方に於ては、一般に必要なる注意をなしたるにも拘らず傷けられるに至つた労働者に対し、主観的な法律要件欠除の故を以て之が賠償義務なしとせられる資本家もあるに至つては洵に言語同断と云はねばならぬ。固より立法者が凡ゆる場合を想像しての確固たる法律効果を前以て規定し置くことは云ふべくして不可能である。従つて斯かる場合のためには、裁判官をして各個の場合の妥当なる判断の発見を可能ならしむるが如き弾力性ある一般的規定の設定を必要とする。この観点からすれば『故意又は重大なる過失に因らずして損害を発生せしめたる賠償義務者が、若しその賠償義

務の履行の結果困窮に陥る惧れあるときは裁判官は之を斟酌してその賠償義務を軽減することを得』と規定するスイス民法第四四条第二項の如きは我等の一應範とするに足るものであると云ふことが出来る」。

(3) 氏は斯く論じ来つた後に不当利得の問題に関し次の如き革新案を提出してゐる（日本に於ても所謂闇取引と関聯して充分考究の余地ある点であると考へられる）。「我が民法に於ける原則の一をなすものに所謂物権行為の無因性がある。即ち出損と之を為さしむるに至つたその基礎たる債権法的義務との切断である。云ひ換へれば、出損の基礎たる法律原因、例へば売買その他の債権関係が何等かの原因で仮令無效なるときと雖も、それによつてなしたる物権行為（給付行為）は尚ほその效力を保つとせられるものである。自然的感情からすれば斯かる法原則は甚だ奇異に過ぐるものと云はねばならぬが、取引の安全と云ふ点からみて右の原則は一應之を保持しなければならぬ。併し、その原則の云はゞ緩下剤とも称され得べき不当利得返還の制度に関しては之を次の如く改正しなければならぬ。現行民法第八一七条が立法として失敗であつたことは既

四六

に久しき以前から一般に認められてゐるところであるが、特にその第二文は所謂『現に持てる者をして保持せしむべし』との観点から立案された規定であつて、今日ナチスの法的思想と背馳するものであることは明かである。その定むるところによれば、給付の受領者並びにその給付者が共に法律の禁止又は善良の風俗に反することを目的とした場合に於ては之が返還請求をなし得ざるものとするのであるが、この規定に基き先づ全部又は一部を受領したる当事者の一方が自己のなすべき反対給付を拒絶したるが如き場合極めて正義感に副はざる結果の発生することは、娼家の賣買及び暴利行為に関し、妥当なる結論に到達せんとして尚ほ未だよく到達し得ざるに鑑みて明かである。思ふに関係当事者たる個人の立場からその正義に合する改正案に到達せんと努むる限りその努力は無益であると云はねばならぬ。よつて我々としては寧ろ斯くの如く当事者に関し法律の禁止又は善良の風俗に反する不法の目的の存在が認められるときは、その既になされたる給付は共同体に帰属する旨の宣言こそより妥当的な解決方法であると信ずる」。

(ハ)　物権編

(1)　「我が民法典が、ローマ法にその源を発する極めて個人主義的な所有権概念を採用してゐることは、その第九〇三条の規定に示されてゐるところであるが、これ所謂所有権の無制限性に外ならぬものである。例へば土地の所有者は之を放置して荒廃せしむることが出来、食糧品の所有者は国民中に窮迫せる者があるに拘らず之を海中に投棄し得るが如く、原則としてその使用又は処分は所有者の意志が決定的であつて、所有者は共同体の利益と云ふことによつて何等の拘束も受けないのである。唯法律の規定又は第三者の権利のみが所有権を拘束し得るに止まり、而も第三者の権利及び内容は厳重に制限せられてゐるのである。併し乍ら斯かる無制限的な所有権の概念が今日承認され得ないことは、前述せる権利及びその行使の問題に関して云つたことによつて明かである。よろしく『所有権は義務づけられる』といふ規定こそ物権法の冒頭に位すべき原則であらう」。

四七

四八

(2)　「ナチスの根本精神に基いて民法を改正すべしと主張する者の意見は、先づ土地法が徹底的に改正せらるゝ必要あることに於て一致する。成る程現行民法が一応動産不動産に関し、その規定の立て方を異にしてゐることは事実である。併しその相違の多くは、動産不動産上の所有権及びその他の権利の得喪及び変更の要件に関して示されてゐるに止り、権利の内容及び限界に関する規定に於ては両者は異るところはない。即ち動産上の所有権と土地上の所有権とはその本質に於て全く同一であるとされてゐるのである。云ふまでもなく土地所有権に関してはその行使を制限せる幾多の規定特に公法的規定が存する。併し乍ら民法及びその他の民法的規定は、土地上の権利を寧ろ動産化し、土地をして第一次的には取引の客体即ち商品化せんとする傾向を示してゐるのである。ナチスが土地に対して之と全く逆の態度を採るべきや明かである。即ち土地は民法の規定せる要件の下に転々として随時譲渡し得る地表の一部とみらるべきものではなくして、ドイツの土地は、国家及び国民生活の基礎、故郷、国民の生成的環境、最良最高の財、寧ろ神聖なる物とさへみらるべきものである。従つて之に対する法律秩序はこの観点から樹てらるべきである。固より土地に対する個人的所有権を全然否認するが如き程度にまで之を極端化することは出来ない。何となれば、斯くの如きは反つてゲルマン法的見解に背馳するのみならず、各人の自由なる人格の価値を認むるナチス的見解にも逆行するからである。だがそれにも拘らずナチスに於ては土地所有権はランゲが正当にも主張するが如くそれは信託的特徴を帯びてゐるものであつて、土地所有者は共同体より土地の信託を受けてゐる云はゞ土地受託者であるとの見解を採るときは、この信託に反して国民の利益を害した者は、その権利を奪はるゝか、少くともその行使は禁ぜらるべしとの結論に達する。更にまた、国家が一般のため土地の最良の利用をなさしむるため、土地の使用を監視することも必要であり、且つ妥当とせらるゝに至る。以上の外、ナチスの立場に於ては、外国人によるドイツの土地の取得を制限する立法及び公共の福利に反するが如き土地の細分割に対する制限等も亦当然要求せらるべきものである」。

四九

(二)　親族編及び相続編

本節冒頭に於て一言せる如く、ナチス的全体主義は「血」を基礎とする民族共同体を基体とするものであるが故に、ナチス及びナチス的法学者がFamilie即ち家族共同体（Hausgemeinschaft）を看過した現代民法の親族編及び相続編に対し鋭く之を批判したであらうことは想像するに難くないところである。ドェーレ氏も亦親族編中の核心たる婚姻、及び相続編中の各所に対し、次の様な改正意見を提出してゐるのである。氏の革新意見がその後着々として現実に立法化されてゐることは後に掲げるその立法例に徴してみても明かである。

「新国家は婚姻締結の要件については、特に社会衛生的見地及び種族的見地から之を定むべきである。社会衛生的見地は、自由主義個人主義現行民法は殆ど全く之を看過してゐると云つてよい。尤も現行法に於ても近親者間の婚姻を禁止し、婚姻年齢の制限を始め、精神病者その他精神上の欠陥を有する者の婚

五〇

姻は之を禁止し、又は困難ならしめてゐるが、その理由は専ら倫理的見地から定められたものに過ぎないのであつて、その証據には遺傳的疾患そのものは民法としては別段婚姻障碍ではなく、また法律上医師の健康証明書は婚姻締結の必須的要件になつてゐない。尤も社会衛生的見地に於ける婚姻制度の改正に当つては、一定の疾病特に遺傳的疾病に対し、その疾患なき旨の医師の証明書を以て婚姻締結の一要件とするが如き方法も考へられないこともないが、既に北米合衆国に於ける失敗の経験に鑑みれば之のみを以ては決してその最良の方策とは云ひ得ないものがある、のみならず、他方に於て、婚姻の要件を厳重にすることはそれだけ妾の増加するに至るであらうといふ点も充分考慮しなければならぬ。従つて結局は既に『遺傳的疾患ある子孫の出生防止に関する法律』によつて一應開かれた途を歩み続けることがこの際最も妥当であるやうに思はれる。同法第一條によれば、遺傳的疾病に罹れる者に対しては、医学的の経験上その子孫の著しき肉体的若しくは精神的な遺傳的欠陥を受くること確実ならんと考へらるべきときは断種手術を行ひ得る旨を定めてゐるが、実にこの断種手術

六一

こそ我が国民の健全性を保ち得る副作用なき最良の方策であると信ずる。そしてこの方法による実效を確実ならしむるためには、戸籍吏をしてその必要なる監視と情報の蒐集等をなさしむるとも考へられる。

ナチス的法律秩序に於ては、アリアン血統の者と非アリアン血統の者との間には、婚姻は勿論その性交をも禁ずべきである。これナチス運動の目的の一たる種族保有の要求から当然生ずる帰結である。右の外尚ほ単に個人的幸福のためといふ観点から従来試みられてゐる離婚の容易化の努力は、或はナチス運動の傾向と背馳するものに非ざるやに就いても一考を要する。之と同時に婚姻外の子及びその母に対する保護も、種族的見地からは充分考慮されてよい問題である」。

「相続法に関してもナチスの原則は多くの改正点を要求する、蓋し、既に相続の客体たる個人の所有権概念が変更を受けたるのみならず、相続そのものに対する見解が従来と甚だしく相違するに至つてゐるからである。ナチス的見解によれば、相続法の源泉をなすものは、個人を結合するところの血族的。有機

五二

的連繋であり、個人の恣意を許さざる血族的紐帯であつて、この秩序の上に立つ相続順位こそは正しく正当なる相続順位であり、遺言の自由の如きは唯その硬直的規定を一定の事情の下に緩和するための単なる一手段とみるべきだからである。右の如き見地からして先づ改正を要するものは遺留分に関する規定である。その他更に現行民法の採用する法定相続順位の無制限に対しても一考するの要があり（被相続人に近親者なき場合は民族共同体の代表たる国家をして相続人たらしむるのも一方法である）、配偶者の相続権の強化等も特に注意されてよい点である。夫婦共同体が死を超えて存続するとみるナチス的見解によれば、現行民法に於ける生存配偶者の第二順位の相続権は甚だ物足らぬものと云はねばならぬ。よろしく生存配偶者にはその生存中は少くとも、一定の限界の下に全相続財産の使用収益権を附與すべきである。次に被相続人の遺言処分や、共同相続人の分割等に関しても、常に民族共同体の利益と云ふ点から一定の制限を設ける必要あるべく、相続資格の喪失に関しても、単に被相続人の個人的意志のみに係らしむることなく、民族共同体の損害に於て自己の利益のみ

五三

五四

を図るが如き行為をなしたる者も当然之を無資格者中に数へてよいことであらう云々。

以上がハンス・ドエーレ氏の民法改正試案に関する摘要であるが、氏の外特にランゲ、ビンダト、ラレンツ等の諸学者の試みてゐる法の概念、権利概念に対する見解は、何れも民族共同体を基体とする全体主義的革新意見であり、従来の個人主義的法概念又は権利概念に対する単なる修正意見に非ずして、云はゞ「コペルニクス的転回」と称し得べく、蓋し二十世紀前半後期に於ける法学界の一偉観と云ふべきである。併しそれら諸学者の意見に対する詳細なる論証は夫々の専門学者に一任することにし、次に専ら「血」と「土」とに関するナチス立法の大勢を概観して本節を終ることにする。

(1)　一九三三年一一月二三日、婚姻及ビ養子縁組制度濫用禁止法

本法は、当事者間に於て夫婦共同体の形成を直接の目的とせず、妻をして単に夫の家名を冠せしむることを唯一の目的又はその主たる目的とする婚姻は之を無効とし、養子縁組に関しては、その縁組により当事者間に親子としての家族関係を生ぜしめんとするものに非ずとみらるゝ充分の疑ひあるとき、及び当事者間に親子関係を生ぜしむることが養家にとり又は公共の利益といふ立場からみて望ましからずとみられる重大なる理由のあるときは、その縁組を認可しない旨を規定したものである。尚ほ本法は一九一八年一一月八日以降の婚姻及び養子縁組にまで遡及して適用されることになつてゐる。

(2)　一九三四年七月一四日、遺傳的疾患アル子孫防止ノタメノ法律

本法は優生学的根據に基き、法定の遺傳的疾患を有する者に対し、断種手術による生殖能力の剝奪を規定したものである。その法定の遺傳的疾患として本法に掲ぐるものは、先天性精神薄弱・精神分離症・循環的精神病・遺傳性癲癇病・遺傳性舞踏病・遺傳性盲・遺傳性聾・遺傳性重患畸形・重患アルコール中毒症の諸疾患である。これら諸患者に対しては本人の意思に反しても断種手術を執行し得ることになつてゐる。断種手術の決定権を有するものは遺傳健康裁

五五

五六

判所である。

(3)　一九三五年九月一五日　独乙ノ血及ビ独乙ノ名誉保護ニ関スル法律

本法はドイツ民族の血の純潔を保護する観点から、ユダヤ人とドイツ人間の婚姻を禁止し、之に反する婚姻を無效とし、更にユダヤ人とドイツ人との婚姻外の性交をも禁止せるのみならず、ユダヤ人にして四十五年以下の女性は之を家政婦としても雇ひ入れることを禁止してゐる。尚ほユダヤ人に対しては、ドイツの名誉を表現する一切の行為例へばライヒ旗国旗の掲揚等を禁止してゐる。

(5)　一九三五年一〇月一八日、独乙民族ノ遺傳的健康保護ニ関スル法律

本法は前掲(2)と同様の立場から、従来認められてゐた親族法上の婚姻障害理由の外、更に次の様な新たなる婚姻障碍事由を附加したものである。(a)婚姻せんとする当事者の一方の傳染性的疾患(これには性病一般の外結核病も含まれてゐる)、(b)当事者一方の禁治産又は準禁治産、(c)当事者の一方が現に禁治産の宣告を受けてゐない場合であつても、精神上に障害あり、ために婚姻が民族共同体のため望ましからずと思量せらるゝとき、(d)当事者の一方に前掲(2)の法定遺傳的疾患あるとき、尤もその相手方が生殖不能である場合はこの限りでない。そして当事者は双方共、婚姻締結前、衛生局の右の婚姻障碍事由不存在の証明書即ち婚姻適能証明書を呈出しなければならないことになつてゐる。

(5)　一九三八年七月六日、オーストリア州及ビソノ他ノ独乙領内ニ於ケル婚姻ノ締結離婚ニ関スル統一法

尚ほ直接ドイツ民族の「血」を対象としたものではないが、血を重んずるナチス的世界観を反映せる立法としては右列挙の諸法令の外次の如き法令を挙げることが出来る。

(1)　一九三三年四月七日、官吏團復活法

(2)　一九三三年七月一四日、帰化ノ取消及ビ國籍剝奪ニ関スル法律

(3)　一九三五年九月一五日、独乙公民法

五七

(4) 一九三七年一月二六日　独乙官吏法

右何れも非アリアン人特にユダヤ人排斥の法令であつて、ドイツ民族の血の直接又は間接の保護及び維持のための立法であると云ふことが出来る。

その「土」に関する立法としては、

(1) 一九三三年五月一五日、プロイセン世襲農地法

及び之が一般化の法律としての、

(2) 一九三三年九月二九日、国世襲農地法

の二つがある。

ナチスが、土は血の基体であり、農民がその民族の血統の源泉であると考へてゐることは、右の国世襲農地法の前文によつても明かである。即ち「ドイツ国政府は古いドイツの相続慣習を確保して農民階級をドイツ国民の血統の源泉として維持せんと欲するものなり。農業地は血族の相続財産として永久に自由なる農民の手に属する様、過重なる負債及び相続の場合に於ける細分割より保護せられざるべからず。可及的均等に全国に配分せられたる多数の自活能力ある中小農場は国民及び国家の健全なる維持に対する唯一の保障をなすものなるを以て農地の健全なる分配を図らんとするものなり」と宣明する。

本法はドイツ国の農民をその血統によつて制限せんとするものであつて、農民はドイツ種族及び之と同等の種族の血統者に限つてゐる。而もその血統の調査は一八〇〇年一月一日現在に於ける遠き過去まで遡るものであつて、当時生存せる父系又は母系の一方又は双方にユダヤ人又は有色人種の祖先を有する者は、本法所定の世襲農地を有し得る農民たることは出来ない。更に斯かる血統の維持を図るため、農民たる被相続人と血統の連絡を欠く養子は該農民の単独相続人たり得ない旨を定めてゐる。

本法所定の世襲農業地たる要件は、(a)農業地（森林地を含む）、(b)最小限度該農民の自活し得る大いさの土地、(c)最大限度一二五ヘクタールを超えざる土地、(d)継続的な用益賃貸借に供せられざる土地、(e)農民たる資格を有する個人所有地、(f)単独所有の土地、(g)一農家により分農場なくして経営せられ得る土地、たること等の諸条件である。これらの要件を具備する土地は強制的に

世襲農業地としてゐるのであつて、任意設定による家産制度の如きルーズなものではない。そして世襲農業地は相続による分割、農民自身による処分、債権者による執行等の客体たり得ざることになつてゐる。こゝに「所有権は義務づけられる」との法的信條が、少くとも世襲農地たる土地所有権に関しては現実に法制化されてゐるわけである。

第三節　イタリアに於ける全体主義

一、ファシスタ・イタリアもナチス・ドイツと共に全体主義的体制にあると云はれてゐる。併しその謂ふところの全体主義も、ナチスと同様第一節に概説したやうな意味に於ける現代の全体主義理論に完全に一致してゐるわけではない。ナチスの全体主義が云はゞ民族的己惚に由来する「血の神話」を基礎とすると云ひ得るならば、ファシスタ的全体主義は傳統的なラテン民族の「自然的生の神話」の体現であるとも云ひ得やう。両者が夫々「血」と「生」に於て象徴されてゐる如く、何れもパトスへの行き過ぎであることは今日一般に認められてゐるところである。併し乍らファシズモがナチスのそれに比してより合理的全体主義に近いと云ふことも亦衆目の一致するところである。だがそれにも拘らずファシズモがファシスタ国家を以て最高全体者として之を神化して了つたところにその思想的発展の限界があり、やがて或は来たることあるべき欧洲共榮

六二

圏―― さう云ふ表現が東亜共栄圏に準じて許されるとすれば ―― の生成に當っての思想的論理的矛盾の困難をも含んでゐるわけである。

ナチスと云ひ、ファシズモと云ひ、自由主義・個人主義を克服したと云ふ。成る程彼等は或る程度まで自由主義・個人主義は之を克服し得たのであらう。併し乍ら彼等は果してよく晩期資本主義の諸矛盾を克服し得たであらうか、多少の疑問なきを得ない。云ふまでもなく自由主義は資本主義発展の苗床ではあった。併し資本主義発展の過程に於て、自由主義がその原理であったのは盛期資本主義の中頃までゞあって、既にその第三期にはいった所謂晩期資本主義、特に第一次欧洲大戦後の懸怖的資本主義に於ては、自由主義に所謂自由は唯過去に於ける儚かない信仰でしかなかったのである。晩期資本主義は惜しげもなく自由の原理を放棄し、カルテル、トラスト、シンジケート、コンツェルンと矢つぎ早やに自家製の薬品を服用しつゝ、自ら自己の身体にメスを振るったのであるが、斯かる瀕死の重患者をナチスの名に於て、またファシズモの名に於て救ひ上げはしなかったのであらうか。さう云った疑問である。併し斯かる疑問に対し、ナチス及びファシズモに関する徹底的解明は本論の範囲を逸脱する。兎に角、ドイツに於けるナチス的全体主義と程度の差はあっても、イタリアの全体主義が矢張り非合理的全体主義としてのファシズモ *fascismo* であると云ふことを常に銘記しておく必要はあるであらう。蓋し、以下の論述に當り諸家の見解の引用に於て相當ファシズモ礼讃の文句が挿入されるであらうが、その場合我々としては右の事情を常に云はゞ函数として持ってゐなければならぬからである。

六三

（註）　私は玆でファシズモの何物たるかを沿革的に概説しておくのも必ずしも徒事ではないと思ふ。

抑々ファシズモのよって来たるその語源をなす *fascio* とは元来持ち運びの出来る様に薪・穂・草（これら三者が何を象徴するものであったかは必ずしも明かではない）を一緒に結びつけた束を意味するものであった。それが次第に廣く用ひられる様になり、必ずしも薪・穂・草に限らず、その他の物でも二種以上の物が有機的に結び合はされてゐる運載可能のものを一般に *fascio* と云ひ、更に擴大して、物に限らず複数人が同一目的の下に結束した場合にも之を *fascio* と呼ぶ様になったものである。かのローマ時代に於て、執政官及び裁判官が外出に際し、その権威を象徴するものとして先駆警護の役人に捧持せしめてゐた斧を *fascio dei littori*（先駆警吏の斧）と謂ったのも、実はその斧の柄の構造が右の原意に於ける *fascio* であったからに外ならない。即ちその柄は数本の中心となる棒を一本の紐を以て上下四段（槍の千段巻を区切ったやうなもの）に分って厳重に捲きつけたものであった。従ってファッショとは俗流的な先入観念を離れた象徴的意味に於て解するならば、縦と横とが一体的不可分の関係に於て結合した強力なる「結束」を意味するものに外ならぬ。近代的ファッショの意味するところも右の如き由来をその根本精神として表象するものであることは云ふまでもない。

六四

序にファシスタ党 *Partito Fascista* の成生の沿革を概説してみるならば、その胎動は既に欧洲第一次大戦前より経済学者としてはフイリッポ・カルリ *Filippo Carli*、政治学者としてはアルフレード・ロッコー *Alfred Rocco* 等の代表する一群の学者にその思想的萌芽を見ることが出来、特に一九一四年五月一六日より三日間ミラノに於てロッコー主宰の下に開かれた「経済的國家主義の根本原則」の題目を掲げた第三回「國家主義協会」大會は明かにイタリアの将来採るべき政治組織及び経済組織に対する基本的指針を與へたものと見ることが出来る。更に下って一九一九年三月一六日「ローマ國家主義會議」に於ける「國家主義協会の政治的綱領」の決議はイタリアに於ける全体主義体制の無名の嬰児とも云ひ得べく、次いで一週間後の三月二三日に結成された所謂「戦闘結束團 *Fascio di combattimento*」は、相當具体化された政治組織及び経済方策を発表してゐるのであるが、玆にイタリアに於ける全体主義体制の命名に対する手掛りを得、一九二二年一〇月二八日、かの「ローマ進軍 *Marcia a Roma*」による戦闘結束

六五

團の決定的勝利は、またイタリアに於ける全体主義がファッショたるべきことをも決定したのであった。

二、ファシスタ的全体主義の思想的基礎は一應「生」のパトス的面に於て要約される行動主義と解され得るけれども、必ずしもしかく一義的なものではない。また今日までの発展に於て必ずしも一貫した理論体系を持ってゐたものでもなく、ムッソリーニの統率するに至ってからも何年かは所謂「星雲状態」の期間を経過してゐるのである。ベルンハルトは、眞正ファシズモの生誕は一九二五年であると云ってゐるが、或はこの邊の見解が寧ろ正鵠を得てゐるのではないかとも考へられる。ロッコーの如きも、「ムッソリーニは一九二五年一月三日の演説に於て革命――ファシスタの無血革命――の新らしい時期、ファシズモの実現及びファシスタ國家創造の時期を展開せしめた」と述べてゐるが、少くともファシズモの確固たる國家観に関する限り正にその通りであらう。そのことは何れにしても、新興イタリア、それはファシスタ・イタリアとしてゞあるが、そのイタリアの進むべき途を凡ゆる意味に於て之を有権的に確立したのは、一九二七年四月二一日夕刻、キヂ宮殿の廣場に於て宣言された(同年四月三〇日官報第一〇〇号公示)労働憲章 *Carta del Lavoro* であると言ふことが出來る。

(註) 労働憲章は形式的には所謂成文憲法でもなく、また法律でもなく、右の如く一つの宣言 *dichiarazione* であるが、一九二八年一二月一三日法律第二八三二号は「國王の政府は、その必要あるときは、一九二七年四月二一日ファシスタ大評議会の議決せる且つ一九二七年四月三〇日王國官報第一〇〇號を以て公布されたる、労働憲章の完全なる実施のため、法律の効力を有する、諸規定を発布する権限を有す」と規定してゐるが故に、従って労働憲章は云はゞ諸法律の上に立つ法としての実質的憲法たるの性格を有してゐるわけである。

一九四〇年一二月二日、ローマ特電のニュースは、この労働憲章に関し、デイノ・グランヂ法相の改正の提案を採擇した旨を報じてゐる。その

改正内容の正確なる原文を手にしてゐないが故に、今は尚ほその詳細を知る由もないが、報導された大要に依れば、今度の改正の眼目は專ら所有権に関して意が注がれてゐるものゝ如くである。即ち所有権の客体たるべき財に関し、之を國家的生産財と、個人的消費財とに分ち、之を別個に規定せんとするものゝ如くである。

労働憲章は右に述べた如く一つの宣言であって法ではないが、之がファシスタ・イタリアの実質的な現行憲法であることについては学者間に異論のないところである。私がファシスタ的全体主義の内容の説明に當り、專らこの憲章に據ったのも如上の理由に依ってゞある。

この觀点に立って先づ最も根本的な規定として取り上げなければならないのは、その第一條及び第二條である。(労働憲章全文の邦譯については附録参照)。

第一條　イタリア國民は、之を構成する個々の個人又は團体的個人のそれよりもその力及び存續につき優越せる目的・生命・活動の手段を有する一の有機体なり。そはファシスタ國家に於て綜合的に実現せらるゝ道徳的・政治的及び経済的統一体なり。

第二條　労働は、その組織的たると実行的たると、智的・技術的・筋肉的たるとを問はず、その凡ゆる形態の下に於て之を社會的義務とす。この名義に於て、而もこの名義に於てのみ、國家より保護せらるゝものなり。

生産的綜合は國民的見地より觀て統一的なるものなり。その諸目的は統一的にして且つ個々人の福祉及び國力の発展に要約せらるゝものなり。

(イ)　國民共同体

全体主義が何等かの意義に於て常に必ず共同体を基体とするものであることは第一節に於て述べたところであるが、ファシスタ的全体主義がこゝに謂ふ國民共同体を基体として立つものであることは第一條第一文によって明かである。即ちイタリア國民 *Nazione italiana* は個々人の單なる数学的総和ではなく、全体的性格を擔ってゐる一つの有機体 *organismo* として觀念され

七〇

てゐるのである。この種の思想は既に國民ファシスタ党の綱領中にも之を見出すことが出來る。「國民は國土の住民の総和、又はその特殊の目的を達するための政党の手段としてゞはなく、そのなかに於て個人は單に暫定的な一環を担當するに過ぎない幾世代の無限の系列であり、種族の凡ゆる精神的及び肉体的な力の最高の綜合体である云々」。

これファシズモがナチスの民族全体主義に対應し、國民全体主義と云はれる所以であるが、併し從來の生物学的社会有機体説と同一の根據に立ってゐるものでないことは後述することによって首肯されるであらう。ナチスが國家をも民族の維持発展に奉仕する Apparat として之を手段化してゐるに反し、ファシズモに於て、之に續く第二文に於て明言されてゐる如く國民は國家と相即的不可分的に一体をなすものなるが故に、從って正確にはファシズモは國民的國家全体主義とも云はるべきものである。

云ふまでもなくファシズモも血によって結ばれてゐる云はゞ自然的民族を重視はする。併しナチスと異なり、その國民の共同体的性格の契機は之を必ずしも自然的血液に求めてゐるのではなく、より多く之をその共同体「精神」に求めてゐるのである。蓋し、後述するが如く國民共同体は第一次的には道徳的（精神的）統一体として把握されてゐるが故である。

斯く観念された国民共同体はその構成員たる個々人（自然人たると團体人たるとを問はない）の有する目的、生命及び活動の手段より、その強力さに於てまたその永續性に於て更に優越した目的生命及び活動の手段を有する有機体であるが、決してシュナイダーの言ふが如き「個人のためには無を、國民のためには總べてを」の標語は之を額面通りのものとして受取ることは出来ない。第一條第一文には「公益優先」の精神にも比せらるべき、「國民先行」「國家先行」の全体主義的根本原理が線太く織り込まれてゐることは事実であるが、だからと云って個人がそのために「国民」の中へ、「國家」の中へ埋没して了ふてゐるものでないことも亦本條の裏面解釋より當然帰納せらるべき結論である（この点結果的にみればナチスも同様ではある）。國民（法的には實質的國家）も有機的全体者であるが、個人も夫々固有の目的、生命及び活動の手段を有し

七一

七二

てゐる諸小全体者として存在してゐるのである（この点については附録労働憲章第七條第一項参照）。故にこの点に関するロッコーの見解は少しく行き過ぎてゐると云はねばならぬ。氏は「……云ふまでもなくファシズモは自由主義の原子論的及び物質主義的な傳統的概念に反対する有機的・歴史的な社会理論に立つ。社会は不滅の有機体であって、そこに於ては生活が一時的な要素でしかない個人のそれを越えて延長するものである。個人は生れ、成長し、死滅し、他によって代替されるが、社会的な單位は常にその自同性を保有し、過去から未來へ傳承されてゆく観念と感情の世襲財産を各世代から受け取ってゐるのである。從ってファシズモに於ては、個人は社会の最終の目的と考へられ得ないものである。社会はその独自の保存発展及び完成の目的を有ってゐる。そしてこれら目的は或る一定の瞬間に社会を構成する個人の目的とは区別されてゐる。その独自の目的を遂行するためには、社会は個人を利用しなければならぬ。このことは完全にかのエマニエル・カントの力強い表現たる『個人はそれ自身目的であって、目的への手段として考へ得られないものである』を顛覆するものである。蓋し社会の法律的な組織である國家はファシズモにとっては一定時にその部分を構成する市民から区別された有機体である。それは自己の生活と自己の優越的な目的とを有するものであって、個人の目的は之に從屬せしめられなければならないものだからである」と述べてゐるが、全体主義に謂ふ全体先行とは第一節に於ても一言觸れておいた如く、飽くまで論理的先行を意味し、全体者のために個別者を犠牲にし、個別者を手段化して了ふことでは決してない。それでは個人主義の單なる反対物であって、反って中世への逆行を意味する何ものでもないことになるであらう。労働憲章第一條第一文は決してこゝまで行き過ぎてゐるものでないことはその規定の文言によっても明かである。尤もファシズモが多分に非合理的全体主義として解されてゐる主な原因も斯かる有力なる思想の流れの存することにも因るものであるとも云へる。

（註）　論理的先行とは一例を挙げて簡單に説明しておくならば、「人は生きんがために食ふのであり、食はんがために生きるのではない」と云ふ命題に於て、事実上生きるためには先づ食はねばならぬが、「生きる」

七三

こと、「食ふ」こと、の間には論理的に先後の関係があることは明かである。右の例に於て「生きる」ことが論理的先行テーゼであり、その不可缺的な支柱である「食ふ」ことはその後從テーゼを示すものである。この例は必ずしも適切な例ではないが、二つの命題間に於ける論理的先後の関係は一應肯けること、思ふ。

(1)　道徳的統一体　Unità morale

國民（共同体）が一つの有機体としての全体性を有ち、小全体としての個人のそれに優る强力且つ永續的な目的、生命を有する行動主体であると考へたファシズモは、更にこの有機体を道徳的統一体として規定した。玆に謂ふ道徳的統一体とは云はゞ倫理的、精神的統一体と解して可なるべく、ナチスの自然的血液を主たる基礎とした民族概念とは甚だしく相違するものである。即ちファシズモは國民を以て決して生物学的種族とは考へてゐないのであって、この奐ナチスの民族観に比しより文化的、より進歩的であると云ふことが出來る。ファシズモに於ては、國民共同体の第一次的要因は玆に謂ふ道徳的（精神的）統一性であって、共同体の紐帯は唯一の「血」には非らずして歴史的文化的に把握された共同体精神として理解されてゐるものである。國民が精神的統一体であるとの宣言は、斯かる國民と表裏一体をなすファシスタ國家が、一面に於ては、國家と個人とを冷酷な單なる権利義務の法律関係とみる從来の所謂法治國家たることを否定すると共に、他面に於ては、ファシスタ國家の倫理性を强調すると共に飽くまでその文化國たることを高揚してゐるものであると云ふことが出來る。唯ファシズモに於けるこの文化的精神は、知・情・意の三位一体的な綜合精神としてより、情及び意に於てより强く示されてゐると云ふことは一般の認むる奐であり、ファシズモ自身もむきに否定しないところであるが、精神文化の支柱たるべき哲学をも竟いに「信仰告白」たらしめて了ったナチスの非科学主義、反知主義とは、同じ全体主義的思想ではあるが、之を同日に断じ去ることは出來ない。

右に述べた如くファシズモは何よりも先づ「生」に裏づけられた行動主義として理解されるのが一般であり、これは、ムッソリーニ自身「行為は常に規範に先行する」と繰返へしてゐることによっても明かであるが、この言葉は從来の抽象的合理主義に対する挑戰の旗印、云はゞ一つの標語として受け取るべきものであって、斯かる一片の用語から直ちに、ファシズモが全く理論を捨て、哲学を骨抜きにした盲動主義なりと結論を下すことは皮相の見解であると云はねばならぬ。少くとも労働憲章宣言後の現代的ファシズモに対する正常なる見解であるとは云へない。成る程一時は理論を捨て哲学を敵視する様な氣配を見せたことも必ずしもないわけではなかった。併しそれは全く須臾的な現象であったに止り、直ちに深い反省に立ち戻ったことはその後の實績の證明してゐるところである。ファシズモは唯文章になった信條や、公式化された原理の博物館でなかったと云ふだけのことであらう。

(2)　政治的統一体　Unità politica

ファシズモに於ける國民共同体的全体主義の第二の要請は玆に謂ふ政治的統一体たることである。併し、苟くも國家が獨立の國家たる以上、如何なる時代、如何なる所に於ける國家と雖も、他の要件は何れにしても、少くとも國家構成員の綜合たる國民の政治的統一体たることは常に必ずその必須的要件として缺くべからざるものである。而も尚ほ労働憲章が玆にこと新らしくその然るべき所以を明規した理由は何であるか。我々としては一應その思想的根據を尋ねてみなければならないであらう。

抑々從来の自由主義的思想に於ては國家は經濟の分野に在っては「個人に最も氣付かれざるが如くに存在する」のが理想とされてゐた。と云ふよりも寧ろ經濟が圧倒的に政治を支配し、國家は專ら經濟に奉仕してゐたと云ふのがその實情であった。その結果は、人は生きんがために食ふのか、食はんがために生きるのかの論理的本末を混同し、ヒットラーの「資本は經濟のために、經濟は國家のために」の標語が全く逆の命題として成立するまでに拜物主義が横行したことは人のよく知るところである。即ち自由主義の支配する社会に於ては

「國家は経済のために、経済は資本のために」奉仕すると云った笑へない喜劇が寧ろ當然の如く演ぜられてゐたのである。労働憲章がこと更茲に國民共同体の政治的統一体たるべきことを第二の要請として明言してゐる所以の根本的理由は恐らくは斯かる不合理を是正し、以て経済に対する政治の優位を確立せんとする意圖に外ならぬとみることが出來るであらう。本條の「道徳的統一体」、「政治的統一体」、「経済的統一体」の三つの國民共同体の実質的性格内容に関する規定の配列は單なる偶然的な思ひつきではない。云ふまでもなく経済を無視しての政治と云ふことは考へられないが、人が食はんがために生きるのではないと同様、國民共同体に於ても、苟くも之が文化的に理解されてゐる共同体である以上、そこに於て、「経済のために政治する」ことは本末を顚倒したものと云はねばならぬ。「生きる」こと、「食ふ」こと、の間に論理的先後があると同様、「政治」と「経済」との間にも亦論理的先後の秩序がなければならぬ。本條は正にその秩序を宣明したものであるが、併し茲に謂ふ経済に対する政治の論理的先行は、後にも一言觸れるところであるが、決して政治が経済を全く支配し、或は之を下僕視し、又は経済の政治化（経済國家）を意味するものでないことは言ふを俟たない。

(3)　経済的統一体　*unità economica*

有機体としての國民共同体が、精神的統一体及び政治的統一体に次いで茲に謂ふ経済的統一体として性格づけられてゐることは、ファシズモが従来の自由主義的個人主義の経済観から脱却して完全に國民経済（*economia nazionale*）樹立の意思を表明したことを意味する。「われをしてわれの好むところに従って行動せしめよ」、所謂 *laissez faire* は自由主義経済の標語であったことは人のよく知るところであるが、併しその自由主義全盛の時代に於ても、個々人の意思のみを以てしては如何ともし難い「見えざる手 *hand invisible*」の力強い作用と支配とを無視し得なかったことも亦人のよく知るところであった。而も尚ほ敢へてこの「見えざる手」を無視せんとしたところに自由主義経済の誤算があり、現代に於けるその破綻が結果されたわけであ

る。法の世界には「眞に法的なるもの」があると同様、経済の分野に於ては「眞に経済的なるもの」がなければならぬ。卑見によれば「眞に経済的なるもの」は個人の主体性（個人創意を骨子とする）と、超個人の主体性（見えざる手の統禦者・教導者とも云ふべき）との辯證法的綜合統一による有機的な再生産過程の原理と解するものであるが、從來の経済観はその一方の強調による他方の無視即ち抽象的な経済観であったやうに思はれる。例へば中世に於ける身分的封建制の時代に於ては、殆ど個人創意の発動する餘地がなく、近世以來の自由主義時代に於ける「見えざる手」は明からさまな「見える威力」であった。そして之にとって代ったのが自由主義であったが、之は單に前時代の反対物でしかなく、従って矢張り「眞に経済的なるもの」の一面を置き忘れた抽象的経済観であって、所謂現代に於ける金融封建制（*féodalité financière*）を結果したものである。從來行はれた「革新」と云はるべきものは常に何等かの意味に於ける封建制の打破であると云はれてゐるが、今日世界的課題となってゐる國内並びに國際的革新は矢張り右に云った金融封建制の打破であるやうに思はれる節がある。

そのことは何れにしても、ファシズモが國民共同体をして経済的統一体たるべきことを宣言し、経済分野に於ける超個人の主体性を明示したことは、從来無視され勝ちであった所謂「眞に経済的なるもの」の半面を把握したものであると云はねばならぬ。一九三四年二月法律第一六三号を以て創設されたコルポラチオーネ *corporazione*（組合協同体）は之が中核であり、更に一九三九年一月法律第一二九号（二法令とも附録参照）により、從来の下院（*Camera dei deputati*）に代って登場した所謂組合議院（*Camera dei fasci e delle corporazioni*）は、國民共同体（その法的表現は國家に外ならぬことは既に屢々述べた通りである）が経済的統一体たることの云はゞ憲法的確立であると云ふことが出來る。併し乍ら、後にも説くが如く、ファシズモは國民共同体の経済的主体性を認めると同時に、「眞に経済的なるもの」の他の半面たる個人創意 *iniziativa privata*（労働憲章第七條参照）の尊重せらるべきことも同時に明言してゐるのであって、同じく今世紀に於ける國

内革新（と云ふよりもそれは文字通り革命に外ならなかった）の先輩國であるソビエットロシアが個人創意の原動力たるべきものを否定し、「眞に経済的なるもの」の半面を見落して了ったのとは格段の相違があると云はねばならぬ（例へば、一九二二年一二月一日のソビエットロシア農事法第一條（及び九條）は個人から土地所有権を全く剥奪して了ってゐる）。

ファシスタ・イタリアの國民共同体は以上概説した道徳的・政治的・経済的の統一体的性格、より正確に云へば、階序的秩序の下に於けるこれら三重の特質を帯具した有機体とされてゐるのであるが、労働憲章第一條第二文は、更にこの性格を有った國民共同体は、全一的綜合的に所謂ファシスタ國家（stato fascista）に於て示現されると明規してゐるのである。

（ロ）　國家先行の原則

ファシズモに於ける國家観は、必ずしも党結成の當初から一貫した主義思潮の下に発展したものではなかった。それはファシスタ的指導者とも云ふべきduce（隊長）としてのムッソリーニが社會主義者から國民社会主義者へ、更に國民的愛國主義者へと変って行った一聯の道程からも推知されるところである。併し乍ら前述せる現代的ファシズモ生誕へ発足した一九二五年前後を一轉期としてファシズモの國家観は略々確立されたとみることが出來る。ムッソリーニの「何物も國家の外に又は國家に反して存することなし、総べては國家のうちに」はファシズモ國家観の信條として率直に受け取ってよいであらう。

前述せる有機体としての國民共同体は云はゞ原事実としての國家の実体であり、一應玆に謂ふ國家と區別せらるべき概念であるが、両者は單に内容と之を容れる容器の如く本来的に別個のものではない。國民共同体の法的示現、それが國家に外ならぬとみられてゐるところにファシズモ國家観の眞髄があり、ナチスに於けるが如き民族奉仕の「装置」として手段化された國家観とはその根本の理念を異にするところである。アルフレード・ロッコーの「國家は社會（國民社会）の法律的組織なり」と定義した國家観念は右の意味に於て解し得べきものと信ずる。即ちファシズモは國民共同体と國家とを全く表裏一体的な

ものとみてゐるのであって、従って労働憲章第一條のNazione italianaはstato fascistaの実質的内面的表現とみて差支へない。従って労働憲章第一條第一文はその第二文の意味を加へ、右の如きことから「イタリア國家は之を構成する個々の個人又は團体的個人のそれよりもその力及び存続につき更に優越せる目的・生命・活動の手段を有する一つの有機体なり」とみてよいわけである。ファシスタ國家が全く個人を自己に没入せしめ、個人の獨自の人格を無視せんとするものでないことは、本條の規定の文脈からも（個々の個人又は團体的個人のそれ――目的・生命・活動の手段――よりも、と規定することに注意すべきである）疑ひなきところである。併し國家は個人の有するそれを超える強力且つ永續的な目的とその行為の手段を有する有機的生命体であって、ムッソリーニの言を以てすれば、それは「高級なそして又有力な人格の形式」でさへある。従ってファシスタ國家は徒らに個人の物質的幸福を保護し、之を以てこと足れりとするやうな單なる「支配人会」ではなく、寧ろ総べての個人が之に奉仕し且つこのことによって始めて眞の人間活動が可能であるやうなより高次の人格的存在者たるわけである。これ次に説く「労働の社会的義務」づけによる國民個々の「民吏的身分」と相俟って、ファシズモ国家観に於ける所謂國家先行（論理的先行）の根本思想を形成してゐるものである。

（ハ）　個人の民吏的身分

労働憲章第二條第一項第一文は、先にも掲げた如く、総べての個人の凡ゆる種類凡ゆる形態の労働をdovere sociale（社会的義務）なりと宣言した。玆に謂ふdovere socialeは既に多くの学者も指摘する通りdovere nazionale（國民的義務）に外ならぬものであり、ファシズモに在ってはそれは更にdovere statale（國家的義務）と同義でもあることは云ふまでもない。そして本條の所謂労働lavoroは之に附加されてゐる多種多様の形容語句によっても明かなる如く、殆ど最廣義に解せらるべき個人の一切の社会的活動を指すものであることは殆ど議論の餘地なきところである。従って個々のイタリア國民は例外なく右の意味に於て解される云はゞ労働者

lavoratore であつて、ファシスタ・イタリアの國是の宣言が當然にもまた労働憲章（Carta del Lavoro）と名づけらるべき実質的理由も茲に在るわけである。從來の意味に於ける資本家（企業家その他）はその有する富（財）の利用を通して國家に奉仕する労働者であり（労働憲章第七條第二項参照）、狭義の労働者はその労働力を介して同じく国家に奉仕する労働者である。イタリアに於ては從未相対立する仇敵と考へられてゐた二階級を資本家（企業家を含む）又は労働者とは云はず、前者を労働授與者（datore di lavoro）と云ひ、後者を労務提供者（prestatore d'opera）と呼ぶ。そしてこの両者は同程度の重要性を有つた二つの国民的生産要因（fattore della produzione）と考へられてゐるのであつて、両者は決して相対立するものではなく、從つて労務提供者は専ら労働授與者個人に奉仕する私的傭兵ではなく、之との協力（colaborazione）によつて國家に奉仕する云はゞ国家の労働者なのである。このことはその他凡ゆる職業に從事する者に例外なく妥當する根本原則であつて、私は斯かる社会に於ける國家との関係に於ける個人の地位を假りに「民吏」として把握した。学者の所謂 Consegnatario generale（一般受託者）の意味的邦譯である。即ち個々のイタリア國民は、その奉仕する媒介物件を異にするだけであつて、一様に國家に対し奉仕義務を負擔してゐるわけである。右の如く、個人は例外なく生れ乍らにしてこの民吏的身分を取得し、その一切の社会的活動が「国家的義務」の云はゞ履行行為に外ならぬと解される社会に在つては、所謂「職域奉公」の観念の如きも單なる倫理的氣分に止るものではない。憲法的に総べての個人に妥當すべき積極的な行為原理として理解せられてゐるのであつて、これこそ先にも一言したイタリアに於ける國民的國家全体主義の特質を形造つてゐる要突であると云ふことが出来る。更にファシズモは國民個々に対する斯かる民吏的身分の定立によつて國民相互の実質的平等を保障し（労働憲章第六條参照）、国内に於ける各種の矛盾対立も凡て國家への帰一に因つて一應積極的に止揚してゐるのである。

以上私は簡單乍ら労働憲章の規定に基き、ファシズモが國民共同体を基体とし、國家先行の原則と、之と実践的に表裏する國民個々に対する「民吏」的身

分の定立によつて確立した所謂國民的国家全体主義体制の骨子を概説した。これによつて略々明かなる如く、同じく全体主義的体制を施くナチス・ドイツとの間には思想的に可なりの相違がみられるわけである。特にその國家観に於て両者の相違は最も顕著であると云へるであらう。併しかゝる思想的相違あるにも拘らず、両者の現実に採る行動には尚ほ多くの一致点があり、ベルリン・ローマ枢軸の確立には別段の支障を來たさないまでに接近してゐることは世人周知の事実である。このことは両者の思想的・論理的背景によるよりも、より多く現実の政治行動によるものと思はれるが、之に対する詳細なる究明は本論の趣旨から逸脱する。兎も角、共に指導者として一方には Führer としてのヒットラーがあり、ムッソリーニがある。Führer と一方には Duce とは法的本質に於ては根本的に相違するものではあるが、尚ほ両者が共に國民の選良的指導者であることに対する國民的信念に於いては殆ど異るところがない。併し乍ら、否それなるが故に、既に一言せる如く、ナチス的全体主義に於ける「民族の神化」は、ファシスタ的全体主義に於ける「國家の神化」に通ずるものがあり、そこに両者のよつて立つ全体主義の思想的限界があるわけであつて、或は来ることあり得べき欧洲共栄圏の成立に當つて必然的に當面するであらう思想的危機を如何に打開するであらうか。そのことは尚ほ將來に懸けられてゐる歴史的課題であるが、時間的空域的に無限の発展を豫想する云はゞ日本的全体主義の精神とも云はるべき八紘一宇の精神とは相去ること甚だ遠いと云はねばならぬであらう。

私は緒論に於て少しく紙を食ひ過ぎたやうである。急いで本論の核心に筆を轉じなければならぬ。

九〇

第二章　全体主義的権利概念

第一節　總説

現代は自由主義から計画主義へ、個人主義から全体主義への思想的轉換期であると云はれる。それと同時に、またそれとの関聯に於て、吾々は屡々「権利概念のコペルニクス的轉回」といふ言葉を耳にする。謂ふところの「コペルニクス的轉回」とは云ふまでもなくトロメイの天動説に対するコペルニクスの地動説によって齎らされた対自然界認識に於ける字義通りの驚天動地の革新を意味するものであるが、茲の「権利概念のコペルニクス的轉回」なる言葉は無論轉用的比喩には違ひないが、その之によって現はさんとする眞意は、單なる從來の権利概念の変更乃至修正を強調してゐるに止ってゐるものでないことは明かである。思ふに「コペルニクス的轉回」とは二重の意味に於て單なる急角度

九一

の轉回や、單なる變更と異ってゐる内容を意味する。即ちその一は、コペルニクスの地動説によって今まで太陽が東から昇り西に沒するが如く感知されてゐた吾々の五官的知覺に変更を來したわけでないこと、その二は、斯かる五官的知覺の無変更にも拘らず、現象の眞の姿はその逆であって、それは全く吾々の誤認、而も何人もが陷った五官的知覚に基く云はゞ認識不足から結果されてゐた誤謬を論理的に是正したものに過ぎざること、之である。茲に謂ふ「権利概念のコペルニクス的轉回」も右の意味に於ける論理的認識論的轉回を意味し、必ずしも吾々の五官的知覚に映される顕現的現象の変更を意味するものでないことを知らねばならぬ。例へば全体主義体制に於て從來の土地所有権の概念が如何に新らしい原理の下に把握されやうとも、吾等の眼に映ずる農民と土との農耕関係の姿は何等の変更現象を示すものではなく、國民的生産財に関する権利概念が如何なる新原理の上に礎き上げられやうとも、これら生産財と筋肉的乃至頭脳的に関聯を有する人々の生産労働関係は別段の変更現象を示すものではない。果して然らば今日の全体主義思想下に於ける「権利概念のコペルニクス的轉回」は現に如何なる論理的内容を以て登場しつゝあるであらうか。一言にして云へば、ナチスに於ては「義務づけられた権利」として轉回し、ファシズモに於ては「義務権 diritto-dovere」としてその質的轉回を試みてゐるのである。

九二

併し私は今直ちにこの問題の核心に突入するに先だち、右に所謂「権利概念のコペルニクス的轉回」が如何なる舞台に於て爲されたかを知るため一應次の様な先決問題の概説と共に一言餘事を附加して置く必要を感ずる。

(イ) 権利概念のコペルニクス的轉回は法概念のコペルニクス的轉回と共に轉回したものである。

(ロ) 法概念のコペルニクス的轉回は社會概念のコペルニクス的轉回と共に轉回したものに外ならぬ。

(ハ) 轉回前の権利概念の大要――轉回舞台の事情

固より私はトルストイの粉挽屋の二の舞を演じようとする意図は毛頭ないが、だからと云って單に結果のみの敍述に終れば、根のない夜店の植木に施肥をす

九三

る御隠居の愚に類さんにも限らないことを惧れての故である。

（註）　トルストイの粉挽屋とは、彼の「人生論」中に挿入されてゐる粉挽屋を指したものであるが、その粉挽屋とは、如何にせば優良なる粉を挽き得るかの問題を考へたとき、直接の製粉機は水車であるが、この水車を廻はすのはその動力とも云ふべき引入水なるが故に、先づその引入水を研究すべしとなし之に着手したところ、その引入水をよくするためには、その引入水の本流たる大川を知る必要があり、先づこの大川の研究がより先決の問題なりとし、以下順次その本源に遡及し、竟いに水車とは殆んど関係を有しない一滴の水の研究に没頭して本來の製粉の目的を忘れて了つたと云ふ水車小屋の主人の話である。

第二節　社會概念のコペルニクス的轉回

「社會とは如何なるものなりや」と云ふよりもより多く「社會は之を如何なるものとして理解すべきものなりや」の問題は、人間と共に古く、且つ人間と共に常に新らしい課題として人間に課せられ、從つて現代人にも亦課せられつゝある問題であると云ふことが出來る。最近に於ては自然科学的用語としても屡々「社會」なる言葉が使用されるけれども、云ふまでもなくそれは借用であつて、「社會」なる言葉は本來人間の世界に固有なる文化科学的用語であつたことは勿論である。そして古來幾多の先覺者がこの問題を繞つて凡ゆる角度からその解答を試みてゐることは、人間思想史の数頁をめくつて見れば明かである。社會概念の定立に関し――フェルディナンド・テンニイス以來社會を共同社會と利益社會とに區別するのが一般であるが、玆で取扱ふ社會とは本來的社會とも云ふべき前者に関してゞあることは云ふまでもない――從來みられるものは殆ど枚擧に違なき位であるが、その把握の思惟形式からすれば、之を二つに大別することが出來るやうである。一はプラトン、アリストテレスを代表者とし、これの流れを汲む一聯の思想家によつて試みられた全体的社會観であり、一はプロタゴラスを代表者とし、その流れに屬する一聯の思想家によつて定立

された原子論的社會観である。以下これら兩派の理解する社會概念を略述し、現在行はれつゝある「社會概念のコペルニクス的轉回」の内容が如何なるものなりやに及びたいと思ふ。

(イ)　全体的社會観

玆に全体的社會観とは、第一章第一節の意義に於ける全体主義的社會観と同義ではない。現代の全体主義的社會観も曽ての全体的社會観と可なり内容上の類似を示してゐることは後述するが如くであるが、その認識の原理は全く之と異なる反主知主義的なものである。プラトン以來の全体的社會観にみられる思惟の定式は要するに「第一次的実在体は社會であり、個人は第二次的存在者である」と云ふことに盡きる。即ちプラトンによれば、社會の人格化と目される國家は、當然にもそれは「巨大なる人間」として実体的に把握され、個人は殆どその機能的細胞と考へられ、より普遍的概念としての社會又は國家は個別現象以前、所謂 ante rem に在り、不可分的全体として個人に超絶する。この考へはアリストテレスによつて多くの修正が加へられ、普遍概念は個別現象以前にあらずして反つて個別現象内、所謂 in re に在りと提議されたが、併しアリストテレスに於ても矢張りプラトンのイデア即ち彼のエイドスは本質的により先なるものであり、社會と個人との把握に関する限り尚ほ全体的社會観の域に止つてゐたと云はねばならぬ。

全体的社會観は後代また別名有機的社會観とも云はれるが、之にはその把握の態度に於て從來二種の見方がなされてゐる。元來解剖学者にして社會問題に興味を持つたシエフレの如く、社会を全く人体と同一視する見解は暫らく論外としても、社会を生物学的または肉体的有機体との関聯に於て説明せんとする（勿論比喩的にではあるが）コント、スペンサー等の如き自然的有機体説と、シエリング、ヘーゲルの如く社會を一般的精神又は客観的精神とみる精神的乃至倫理的有機体説との二派が之である。

併し社會は肉体的有機体の如く自然的不可分の全体ではなく、個人に個人獨自の目的・生命を許容することによつて別段自己の目的・生命を否定せらるゝ

ことなきものであり、社會が個人の生活の不可避的條件であるとしても、それの故に個人獨自の生活を拂拭せんとする見解は極端に失する。全体的社會觀は程度の相違はあっても、根本に於てこの種の思想傾向に在るものである。精神的乃至倫理的有機体説はこの論理的缺陷を救はんとして提唱された有機的社會觀であって、より眞理に近い注目すべき見解であると云はねばならぬであらう。

(ロ)　原子論的社會觀

原子論的社會觀は、全体的社会觀と全く対蹠的見解に立つ社会觀である。それは個人を以て唯一且つ最全の実在者となし、人こそ萬物の尺度であり（プロタゴラス）、從って個人の外に、また個人に対して「社会」なるもの乃至「國家」なるものがありとしても、それは人の「複数的蜃氣楼」であるか、乃至はそれら個人の意見によって形成された云はゞ契約的存在物であり、個々人にとってそれは第二次的意義しか有し得ないものである。即ちこの種の社会觀は要するに「總べては個人より出で個人に帰す」べきものとして定式化され得るものであって、それは當然にもアリストテレスの「人は社会の外に於て孤立的に生活し得るためには野獸としてか然らずんば神としてゞなければならぬ」ことに対し、殆ど例外なく人の「自然狀態」を想定する。プラトウスの喜劇に於ける有名な臺詞（セリフ）――人は人に対して野獸である――を引用して、その自然狀態を最も端的に表明したのは、周知の如くそれはトーマス・ホッブスである。彼は凡ゆる社會的現象を「萬人の萬人に対する闘爭」に於ける戰爭規定か、然らずんばその已むを得ざる媾和條件に外ならとする。ルソーの社会契約説も亦この種の見解から出発し、彼一流の達文を以て當時の若い革命分子に呼び掛けた神話であった。

カントに至って、プロタゴラスの「人」は「人の精神」に置き代へられたが――カントによれば人の精神こそ萬物の尺度である――彼の哲学に於て殆ど無意識のうちに前提されたものは矢張り原子論的社会觀であったやうに思はれる。個人主義・自由主義の思想が、この種の社会觀の近代的結実であることは更めて云ふまでもない。

(ハ)　コペルニクス的転回に於ける社会觀

今まで何人も信じて疑ひをだに挿まなかった天動説に対し、突如コペルニクスによって提唱された地動説は、當時は神に対する冒瀆でさへあった。トロメイとコペルニクスの論爭は幾多の論理的実證と共に畢ひに後者の勝利に帰し眞理の発見とはなったが、吾々の五官的知覺は今に至るも尚ほ凡ゆる理論を超えて太陽は東より出で西に沒するが如き錯覺から解放されてゐない。このことは社会概念のコペルニクス的轉回にも亦妥當するであらうことを前以て注意して置かねばならぬ。

前二項の概説によって略々明かなる如く、全体的社会觀は社会そのものゝ重視に於て個人の影を淡くし、アリストテレスすら敢へて奴隷制度を社会のためには必要とさへ説いてゐる。之に反し原子論的社会觀は個人の無制約的自由を強調する餘り、社会をも個人の自由意思に基く所産に外ならぬと結論しなければならなかった。

併し乍ら思ふに「社会」と「人間」は同時存在的なものと云はねばならぬ。何となれば、人間は社会以前に於ては二足の生命單位としての自然物ではあり得ても恐らくそれは人間としての個人ではあり得ないからである。この点に關し、「人は社会の外に於て孤立的に生活し得るためには野獸であるか然らずんば神でなければならぬ」と云ったアリストテレスの言葉は正しい。今假りに数歩を譲ってルソーの社会契約説が一應認められるとしても、社會契約の當事者は契約當時尚ほ未だ「人間」として行為したのではなくして、云はゞ自然所與的二足の生命單位として折衝したものであらうし、斯かる野獸にも等しい（如何なる意味でも未だ規範は存し得ない）ものゝ間に何等かの折衝（規範的效力を生ずべき契約）があったと見るが如きは自体論理的滑稽であると云はねばならぬ。また若し契約當事者は既に單なる二足の生命單位としてゞはなく、「我」及び「汝」並びに「彼」の行為を以後拘束し得るが如き意思を表示し得る意思主体としての「人」persone であったとすれば、斯かる人は單なる二足の生命單位としての生物と如何なる規準によって區別されまた如何なる契機によって異なるものなりやは尚ほ本質的根本的な問題として殘されざるを得ないであらう。「人は本來的に社会的生物なり」と告白したアリストテレスの無説明的前提の方がより数等優ってゐると云はねばならぬ。二足の生命單位としての人間的生物が、人間としての社会人たり得る可能性を持ってゐると云ふ限りに於ては人が社會的生物であるであらうことは正しい。併し時間的には社會以前に於て、また空間的には社會の外に於ては如何にしても彼は「人間」であり得ないことをも知らねばならぬ。

一方また全体的社會觀に於けるが如く、社會も人間以前の既成的世界ではあり得ない。何となれば若し然りとせば、社会と人間は本來異った二質的存在なるが故に、現在に於てこそ社会と人間は事実上結び付いてはゐるもの丶、それは全く偶然でしかなく、從ってそれはまた何時偶然的な契機で兩者が分離し得ないとも限らない。併し斯くの如きことは殆ど想像にだも出來ない事柄である。併し兩者が本來異質的二者の結合であるとすれば、その分離は寧ろ當然であると云はねばならぬ。

以上によって明かなる如く、社會は人間以前のものであってはならず、また人間以後のものであってもならぬ。人間は社会以上のものであってはならず、また社會以下のものであってもならぬ。云ひ換へれば「社會」と「人間」とは同時存在のものでなければならぬ。茲に社會と人間とが同時存在であると云ふことは、社會概念はそれ自身人間概念を内に藏するものであり、人間の概念はまたそれ自身社會の概念を既に内に藏してゐるものなることを云ふに外ならぬ。即ち社會は人間を外にしてそれ自体別個のものとして存するものでもなければまた人間は社會の内に於て且つ社會と共にのみ人間であって、これ以外の方法で人間たることの出來ないことを意味する。從って「人間」を共通分母とする個人――個人に關しては尚ほ後に詳論するところである――は單に「個人甲」又は「個人乙」、即ち「甲」、「乙」としては規定され得ないものであって、斯かる甲乙を夫々人間たらしめてゐる社会を假りにSとすれば、正確には常に必ず「S甲」、「S乙」等として規定されなければならぬ。從って後にも説く如く、表見的には單に甲、乙の個人關係も、決して單に甲及び乙だけの二當事者

關係としては規定され得ないものであって、常に共通の函数Sが負荷されてゐる複合關係であるとみなければならないわけである。

第三節　法概念のコペルニクス的轉回

一、法概念の把握の方法乃至その態度に關しても、前節に述べた社會概念の把握に対する態度と相應し、大別して之を二とすることが出來る。一はキケロによって開かれたとも云はれる廣義の自然法的法概念（理性法的法概念）の把握の仕方であり、――キケロによれば、法の本性は人間の本性から云はゞ自然発生的に生れたものである――一はエピクロスによって唱へられたと云はれる廣義の功利主義的法概念の把握の仕方である――エピクロスによれば、法は單に人々の利益一致の所産であり、國家と雖もそれは打算的契約の所産である（後代の所謂社會契約説の思想も本源的には既にエピクロスに在ると云ふことが出來る）――。そして古來その出発点に於て右兩派の何れかに屬する幾多の正流

亜流が法概念の定立を試みてゐるのであるが、要するところ右の二つの根本的立場に於ける之が祖述が、乃至はその修正に非ざれば、この兩派の折衷的見解であり、歸するところ人間以前の、否人間を超えてすらある普遍的な法理念を假想するか、又は之を根本的には否定せんとするかの何れかであるやうである。

右の外尚ほグロチウス一派によって代表される狹義の近世自然法学説の反動として起った所謂歴史法学派なる特殊の学派があるが、この派に屬する者の見解は「法」と特定の「法規」との概念的混同による問題自体に対する誤解に因るに非ざれば、根本的にはエピクロス的見解に立つものであって、右に述べた二つの見解に対する第三の見解とは云ひ得ないものである。

法が一般的な自然法則にも比せらるべき、云はゞ社会を超え、社会の上に立つ永遠の法（*lex aeterna*）にその源を發するか、乃至は功利的生物の後天的発明に係る便宜的な約束效果の一体云はゞ生存の戰闘規定に外ならぬものであるとみるかに從って上述する如き法に対する二つの見解の相違が生れるのであるが、キケロが「法の本性は人間の本性から生れる」に所謂「人間」を

一〇六

社會と同時存在的な人間、社會と相互限定的にのみ存し得る人間とみるならばよかつた。併し彼の頭の中に在つたのであらう「人間」は甚だ神化されて了つてゐる「人間」であつて、社会と游離し得る、社会を超えてすらあり得た「人間の姿に於ける神」をみてゐた缺点があつた。従つて法は始めから「萬能なるもの」として下界の人々に君臨するものであつたのである。

之に反し法を功利主義的に把握したエピクロスは彼の所謂契約（それは恐らくは原始契約も云はるべき）が、契約として眞実に效果を有し得るがためには――また事実效果を有してゐるとみねばならぬ――その契約自体何かを（云ふまでもなくそれは法を措いて外にないであらう）前提しなければならないことを忘れてゐた。この一派の説によれば、斯かる契約前は所謂「自然状態」であつたとするのであるが、果して然らばそこに於て棲息するものは自然所與的な二足の生命單位であり、斯かる生物の何等かの折衝が未來永遠に亘つて萬人を拘束するでもあらう規範力ある法の創設に対して行はれたとみることは、餘りにも論理を飛び超えた假想であると云はねばならぬ。法を考慮し之を前提することなしには実は契約自体成立する餘地がないのである。近代的社会契約説を唱へたルソー自身すら當然にも「斯かる自然状態は恐らくは何處にも存在しなかつた」と告白してゐるのである。

二、法が社会と相互限定的にのみ把握される人間、人間と相互限定的にのみ考へ得る社會の規範であるとすれば、社会概念の把握に対する前節の考へ方は法概念の把握に対しても亦同様に妥當するものであると考へられる。即ち法は決して人間以前の従つてまた社会以前のものではないし、又それ以後の、それ以下のものでもあり得ない。法は社会と共に、従つてまた人間と共に、これらと同時存在的なものでなければならぬ筈である。デル・ヴェッキオの言葉を借りて云へば「人間あるところ社会あり *ubi homo, ibi societas*」、従つて「人間「社会あるところ法あり *ubi societas, ibi jus*」であり、而もこの命題は順逆共に是認されるものである。また順逆共に妥當するところに、社会、法、人間

一〇七

一〇八

の三位一体的な眞実の意義も存するわけである。云ふまでもなく玆の定式の「法」は「法規」を意味しない、「人間」は「個人」を意味しない。併し今假りに吾々の五官的知覚現象の個々の個人の法関係について云ふならば、前節最後に述べた個人の社会関係の定式は法関係についてもそのまゝ妥當する。即ち個人相互の法関係も常に「S甲」、「S乙」の複合関係として規定せらるべきものである。之を不用意に個人甲、個人乙の二面関係、即ち單純関係として理解することは、單に知覚的現象にとらはれて天動説を盲信するものにも比せらるべきものと云はねばならぬ。

「法」が右の如きものとすれば、之を簡單に概念づけることは相當困難であると云はねばならないが、強いてその概念の定立を試みるならば、法はその如何なる場合に於ても之と三位一体をなす社会及び人間の規範であり、社會及び人間を規制しつゝ同時にこれらによつて規制される規範的法則である、とでも云ふことが出來るであらう。

三、社会及び法の概念把握に対する所謂「コペルニクス的轉回」の何たるやに関しては本論の性質上右の如き一般的観念論に止め、これ以上深入りすることは避けるが――之が具体的発展に関しては以下その都度觸れてある筈である――尚ほ國家の概念との関聯に於て次のことは之を一應附け加へて置かねばならぬ。

以上の如く、社会、法、人間の三つの概念は字義通り三位一体的な相互限定的関係に在るものなるが故に、吾々が社会について語るとき、それは當然に且つ同時に法について及び人間について語つてゐるものであり、法について語るとき、それは右と同様、社会について及び人間について語つてゐるものであるが、併し斯くの如き一般的意味に於ける社会、法、人間は飽くまで観念的にのみ把握されてゐるに過ぎないものであつて、斯かる社会、法、人間は何處にも実存しなかつたし、また何處にも実存体として在るものではない。現に実存体として在るものは特殊の社会であり、特殊の法であり、特殊の人間であることは云ふまでもない。吾々が観念的な一般概念から特殊概念へ、更に特殊概念か

一〇九

一一〇

ら個別概念へ下降して行くとき、それは現実的歴史的観照に立つと云はれる。そして吾々がこの歴史的観照に立つとき社会は特殊の形相を以て眼前に示現する（併し特殊である限り、それは次位の特殊に対しては、「より一般的なもの」であるが故に、吾々の五官的知覚の対象にはならない。吾々の五官的知覚の対象は唯「個別」あるのみである）。

特殊の法が特殊の社会と共に在るとき、特殊の社会が特殊の法と共に在るとき、その特殊の社会は一般に國家と云はれ、國家に於て特殊化されてある人間を國民と云ふ。即ち國家は歴史的に特殊化されてある社会であると云ふことが出來る。そこには歴史的に特殊化された法即ち國法があり、また歴史的に特殊化された人間即ち國民がある筈である。これ國家が歴史の主体であると云はれる所以であらう。

普通一般に國家と云ふときは、それは必ずしも一義的なものではなく、可なり多義的に用ひられてはゐる。併し私は右の如く、一應無内容ではあるが、國家を歴史的に特殊化された社会であると云って置きたい。

一一一

國家が歴史的に特殊化された社会であるとするならば、國家は先に述べた社会の特殊化の契機に於て少なからざる「偶然的、必然的」（歴史的）の特殊性を持つでもあらう。また事実夫々の特殊性を有たねばならぬ筈であるが、併し社会、法、人間の三位一体的関係の定式は、それが歴史的特殊化の方向に於て把握された國家、國法、國民の三民一体的関係にもそのまゝ妥當するものであることは勿論である。

第四節　権利概念のコペルニクス的轉回

一、第二節及び第三節に於て所謂社会及び法概念のコペルニクス的轉回の大要を終つた私は、茲に本章の中心問題に筆を進め得る順序に達したのであるが、その前に一應コペルニクス的轉回前の権利概念が如何なるものであったかを簡單に説明して置かねばならぬ。蓋し、変化は常にその変化前の狀態を知ることなしには、充分には理解され得ないからである。

一一二

一般に生物が總べて天來の生存権とも云ふべきものを有ち、この生存権に固有するでもあらう云はゞ生存自由権とも云ふべきものを有つてゐるとすれば、人も亦かゝる意義に於ける生存権を有ち、生存的自由権を有ってゐるであらう。茲に謂ふところの生存権が何を意味し、その自由と稱するものが何であるかの吟味は今一應留保するにしても、斯かる天來的な云はゞ全く無制約的な生存権を有ち、また斯かる自由権を固有すると考へられてゐる人は、少くとも前節までの意義に於ける「人間」を意味しないとは云ふまでもなく、それは飽くまで野獸としてか、然らずんば神として想定されてゐる「人」に外ならぬ。然るに所謂天賦人権説の根本の前提は右に謂ふ生存権にも當るべきものを以て「人権」となし、この假説の下に「人」を始めから一般生物より無條件に區別し、人は一般の他の生物と異なり天來固有の「人権」を造物主より賦與されてゐると考へるのであるが、併しこの種の独断論よりは、仮令その出発点に於て缺点を藏するとは云へ、寧ろ生物たると無生物たるとを問はず萬有は凡て生存権（無生物については存在権）を神によって與へられてゐると考へる或る種の宗教観の

一一三

方がより穏當でもあり、より数等優ってゐる徹底した世界観であると云へる。無制約的な生存権、自由権が人についてのみ語られると云ふことは、それ自体甚だ滑稽であるが、苟くも人に固有なるものと想定される生存権、自由権について語るとすれば、斯かる人を一般の生物から本質的に區別する契機は何であるかゞ先づ順序として語られねばならぬ。然るに天賦人権説を信仰する人々はこの根本的な大前提的契機の解明を逃避した独断から出発したが故に、他の生物から元來区別さるべき「人」について語ったつもりではあったらうが、その實は「人」について、少くとも「生きてゐる人間」については何程のことも語ってゐないと云った喜劇の條書をでっち上げたものに過ぎなかった。即ち天賦人権説の物語は始めから人を神化して了った云はゞ神話に外ならなかったものである。

云ふまでもなく天賦人権的な思想は古くからあったものであるが、中世の身分的封建制の革新に向けられて叫ばれた十七世紀以來の近代的天賦人権説は單に神話として語られてゐるに止まらず、一六八八年イギリスに於ける所謂「権

一一四

利憲章 Bill of rights」の宣言を皮切りに、神話の歴史領域への侵入が始まり、一七六四年にはアメリカに於けるイギリス植民地の母国に対する「権利憲章」の要求となり、引續き、一七七六年の北アメリカ合衆国の獨立宣言の如きは――トーマス・ジェファーソンによって起草されたと云はれるその宣言の骨子的部分には次のやうな名文句がある「吾人は次の如き諸眞理は之を自明なるものなりと信ずるものである。即ちすべての人は平等につくられ、造物主より一定の不可侵的権利を賦與せられたるものにして、これらの権利中には生命・自由及び幸福の追求を含むものなることを信ずるものである云々」――卒直にこの神話を国是としたものである。斯くて人々は神話の神話的本性を忘れ、有名なフランス革命に於ける「人権及び市民権の宣言」に含まれたこの種の思想は一七八九年法律的にも承認されるに至って全くその極に達したとみることが出來る。以來三世紀に亘り、「人は生れ乍らにして天賦の権利を有す」との思想は抜くべからざる社会観・法律観となり、権利観となって殆ど世界の人々の盲信するところとなり、今日に至るも尚ほその餘燼は冷め切ってゐるわけではない。個人主義・自由主義の思想がこの信仰に基いて怖ろしくもまた大きな花となって咲きほこったものであることは茲に附言するまでもない。

天賦人権説によれば、人は始めから完全円満なる権利を造物主より賦與されたものなるが故に、人は例外なく各人皆平等たるべきであり、またもし斯かる権利の円満性の実現に何等かの支障を來たすが如きものは、それは神によるものか、然らずんば少くとも斯かる平等人の平等に有してゐる「自由なる意思」によったものでなければならぬ。自由・平等の信條はその限りに於ては茲に基礎を確保してゐるわけである。從ってこの種の考へ方からすれば、社会も國家も法も、苟くも彼等の固有する権利を制限するものは總べて皆その「自由なる意思」の所産でなければならぬわけである。また事実この結論に達してゐるのである。併し「我」の天賦権を現実に阻害するものは同様にかゝる天賦権を有つ「汝」であり、「汝」の天賦権を事実上阻害するものはまた「我」又は「彼」であるが故に、結局「我」にとっては「汝」も亦「我」の「自由なる意思」の所産であり、「汝」にとって「我」は「汝」の「自由なる意思」の所産でなけ

一一五

一一六

ればならぬ、とは極論してゐないやうである。論者が意識して「神の子」の前提に矛盾するこの結論を避けたか、乃至はその他の理由によって怒るかは私の知るところではないが、何れにしても要するに、神話は神の世界にのみ妥當する物語以上のものではない。「人間」の世界に神話を実現せんとせば、先づ「人間」を「雲を食ふ神」に化するか、「人間」から一切の論理を剝奪してからかからねばならぬ。

二、私はこれ以上神話について語ることは止めたい。所詮我々は神話の主人公たり得ないからである。併し、元來天賦人権説の神話に由來したものとは云へ、三世紀の永きに亘って世界の歴史の舞台に君臨し、今以て尚ほその大きな影を印してゐる個人主義は、決してそのまゝの姿で踊ってゐたわけではないが既に神話を超えた歴史的事実となっており、我々も亦多くこの種の思想の洗礼を受けた者なるが故に、この個人主義、殊に個人主義思想に培はれて発展した個人主義的権利概念についてはもう少し筆を進めてみなければならぬ。

人を天來固有の権利主体と考へた天賦人権説より出発した個人主義が、個人を以て一切の中心となし、個人は一切のものゝ出づるところであり、一切のものゝ帰するところであると考へたのは寧ろ當然である。併し斯かる個人は多数なるが故に、また「神の子」ではあるが必ずしも神の如き行為者ではないが故に、実際の必要から或る程度まで個々の個人の天賦権を制限し、その自由を拘束しなければならぬ。そこで考へ出されたのがこの使命を有する「法」であり、そしてこの法の效力を維持するため便宜上「國家」なるものを作ってその維持に當らしめたと考へる。從って個人主義によれば、実在するものは個人のみであり、神の子としての権利主体たる個人は根源的には法の上に立ち、法は國家に君臨する。從って所謂「夜警國家」は個々人の生活を保護し、法を維持するのを唯一の存在理由とするそれは眞実の意味に於て「番犬」だったわけである。

法は実際の必要から、個人の権利を制限し、個人の自由を拘束するものであるが、元來その機能は個人の「自由なる意思」によって與へられたものであるが故に、若し新たに個人の権利を制限せんとする法規範を作らんとせば、先づ

一一七

一一八

斯かる制限の及ぼす限りの個人の意思に問はねばならぬ。イギリスに於ける議會制度の抑々の発端はこの思想に由来したものに外ならぬ。

各人の天賦権は実際生活の必要上法によって制限されてゐるが、この制限による一部権利の喪失は、云はゞ相互保険に於ける保険料にも相當するものであって、從って制限の程度は常に最少なるべきが法の理想であり、斯かる最少限度の法によって個人の全き保護に缺くるところなき國家こそ、その理想型とされてゐたのである。ルソーの忠告によれば、各人は保険金より多額の保険料を支拂ってはならない筈であったが、現はれた結果は必ずしもさうではなかったやうである。

個人主義の信條は「総ての人は平等に造られ、造物主より一定の不可侵的権利を賦與せられ」たることを自明なる眞理とし、「これらの権利中には生命・自由及び幸福を追求し得る」権利の含まれてゐることを「信ず」るものであるが故に（前記アメリカ合衆國の獨立宣言）よし法が実際の必要上個々人の天賦権を制限し、その自由を拘束するとしても尚ほ次のやうな諸原則は承認されてゐなければならぬ。即ち(イ)権利の絶対性就中個人所有権の絶対性、(ロ)契約の自由、(ハ)過失責任主義。

(イ)　所有権の絶対性

「所有権は天賦権の最も基本的な、また最も典型的な権利である。從って所有物に対する所有主の支配は絶対であり、神以外の如何なるものと雖も之に關與すべきではない。時に法律上その制限を受ける場合があっても、その法律は個々人の意思（それが如何なる擬制的方法による意思であらうとも）に基いたものであり、將來に於ても亦之に基かしめるであらうから、法律上所有権が制限されることがあっても、原理的にはその絶対性の原則と何等矛盾するものではない。所有権の制限、その得喪その変更皆何れも所有主の『自由なる意思』と無関係には行はれ得るを得ない。積極的たると消極的たるとを問はず、所有主の所有物に対する支配は文字通り絶対的なものである」。稱して之を個人所有権絶対の原則と云ふ。

一一九

一二〇

(ロ)　契約の自由

「各人は自由にその幸福追求の権利を天來的自明的なものとして有するが故に、一旦得たる財産が、(イ)の所有権絶対の原則により、個人の絶対支配に服すべきは勿論であるが、更に進んで、廣く財獲得の手段とも云ふべき契約についても亦同様に個人の意思の絶対性が承認されなければならぬ。各人は各々その自由なる意思を以て幸福追求に向ふものなるが故に、兩當事者間の意思の合致がある限り、法の制限を超えざる以上如何なるものもこの合致的意思の效果を左右すべきではない。そして如何なる物に関し、如何なる内容に於て、また如何なる者との間に於ても、各人は自由に契約することが可能であり、その反面各人はその意思に反して契約を強制せらるゝことはない」。稱して之を契約自由の原則と云ふ。

(ハ)　過失責任

「各人は各人の自由なる意思を有つ。各人が法律関係に関與し、その法律效果に対して責任を負ふのも一に係ってこの自由なる意思によってゞある。從つて各人が何等かの意味に於てその自由なる意思によらずして法上その責任を負はねばならぬと云ふが如きは始めから考へられない。若し人が何等かの原因で他人の意思に反して損害を及ぼしたやうな場合に於ても、その原因が直接又は間接に加害者の自由なる意思に関係を有ったものでない限り、法上何等の責任をも負ふものではない。責任が帰属するためには、少くとも加害者の間接意思又は不知的意思（過失）が存しなければならぬ。斯かる意思すらもないときには（無過失）、假令その人の直接の行動に起因した場合であっても何等法上の責任を負ふものではない」。稱して之を過失責任の原則と云ふ。

権利概念のコペルニクス的轉回は、以上の如き獨断的前提に立った神話的雰圍氣の中に在って行はれつゝあるのであるが、それが如何に困難なものであるかは、その神話の内容が一見甚だ魅惑的なものであるのと正比例する。よって私は、全体主義的思想に於ては、從来「権利」と稱せられてゐるものが、眞実

一二一

には果して如何なるものであり、また如何なるものとして理解すべきかを、多少の煩雑を覺悟の上で充分に究明してみたいと思ふ。そして、先に一言して置いたナチスの「義務づけられた権利」又はファシズモの「義務権」が果してよくその性格を表現したものであるかどうかを吟味してみたい。

三、抑々権利概念の内容が如何なるものであるかの詮議は今暫らく措くとしても、天賦人権説の無制約的権利概念の採るべからざるものであることが疑ひなきものとすれば、権利は「本来的に制約されてあるもの」とするの外はない。然らば権利を制約してゐるものは何であるか、と云ふよりも、この権利を権利たらしめてゐるものは何であるか、が先づ問はれねばならぬ。この点に関しては、色々の立場の相違があるにも拘らず一様に「権利は法によって制約されてあるもの」として理解されてゐるのが一般である。併し「法による制約」と云っても、天賦人権説は権利は本来人に固有する天與的なものとの前提に立つが故に、権利が事実上法によって制約されてゐるとしても、この制約は権利に対する後天的・作為的・外部的な制約（制限）であって、その謂ふところの権利の制約性は実は全く便宜的なものとの見解を持する。

権利が「本來的に制約されてあるもの」との意味は法による制約を斯かる偶然的・外部的なものとして云ってゐるのではなく、寧ろ「権利は法によって作られてあるもの」、更に端的に云へば「法なければ権利なし」との意味に於ける云はゞ権利自体の内在的本性としての制約性の謂に外ならぬ。権利は右の意義に於て法により本來的に制約されてあるものとの前提に立ち、「法なければ権利なし」の定式から出発して、果して然らば斯かる内在的性格を有つ権利とは何ぞやの究明にはいって行き度いと思ふ。斯かる権利観は既に全体主義的立場に立ってゐるものであることは云ふまでもない。

「吾々が一般に法律学の常識で権利と云ふとき、吾々は常に何程かの概念を頭の中に描いてゐるのが普通である。併し吾々がその描いてゐる概念を取り上げて、何が権利であるか、を分析しようと企てるとき、今まで頭の中に去來してゐた権利概念は忽然として消え失せて了ふ」ことは今私にも亦妥當する。「権

利は本来一つであらうのに、権利の定義は昔から法律学者の数だけある」ことも必ずしも誇張ではなさゝうである。今日屡々問題にされてゐる所謂「実績」に関し、「実績は権利にあらず」と解答せんとしたとき、私は私が常識的に有ってゐた権利概念が少なからず動揺するのを覚えてゐる。そのことは何れにするも、従来権利概念の定立に當って多くの努力を捧げた学者の中、イエリングとウィンドシャイドはその最も尤もなる人々であると云ふことが出來る。イエリングの権利概念の中心をなし、その実体を形成するものは「利益」の観念であった。「個人意思が特定の対象に向けられる限りに於て、法はその主観的側面に於て形式に準拠した個人意思の保障である」と云ふ法概念に基き、権利は概念上「法によって保護せられる利益」であると断定した。

イエリングの規定する権利概念によれば、利益は必ずしも権利ではないが、権利である以上それは常に必ず何等かの利益に還元されるわけである。と同時に権利ならざる利益の存すべきことも當然豫想されてゐるわけである。然らば権利の実体をなすと考へられてゐる利益とは何であるか。勿論イエリングの頭の中に去来したのであらう利益の概念は廣く「生活利益」を含むのであり――蓋し彼の法の概念は、「強制の形式を以てする社会の生活條件の保障」であり、更にまたそれは「國家によって保障せらるゝ社会の生活條件」だからである――必ずしも金銭的利益のみならず、苟くも主体（権利主体たり得べきもの）にとって價値あるものは凡て之に含まれるものと解せざるを得ない。それにも拘らず彼は「権利とならざる利益」の大きな分野を残してゐるのであって、従って「凡てのものは利益となり得る。而も何ものもそれ自体に於て利益ではない」のみならず、「家や、家具は、彼にとっては法によって保護されてゐる利益（権利）でもあったらうに、彼自身の生命は如何なる法規範に依って保護されてゐたであらうか。また幾多の法規範は多くの動物の生命を保護してゐるに拘らず、彼等は果して一片の権利をだに有してゐたであらうか」。更に「國民全般の利益を保護する幾多の公法規定があるが、果して個々の市民に幾何の権利を賦與してゐるであらうか」、は當然提出される疑問であらう。よってイエリングは後に権利概念を変更し「自己の利益の自己防衛」と規定したが、之は寧

ろ素朴的権利概念への逆行を意味する以外の何ものでもなかった。

イエリングの利益説の缺陥を充分に認め、そして尚ほ彼の根本思想を採って修正を試みたその後の学者に周知の如くイエリネックがある。イエリネックは権利を概念上「法規により個く意思の承認に基いて保護せらるゝ利益」と規定し、利益に対する権利主体の意思の関聯を強調した。併し乍ら斯かる権利概念対しては、「保護せらるゝ利益があればこそ人は意思し得るのではないか。何となれば、保護せらるゝ利益なしに意思する者に対してこそ別に刑罰法規の存在理由がある」との逆説的反駁を一つだけ附加して置くに止めるが、彼の権利概念も到底採るを得ないことは明かである。

之に反し、ウィンドシャイドは権利を利益の概念から切り離し、専ら主体の意思に重きを置き、権利を「法の保護する意思の支配」と定義した。併し彼の権利概念に対しては、「人は自己の意思について知ることなしに、のみならず自己の意思に反してしら権利を有し得る。受領を拒絶した債権者は、それにも拘らず依然として債権者であり、従って債務者は履行を完了するまでは依然として債務者である。他人の土地に侵入する者は假令所有権者が彼に対してその侵入を明示的に禁じなかったとしても、また所有者が全く知らなかったとしても、所有権者の権利を侵すに充分である」が故に、権利と意思との関係は寧ろ逆に「権利があればこそ、権利者はその意思の現実的支配を缺き得る」との反駁がなされ得る。

果して然らば権利は抑々如何なるものであるか、と云ふよりも、吾々は如何なるものに向って「権利」と名づけ得るか。先に一言せる通り、兎に角権利は「法によって作られてあるもの」であり、「本来的に法によって制約されてあるもの」であるが故に、吾々は少くとも「法による制約」をその内在的本質として有するやうなものでないものは之を「権利」と称することは出來ない（「権利に當る欧語としての Recht, droit, diritto, right, 等々皆何れもそれは同時に「法」の意義をも有するものである）。飽くまで「法なければ権利なし」を常に大前提として銘記して置かねばならぬ。

併し乍ら私は茲でもう少し嚴密な吟味をしなければならぬ。即ち「本來的に

法によって制約されてあるもの」は果して全部「権利」と名づけ得べきものであるか、といふことである。更に抑々「権利」と称し得べきものがあるであらうか。日本語の「権利」の用語はそれ自体既に「利益」を内に含む概念ではないのか。「法によって制約されてあるもの」は恐らく「物」ではない。然らば「者」であるか、それともその他の「もの」であるか。権利の何たるかに関しはしなくも自ら提起した疑問は、哲学上の根本諸問題の扉をまでたゝきさうである。私はこの邊で暫く制動機の助けを借りねばならぬ。

今私の前には数冊の本が置いてある。本の下には机がある。更にこれらの物は私自身と共に皆「家」の中に在るものであるが、この家は生籬に圍まれてゐる一劃の土地の上に建ってゐる。

これらの物のうち、私が私の手で創ったものは何一つとしてないが、本や机は私が某商店から購入した物であり、現に私の有ってゐるもの（A）である。家や土地は、本や机と異り、私の有ってゐるものではないが、私が友人某から賃借したもの（B）である。そして吾々一般人の常識から云へば、Aは私の所有物件であり、Bは私の賃借物件である。所有物件に係る権利は所有権と云はれ、賃借物件に係る権利（賃借物に対する権利ではないとされてゐる）は賃借権と云はれる。かうして置いて私は再び権利自体の問題に帰ることにしよう。

これらの本や机は私の所有物であり、私の所有権の存する物ではあるが、決して本や机そのものが所有権であるとは云ひないであらう。私自身もまた決して所有権ではない。從來の法律学上の常識では、権利の帰属してゐる人を「権利の主体」と云ひ、権利の関係するものを「権利の目的」又は「権利の客体」と称する。権利の主体は権利ではなく、権利の客体も亦権利ではないが故に、如何に権利の主体を論じ、又は権利の客体を吟味しても、恐らくは権利そのものゝ概念は浮び上って來ないであらう。從って権利は、「者」でもなく、また「物」でもあり得ない。果して然らば権利は如何なる「もの」であるか。

(1)　権利は「者」と「物」との「関係」であるか

私は一般にこれらの本や机及び家や土地に権利を有ってゐると考へられてゐる

る。これらの本や机は他の本や机と異り、またこの家や土地は他の家や土地と違って私と何等かの関係に於て結ばれてゐることは否定し得ない。果して然らば私と本とは「所有権」と云ふ権利によって結ばれてゐるのか、私と家とは「賃借権」と云ふ権利によって結ばれてゐるのであらうか。先にも一言した通り、権利とは「法によって制約されてあるもの」と云ったが、私と物との間に於ける斯かる「関係」relazione こそ「法によって制約されてあるもの」即ち権利に外ならぬであらうか。

若し私と本、私と家との間に於ける関係そのものが権利であるとするならば、主体たる私は「者」として同一であり、客体だる本及び家は「物」として同一であるが故に、同一の関係、即ち同一の権利によって結ばれてゐる筈である。少くとも客体たる相手は「もの云はぬ」物であるが故に、主体（意思主体）たる私の考へ一つで同一の関係にはいり得なければならぬ筈である。それにも拘らず、私と本との関係は所有権と云ふ権利関係であると云はれ、私と家との関係は賃借権と云ふ権利関係に於て結ばれてゐると云はれる。而もこの関係は単に私の考へ一つでは之を如何ともすることの出來ないものである。從って一見すれば恰も私と本、私と家との間に所有権又は賃借権と云ふが如き権利が直接介入してゐるが如く思はれるが、それは錯覚であって、権利によって直接結ばれてゐる関係當事者は寧ろその背後に在るものではなからうかと疑ってみなければならぬ。また事実私と云ふ「者」と、本や家と云ふ「物」との間に直接の関係が生ずるとみるが如きは寧ろ噴飯ものであるとも云へる。右の如く「者」と「物」との間にも何等かの事実関係が発生するであらうことは否定し得ないとしても、その関係そのもの（例へば利用関係と云ふが如き）を採って之を「本來的に法によって制約されてあるもの」、即ち権利とみることは少しく吟味が不充分のやうである――茲で所有権は対物権なるが故に「者」と「物」との関係であり、賃借権は対人権なるが故に「者」と「者」との関係であって、それを所有権と之と根本的に相違する賃借権とを混同して論及せんとするが如きは法律を知らざるも甚だしい、と云ったやうな非難をする論者は、後にも說く如く権利多元論者であり、現に究明せんとしてゐる問題自体を解せざる者である

一。

(2) 権利は「者」と「者」との関係であるか

右に述べた如く、権利を「者」と「物」との直接関係とみることが出來ないとすれば、権利は「者」と「者」との関係にして、之が「本來的に法によって制約されてあるもの」に外ならぬであらうか。云ふまでもなく「物」と「者」、「者」と「物」との間にも何等かの関係が生ずるであらうことは上述する如くであるが、先にも一言する通り、元來法は社会及び人間を規制する（社会及び人間によって規制されつゝ）云はゞ規範的法則とも云はるべきものであるが故に、如何にその特殊的先端に於ける法と雖も「者」の介入しないところにはその及び得る餘地がない（附合、混和・加工等の場合に於ても、それは決して「物」と「物」との関係ではない）。更に今までの例について考へてみるに、私と本、私と家との間には、一見所有権又は賃借権と名づけ得る権利関係が存在するが如くであるが、それは顕現現象の素朴的直覚による錯覚であって、

「者」と「物」との間にも法の規制せんとする直接の関係は発生するものではなかった。然らば「者」との間に「本來的に法によって制約されてあるもの」即ち権利関係によって結ばれてゐる相手方は抑々「何もの」であるか。一見するところ、それは「者」でありさうである。果して権利は法によって制約されてゐる「者」と「者」との関係であるか。

私は現にこれらの本を「有ってゐる者」即ち所有者と考へられてゐるけれども、元來私の創ったものではなく、始めから「私のもの」であったわけではない。それは私（甲者）が丸善（乙者）から購入した結果、今は私の所有物（A）となってゐるものに外ならぬ。私と家（B）との間も右と同樣、私が友人某（丙者）から借入れた結果一種の利用関係が発生してゐるに過ぎない。云ひ換へれば、甲の所有権と云ひ、賃借権と云ひ、何れもそれは甲と乙、甲と丙との関係（一般に之を法律関係と云ふ）の結果発生したものに外ならぬ。從って所有権と云ひ賃借権と云ひ、元來甲と乙、甲と丙との関係から始まったものであり、偶々甲と乙との関係は「本」を媒介とした関係（賣買）の結果であり、甲

と丙との関係は「家」を媒介とした関係（賃貸借）の結果であることは明かである。かう云ふとき、併し私は次の様な反駁を豫想しなければならぬ。「成程甲の所有権は元來甲と乙との関係（賣買）に由來したものには違ひないにしても、既にA（本）と乙との間には何等の関係はなく、また事実何等の関係（利用関係の如き）がなければこそ甲は現にAの所有権者たり得るものであるが故に、今に於ても尚ほ乙が甲との間にAを通じて権利関係に於て結ばれてゐると考へるが如きは法律を解せざるの甚だしきものであり、のみならず餘りにも事実に反する考へではないか。何となれば甲のAに対する所有権は乙と無関係に存在してこそ、それは眞実に所有権たり得るものだからである」。云ふところは一應尤もである。序のことに甲と丙との権利関係についても反駁して貰ひたいものである。そのとき論者或はかうも云ふであらう。「甲と丙との間は云ふまでもなく家を媒介として賃貸借関係に於て結ばれてゐる。併し賃貸借は対人権としての債権であって、対物権たる物権ではない。債権と物権とは本質的に異なるものである。少くとも所有権とはその権利構造の実質を異にする」と。果して然らば、論者は所有権――所有権以外の物権は何れも特定の相手方ある権利であることは云ふまでもない――は「者」と「物」との関係であり、その他の権利は「者」と「者」との権利関係であるとでも云ふのであらうか。果して然らば論者は権利二元論者である。否恐らくは権利多元論者であらう。何となれば、論者によれば所有権、債権、親権、後見人の権利等多岐に亘る各種の権利に関し夫々その構造を異にするであらうからである。併し権利多元論者は「権利自体」の構造を究明せんとしてゐる私の問題とは、その解答せんとしてゐる問題の次元を異にするものである。従ってまた反駁の資格もそのまゝの論調では持合せてゐないと云はねばならぬ。

私は「法なければ権利なし」から出発した。また今まで辿って來たところから、具体的な個人の権利とも云はるべきものは総べて何等かの法関係（所謂法律事実をも含めて）から始まるものであると云ふことも略々推察される通りである。この邊で私は法概念のコペルニクス的轉回の内容が如何なるものであったかを回顧してみなければならぬ。

社会・法・人間（歴史的特殊化の面に於ては國家・國法・國民）は本來的に三位一体をなすものであり、法を主語にして云ふならば、法は「社會及び人間に規制されつゝ且つ同時に社會及び人間を規制する規範的法則」であると云って置いた。即ち法は「社會及び人間を規制する規範」たる積極面を有ってゐるわけであるが、併し法は決して社会又は人間の形、大きさ、重さ等々の外表を規制するものではないが故に、より正確には「社會及び人間――この両者が相互限定的概念であることは繰返へし述べた――の行為を規制する規範」であると云ふべきである。云ふまでもなく社会及び人間の最も現実具体的の行為を担當してゐるものは一般に「個人」と云はれる個々の「我」及び「汝」又は「彼」である。従って法の規制する最も具体的な現実面は「我」、「汝」、「彼」等々の行為であると云へる。然るに社会概念のコペルニクス的轉回に當っての新らしい個人観によれば、個々の個人（我・汝・彼等々）は單に個人「甲」、個人「乙」、個人「丙」等々としては規定され得ないのであって、正確には、その如何なる場合に於ても常に個人「S甲」、「S乙」、「S丙」等々として規定せらるべきものであった。そして、それなるが故に、個々人の法関係の定式も亦常に「S甲」、「S乙」、「S丙」等々の関係としてとらへるべきものであった。

果して然らば、私と丸善との賣買関係、私と友人某との賃貸借関係、これ何れも皆單に甲と乙、甲と丙との單純な平面関係だけではなかった筈である。即ちそれは「S甲」、「S乙」との関係、又は「S甲」、「S丙」との関係としてみなければ正確な見方ではなかったわけである。既に述べた如く、甲・乙・丙等々の担ってゐる「S」は、法及び人間と三位一体をなす社会、云はゞ原本的社会を意味するものであるが、私・丸善・友人某等の個別概念に於ける例について云へば、それは個別概念に於ける社会即ち日本の社会であり、それは日本國家（勿論実質的意味の）である。従って私・丸善・友人某の法関係の定式は、各人皆日本國家「S」を担ってゐるものとしての「S甲」、「S乙」の関係、「S甲」・「S丙」の関係とみて始めてその眞実の姿に接し得るわけであらう。

右の如く各人の法関係が何れも皆「S甲」、「S乙」等々として規定せらるべきものとすれば、従來一般に信ぜられてゐた所謂私法関係の二面性は完全に否定されなければならぬ。「S甲」、「S乙」の関係即ちS「甲・乙」の関係定式に於ける「S」を法律学上の用語として何と稱すべきものであるか。前述する如く、ハンス・ドェーレ氏は之を「第三の當事者」と云ってゐるが、氏もその際注意してゐる通り、この「S」は決して「第三の當事者」とは云ふものの、甲・乙と同一平面、同一次元に於ける、所謂從來の用語例にみる單なる「第三者」の地位に在る當事者でないこと勿論である。從って「S」、「甲・乙」の法関係は決して單なる三當事者の三面関係ではないが、説明の便宜上「S」、「甲・乙」の関係を三面関係とし、「S」を「第三の當事者」と假稱するならば、甲は本を媒介とし、乙との間になされた賣買を通じ、乙の担ってゐた「第三の當事者」Sと新たな関係を結んだわけである。家を媒介とし、賃貸借を通じての甲丙間の関係も原理的には之と何等相違するところはない。唯この場合、S甲に対するS乙とS丙との相違は、S乙が殆ど瞬時にしてその特定性を失って「S」の一般性に還元して了ふに反し、それでも、賣主の担保責任はこの特定性の還元を制限してゐる際、S丙は尚ほ「丙」としてその特定性を保持してゐるまでのことである。後の場合に於ても、S甲はその特定的先端としての「丙」氏によって担はれてゐる第三の當事者「S」と家を介して新たなる関係にはいるものであることは言ふを俟たぬ。即ち所有権たると賃借権たると、又はその他の権利であるとを問はず、苟くもそれが権利――本來的に法によって制約されてあるもの――と云はれ得べきものである限り、それは單に「者」と「者」との関係ではなくして、原本的には「者」と、そのものの担ってゐる「S」との関係であると云はねばならぬ。そしてこの「者」は云ふまでもなく「S甲」、「S乙」、「S丙」等々であり、「S」は時にその特定的先端を有つ「Sそ」でもあり得るがそのことは権利構造の理論に於ては偶素とみて差支へない。之を更に端的に云へば、権利は「個人と社会」、「個々の國民と國家」、更に具体的個別概念を借用するならば、「我と日本國家」、「汝と日本國家」との関係にして、「それが本來的に法によって制約されてあるもの」と云ふ

ことが出來るであらう。

我と云ひ、汝と云ひ、それは共に日本國家を担ってゐる我であり、汝である。云ひ換へれば日本國家の特定的行為的先端としての我であり、汝である。我と汝との間に平面交叉をする單なる「第三者」ある場合に於ても、我と汝との関係がそれによって拘束を受けるものであることは從來の法律学上の常識からみても疑ひないところである。況や次元を異にする上位の「第三の當事者」國家の存する場合に於ておやであらう。私法関係に在っては五官的知覚に於ける顕現現象としては我と汝ではあらう。併し共に國家を担ってゐる我であり、汝である。その間に恣意的行為の許されないことは寧ろ當然であると云はねばならぬ。

尤も私が斯く云ふとき、私は次の様な反問を豫想しなければならぬ。即ち「権利が本來的に法によって制約されてある個々の國民と國家との関係であるとするならば、それは一種の公法関係であるが故に、從來権利とは何等かの意味に於て個人の権能であり、支配であり、可能であると考へられてゐたその第一の機能は茲に全く昇華されて了ひ、それは寧ろ一般的な責務であり、制約であり、負擔ですらあるのではないか」と。

然り、権利は責務であり、制約であり、それは負擔でさへある。併し、権利は権能であり、支配であり、可能であるが故にその反面として責務であり、制約であり、負擔であるのではない。権利を無制約的な天賦権と考へない限り、権利は法によって作られてあるものであり、個人と國家との関係にしてそれが本來的に法によって制約されてあるものと考ふべきである。從ってそれは當然に責務であり、制約であり、負擔ですらある。斯かる一般義務の履行行為、それが法によって保障され確保されてゐるところに反面権能的なものがあり、支配的なものがあり、可能的なものが内在すると考ふべきであらう。從って「富は債務を生ず」るのではなくして、逆に「債務は富を生ず」るのである。太陽が西へ西へと移行するのではなくして、地球が東へ東へと廻轉するのだ。國家に対する債務なるが故にそれは我にとり、汝にとり、彼にとって富であるに外ならぬ。

斯く云ふも併しこのことは、今までの権利本位の秩序思想から曾ての義務本位の秩序思想への單なる逆行を意味するものではない。曾ての義務本位は我の汝に対する義務であり、汝の我に対する義務が原本的なものであった。玆に云ふ責務は、即ち右に所謂債務は、それは社會に対する責務であり、國家に対する原本的債務を意味する。ナチスの「義務づけられた権利 *Verpflichtetes Recht*」と云ひ、ファシズモの「義務権 *diritto-dovere*」と云ひ、何れもそれはナチスについては民族共同体としての社會、ファシズモに在っては國民共同体としての社會國家に対する「義務」を意味するものであると解せられる。然らば謂ふところの「義務」の内容は如何なるものであらうか。

第三章　所有権の「義務権」的性格

第一節　総説

一、従来の法律学上の常識的分類方法に従へば、権利は先づ公権と私権とに分かたれ、私権は更に財産権と非財産権とに区別されるのが一般である。財産権は更に物権と債権とに分たれ、物権は所有権其の他の用益物権と担保物権とに細分されてゐる。斯かる分類方法によれば、所有権は権利と目されるもののうち低次位の一部を形成するものに過ぎないが、従来から権利と云へばすぐ所有権を想起する程、権利中枢要な地位を占めてゐたのはこの所有権であった。現代的法律課題とも云はれる権利概念の本質的転回も、専ら所有権を中心とする転回運動であり、法概念の転回も実はこの所有権理論の発展によって促された必然的要請であったとも云へる。私が権利法研究の最後の一章に於てファシ

ズムの所有権を取上げたのも如上の理由に依つてゞある。

二、近代的天賦人権説に由来する個人主義の上に築かれた金融封建的社会を経済学者は資本主義社会と名づけ、この資本主義的社会機構を維持した法の一聯を法律学者は市民法と名づける。資本主義の本能的性向は萬人の商人化であり、萬有の商品化であるとも云ひ得るのであらう。従つて市民法はまた別名商人法とも云はれ、一切のものを取引の客体とせずんば已まざるその本能的欲求がみられる。土地の商品化は云ふまでもなく、遂いに生命をも（生命保険証券を担保とする金融）取引の客体たらしめんとするに至つては金融封建制もその極に達した云はねばならぬ。斯かる市民法に在つて三つの大きな法原則として掲げられたものは、先にも一言せる通り、個人所有権絶対の原則であり、契約自由の原則であり、過失責任主義の原則であつた。

三、市民法の解するところによれば、所有権は抽象的絶対的な権利であり、所有者は自由に所有物を使用し、収益し、処分し得る権利を有するものであるとせられる（佛民法第五四四條、伊民法第四三六條を始め、近代的民法は殆ど例外なく同趣旨の規定を有する）。従つて所有権とは「者」と「物」との直接関係と見られ、而も「物」に対する「者」の絶対的支配権能であつて所有者は比喩的に云へば「物の生殺與奪の全権」を有つてゐる「帝王」にも比せられる。更に玆の「自由に使用し、収益し、処分し得る権利」の所謂「自由に」とは所有者個人の積極的及び消極的意思の自由を意味する。即ち所有者は積極的に使用し、収益し、処分し得るの自由を有すると共に、全く使用せず、収益せざるの消極的自由をも併せ有するのである。従つて所有者は何人からも（神以外には）物に対する絶対支配について何等の干渉をも受けない、それは文字通りの「絶対自由」を意味するものであつた。併し乍ら斯かる無制約的な個人の権能が、如何に原子論的機械論的社会観に立つとしても、事実上多数個人の関係し合ふ社会に於ては到底維持し続けられるものでないことは明かである。かくてフランスのコルマール裁判所によつて為された一判決は、所謂「権利濫用」の

理論を具体的事案に適用した最初のものと云ひ得べく、従来の無制約的な所有権理論の修正運動の萌芽を見るに至つたが、更に「富は債務を生ず」との思想にまで進み、個人の権利本位の根本思想に於ては変りないとしても「権利の義務性」の強調に於て随分思ひ切つた革新説を唱へる学者も稀ではなかつた。債権法に於ける信義誠実の原則などもさう云つた思想の具体的発展であるとも解されてゐるが、斯かる修正運動の頂点に立つて、やがて来るべき「権利概念のコペルニクス的転回」を暗示したのは周知の如く一九一九年八月一一日のワイマール憲法第一五三條の「所有権は義務づけられる、云々」の規定であつた。特に土地所有者の負担した共同体の利益に対する之が使用收益の義務づけは、少くともそれまでの法規範の最尖端に立つたものであると云はねばならぬ。併し「権利の義務づけ」は単にそれだけでは未だ権利本位の修正案であるに止り、権利概念の本質的轉回を意味するものでないことは今まで述べ来つたところからも推知されるところである。全体主義的秩序思想に於ける新たなる所有権理論は決してさう云つた微温的修正に満足するものではなく、繰返へし述べた如くそれは眞実の意味に於ける「コペルニクス的転回」であり、権利本質論、権利構造論の論理的転換でなければならぬ筈である。

然らば現代の全体主義体制の先輩であり、そのよつて立つ社会観、国家観は必ずしも同じではないが、共に世界に於ける全体主義国家群の二大先鋒とも云はれてゐるナチス・ドイツ及びファシスタ・イタリアに於ける所有権概念の転回の実状はどうであらうか。前者に関しては第一章第二節の概説に於て簡単に触れて置いた程度で、之が詳細なる解明はその道の専門家に譲るとし、以下主としてファシスタ・イタリアに於ける全体主義的所有権概念の如何なるものなるかを現行法規を縦糸とし、之に関する諸学者の見解を横糸にして織り成し、果して如何なる新柄の模様が浮び出るかを試みてみたいと思ふ。

第二節　労働憲章に於ける所有権

一、先にも一言附加して置いた如く労働憲章は一九四〇年一一月三〇日、一

九二七年四月の制定以来最初の改正を受けたものゝ如くであるが、改正案の正式確定は更にファシスタ大評議会（Gran Consiglio fascista）の決定を俟たねばならぬもので、果して現に右の改正諸点が現行組織法となつて採擇されてゐるか否かは今のところ必ずしも明確ではない。更にその改正案に関しても、之が確たる資料を入手してゐないが故に、その具体的内容は茲に述べる限りではないが、大体今回の改正の眼目は専ら所有権法に置かれてゐるものゝ如く、所謂「産業奉還」のファシスタ新体制への第一歩が踏み出されたかの氣配が感ぜられる。即ち所有権の客体たる財を大きく二分し、一は専ら個人の直接消費に當てられる個人的消費財と、一は国民的生産に向けられたる国民的生産財とし、夫々特別の法規範に服せしめんと試みるものゝ如くである。周知の如く、従来の所有権法に於ても財は大体動産と不動産とに区別され、夫々別個の法規の適用を受けてゐるのであるが、この区別は夙に諸学者の指摘してゐる通り全く根拠なき形式的なものであつて、現在の如く不動産の動産化が遍ねく行はれてゐる社会に在つては実は殆ど無意味であるのみならず、反つて形式的区別の故に不都合をさへ生じてゐるのである。斯かる現状に在つて、従来全く試みられなかつた様な財の区別をなし、法律的に之を個人的消費財と国民的生産財とに二分し、夫々に関しその適用の法規を別にせんとしたことは、何にしても所有権法に於ける大きな革新であると云はねばならぬ。

併し乍ら思ふに、個人的消費財と雖も、前述せる「再生産過程の原理」による「眞に経済的なるもの」を把握せんとする経済理論に於ては、それは再生産過程への云はゞ原動力であり、してみれば所謂国民的生産財としかく本質的に相違するものではあり得ない。何となれば再生産過程の原理に於ては、個人消費は来るべき再生産への必須缺くべからざる消費であり、再生産過程に入らざる消費――実は消費に非らずして、それは寧ろ毀滅と云はるべきである――だけが眞に恣意的な財の使用に外ならぬものであつて、苟くも生産が純粋の国営――産業奉還と雖も決して全産業分野の国営を意味するものではない――にも非ず、また純粋の私営にも非らざる経済機構に於ては、斯かる区別は反つて誤解を招く惧れがあるからである。如何なる経済理論に於ても、財と之に加はる

べき労力とが生産の最少要因であることを否定するものではない。而もその労力の補充は専ら個人的消費財に拠るところが多い。一方に国民的生産財を掲げるならば、それと同程度の重要性に於て、他方に国民的労力補充財（個人的消費財）を掲げなければならぬ。更に又所謂国民的生産財と個人的消費財とを如何なる規準を以て区別せんとするか。それは専ら立法技術の問題に帰するとは云へ、その区別の標準は吾々が一般常識上抱いてゐる程しかく必ずしも容易なものではないであらう。尤も経済学上の常識に於ては生産財と消費財とは、財そのものに依る区別ではなく、財の直接使途の態様によるものであるが故に、それは必ずしも困難であるとは云へない。特に国民的生産財と、個人的消費財とは一應明確に区別することも出来る。労働憲章の改正案に所謂財の区別は恐らくは斯くの如き財の直接使途の態様にその標準を求めんとするのではなからうか。併し乍ら上に述べた如く斯かる区別は云はゞ「消費的区別」であつて、再生産過程の理論に於て「生産」殊に「国民的生産」を基礎としての財の区別、云はゞ「生産的区別」でないことは明かである。

そのことは何れにするも、以下は現行労働憲章に於ける所有権概念の大要である――現行労働憲章の取扱つてゐる所有権法も専ら生産財に関したものである。一般的な所有権概念は次節に述べるところである――。

二、労働憲章には直接生産に関する規定が随所に見受けられる。尤も実は労働憲章そのものが直接又は間接の「国民的生産規定」とも云はるべきものであつて、その第一條の規定を除く外、他は何れも皆何等かの意味に於て生産関係と関聯を有つてゐないものはない。その内でも生産的所有権法の中心とも考へられるものはその第二條及び第七條である。第二條は権利主体の一般的義務づけに関し、第七條は権利主体の責任主体たる性格に関する規定であると見ることが出来る。

(1) 第二條第一項所定の権利主体よりみたる所有権概念

第一章第三節に於て一言して置いた通り、ファシスタ・イタリアに於ける全

体主義的体制の実質的な法規上の基礎は労働憲章第二條第一項である。即ち同條第一項は「労働はその組織的及び実行的たると又はその智知技術的筋肉的たるとを問はずその凡ゆる形態の下に於て一つの社会的義務なり。この名義――に於て而もこの名義に於てのみ国家より保護せらるゝものなり」と規定する。茲に謂ふ「労働」とはその組織的 *organizzativo* たると（企業者側、労働授與者側について）、実行的 *esecutivo* たると（従業者側、労働提供者側について）を問はず、且つその智的 *intellettuale* たると（精神的労働者について）、技術的 *tecnico* たると（同時に精神的及び肉体的労働者例へば技術者の如き者について）、筋肉的 *manuale* たると（所謂狭義の肉体労働者について）を問はざるが故に、更にそれは凡ゆる形態の下に於ける労働を包含するものなるが故に、本項に所謂労働 *lavoro* とは広く人の凡ゆる生産的社会的活動を意味するものであると解して差支へない。そして「労働は社会的義務なり」に所謂「社会的」*sociale* とは云ふ迄もなく前述せる原本的社会を意味するものであるか、イタリア法学者の一般的な見解に於ては、それは「国民的」*nazionale* と同意義に解すべきものとされ――蓋し、ファシスタ・イタリアは、正史的に特殊化された社会であり、それは既にファシスタ国家（*Stato fascista*）であるが故に、本條の *sociale* の用語は適当でなく、寧ろ之は *nazionale* とすべきであつたと主張する学者もある――、更に本項後段の規定より見て、端的にはそれは「国家的」*statale* と解釈すべきが寧ろ適切であるとなす学者もある。何れにしても本條の義務 *dovere* は、個々の法律関係によつて特定人に対して負担する個々の義務 *obbligazione* ではなく、端的に云へばそれは正しく国家に対して負つてゐる云はゞ一般義務――国家を国家たらしめ、国民を国民たらしめてゐる国法（国家と国民と三位一体をなす国法）によつて課せられてゐる義務――であることは疑ひない。私は第一章に於て、国家に対して斯る一般義務を負担してゐる個々の国民を便宜上「民吏」として把握して置いた。

ファシスタ・イタリアに於ける個々の国民が斯かる一般義務の担当者としての民吏であるとするならば、反面その義務の履行は国家によつて確保され保障

されてあらねばならぬ。本項後段に於ける「この名義に於て、而もこの名義に於てのみ、国家より保護せらるゝものなり a questo titolo, e solo a questo titolo, è tutelato dallo Stato」の規定はこの民吏の履行行為を保障してゐるものに外ならぬとみることが出来るであらう。

云ふまでもなく民吏がその一般義務を履行する現実具体的の手段方法は千差万態であり得る。或は財物を介し、或は頭脳を以て、或はその技術により、或はその労働力を以て之が手段とするでもあらう。併し何れの媒介手段によるとを問はず、その履行行為は国家の保障するところであるが故に、その保障の限度に於て民吏が国家に対してその媒介手段に於ける一種の権能とも云ふべきものを取得することは明かである。学者は之を従来の権利と区別する意味で「義務権 diritto-dovere」と称してゐるのであるが、財物に於ける斯かる国家に対する権能は、従来の用語例に於ける所有権と名付けてよいであらう。併し玆に謂ふ所有権が決して直接「物」に対する権利、「物」を支配する権利でないことは言ふまでもない。即ちファシスタ国家に於ては、所有権は従来の如く個人の「財物」に対する権利ではなくして、民吏の「財物」に於ける国家に対する義務権であると云はねばならぬ。従って所有権もその権利構造に於ては他の権利と何等相違するものではなく、唯財物を通じての民吏甲のこの義務権（所有権）は、前章の意義に於ける「第三の当事者国家」のみとの関係であり、他の義務権に於けるが如く国家の特定の行為的先端（民吏乙）が介在してゐないと云ふまでゞある。またそれだけに所有権は個人（民吏）と国家との関係に於けるこの義務権的特性の最も典型的に現はれるものであるとも云へる。固より法関係をそのまゝ利益関係に直訳することは許されないが、假りに財物を介しての法関係を従来の例に従って之を利害関係の一種と見るならば、所有権関係は個人と国家とが財物を通じて一種の利益関係に於て結ばれてゐる状態であるとも云へる。従って或る財物に個人所有権が成立してゐるならば、当該の財物には常にその個人の利益と国家の利益とが（両者は法関係の当事者であるが故に）重疊してゐるわけである（この場合前者の利益を私益となし、後者のそれを公益と名づけるか否かは論者の自由である）。

玆に特に注意して置かねばならないことは、所有権の義務権的性格づけが、決して個人の所有権否認を意味するものでないと云ふことである。固よりファシズモは天賦人権説に於て見られた、乃至は個人主義的秩序思想に於て信ぜられてゐたやうな個人の絶対支配に服する所有権は認めない。また個々の国民は例外なく民吏たる身分を有するものなるが故に、従来の如き無制約的自由も勿論認められてはゐない。併し個々の民吏は、その財物を介する一般義務の履行行為については、非代替的に——他人によって代られない——即ち排他的に之を為さねばならず、また為すべく国家によって保障されてゐるが故に、斯かる保障の限度に於て当然生ずるその民吏固有の排他的権能を所有権と称するならば——また事実財物に係るこの国家による保障こそは所有権以外の何物でもないであらう——、ファシズモは個人の所有権を強化こそしてゐるが決して之を否認せんとしてゐるのでないことは明かである（この点については尚次項に詳論するところである）。官吏は義務と責任との増大するにつれてその権限も亦比例して強化されると云はれる。勿論官吏と民吏とを同一筆法を以て論じ去ることは許されないにしても、国民個々に対する民吏としての一般的義務づけは、それだけその義務に應ずる国民個々の権能を強化してゐるものであるとみてよいであらう。

従って、財物を直接の対象とする個々の法規（狭義の所有権法）が如何やうに規定されるとしても、ファシスタ・イタリアの根本組織法たる本憲章によって明定された、この所有者たるべき「者」の民吏的身分に根本的の変更がなされない限り、権利の公権的性格、所有権の義務権的性格には何等の動揺を来たすものではない。

(2)　第七條第一項所定の権利主体よりみたる所有権概念

右に述べた如く、ファシスタ国家は個々の国民を民吏として規定はしたが、決して之を通常の官吏の如く、単なる国家の使用人たらしめてはゐない。殊に所有者としての民吏は国家の行為的先端としての他の特定の民吏と直接の協力関係に置かれざる云はゞ独任的民吏なるが故に、その負担してゐる一般義務を現実に如何なる態様に於て履行するかは原則として之をその民吏たる所有者独自の意思に一任してゐるのである。云ふまでもなく民吏は、飽くまで国家の民吏としての一般義務を負担してゐるが故に、その意思は決して個人的な恣意ではあり得ない。従つてその独自の意思と云つてもそれは不履行の意思を含まざるは勿論、不完全履行の意思も許されないこと勿論である。即ち茲に所有者の独自の意思とは、履行を前提し、唯その履行の態様を如何にするかの云はゞ選択的意思の自由を意味するに外ならぬ。これ所謂「個人創意 *iniziativa privata*」と云はれてゐるものであるが、労働憲章第七條第一項はこの個人創意の尊重せらるべき旨を明定したものである。「即ち「組合国家（註）は生産の分野に於ては個人創意を国民利益に最も有効にして且つ最も有用なる手段と看做す」と規定する――ムッソリーニも其後同趣旨の演説を繰返へし強調してゐる。「組合制は所有権と個人創意を根本的に尊重する体制である。併しそれらは国家のうちに在らねばならぬ、それ故に国家は之を保護し、統制し、活気づけ得るものである――」。

一五八

然らば国家に対して一般義務を負担する民吏がその履行行為の態様に関し、之れが選択の自由を有つと云ふことは何を意味するであらうか。云ふまでもなくそれは自己の選択行為に於ける国家に対しての「責任」と云ふことに外ならぬであらう――如何なる法理論をとるにしても創意的自由のないところには責任発生の根拠がない反面、苟くも創意的自由の認められるところに於ては常にそれに対應した責任の発生するものであることは深く論ずるまでもない――。国民の個々は民吏として国家に対して一般義務を負担する。併しこの義務の現実の履行行為に於て民吏が創意的自由を有つてゐるとするならば、彼は眞実の意味に於て責任の主体であり、一般の官吏に於けるが如く云はゞ單なる国家の使用人ではないわけである（固より官吏は官吏なるが故にその民吏的身分を失ふものではない。併し官吏と国家との関係は云はゞその上に築かれた従属関係であつて、従つて官吏は官吏としての身分行為に対し自ら之が責任の主体となるものではない）。従つて民吏はまた独立の人格者でもあるわけである。蓋し、国家より、その完全なる保障の下に、義務の主体とされ、責任の主体とされてゐる民吏的身分を賦與されてゐる者こそ、それは眞の人格者と云はれ得べきものだからである。

一五九

思ふに所有者がその所有財を通じ、国家に対して負担せる一般義務を履行するとは、他の言葉を以て言ふならば、所有者がその所有財を直接又は間接に利用すると云ふことに外ならぬであらう。また之を他の側面から見るならば所有権の動的実現と云つてもよからうし、従来の用語を借用するならば、所有権の行使と云つてもよいであらう。本條に所謂個人創意とは斯かる所有権の動的実現、所有権の行使に当つての創意的自由と解し得べく、この創意的自由に基く責任とは、所有者がその所有権行使の過程乃至その結果につき国家に対して負ふべき責任を云ふに外ならぬ。この点に関し、フイリッポ・カルリの如きは、その結果如何によつては、所有名義そのものではないにしても、その管理名義は之を他の民吏に代らしむべきであるとさへ主張する。そのことは何れにしても、所有者の直接国家に対する義務と責任、そこに個々の権利主体たるべき者の側より見たるファシスタ的所有権概念の眞の姿があるのではなからうかと思

一六〇

はれるのである。

右の如く所有者がその所有財の利用に於て国家に対して責に任ずることは本條第一項によつても既に明かであるが、本條第二項第一文は更にこの趣旨を徹底せしめてゐる規定であるとみることが出来る。即ち「生産の個人組織は国民利益の一機能なるを以て、企業の組織者は生産の運営につき国家に対し責に任ず」と規定する。

以上労働憲章の規定より理解される権利主体の側からみた所有権の構造を概説したが、然らば「者」と「物」との事実関係（利用関係）から抽出されるでもあらう所有権の概念は如何なるものとして規定されてゐるであらうか（狭義の所有権法）。云ひ換へれば所有権の機能とも云はれ得べきものは抑々如何なるものであるか。

（註）組合国家 *Stato corporativo* とはファシスタ国家 *Stato fascista* の別名とみて差支へない。組合国家とファシスタ国家とは、同じく現イタリア国家の通称上の名称ではあつても、その意味する内容

一六一

を異にするとの理由から之を厳格に使ひ分けてゐる学者もあるが、必ずしもしかく厳重に区別する必要はないやうに思はれる。尤も従来の学者の用語例から強いて両者の区別の標準を探してみるならば、イタリア国家の政治的生活面をより多く表現する場合は一般に *Stato fascista* と云はれ、その経済的生活面をより多く表現する場合には通常 *Stato corporativo* と云はれてゐる、と解して先づ大した間違ひはない。即ち前者は主として政治的国家性格を指示し、後者は主としてその経済的国家性格を指示するとみて大過ない。

組合国家としての現イタリアの一聯の法体系を学者は「組合法」「組合及び組合協調法」*Diritto sindacale e corporativo* とも云ふべきもので *Diritto corporativo* と名づける。正確には「組合及び組合協調法」*Diritto sindacale e corporativo* とも云ふべきものであるが、「組合国家」の法体系即ち「組合法」と称しても別段の誤解を招く惧れはないであらう。併し、組合法典なる特別の法典があるわけではなく、また組合法の性格づけすら今日必ずしも確定されてゐるわけではない。蓋し、労働憲章が既に根源的な組合法の法源であると共に、組合法は国家行政機関としてのコルポラチオーネの構成及び構能に関する諸法例を対象とし、更に民間の自主組織たる労働組合、職業組合に関する諸法令を包含するが故に、産業人の私法的生活にまで広くその法効果が及んでゐる。従つて従来の分類方法による公法とも云へないし、また単に私法であるとも云ひ得ない（尤も前述せる新らしい法概念に従へば、果して公法私法の区別が立てられるかどうか頗る問題である）。組合法の法的性格が何であるにせよ、ファシスタ・イタリアを組合国家たらしめてゐる法体系であるが故に、組合法即ファシスタ法であり、それはまたファシスタ全体主義的法体系であると云はねばならぬ。本章論ずる所の内容も実は組合法に於ける所有権概念に外ならぬ。「民法」も組合法的民法であれば、商法も組合法的商法である。そのことは何れにしても、一九三四年まではファシスタ国家も所謂「組合なき組合国家 *Stato corporativo senza corporazioni*」であつたが、一九三四年

二月五日の法律（附録参照）によつて右に所謂組合（コルポラチオーネ）が創立され、三大部門二十二のコルポラチオーネの設立を見るに及んでそれはファシスタ国家即組合国家としての名実を整へるに至り、それが更に一九三一年一月には所謂「結束団及び組合議院」（附録参照）の制定を見、茲にファシスタ国家即ち組合国家の一致的体制は一應整備されたかの観がある。従つて今日に於ては組合国家と云へばファシスタ国家と意味的にも同一であり、それはまた同時にファシスタ全体主義的国家を表現するとみてよいであらう。

第三節　民法の規定に於ける所有権

一、一八六五年一月制定公布、翌年一月一日より施行された現行民法典は、その第一編「人事編」を除き、他は形式上は尚ほ現行民法として存続してゐる——尤も第二編以下に関しても改正法案が起草され、近く民法典全般が新民法として登場することにはなつてゐる——。併し前節の註に於て一言して置いたファシスタ国家をして組合国家たらしめてゐる組合法は、財産法及び取引法に関しては夙に実質的に民法の規定を殆ど改廃してゐるが故に、現行民法の規定に現はれてゐる所有権概念は、従つて「嘗ての」所有権のそれであつて、之を論じてみたところで全く意義をなさないと云はねばならぬ。それのみならず、現行民法典の所有権に関する第四三六條は佛民法典第五四四條よりの、それは文字通りの直訳的條文であつて（試みに次註伊民法と佛民法との当該原文参照）現在に於ては個人主義の最も華やかなりし時代の云はゞ博物館的記念文字であると云つても、イタリア法学者中恐らくは一人の反対者もない筈である。蓋し二十世紀イズモの長兄として生れたファシズモの生誕地だ、斯かる前世紀の遺物を未だ尚ほ現行民法として年々歳々民法典の一條文として印刷し続けてゐると云ふことが、実に不思議であると云はねばならない位である。私が現行民法の規定を無視し、やがて近く施行されるであらう草案に基いて以下の如き所有権概念の定立を試みたことも、その意味で必ずしも先走つてゐることにはなら

ないであらう。否労働憲章をその基本法源として発展して来てゐる現在の組合法的秩序思想は、昨年（一九四〇年一一月）の労働憲章自体の改正によつて、この民法草案に示されてゐる所有権概念をも、既に「曽ての」所有権概念たらしめてゐるかも知れないのであつて、先走つてゐるどころか、寧ろ遅れ過ぎてゐるであらうことを惧れなければならぬ、とも云へる。果して然らば、前節及び以下の論述は改正後の労働憲章の原文を入手した後、或は修正又は増補しなければならぬかも知れぬ。この辺豫め諒を得て置きたいと思ふ。

（註）イタリア民法第四三六條は次の如き規定であり、之をフランス民法第五四四條と比較してみるとき、それは伊文と佛文の違ひだけであつて、その規定の配列、用語に至るまで全く同一であり、殆ど寸分も相違するところがない。即ち

436. La proprietà è il diritto di godere e disporre delle cose nella maniera più assoluta, purchè non se ne faccia un uso vietato dalle leggi o dai regolamenti.

Art. 544. La propriété est le droit de jouir et disposer des choses de la manière la plus absolue, pourvu qu'on n'en fasse pas un usage prohibé par les lois ou par les règlements.

その餘りにも一致的文章であるに驚くであらう。

二、民法第二編草案第一八條は、「所有権は、該権利の社会的機能に従ひ、排他的に物を享有し及び処分する権利なり。La proprietà è il diritto di godere e di disporre della cosa in modo esclusivo, in conformità della funzione sociale del diritto stesso.」と規定する——尚ほ一九三八年六月二三日、ローマに於て開催された第一回独伊法律委員会は、更に一層明瞭に「所有者は、経済及び労働の国民的秩序より結果する共同体の利益との調和に於て所有者の責任の下に、物を完

全に使用し及び之を処分し得るものとす。Il proprietario può usare pienamente della cosa e disporne sotto la sua responsabilità, in armonia con gli interessi della comunità, quali resultano dall'ordinamento nazionale dell'economia e del lavoro.」との決議文を採択してゐる——。之よりさき、ファシスタ産業者総聯合組合の定款は「所有権は単に物の上に於ける人の支配であるのみならず、尚それは一の社会的機能なり。La proprietà non è solo il dominio delle persone sulle cose, ma anche una funzione sociale.」の一文を挿入してゐるのであるが、不動者所有者、産業企業者等は右の総聯合組合Confederazioneに所属する夫々の下級の聯合組合Federazioneに加入してゐるが故に、所有権の社会的機能たる性格それに基く所有権の制約は既に実生活に於て実現されてゐるわけである。

(1)　所有権の社会的機能

前節に於て概説したところから畧々明かなる如く、主体側よりみたファシスタ・イタリアの新らしい権利構造論に於ては、権利は権利として自存的なものではなく、国家に対して一般義務を負担する個々の国民が民吏たる身分に於てその一般義務の履行に際し国家より保障されてゐる云はゞ履行々為の確保に外ならぬものであつた。このことは物を媒介する履行々為の保証、即ち所有権に関しても亦妥当するものであることも前述する通りである。茲に所謂所有権の社会的機能とは、端的に云へば所有権の国家的機能に外ならず、所有権の客体たる物の側より見た所有権の社会的国家的制約云ひ換へればその内在的制約と考へて差支へないであらう。之を主体側からみれば所有者たる民吏は前述する如くその創意的自由の下に履行々為を実現するのであるが、斯かる創意的自由が所有権の客体たる物に従ひ、夫々社会的国家的に制約されてゐるものであることを意味すると云へやう。

一七〇

云ふ迄もなく人間的観照を離れ、従つてまた社会的観点を離れて「物そのもの」が何等かの機能を有ち、その効用を発揮すると云ふやうなことは考へられないが、併しまた物が、特定の個人の生活乃至その意向によつては左右されることなき機能を持ち、効用を具有すると云ふ意味に於ては、物が物として独立せる一定の客観的機能を有つてゐることも争ひ得ない事実である。例へば米又は豆は、夫々米又は豆として一個人の左右し得ない客観的機能を有ち效用を具有するものであると考へなければならぬ。従つて所有者たる一民吏が、如何に創意的自由を有つてゐるとは云へ、一般的客観的な斯かる米又は豆の固有するであらう機能を奪ひ、一應の使用又は利用とは云ひ乍ら、之を薪炭用として焼却することは許されない筈である。草案に所謂「該権利（所有権）の社会的機能に従ひ」とは正に斯かる意味に於ける所有権の社会的国家的制約を云ふに外ならぬとみることが出来るであらう。

茲に多少問題になるのは、右の如き云はゞ白地規定にも等しい所有権の制約に在つては、一回の使用によつて一應その社会的機能を果したと考へられる物例へば新聞紙の如き物に関し、それは如何なる意義を有つであらうか、と云ふことである。蓋し、新聞紙の所有者はその読了後と雖も尚ほその新聞紙に関して所有権を有ち続けるであらうからである。併し乍ら思ふに、物の機能は一を以て之を盡すことは出来ない。固よりその物の云はゞ使命的機能と云ふべきものは、一般に消費物に於けるが如く、或は一回の使用を以て盡されるものもあるであらう。併し物が尚ほ物として有形的に存する場合には、使命的機能の達成後と雖も第二第三次の社会的機能を発揮し得べき物も少なくない。斯かる第二第三次の社会的機能を有ち続ける物に対しては、所有者は依然としてこの低次位の機能に則して所有権を行使すべく、従つて所有権は尚ほ依然として社会的機能によつて制約され続けるものであることは疑ひない。之に反し、前例の新聞紙に於けるが如き物に在つては、一見するところ、物としての有形性を何等変ずることなく、而も之が第二次第三次以下の社会的機能とも云ふべきものは之を殆ど有し得ないと考へられる物も必ずしも絶無ではない。かくの如き場合に於て尚所有権が社会的機能によつて制約されてゐると主張し続けることは

一七一

一七二

相当無理であると云はねばならぬ。併し乍ら更に厳密なる反省を加へてみるとき、果して物が物として存在し続けるに拘らず、その社会的機能のみを喪失すると云ふやうなことがあり得るであらうか。物が如何に低次位の機能と雖も、何等かの意味に於けるその物独自の社会的機能を全く喪失し盡した場合、果して残余物が「物」と云ひ得るであらうか、少なくとも所有権の客体たり得べき「物」であり得るか、との疑問である。抑々所有権の客体たるべき「物」は単なる自然物ではあり得ない。前述する如く所有権の客体たるべき物は、之を通して民吏が国家に対して負担してゐる一般義務を履行するその媒介物であり、その物の上には民吏個人の利益と国家の利益とが重疊的に存在する。また両利益が同時に存在するが故に、之による履行に意義があり、「本来的に法によつて制約されてあるもの」即ち権利が、この場合に於ては所有権が賦與せられてゐるわけであつて、国家の利益の存しない、従つてまたその社会的機能（国家的機能）を全く消盡し終つた「物」の上に所有権が尚ほ存し続けると考へることは、最初の前提に矛盾するのみならず、それ自体甚だ滑稽であると云はねばならぬ。何となれば既にその物の上には国家の利益もなくまた社会的機能も存しないが故に、斯かる国家的、社会的に零に等しき「物」を介して民吏が国家に対して負担する一般義務を履行すると云ふことは全然無意味だからである。故にそこには何等この履行に対する国家の保障もなかるべく、従つて他人による所有権の侵害と云ふやうなことも始めから問題にならないであらう。国家によつて保障され保護されてない所有権、他人によつて絶対に侵害され能はざるが如き所有権、吾々はかう云つた所有権を考へることは、少くとも法律的には斯かる所有権は到底考へ得られないと云はねばならない。

以上のことから、所有権の客体たる物である限り、それは常に必ず社会的機能を有ち続けてゐるものであり、従つて所有権である以上、それは常にその客体たる物の社会的機能によつて制約されてゐるものであると結論することが出来る。

(2)　所有権の排他的性格

一七三

一七四

国家に対する一般義務を履行するその履行行為の確保及び之が保障として成立する権利は、当然に「義務権 *diritto-dovere*」として規定せらるべきものであつたが故に、苟くも権利である以上、それは所有権に限らず権利一般について、権利は総べて排他的性格を有つてゐるものであることは多言を要しない。それにも拘らず、茲に所有権の排他性について特に明記してゐる草案の眞意は何であるか。

思ふに先にも一言せる如く、所有者としての民衆は、その義務の履行に際し（反面からみれば所有権の行使に関し）直接には他の民衆と関係することを要せず、唯所有権の義務権的制約及びその社会的機能に基く制約の下に、その創意に於て履行々為を実現し得る地位に在るものであるが故に、その意味に於て所有者は他の民衆よりの障碍又はその干渉を受けるものであつてはならぬ。即ち所有者たる民衆は直接国家とのみ関係するものであつて、単独に国家の行為的先端として行動すべき地位に在るものなるが故に、権利の排他的性格は所有権に於て最も強く、また最も典型的に現はれると云ふことが出来る。従つて草案の「排他的に」とは所有権を他の権利より特に区別する之が本質的性格を云つたものではなくして、云はゞ伝統的口調として右の典型を特に強調してゐるものに外ならぬとみてよいであらう。

・云ふまでもなく民衆にとつては国家も亦一応事実的には「他」と考へられ得るでもあらう。併し草案の「排他的に」に所謂「排他的 *esclusivo*」とは、この「他」の中に国家を含むものでないことは、民衆が国家の行為的先端と考へられてゐることからしても明かである。更らに論理的に云つても、同次元、同序列に在る「非我」でなければ「別」の観念は出て来るにしても、眞実の意義に於ける「他」の観念は出て来ない。蓋し「我」に対する「他」は飽くまで「汝」であり「彼」たる「者」であつて、それ以外の「もの」ではあり得ないからである。

(3)　所有権の処分権たる性格

以上述べ来つたところからは、所有権を眞実所有権たらしめてゐる云はゞ所

一七五

一七六

有権の特性とも云はるべきものは之を見出すことが出来なかつた。併し所有権は飽くまで所有権として之を他の権利から区別することが出来る。また事実区別し得べき特性を有つてゐるが故に、それは所有権と云はれ得るものであるに違ひない。然らば所有権を所有権たらしめてゐる特質は何であるか。草案には「排他的に物を享有し及び処分する権利なり」とあるが、前項に於て一言せる如く、その排他性も単にそれのみを以て所有権を他の権利より区別する規準にはなり得なかつた。何となれば其他の諸権利も、例へば債権も排他的であり、親権の如き固より強い排他的性格を有つてゐるが故である。更に「物を享有する」ことも――茲に享有 *godere* とは使用を意味し収益を意味するものであらう――決して所有権に限らない。蓋し、従来対物権と云はれてゐるものは何れも物を直接に使用し及び収益し得る権利たるのみならず、所有権と雖も常に必ずしも斯かる属性を有つてゐるものとは限らないからである。従つて草案が一応物の側より所有権の定義を下したものであるとするならば、所有権の特性は之を「処分する権利 *diritto di disporre*」たるところに、即ちその処分権的性格に求めなければならぬであらう。然らば処分するとは抑々如何なることであらうか。

一般に処分する（*disporre, disposer*）と云ふ場合には二つの態様を考へることが出来る。一は物そのものに直接する処分であり、一は物に於ける主体側に関しての処分である。米を飯米として食用に供した場合は前者の意義に於ける米の処分であり、米の取引米として他に売却した場合には後の意義に於ける米の処分である。従来は前者を事実上の処分と云ひ、後者を法律上の処分と云ふ。併しそれが共に処分である限り、それは単なる使用または単なる貸借と異なる変更の契機が存しなければならない筈である。思ふに「処分する」とは正しく伊語の *dis-porre* であり、佛語の *dis-poser* であつて（邦語に於てもそれは「処－分する」ことである）、それは別の言葉で云へば地位（*posizione, position*）の分離（*dis*）に外ならぬ。即ちその「ところ」を「わかつ」ことに外ならぬ。「ところ」を「わかつ」とは何であるか。「物」について云へば、Aなる物がA'（Aダッシュ）になることではなくして、全く

一七七

一七八

Bなる物に変ずることであり、主体側、即ち「者」について云へば、甲が「物」に於ける国家に対するその関係（地位）を完全に乙に譲ることを意味するものと云ひ得やう。従つて所有権の処分権的性格とは「物」又は物に於ける「者」についての地位の変更可能と云ふところに之を求めることが出来るわけである。云ひ換へれば、甲がAをBたらしむことが可能であるときは、彼はAなる「物」の所有権者と云ひ得べく、また甲がAに於ける国家に対する地位を、その創意と責任に於て、完全に乙に代らしめ得るときは、同様に彼はAなる「物」の所有権者であると云ひ得なければならぬ。云ふまでもなく、右に所謂「創意に於て」とは、繰返へし述べた如く、従来考へられてゐた様な無制約的な云はゞ恣意的自由ではなく、所有者の民実たる身分に於けるそれは制約的な自由であり、且つ所有物の社会的機能に基いてその物に固有するであらう社会的・国家的制約の下に於ける「創意的自由」を意味するものであることは改めて注意する迄もなく銘記されなければならぬことである。

以上のことから、広義の所有権法に関する労働憲章の規定と、及び狭義の所有権法とも云ふべき民法草案の規定とより、綜合的に抽出されるファシスタ・イタリアの所有権概念は之を次の様にも定式化することが出来るであらう。即ち、所有権とは「所有者の創意に於て、物の社会的機能の制約の下に、排他的に物を享有し及び処分する義務権なり」と。

尚ほ以上のことゝ関聯して一言附加して置きたいことは、最近屡々耳にする「所有権の制限」と言ふ用語である。殊に近時所謂統制法と称せられてゐる一聯の法規によつて示された「所有権の制限」なる言葉である。併し、謂ふところの「所有権の制限」とは抑々如何なることを意味する言葉であらうか。若し字義通り之を「所有権に対する制限（外部よりの拘束）」として理解するならば、論者は所有権の絶対性、云ひ換へれば所有権を天来的な円満無碍の権利であると考へる天賦人権説を無意識のうちに信奉して居るものであり、また若し、「所有権の制限」を「所有権の行使に対する外部的拘束」として理解するなら

一七九

一八〇

ば、論者は「所有権の制限」と「自由の制限」とを混同してゐる者に外ならぬ。そして後者の見解に立つ論者が、所有権の内容的本質に、何等か自由の観念を不可分的に合体せしめてゐるとするならば、後者も亦その根拠に於て天賦人権説の立場に立つてゐるものと云はねばならぬ。何となれば、所有権を自由権の典型と考へるところに天賦人権説の本領が存するからである。

思ふに、「所有権の制限」なる言葉は個人主義、自由主義時代に在つては何等矛盾するところなき用語でもあつたらうが、法概念、権利概念の本質的転回を試みてゐる全体主義的秩序思想の下に於ては、曽つて「権利の濫用」（権利の行使である限り、それが濫用に亙るべき道理はなく、濫用である限り、それは既に権利の行使ではない筈である）が個人主義、自由主義時代に於て矛盾せる用語であつた如く、「所有権の制限」なる言葉は頗る矛盾的表現であると云はねばならぬ。蓋し、新らしい権利概念によれば、権利自体その内在的本性として既に「本来的に法によつて制約されてあるもの」であり、従つて所有権も亦一の権利である以上、当然法による制約をその内在的本性として成立するものであるが故に、斯かる所有権に向つて更に「制限」の語句を加へることは、自体甚だ滑稽であると云はねばならないからである。

云ふまでもなく、権利であるが故に、自由であるのでもなく、また自由であるが故に、そこに権利があるのではないが故に、権利の概念と、自由の概念とは常に截然と区別せらるべき観念であるが、権利の行使（国家に対する一般義務の履行が之に論理的に先行する観念であることは繰り返へし述べたところである）に際し、殊に所有権の行使に当つて、本則として所有者個人の創意的自由が考慮されてあるとするならば、この創意的自由が、国家目的完遂のより有効な方法として、国家によつて一部代位された場合、之を便宜上又は簡単な表現として「所有権の制限」と云ふことが、その意味に於て一応許されるとするも、それは併し、飽くまで「便宜的」用語であつて、決して真実の意味に於ける「所有権に対する外部的制限」でないことを知らねばならぬ。

前述せる如く、所有権は物の社会的機能に従つて常に絶えず制約されてゐるものであるが故に、従つてその制約の内容も具体的には時々刻々に変化してゐ

一八一

るものと云はねばならぬ。所有者が斯かる社会的機能に則して所有権を行使するに於ては、国家と雖も何等積極的に之に干渉する必要はないわけであるが、併し、そのことは云ふべくして不可能であり、個人創意が常に物の社会的機能に則して発動されてゐると云ふが如きは、実は殆ど稀であると云つてよい。斯くて国家が個人創意の不備不完を補ひ、如何なることが現時に於て物の社会的機能として要請されてゐるかの具体的内容を示指する意味に於て、個人創意を特定の法規によつて規制することがあつても、それは寧ろ当然であると云つてよい（労働憲章第九條）。我々としては右のことゝ所有権自体に対する拘束とを混同してはならないであらう。少くともイタリアに於ける統制法規は、一見制限的規定と見られるものであつても、それは所有権の社会的機能の具体的示指であり、個人創意の補欠的規定であると解すべきものである。

第四章　結論に代へて

以上三章に亘つて概説したところを更に要約してみるならば、之を次の様にも簡約することが出来るであらう。

一、第一章緒論に於て取扱つたものは全体主義理論及びその体現としてみられたナチス、ドイツ、及びファシスタ、イタリアの国内体制の素描であつた。思想史的にみれば、現代の全体主義理論は多分に古典的な普遍主義的思想に接近し、その復古的色調が濃厚であるが、併し現代の全体主義に所謂「全体」とは、ギリシャ時代以来のこの種思想家、乃至は東洋古代の思想宗教家の考へてゐたやうな、普遍的全能者としての抽象的イデアではなく、また未分離的な合一思想に基く天や梵（ブラフマン）でもなかつた。謂ふところの全体とは、それ自身内在的発展性を固有する云はゞ「生きてゐる全体」であり、生きてゐる全体であるが故

に、それはまた絶えず自己自身の矛盾性を契機としてその矛盾を超克しつゝ永遠に発展し続けてゆく弁証法的な動的全体として把握されてゐるものであつた。従つて現代の全体主義理論はまた新弁証法理論であり、それは文化科学に於ける相対性理論とも云はるべきものでさへあつた。

一九三三年以来、ナチス、ドイツに於て体現されつゝある所謂民族全体主義は、或る程指導者原理を中核とする全体主義であるが、そこに於て考へられてゐる全体者は化学方程式を以て現はされてゐる自然的、血縁的民族であり、而もアリア民族を以て唯一最高の全体者として信奉するが故に、遂に国家をも手段化して之を巨大なる下僕たらしめざるを得なかつた。国家を手段化し、哲学をもその侍女たらしむるに至つたナチスの民族全体主義は既に今日その思想的矛盾に直面してゐる畸型的全体主義であつて、早晩その思想的転向を余儀なくされてゐるものであつた。

一九二二年以来、ファシスタ、イタリアに於て体現されつゝある所謂国民的国家全体主義は、ナチスに比してより多く現代の全体主義理論に接近してゐるものであるが、そこに於て考へられてゐる全体者はファシスタ国家であり、而も之を神化せんとしてゐるところに嘗ての国家至上主義に陥る危険を必ずしも有つてゐないわけではなかつた。併し、ローゼンベルクの「血の神話」に基くナチスの全体主義よりも、ゼンチーレをその思想的基盤として有つファシズモの全体主義の方がより数等優つてゐるものであることはその際指摘して置いたところであつたが、やはりファシズモとしての非合理性を多分に含んでゐるものであることも注意して置いた筈であつた。

二、第二章に於て取扱つたものは全体主義的秩序思想の下に於ける権利概念の究明であつた。新らしい権利概念は云ふ迄もなく新らしい法概念によるものであり、新らしい法概念は新らしい社会観念に基くものなるが故に、少し横道へそれる傾きはあつたが、新らしい社会観念、新らしい法概念に関しても一言するところがあつた。

全体主義思想による新らしい社会観、新らしい法概念、新らしい権利概念は、

従来のそれに対比したとき、それは所謂「コペルニクス的転回」とも称され得るものであった。そして謂ふところのコペルニクス的転回に於てみられた社会は、決して「万人の万人に対する闘争」の云はゞ戦場としてゞはなく、また個々人の算術的総和よりなる機械的集団でもなく、人間を單に二足の生命單位としてゞはない眞に人間たらしめてゐるそれは原本的現象形態としての有機的構成体であった。そして斯かる有機的存在者の生成発展を可能ならしめてゐるのが法に外ならぬものであったが故に、人間、社会、法、の三者は夫々相互限定的にのみ考へられる三位一体的なものであり、従って人間が社会の上に在るのでもなく、社会が法の上に立つものでもなく、また單にその逆でもなかった。

斯くの如く考へられた法は従って自然法則でないことは云ふまでもないが、またそれに準ぜらるべき所謂自然法的規準とも考へることは出来ない。況や個々人の戦争規定でないことは多言を要せざるところであった。即ち社会、法、人間は何れを先、何れを後と云ひ得ない、それは文字通り三位一体的なものとして相互限定的な相関々係に在るものであったが、個々人が苟くも人間として、従ってまた社会人として考慮されてゐるものである限り、彼は單純に個人甲としてゞはなく、常に必ず個人S甲（Sは社会又は国家）として規定せらるべきものであり、従って個々人の関係も亦総べて「S甲」「S乙」等々の関係として把へるべきものであった。そして天賦人権説の神話を捨て、右の如き新らしい社会概念、法概念の下に於て把へられた権利は、決して無制約的な人の支配能力としてゞはなく、「本来的に法によって制約されてあるもの」として規定せられ、権利は例外なく法によって造られたものであり、「法なければ権利なし」の定式に到達したのであった。更に右の如き社会、法、人間、の三者を歴史的特殊化の面に於て考察の対象としたとき、それは国家であり、国法であり、国民であったが、権利は個々の国民と国家との関係にして、それが国法によって「本来的に制約されてあるもの」に外ならぬものであった。従って法関係は従来の如く單純に、公法関係又は私法関係として截然と之を区別し得るものではなく、総べて公法的観照態度を以て之を眺めなければならぬものであった。斯かる新らしい観点に立って従来権利と称せられてゐたものを吟味したとき、

権利は決して人の支配能力として第一次的、自存的なものではなくして、反って個人の国家に対して負担して居ると考へられる云はゞ一般義務の履行が、国家によって確保され、保障されてゐるところにみられる、それは手段的なものでさへあったが故に、寧ろそれは第一次的には責務であり、負担ですらあるものであった、而もこのことは所有権たると債権その他の権利であるとを問はず同一に理解せらるべきものであった。

右の如き凡ゆる法関係に対する公法的観照の立場は、従ってまた凡ゆる法関係に於て国家が云はゞ「第三の当事者」として常に之が当事者として第一に考慮せらるべきことを要請する立場であって、全体主義的経済理論の根幹を為すと云はれてゐる所謂「公益優先」の思想、又は政治的倫理の標語とも云はるべき「職域奉公」の如き精神を寧ろ当然の事理として結果する立場合に外ならぬものであった。

三、所有権は従来から権利法の中心問題であったが、現代に於てもそれは権利法の中心課題たる面目を失ってゐるものではなかった、蓋し所有権は法概念社会概念の何たるかを最もよく反映する典型的な権利とみてよいからである。そして現代に於ける権利概念のコペルニクス的転回も先づ所有権を中心としてなされたものであったとも云へる。云ふ迄もなく、論理的には法概念は権利概念に先行し、権利概念は所有権概念に先行するが、事実的には所有権概念の本質的転換の要請の下に必然的に権利概念の転回も、法概念の転回も之を余儀なくされたとも云ひ得るものであった。

ファシスタ的全体主義は二十世紀イズモの長兄として生れたものであっただけに、新らしい所有権概念、新らしい権利概念の定立を他国に先んじて敢行したのもこのファシズモであった。即ちファシスタ・イタリアは既に一九二七年の労働憲章に於て権利を「義務権」として宣明し、国民的生活に向けらるべき私的所有権に関し、所有者の個人的創意の尊重と之と表裏する所有者の対国家責任とを明かにしたのであった。労働憲章の規定を大前提とし、且つ之と併行して所有権の社会的機能（国家的機能）たる所以を明記したのは、近く実施せ

られるであらう民法草案第二編の規定であつた。その第一八條によれば所有権とは「所有権の社会的機能に従ひ、排他的に物を享有し処分する権利」であつた。仍つてこれら広義及び狭義の所有権法の綜合に於てみられるファシスタ的所有権概念は「所有者の責任に於て、物の社会的機能に従ひ、排他的に物を享有し及び処分する義務権なり」との定式に達し得るものであつた，そして最後に加へられたものは所謂「所有権の制限」に関してゞあつたが、謂はるゝが如き「所有権の制限」は、全体主義的秩序思想の下に於ては矛盾的表現であつて、これに当るべき法規、所謂統制法規は実は所有権の社会的機能の具体的内容の示指とも云はれ得べく、之によつて個人創意補欠の任務を果してゐるものに外ならぬものであつた。

附録

◎労働憲章

――一九二七年四月三〇日官報公示第一〇〇号――

組合国家及ビソノ組織ニツイテ

第一條　イタリア国民ハ之ヲ構成スル個々ノ個人又ハ団体的個人ノソレヨリモソノ力及ビ存続ニツキ優越セル目的、生命、活動ノ手段ヲ有スル一ノ有機体ナリ。ソハファシスタ国家ニ於テ綜合的ニ実現セラルル、道徳的、政治的及ビ経済的統一体なり。

第二條　労働ハソノ組織的及ビ実行的タルト、智的、技術的、肉体的タルトヲ問ハズ、ソノ凡ユル形態ノ下ニ於テ之ヲ社会的義務トス。コノ名義ニ於テ、而モコノ名義ニ於テノミ、国家ヨリ保護セラル、モノナリ。

生産ノ綜合ハ国民的見地ヨリ観テ統一的ナルモノナリ。ソノ諸目的ハ統

一的ニシテ且ツ個々人ノ福祉及ビ国力ノ発展ニ要約セラルルモノナリ。

第三條　同業組合又ハ職業組合ノ組織化ハ之ヲ自由トス。然レドモ適法ニ承認セラレ且ツ国家ノ統制ニ服スル組合ノミ、其ノ構成員タル労働授与者又ハ労働者ノ凡テノ職業部門ヲ適法ニ代表スル権利ヲ有シ、国家及ビ他ノ職業組合ニ対シ、ソノ利益ヲ擁護シ、ソノ部門ノ全所属員ノ為メ拘束力アル労働ノ団体契約ヲ締結シ、所属員ニ賦課金ヲ課シ、及ビソレラ所属員ニ関シ組合ニ授権サレタル公益的機能ヲ行使スル権利ヲ有ス。

第四條　生産ノ各種要因間ニ於ケル連帯性ハ、労働授与者及ビ労働者ノ対立的利益ノ調停、並ビニ両者ノヨリ高次ノ生産利益ヘノ服従ニヨリ、労働ノ団体契約ニソノ具体的表現ヲ見出スモノトス。

第五條　労働裁判所ハ、争議ガ現行ノ約款及ビソノ他ノ規範ノ遵守ニ関スルト、又ハ新ナル労働條件ノ決定ニ関スルトヲ問ハズ、国家ガ之ニ依リテ労働争議ノ規整ニ関与スル機関ナリ，

第六條　適法ニ承認セラレタル職業組合ハ労働授与者及ビ労働者間ノ法的平等

ヲ保障シ、生産及ビ労働ノ規律ヲ維持シ且ツ之ガ完成ヲ促進スルモノトス。

コルポラチオーネハ生産諸力ノ統一的組織を構成し且ツ之ガ利益ヲ綜合的ニ代表スルモノナリ。

諸々ノ生産利益ハ国民的利益ナルヲ以テ、コノ綜合的代表ニヨリ、コルポラチオーネハ法律ニヨリ国家機関トシテ承認セラルルモノナリ。

斯カル生産ノ綜合的利益ノ代表者ナルヲ以テ、コルポラチオーネハ労働関係ノ規律ニ関シ及ビソノ所属組合ヨリ之ガ必要ナル権限ヲ得タルトキハソノ総テノ場合ニ於テ生産ノ調整ニ関シテモ亦拘束力アル規範ヲ制定スルコトヲ得ルモノトス。

第七條　組合国家ハ生産ノ分野ニ於テハ個人創意ヲ国民利益ニ最モ有効ニシテ且ツ最モ有用ナル手段ト看做ス

生産ノ個人組織ハ国民利益ノ一機能ナルヲ以テ、企業ノ組織者ハ生産ノ運営ニツキ国家ニ対シ責ニ任ズ。生産諸力ノ協同ヨリソレラ諸力間ニ権利義務ノ相互関係発生ス。労務提供者ハ、ソノ技術者タルト、被雇者タルト

一九三

又ハ労務者タルトヲ問ハズ、経済的企業ノ積極的協力者ナリ、該企業ノ指揮ハ之ガ責任ヲ有スル労働授与者ニ属ス。

第八條　労働授与者ヨリ成ル職業組合ハ凡ユル方法ヲ以テ生産ノ増加、完成及ビ原價ノ低減ニ努ムベキ義務ヲ有ス。自由職業若クハ藝術ニ従事スル者ノ代表組合並ビニ公務従業員組合は藝術、科学及ビ文学ノ擁護ニ協力シ、生産ノ完成及ビ組合秩序ノ道徳的目的ノ達成ニ協力スルモノトス。

第九條　経済的生産ニ於ケル国家ノ干渉ハ個人創意ガ欠缺シ若クハ不充分ナルトキ又ハ国家ノ政治的利益ノ都合アルトキニノミ之ヲ行フ。斯カル干渉ハ統制、奨励及ビ直接管理ノ形態ヲ採ルコトヲ得。

第十條　労働ノ団体的争訟ニ於テハ訴訟行為ハ組合協調機関ガ豫メ調停ノ試ミヲ為サザリシ場合ニハ之ヲ提起スルコトヲ得ズ。

労働ノ団体契約ノ解釈及ビ適用ニ関スル個人的争訟ニ於テハ、職業組合ハ調停ノタメ仲介ノ労ヲ介入スル資格ヲ有ス。

斯カル争訟ニ対スル裁判管轄ハ、利害関係ヲ有スル職業組合ヨリ選定サ

一九四

レタル数名ノ陪審員ヲ同席セシメタル、通常裁判所ニ属ス。

労働ノ団体契約及ビ労働ノ保障ニツイテ

第十一條　職業組合ハ団体契約ニヨリ、組合ノ代表スル労働授与者及ビ労働者ノ職業部門間ニ労働関係ヲ規定スル義務ヲ有ス。

労働ノ団体契約ハ中央諸組織ノ指揮及ビ統制ノ下ニ、第一次ノ組合間ニ締結セラルルモノトス、但シ法律及ビ定款ニ定メラレタル場合ニ於テハ、上級組合側ヨリノ之ガ代行ノ権能ヲ妨ゲズ。

労働ノ団体契約ハ、規律関係、見習期間、賃銀ノ額及ビソノ支払方法、労働時間ニ関シ明確ナル規定ヲ包含スルコトヲ要シ、然ラザレバ之ヲ無效トス、

第十二條　同業組合ノ訴訟行為、組合機関ノ調停的行為及ビ労働裁判所ノ判決ハ、給料ガ生活ノ通常ノ需要、生産ノ能力及ビ労働能率に相応スルコトヲ保障スルモノトス。

一九五

給料ノ決定ハ如何ナル一般規定ニモ準ズルコトナク団体契約ノ当事者ノ協定ニ一任セラル、モノトス

第十三條　国家行政廳、中央統計局及ビ適法ニ承認セラレタル職業組合ヨリ、生産・労働ノ條件及ビ金融市場ニ関シ、並ビニ組合省ニヨリテ整理調整セラレタル、労務提供者ノ生活内容ノ変動ニ関シテ公表セラレタル資料ハ、各種部門及ビ階級ノ利益ガ彼此相互ニ生産ノヨリ上位ノ利益ト調和スル為ノ規準ヲ提供スルモノトス。

第十四條　給料ノ支払ハ労働者及ビ企業ノ要求ニ最モ適合セル形式ニ於テ為サルベキモノトス。

給料ノ支払ガ出来高ニヨリテ定メラレタルトキ、及ビ出来高ノ精算ガ二週間以上ノ期間ヲ以テ為サルベキトキハ、二週間若クハ一週間毎ニ之ニ相当スル給料ヲ支払フコトヲ要スルモノトス

時間ノ定リタル正規ノ交代中ニ包含セラレザル夜間労働ハ、晝間労働ノ賃率ニ一定ノ割増ヲ附シテ支払ハル、モノトス。

一九六

労働ガ出来高ニ従ツテ支拂ハルベキモノナルトキハ、出来高拂ノ賃率ハ通常ノ労働能力アル勤勉ナル労働者ガ、最低賃銀以上最少限度ノ額ヲ取得シ得ベキ方法ニ於テ決定セラルルコトヲ要ス。

第十五條　労働提供者ハ日曜日ニ当リ一週ニ一度休息スル権利ヲ有ス、団体契約ハ現行法規、企業ノ技術的要求ヲ考慮シテ右ノ原則ヲ適用シ、且ツ団体契約ハ斯カル要求ノ制限内ニ於テ、地方ノ慣習ニ従ヒ民間及ビ宗教上ノ祭祀ガ尊重セラルヽコトヲ同様ニ保障ス。労働時間ハ労務提供者ニヨリ慎重且ツ厳重ニ遵守セラルヽコトヲ要ス。

第十六條　皆勤一年ニ及ビタルトキハ労働提供者ハ、継続的労働ヲ要スル企業ニ在リテハ、毎年一定期間ニ亘リ給料付休息ヲ為ス権利ヲ有ス。

第十七條　継続的労働ヲ有スル企業ニ於テ、自己ノ過失ナキ解雇ニヨル労働関係ノ停止ノ場合ニハ、労働者ハ勤務年数ニ比例スル手当ヲ受クル権利ヲ有ス。斯カル手当ハ労働者死亡ノ場合ニモ亦支拂ハルベキモノトス。

第十八條　継続的労働ヲ要スル企業ニ於テハ、営業ノ移転ハ労働契約ヲ解除ス

一九七

ルコトナク、該営業ニ属セシ就業員ハ新名義者ニ対シソノ権利ヲ保有ス。同様ニ一定ノ期間ヲ超エザル労働者ノ疾病ハ、労働契約ヲ解除セズ。軍隊ヘノ召集又ハ国民義勇軍ノ勤務ニ対スル召集ハ解雇ノ理由トナルコトナシ。

第十九條　労働者ニヨリテ犯サレタル、規律違反及ビ営業ノ正常ナル進行ヲ妨グル行為ハ、ソノ過失ノ重大性ニ従ヒ、罰金、労働停止、及ビソノ重キ場合ニツイテハ無手当即時解雇ヲ以テ之ヲ罰ス。
企業者ガ罰金又ハ労働停止又ハ無手当即時解雇ヲ科シ得ル場合ハ特ニ規定セラルベキモノトス。

第二十條　新規採用ノ労務提供者ハ見習ヒ期間ニ服シ、該期間中ハ、労働ガ現実ニ提供セラレタル期間ニ対スル単ナル給料ノ支拂ヲ以テ、相互ニ契約解除ノ権利アルモノトス。

第二十一條　労働ノ団体契約ハ家内労働者ニモ亦ソノ恩恵及ヒ規律ヲ延長ス。家内労働ノ清潔及ビ衛生ヲ確保スル為メ國家ハ特別ノ規範ヲ制定ス。

労働紹介所ニツイテ

一九八

第二十二條　国家ハ労働者ノ就業及ヒ失業ノ現象、即チ生産及ビ労働ノ諸條件ニ関スル総括的指数ヲ調整シ且ツ統制ス。

第二十三條　諸々ノ労働紹介所ハ国家ノ組合協調機関ノ統制ノ下ニ同等ノ基礎ニ基キテ構成セラルルモノトス。労働授与者ハ右ノ紹介所ヲ通ジテ労務提供者ヲ雇入ルベキ義務ヲ有ス、労働授与者ニハ名簿ニ記入セラレタル者ノ範囲内ニ於テ之ガ選択ノ権能ヲ賦与ス、但シ登録ノ日附順ニ従ヒ、ファシスタ党員及ビファシスタ労働組合ノ所属員ニ優先権ヲ以テスベシ。

第二十四條　労働者ノ職業組合ハ労働者間ニ、ソノ技術的能力及ヒ道徳的価値ヲ常ニ益々向上セシムル目的ヲ以テ、選抜的行為ヲ実施スベキ義務ヲ有ス

第二十五條　組合協調機関ハ所属組合ノ各組合員ノ側ヨリノ災害予防及ビ労働警察ニ関スル諸法律ノ遵守セラルル様監視スベキモノトス。

保険、扶助、教育及ビ指導ニツイテ

第二十六條　保険ハ協同原理ノ高度ノ顕現ナリ、労働授与者及ビ労務提供者ハ

一九九

各々ソノ分ニ應ジ之ニ協力スルコトヲ要ス。国家ハ組合協調機関及ビ職業組合ヲ通ジ、出来得ル限リ、保険ノ組織及ヒ制度ヲ整備シ且ツ統一スルコトニ努ム。

第二十七條　ファシスタ国家ハ左ノ各号ヲ企図スルモノナリ。
一、災害保険ノ完成
二、母性保険ノ改善及ビソノ拡張
三、一切ノ疾病ニ対スル一般的保険ノ第一着手トシテノ職業病及ビ結核病ニ対スル保険
四、不時ノ失業ニ対スル保険ノ完成
五、青年労働者ノ為メ特別婚資保険制度ノ採用

第二十八條　災害保険ニ関シ、行政上並ビニ司法上ノ訴訟手続ニ於テ組合ノ被代表者ヲ擁護スルハ労働組合ノ任務トス。
労働ノ団体契約ニ於テハ、技術上可能ナル限リ、労働授与者及ビ労務提供者ノ拂込ヲ以テ、組合協調機関ノ監督ノ下ニ、双方ノ代表者ニヨリテ管

二〇〇

理セラルベキ、疾病ニ対スル相互救済金庫ノ設置ヲ規定スベキモノトス。

第二十九條　組合員タルト否トヲ問ハズ、ソノ固有ノ被代表者ヘノ扶助ハ之ヲ職業組合ノ権利及ビ義務トス。職業組合ハ直接其ノ扶助ノ機能ヲ行使スルコトヲ要シ、個々ノ部門ノ利益ヲ超ユル一般的性質ヲ有スル事項ノ外、之ヲ外ノ団体又ハ制度ニ委任スルコトヲ得ザルモノトス

第三十條　組合員タルト否トヲ問ハズ、ソノ被代表者ノ教育及ビ指導、就中ソノ職業指導ハ、之ヲ職業組合ノ主タル義務ノ一トス。職業組合ハ全国余暇修養協会及ビソノ他ノ全国教育事業振興協会ノ活動ヲ支援スルコトヲ要ス。

（以上全三十條）

二〇一

◎コルポラチオーネの構成及びその機能に関する法律

——一九三四年二月五日法律第一六三号——

第一條　労働憲章宣言第六條、一九二六年四月三日法律第五六三号及ビ一九二六年七月一日勅令第一一三〇号ニヨリテ予定サレタルコルポラチオーネハ組合大臣ノ提案ニ基キ、組合中央委員会ノ諮詢ヲ経タル首相ノ命令ヲ以テ之ヲ設立スルモノトス。

第二條　コルポラチオーネハ首相ノ命令ヲ以テ任命サレタル大臣又ハ次官若クハ全国ファシスタ党書記官之ヲ総理ス。

第三條　コルポラチオーネノ設立命令ハ何名ヲ以テコルポラチオーネノ評議会ヲ構成スベキカノ員数ヲ決定シ、而シテソノ中何名カハソノコルポラチオーネニ所属スル組合中ノ就レカノ組合ニヨリテ指名セラルルコトヲ要ス。

前項ノ指名ハ組合大臣ノ提案ニ基キ、首相ノ命令ヲ以テ認可セラルルコ

二〇二

トヲ要ス。

第四條　経済活動ノ相異ル分野ニ属スル部門ヲ代表スルコルポラチオーネニ在リテハ、特別ノ分科会ヲ設クルコトヲ得、但シソノ決議ハコルポラチオーネニヨリテ承認セラルルコトヲ要ス。

第五條　首相ハ、経済活動ノ相異ル分野ニ関スル問題ニツイテハ、二若クハソレ以上ノコルポラチオーネヲ同時ニ招集スベキコトヲ命ズルコトヲ得。

聯合コルポラチオーネハ、前項ノ問題ニ関シテハ、次條以下ニ於テ単一ノコルポラチオーネニ附与セラレタルト同一ノ権能ヲ有ス。

第六條　首相ハ、組合大臣ノ提案ニ基キ、組合中央委員会ノ諮詢ヲ経タル命令ヲ以テ、特定ノ生産ニ関スル経済活動ノ規律ニツキ組合委員会ヲ設クルコトヲ得、但シ利害関係アル国家行政廳及ビ全国ファシスタ党ノ経済部門ノ代表者ヲ招致シテ之ニ参加セシム。

前項ノ組合委員会ノ決議ハ之ヲ権限アルコルポラチオーネノ承認及ビ組合全国評議会ノ総会ノ承認ニ附スルモノトス。

二〇三

第七條　一ノコルポラチオーネニ所属スル組合ハソノ組合的分野ニ於テハ自治的性格ヲ取得ス、但シ組合大臣ヨリ発セラルル規定ニ従ヒ、夫々ノ組合総聯合ニ従属スルコトヲ継続ス。

第八條　コルポラチオーネハ一九二六年四月三日法律第五六三号及ビ一九二六年七月一日勅令第一一三〇号所定ノ職能及ビ権限ヲ行使スル外、経済関係ノ団体的規定及ビ生産ノ統一的規律ニツキ規範ヲ制定スルモノトス。

コルポラチオーネハ首相ノ同意ヲ得、権限アル大臣ノ提案ニ従ヒ、又ハ所属組合中ノ一組合ノ請求ニ基キ前項ノ機能ヲ行使ス。

第九條　一九三〇年三月二〇日法律第二〇六号第一二條ノ規定ニ従ヒ、一ノコルポラチオーネニ所属スル同業組合ニヨリテ特約サレタル協定ハ、本法第一一條所定ノ承認ニ先キダチ、ソノコルポラチオーネノ意見ニ従フコトヲ要ス。

第十條　コルポラチオーネハ、ソノ権限内ニ属スル分野ニ在リテハ、第八條後段ニ規定スルトコロニ従ヒ、賦課金及ビ経済的業務ニ関スル表率並ニ特権

二〇四

的條件ノ下ニ市町村ニ提供サレタル消費物ノ價格表率ヲ定ムル資格ヲ有ス。

第十一條　前数條ニ規定サレタル規範、協定及ビ表率ハ、組合全国評議会ノ総会ノ承認ヲ受クルコトヲ要ス。而シテ法律及ビ勅令ノ公文集録ニ挿入セラルベキ首相ノ命令ヲ以テ公示セラレタトキハ拘束力ヲ取得スルモノトス

前項ノ規範、協定及ビ表率ニ対スル違反ノ場合ニ於ケル制裁ニツイテハ労働ノ団体契約ニ関スル規定ヲ適用ス

第十二條　コルポラチオーネハ、之ニツイテ権限アル自治行政廳ノ請求アルトキハ常ニ、ソノ所管スル経済活動ニ利害関係ヲ有スル一切ノ諸問題ニツキソノ意見ヲ与フルモノトス、

首相ハ、ソノ命令ヲ以テ、特定ノ事項ニツキ、自治行政廳ヲシテ、権限アルコルポラチオーネノ意見ヲ請求スベキコトヲ定ムルコトヲ得、

首相ハ、法律及ビ勅令ノ公文集録ニ挿入セラルベキコルポラチオーネ設立命令又ハソノ後ノ命令ヲ以テ、コルポラチオーネノ所管スル経済活動ノ分野ニ対シテ現存スル諸問委員会ヲ廃止スルコトヲ得、而モ該委員会ノ設

二〇五

立手続ノ性質如何ヲ問ハザルモノトス。

第十三條　団体的労働争議ニ関スル調停ノ試ミハ、単純ナル争議ノ性質及ビ目的ヲ考慮シ、先ヅコルポラチオーネニヨリ、議長ヨリソノ都度選任サレタル当該コルポラチオーネノ評議員ヲ以テ構成サレタル調停評議委員会ヲ設ケテ之ガ審議ヲ開始ス。

第十四條　本法ニ反スル又ハ本法ト両立セザル一切ノ規定ハ之ヲ廃止ス

政府ハ一九二六年四月三日法律第五六三号、一九三〇年三月二〇日法律第二〇六号、一九三二年六月一六日法律第八三四号、一九三三年一月一三日法律第一四一号、及ビソノ他ノ諸法律ト本法トヲ調和セシムルタメ規範ヲ発布スル資格ヲ有ス。

第十五條　組合全国評議会ノ機関ノ構成ハ豫メ閣議ノ許可ヲ経タル首相ノ提案ニ基ク勅令ヲ以テ之ヲ変更スルモノトス。

（以上全十五條）

二〇六

◎　結束団及ビ組合議院の創設

――一九三九年一月一九日法律第一二九号――

第一條　代議院ハ第二九議会ヲ最後トシテ之ヲ廃止ス。之ニ代リ、結束団及ビ組合議院（以下便宜上單ニ組合議院ト略称スルコトニスル）ヲ創設ス

第二條　上院及ビ組合議院ハ政府ト共ニ法律ノ制定ニ協力ス。

第三條　組合議院ハ全国ファシスタ党ノ全国評議会ノ構成員及ビ組合全国評議会ノ構成員ヨリ成ル、但シ第九條ニ定ムルトコロト牴触スルモノハコノ限リニ在ラズ

全国ファシスタ党ノ全国評議会及ビ組合全国評議会ノ構成ニ関スル変更ハ法律ヲ以テ之ヲ規定スルモノトス。

第四條　ファシズモノ首領、即チ首相ハ、法律上当然、組合議院ノ議員トス。

ファシズモ大評議会ノ構成員モ亦之ガ議員トス、但シ第九條ニ定ムル

二〇七

トコロト牴触スルモノハコノ限リニ在ラズ、

第五條　組合議院ノ議員タル全国評議会員ハ王国憲法第四十條ニ規定サレタル資格要件ヲ具備スルコトヲ要ス。但シ年令最低限ノ制限ハ、本法第六條所定ノ宣誓ノ日ニ於テ之ヲ満二十五年ト定ム。

全国評議会員ノ資格ハ、官報ニ公示セラルベキ、ファシズモノ首領、即チ首相ノ命令ヲ以テ認定セラルルモノトス。

第六條　全国評議会員ハ、ソノ職務ノ執行ヲ許容セラルヽニ先立チ、王国憲法第四十九條ノ規定ニ従ヒ、全院会議ニ於テ宣誓ヲナスコトヲ要ス。

第七條　全国評議会員ハ従来代議員ニツキ王国憲法ニ依リテ定メラレタル特権ヲ享有スルモノトス。

全国評議会員ニハ、法律ヲ以テ定メラレタル歳費ヲ支給ス。

第八條　全国評議会員ハ組合議院ノ構成ト競合スル諸評議会ニ於テ行使セラルル機能ノ失格ト共ニソノ任務ヲ失格ス。

第九條　何人モ同時ニ全国評議会員及ビ上院議員又はイタリア、アカデミア会

二〇八

員タルコトヲ得ズ。

第十條　上院議院及ビ組合議院ノ議事ハ夫々ノ立法議会ニ之ヲ分ツ。

各立法議会ノ会期ハ、ファシズモノ首領、即チ首相ノ提案ニ基キ、勅令ヲ以テ之ヲ定ム。該勅令ハ勅語拝聴ノタメ両立法議会ノ一堂ニ会スベキ日モ亦之ヲ決定ス、立法議会ハコノ勅語ト共ニ開始セラルヽモノトス。

通常ノ立法的機能ヲ行使スルタメ両院ハファシズモノ首領即チ首相ニヨリ定期的ニ召集セラルヽモノトス、

第十一條　組合議院ノ議長ハ勅令ヲ以テ之ヲ任命ス。副議長モ亦同様ニ勅令ヲ以テ之ヲ任命スルモノトス。

組合議院ノ議長ハ議院規則ニ定メラレタルソノ他ノ役員ヲ任命ス。

第十二條　組合議院ハ、全院会議、予算総委員会及ビ立法委員会ノ方法ヲ以テソノ固有ノ機能ヲ行使ス。

特定ノ議案ニツキテハ特別委員会ヲ設クルコトヲ得。

第十三條　立法委員会ハ、特定ノ全国的活動ニ関シ、組合議院ノ議長ニヨリテ

組織セラルルモノトス。議長ハ随時之ヲ召集スルコトヲ得、

議長ハ第十二條第二項所定ノ諸委員会モ亦之レヲ組織シ且ツ召集スルモノトス。

第十四條　組合議院ノ議長及ビ、議長ノ授権ニヨリ、副議長ハ、諸委員会ノ議事ニ参加シ、之ガ議長タルノ資格ヲトルコトヲ得。

各大臣及ビ、大臣ノ授権ニヨリ、次官ハ、コレラ諸委員会ニ干与スルコトヲ得。

本條ノ規定並ビニ第十二條及ビ第十三條ノ規定ハ上院ニモ亦之ヲ適用ス。

第十五條　一九二八年一二月九日法律第二六九三号第十二條ニ規定セル国家構成的性質ヲ有スル法律案、一九二六年一月三一日法律第一〇〇号第一條末項ニ規定サレタル法律案、一般的性質ヲ有スル立法委任、国家及ビ国家ノ自主的営業並ビニ直接又ハ間接ニ国家予算ノ補助ヲ受クル、全国的重要性ヲ有スル、凡ユル種類ノ行政機関ノ予算案及ビ会計報告ハ、権限アル夫々ノ委員会ノ報告ニ基キ、組合議院及ビ上院ノ各全院会議ニ於テ之ヲ討論シ

且ツ之ヲ票決ス。

政府ガ前項ノ討論ノ形式ヲ要求シ、或ハ各院ノ全院会議又ハ委員会ガ斯カル討論ノ形式ヲ提案シ且ツファシズモノ首領、即チ首相ガ之ヲ許可シタルトキハ、ソノ他ノ法律案モ亦前項所定ノ形式ニ於テ之ヲ討論ス。

投票ハ常ニ公明ナル方法ニ於テ之ヲ行フ。

第十六條　前條第十五條ニ該当セザル法律案ハ専ラ組合議院及ビ上院ノ立法委員会ノ審議ニ之ヲ附託ス。

議決サレタル法律案ハ夫々ノ議長ヲ通ジ一院ヨリ他院ニ之ヲ回附スルモノトス、

組合議院及ビ上院ノ立法委員会ガ討論シ且ツ議決シタル原案ハファシズモノ首領、即チ首相ニヨリ延期セラレ得ル期間タル、各法律案ノ提出後一ケ月内ニ、之ヲファシズモノ首領即チ首相ニ伝達ス、首相ハ法律上定メラレタル通常ノ方式ニ従ヒ之ヲ主権者ノ裁可ニ附シ且ツ之ヲ公布スル手続ヲ講ズ。

前文中ニハ組合議院及ビ上院ノ立法委員会ノ議決セシ旨ヲ明記スルコトヲ要ス、

斯クノ如クシテ発布セラレタル規範ハソノ一切ノ効果ニツキ法律タルノ効力ヲ有ス。

第十七條　第十六條ニ於テ定メラレタル討論及ビ議決ノ形式ハ、ファシズモノ首領、即チ首相ガ、緊急ノ理由ニヨリ之ヲ制定スル場合ニハ、第十五條所定ノ法律案ニモ亦之ヲ準行スルコトヲ得。

第十八條　戦争ヲ原因トシ又ハ財政的若クハ租税的性質ヲ有スル緊急処分ニツキ必要ナル状態アリト認メラレタル場合ニハ、第十六條所定ノ手続ニ従フコトナク、勅令ヲ以テ之ヲ処置ス、

同一ノ手続ハ委員会ガ、所定ノ期間内ニ、ソノ職務ヲ遂行セザリシ場合ニ之ヲ準行スルコトヲ得、

コレラノ場合ニハ一九二六年一月三一日法律第一〇〇号第三條第二項以下ニ含マレタル規定ヲ適用ス。

第十九條　コルポラチオーネノ制定シタル組合規範及利害関係アル組合ノ締結シタル団体的経済協定ハ、ソノ規範又ハ協定ノ及ブ部門ノ所属者ノ負担ニ於テ、ソノ財的負担ヲ設定スルモノナルトキハ、ソノ形式及ビ名称ノ如何ニ拘ラズ、権限アル立法委員会、又ハ、ソノ必要アルトキハ、合同立法委員会ノ吟味及ビ議決ニ附セシムルタメ、ファシズモノ首領、即チ首相ノ意見ニ従ヒ、組合中央委員会ノ吟味ヲ経タル後、之ヲ組合議院ニ提出スルコトヲ得。

立法委員会又ハ合同立法委員会ガコルポラチオーネノ制定シタル原案ニ修正ヲナシタル場合ニハ、議決ハ組合議院ノ全院会議ニ之ヲ附スルコトヲ要ス。

確定シタル原案ハ組合議院ノ議長ヨリファシズモノ首領、即チ首相ニ之ヲ伝達シ、首相ハソノ命令ヲ以テ王国法令公文集録ニ収録スベキコトヲ公布ス。

第二十條　一九二六年一月三一日法律第一〇〇号ノ規定ニ基キ政府ノ権限ニ属

二一三

スル法規範ニシテ、之ガコルポラチオーネノ特殊ノ活動ニ係ル技術的若クハ経済的性質ヲ有スル内容ニ関スルモノナルトキハ、緊急ナル場合ノ外、予メ権限アルコルポラチオーネ又ハコルポラチオーネノ内部ニ構成サレタル諮問委員会ノ意見ヲ徴スルコトヲ要ス。

第二十一條　本法ニ含マレタル規範ニ反スルモノ又ハ本法ト両立セザル規範ハ之ヲ廃止ス。

（以上全二十一條）

二一四

◎ 資料及び参考書

(1) Giorgio del Vecchio; Lezioni di filosofia del diritto. 1932.

(2) Giuseppe Madanini; La rivoluzione fascista nel diritto e nell'economia. Firenze, 1937.

(3) A cura della confederazione fascista dei lavoratori dell'industria; I 10 anni della Carta del Lavoro. 1937.

(4) Alfredo Rocco; La formazione dello stato fascista (Scritti e discorsi politici, tomo III). Milano, 1938.

(5) Carlo Costamagna; Storia e dottrina del

二一五

二一六

fascismo, Torino, 1938.

(6) Giacomo Guiglia; Lineamenti economici del nuovo impero. Genova, 1938.

(7) Ferruccio Pergolesi; Istituzioni di diritto corporativo. Bologna, 1938.

(8) M. D'Amelio; A. Azara; O. Ranelletti; Principi fondamentali della riforma del codise civile (libro I e II). Milano, 1938.

(9) Sergio Panunzio; Teoria generale dello stato fascista. Padova, 1939.

(10) A cura della confederazione fascista dei Lavoratori dell'Agricultura; La concezione fascista della proprietà privata. Roma, 1939.

(11) Francesco Messineo; Istituzioni di diritto

privato secondo la nuova legislazione. Padova, 1939.

(12) Emilio Albertario; La riforma del codice civile. Milano, 1939.

(13) Giorgio Benettini; Compendio di diritto civile. Milano, 1939.

(14) Mario Allara; Le nozioni fondamentali del diritto privato. Torino, 1939.

(15) Nicola Jaeger; Principi di diritto corporativo. Padova, 1939.

経研資料調査第一號

貿易額ヨリ見タル我國ノ對外依存狀況

昭和十五年九月
陸軍省主計課別班

凡例

本資料ハ横濱正金銀行員二之宮榮吉氏ニ委嘱シ我國貿易ノ對外國別依存度ヲ調査シタルモノニシテ現下ノ要請タル東亞共榮圏ノ確立、英米依存關係ノ脱却方策研究上ノ参考トシテ印刷ニ付シ配布スルコト、セリ。

昭和十五年九月

陸軍省主計課別班

貿易額ヨリ見タル我國ノ對外依存狀況

概説

最近ノ狀況ヲ示ス昭和十四年度大藏省貿易統計表ノ数字ニ依レバ我國輸出貿額ハ三、五七六万圓ニシテ其ノ四九％弱ガ滿支圓ブロツク向デ、殘リノ五一％強ガ第三國向ケトナツテキル。（第一表参看）

更ニ第三國向輸出貿額一、八二九百万圓ヲ各ブロツク別ニ見ルト

英ブロツク向　三六、一一％
米ブロツク向　四二、二〇，
ソ聯ブロツク向　〇、一〇，
獨伊ブロツク向　八、三四，
中立諸國向　一三、〇三，

トナリ第三國向輸出額ノ七八・三一％カ英米ブロツク相手デ内四〇％強ハ米國向ニ輸出サレテキル（第二表参看）

同ジク十四年度ノ輸入貿額ハ二、九一七百万圓ニシテ内滿支圓ブロツ

クヨリノ輸入ハ二三%強デ殘リノ七七%弱ハ第三國ヨリノ輸入ニ依存スル（第一表參看）

第三國ヨリノ輸入實額二、二三四百万圓ノ各ブロツク別依存率ヲ見ルト

英　ブロツクヨリ　二八・八九%
米　ブロツクヨリ　五二・三八，
ソ聯ブロツクヨリ　〇・二八，
獨伊ブロツクヨリ　一三・三九，
中立諸國　ヨリ　四・九二，

トナリ實ニ八一%強ガ英米依存デアリ而モ米ブロツクヨリノ輸入ガ五二%強ヲ占メテヰル。

以上ハ昭和十四年度ノ實績デアツテ支那事變及歐洲戰爭ノ影響ヲ蒙リ我國貿易ノ正常狀態トハ言ヒ難キヲ以テ試ミニ最近ノ正常狀態ト看做シ得ベキ昭和十二年度ト比較檢討スレバ次ノ如クナル。

	十四年度	十二年度	增（十）減（一）
輸出			
圏域	四八・八五%	二四・九二%	（十）二三・九三%
第三國	五一・一五，	七五・〇八，	（一）二三・九三，
内 英帝國	三六・一一，	三八・七〇，	（一）二・五九，
米洲	四二・二〇，	三五・八二，	（十）六・三八，
ソ聯	〇・一〇，	一・四三，	（一）一・三三，
獨・伊	八・三四，	一〇・一三，	（一）一・七九，
中立國	一三・〇三，	一三・一一，	（一）〇・〇八，
輸入			
圏域	二三・四一%	一一・五八%	（十）一一・八三%
第三國	七六・五八，	八八・四二，	（一）一一・八三，

2.

内 英帝國	二八・八九%	三八・五九%	（一）九・七〇%
米洲	五二・三八，	四四・七三，	（十）七・六五・
蘇聯	〇・二八，	〇・六九，	（一）〇・四一・
獨・伊	一三・三九，	一一・八六，	（十）一・五三・
中立國	四・九二，	六・〇九，	（一）一・一七・

即チ輸出ニ就テハ支那事變及歐洲戰爭ノ結果圓ブロツク向輸出ガ二四%弱ノ增進ヲ示シ從ツテ第三國向ガ夫レダケ減退シ圓域向ト第三國向トガ略々同率ニ接近シテキタコトヲ示シ、貿易金額ヨリ見ル限リ圓ブロツク內自給率ガ高マツタト云フコトガ出來ル。

更ニ之ヲブロツク別ニ見ルト米洲向ノミガ增加シ其他ハ悉ク減退ヲ示シテキテ歐洲戰爭ノ影響ヲ蒙リ米洲ヘノ輸出ガ伸長シタコトガ看做サレル。

次ニ輸入ニ就テモ第三國ヨリノ輸入ハ一二%弱減少シ圓ブロツクヨリノ輸入ガ之ニ代ツテ來テ幾分カ圓域自給率ガ高マツタ理デアルガ未ダ七七%ハ第三國依存ノ狀態デアル。

輸入ノ各ブロツクヘノ依存關係ノ變化ヲ見ルニ英ブロツクヨリノ輸入ガ一〇%弱減少シ之ニ代ツテ米ブロツクガ八%弱獨伊ブロツクガ二%弱ノ增進ヲ示シ我國ノ對米依存ノ高度化ヲ物語ツテヰル。

更ニ各國別輸出入額ノ主要商品別金額及ビ其出入貨物別金額ト其出入國別金額ヲ見ルハ依存國及依存物資ノ程度ヲ見ルニ最モ重要ナ事デアルガ日支事變以來政府ハ特殊商品卽チ各種礦油、鑛石、鐵類、アルミニユーム、鉛、錫、亞鉛、自動車、機械類等ノ貿易額公表ヲ停止セルヲ以テ之等ノ調査ハ別途ニ行フ外ハナイガ

大藏省貿易統計表中重要商品ノ輸出入額內容ヲ公表セルハ

輸出總額　三、五七六、三七〇千圓中　二、三九六、五九〇千圓
輸入總額　二、九一七、六六六千圓中　一、一五八、三八五千圓

ノミデアル、如斯重要特殊商品ヲ除外セル殘余ノ部分ニツキ檢討スルモ

3

全般ノ眞相ヲ摑ミ得ナイカラ興味少キモ只公表ノ諸國ニ於テ國別、商品別依存状況ヲ見ルト別表第三乃至第六ノ如クデアル。

尚欧洲戰爭ノ進展及ビ本邦事情ニ基キ昭和十五年ニ入リテ貿易上ニモ大ナル影響ヲ蒙リ六月迄ノ上半期ノ數字モ昨年ニ比シ増減著シキモノアリ、ソノ状況デ示セバ附表第七ノ通リデアッテ其輸入額増大ノ主要項目ハ外米ノ一億數千万圓及ビ石油其他時局必需品タルハ想定セラル、所ナルモ公表ナキニ付數字不明

下半期ニ於テモ今後ノ世界情勢ノ變化ニ伴ヒ多大ノ影響アルモノト豫想セラレ其成行ハ注目ニ値スル。

第一表　輸出入總額及圓域ト第三國トノ比較（單位：千圓）

	輸出		輸入	
	昭和１４年	昭和１２年	昭和１４年	昭和１２年
貿易總額	3.576.370	3.175.418	2.917.666	3.783.177
入出超	出 658.704			入 607.759
滿洲國	1.291.623	612.008	467.310	294.270
支那	455.479	179.251	215.662	143.636
圓ブロック合計	1.747.102	791.259	682.972	437.906
入出超	出 1.064.130	出 353.353		
總額ニ對スル%	48.85%	24.92%	23.41%	11.58%
第三國合計	1.829.268	2.384.159	2.234.694	3.345.271
入出超			入 405.426	入 961.112
總額ニ對スル%	51.15%	75.08%	76.59%	88.42%

4

第二表　　各ブロツクヘノ依存及比較（單位千圓）

	輸出				輸入			
ブロツク別	昭和14年		昭和12年		昭和14年		昭和12年	
	出超	%	出超	%	入超	%	入超	%
英國	14.873	36.11		38.70		28.89	301.396	36.59
獨伊		8.34		10.13	146.859	13.39	155.202	11.86
米洲		42.20		35.82	398.647	52.38	642.449	44.73
中立	128.549	13.03	108.833	13.11		4.92		6.09
ソ聯		0.10	10.817	1.43	4.253	0.28		0.69

（%ハ各ブロツク向貿易額ノ第三國總額ニ對スル割合）

第三表ノ一　　英國ブロツク總括表（單位・千圓）

英國ブロツク	輸出		輸入	
	昭和14年	昭和12年	昭和14年	昭和12年
英吉利	132.685	168.297	24.426	105.772
愛蘭	870	3.344	3	53
加奈陀	17.202	20.036	126.032	104.692
濠洲	72.101	72.080	71.036	165.252
新西蘭	12.277	19.358	5.396	48.633
印度	210.995	299.367	182263	449.486
緬甸	21.555	※	15.065	※
錫蘭	14.544	18.656	4.194	4.077
英領馬來	2.004	3.866	69.006	47.795
海峽殖民地	20.426	67.433	46.833	67.796
香港	30.578	49.650	983	5.332
パレスタイン	3.514	5.745	1.303	578
英領ボルネオ	959	1.041	11.354	18.776
ジブラルタル	1.488	2.257	41	6
マルタ	1.056	1.490	32	7
ジヤマイカ	1.177	1.675	10	154
バハマス	66	89	28	78
バルバドス	562	※	0	※

セントウインセント	34	58	0	0
トチニダツトトバゴ	1.781	1.684	2	85
英領ギヤナ	525	747	190	0
埃及	15.666	32.772	50.312	74.118
スーダン	8.923	15.811	2.780	5.858
ケンヤウガンダタンガニカ	22.874	40.122	19.699	24.155
ローデシヤ	994	697	169	747
南阿聯邦	46.802	53.749	9.249	88.852
ナイジエリヤ	2.955	14.883	56	29
ゴールドドコースト	2.026	6.766	2	951
シエラリオニ	152	379	0	0
モーリシヤス	755	1.158	5	99
ニユーギニヤ	936	1.321	198	79
ギルバートエリス諸島	107	756	2.746	3.053
フイジー	341	931	32	82
バーレン諸島	1.954	1.897	0	6.147
アデン	10.002	14.177	2.292	1.357
サイプラス島	349	668	0	57
合計	660.585	922.790	645.712	1224.156
入出超	出14.873			入801.396
第三國ニ對スル本ブロツクノ歩合	36.11%	38.70%	28.89%	36.59%

備考 1. 昭和十五年八月廿日現在ニ於テハ英帝國ハ未ダ侵サレズ一丸トシテ結束シアルヲ以テ自治領属領殖民地ヲ全部網羅セリ

2. 表中※印ハ昭和十二年度ハ大藏省ニ於テ其地方向貿易額ヲ區別計出セザリシモノ以下之ニ同ジ

7.

第二表ノ二　　　　獨伊ブロツク總括表

獨伊ブロツク

	輸出		輸入	
	昭和十四年	昭和十二年	昭和十四年	昭和十二年
獨伊ブロツク	71.898	125.441	231.631	319.116
伊太利 〃	7.225	8.868	13.899	8.903
西班牙 〃	899	288	2.891	2.438
佛蘭西 〃	72.448	106.937	51.407	66.274
合計	152.470	241.529	299.329	396.731
入出超			入146.859	入155.202
第三國ニ對スル本ブロツクノ歩合	8.34%	10.13%	13.39%	11.86%

備考 1. 獨逸ト特殊關係ニ在ル伊太利・西班牙及其ブロツクト戰爭ニ依リ獨・伊ニ征服セラレタル諸國並ニ獨伊勢力下ノ諸國ヲ網羅ス

2. 佛國ハ本國政府ガ獨逸ニ從屬シ其ノ殖民地モ亦本國政府ト行動ヲ共ニスル形勢ニ付全部ヲ計上

3. 和蘭ハ本國政府ハ獨逸制壓下ニ在ルモ現在ノ所蘭領印度及米洲殖民地ハ反獨態度表明セルニ付茲ニハ和蘭本國ノミヲ計上

8.

獨逸ブロツク

	輸出		輸入	
	昭和十四年	昭和十二年	昭和十四年	昭和十二年
獨逸	24.991	43.261	141.003	176.363
チエコスロバアキヤ	104	2.370	1.687	5.508
和蘭・ダンチツヒ	494	1.160	1.447	4.640
白耳義ルクセンブルグ	10.476	20.650	19.028	41.059
白領コンゴー	8.598	16.474	1.051	653
和蘭本國	11.706	18.440	1.621	7.030
丁抹	1.711	1.899	2.339	1.449
諾威	4.485	8.901	21.869	24.033
墺太利	24	741	15.309	9.104
瑞典	9.314	11.545	26.277	49.277
合計	71.898	125.441	231.631	319.116
入出超			入159.738	入193.675
第三國總額ニ對スル本ブロツクノ割合	3.93%	5.26%	10.37%	9.54%

9

伊太利ブロツク	輸出		輸入	
	昭和十四年	昭和十二年	昭和十四年	昭和十二年
伊太利	5,719	7,111	7,062	4,416
エリトリヤ	1,105	6	3,995	1,879
ソマリランド	0	0	2,341	2,608
リビヤ	399	1,751	0	0
エチオピヤ	2	※	1	※
合計	7,225	8,868	18,399	8,903
入出超			入 6,174	入 35
第三國總額ニ對スル本ブロツクノ割合	0.39%	0.37%	0.60%	0.27%

10.

西班牙ブロック	輸出		輸入	
	昭和十四年	昭和十二年	昭和十四年	昭和十二年
西班牙	33	20	2,890	2,432
モロッコ	362	145	1	4
キャナリー島	253	118	0	2
ケーブウエルデ島	251	※	0	※
合計	899	283	2,891	2,438
入出超			入 1,992	入 2,155
第三國總額ニ對スル本ブロックノ割合	0.05%	0.01%	0.13%	0.07%

11.

佛蘭西ブロック

	輸出		輸入	
	昭和十四年	昭和十二年	昭和十四年	昭和十二年
佛蘭西	25,934	47,208	14,264	27,885
印度支那	1,918	4,624	26,651	27,017
シリヤ	15,987	19,250	1,284	1,387
ギアナ	21	34	19	0
ソマリコースト	156	572	602	1,055
カメルーンズ	2,837	5,662	0	0
ダホーミ	919	1,895	0	0
ギニヤ	413	3,573	0	0
セネガール	359	3,159	74	24
モロッコ	20,593	13,283	783	1,518
アルゼリヤ	820	1,372	274	1,256
チユニス	134	450	433	1,562
マダガスカルレユニオン	34	306	332	389
赤道アフリカ	1,619	※	0	※
ニューカレドニヤ	688	440	2,883	947
ソサエチー諸島	16	109	3,809	3,239
合計	72,448	106,937	51,408	66,274
入出超	出 21,040	出 40,663	※	※
第三國總額ニ對スル本ブロックノ割合	3.96%	4.49%	2.30%	1.98%

12.

第二表ノ三　　米洲ブロツク總括表（單位・千圓）

米洲ブロツク	輸出		輸入	
	昭和十四年	昭和十二年	昭和十四年	昭和十二年
米國ブロツク	678,268	710,501	1,052,529	1,316,810
中米 〃	28,400	39,507	2,591	17,486
南米 〃	65,320	103,949	115,515	162,610
合計	771,988	853,957	1,170,635	1,496,406
入出超			入 398,647	入 642,449
第三國總額ニ對スル本ブロツクノ割合	42.20%	35.82%	52.38%	44.73%

13

米國ブロツク	輸出		輸入	
	昭和十四年	昭和十二年	昭和十四年	昭和十二年
合衆國	641,509	634,428	1,002,384	1,269,542
比律賓	24,744	60,348	49,117	45,194
ポルトリコ	2,018	2,554	4	149
玖瑪	1,370	2,016	840	601
布哇	8,627	11,155	184	824
合計	678,268	710,501	1,052,529	1,316,310
入出超			入 374,261	入 605,809
第三國總額ニ對スル本ブロツクノ割合	37.08%	29.80%	47.10%	39.35%

14

中米ブロック	輸出		輸入	
	昭和十四年	昭和十二年	昭和十四年	昭和十二年
メキシコ	7,940	13,622	1,536	14,262
グアテマラ	227	290	0	181
ホンジユラス	4,016	3,208	141	4
サルヴアドル	14	58	14	8
ニカラグア	180	638	286	1,256
コスタリカ	2,054	2,911	118	35
パナマ	8,103	10,248	15	66
パナマ運河地帯	300	829	29	6
ハイチ	721	2,106	26	724
ドミニカ共和國	3,945	5,602	426	894
合計	28,400	39,507	2,591	17,486
入出超	出 25,809	出 22,021		
第三國總額ニ對スル本ブロツクノ割合	1.55%	1.66%	0.12%	0.52%

15

南米ブロツク

	輸出		輸入	
	昭和十四年	昭和十二年	昭和十四年	昭和十二年
秘露	6,084	6,344	6,956	6,277
智利	14,010	10,742	10,230	14,719
亜爾然丁	8 152	42,481	11,860	42,018
ウルグアイ	3,771	10,106	3,398	33,962
パラグアイ	3,454	4,665	2,218	163
伯剌西爾	15,609	17,305	74,662	62,810
ヴエネゼエラ	7,984	9,139	129	231
コロンビヤ	593	617	156	705
エクアドル	3,171	※	3,938	1,725
ボリヴイア	2,492	2,550	1,968	※
合計	65,320	103,949	115,515	162,610
入出超			入 50,195	入 58,661
第三國總額ニ對スル本ブロツクノ割合	3.57%	4.36%	5.17%	4.86%

16

第二表ノ四　　ソ聯ブロツク

ソ聯ブロツク

	輸出		輸入	
	昭和十四年	昭和十二年	昭和十四年	昭和十二年
ソ邦	27	4,137	201	9,642
ソ領亜細亜	299	23,851	145	3,902
芬蘭	1,585	6,001	5,828	9,642
ラトヴイヤ	10	14	0	0
合計	1,921	34,003	6,174	23,186
入出超		出 10,817	入 4,253	
第三國貿易ニ對スル本ブロツクノ割合	0.10%	1.43%	0.28%	0.69%

17

表二ノ五　　中立國ブロツク總括表

中立ブロツク

	輸出		輸入	
	昭和十四年	昭和十二年	昭和十四年	昭和十二年
瑞西	3,197	2,149	16,656	19,239
希臘	445	329	2,106	603
土耳古	876	2,753	2,018	2,818
葡萄牙	1,252	1,519	1,241	2,429
モザンビツク(葡)	10,665	16,055	379	489
アンゴラ(〃)	1,060	1,985	0	26
ギニヤ(〃)	203	※	0	※
リベリヤ	593	870	0	0
アラビヤ	3,748	4,827	9	546
イラツク	24,344	23,644	3,691	9,028
イラン	19,324	2,630	6,587	1,589
タイ	26,024	49,382	5,536	13,571
和蘭本國ヲ除ク蘭領ブロツク	146,670	206,481	71,629	153,453
合計	238,401	312,624	109,852	203,791
入出超	出 128,549	出 108,833		
第三國貿易ニ對スル本ブロツクノ割合	13.03%	13.11%	4.92%	6.09%

18

和蘭ブロツク

	輸出		輸入	
	昭和十四年	昭和十二年	昭和十四年	昭和十二年
和蘭	11.706	18.440	1.621	7.030
蘭領印度	137.802	200.050	71.629	153.450
中米キユラツソー	7.624	5.527	0	1
蘭領ギアナ	1.244	904	0	2
合計	158.376	224.921	73.250	160.483
入出超	出 85.126	出 64.438		
第三國總額ニ對スル本ブロツクノ割合	8.66%	9.43%	3.28%	4.80%

19

第三表　　本邦重要輸出品金額及國別金額

（昭和十四年）　　單位．千圓）

商品	輸出總額	内滿支向	主要第三國向金額
生絲	506.845		米4.37.611.英36.920佛16.180濠9.381瑞西1.375
綿織物（生地 晒 其他）	403.946	20.672	印62.364蘭印53.156イラン17.574.ケ.ウ.タ16.686
			イラツク15.487濠15.118佛モロツコ14.799泰14.163
			シリヤ11.784南阿10.646香10.527米10.162チリ8.772
			アデン8.550スダン7.505ビルマ6.990比5.985埃5.881
			海峽5.451.ヴエネズエラ4.554ホンヂユラス3.603錫3.578
			瑞典3.5[illegible]7ドミニカ3.251アルゼンチン3.177.獨3.012
機械及部分品	209.206	201.893	印3.3[illegible]5蘭印888比375
人絹織物	137.353	52.002	印19.[illegible]81 濠18.375蘭印9.411南阿4.255
			新西蘭3.[illegible]87海峽2.690香2.598米1.621泰1.392
			加307比[illegible]94ウルグ684英586
罐詰及食料品	132.009	37.596	英40.9[illegible]1米31.991白3.080濠2.534佛1.732
			和1.66[illegible]布1.643
木材	128.647	114.950	英4.78[illegible]印1.382.蘭印949和639南阿462
			濠254米[illegible]30
紙類	77.946	69.815	米1.79[illegible]印1.333蘭印1.241濠361泰547
			香535英[illegible]54
鐵製品	76.253	61.915	蘭印4.9[illegible]6印3.585比457泰453海峽390
			南阿 37[illegible]
綿織絲	71.090	10.670	印28.959蘭印14.094香5.010比1.247泰790
			濠410

20

水産物	61.935	50.906	米 9.025
小麥粉	54.228	54.227	
毛織物	51.821	33.726	印2.512埃2.084
陶磁器	48.624	17.687	米11.115蘭印2.992印2.553濠2.264南阿1.313 加1.230ブラジル916比620英613和514
絹織物	47.396	13.283	英7.541米7.413印5.416佛2.716埃1.704 濠1.456獨1.073南阿1.069
メリヤス製品	40.237	5.209	蘭印6.349比3.732南阿3.172英2.738米2.001 印1.732モザンビツク1.030
人造絹絲	29.348	4.901	印14.163メキシコ2.069濠1.201
精糖	28.677	28.677	
硝子及製品	27.055	7.821	印4.991蘭印2.473米2.471濠880比732 南阿 687
茶	23.463	2.716	米7.742加1.375
玩具	22.020	1.321	米7.068英2.979濠1.738印1.402加897 蘭印804和755南阿600
ランプ及部分品	17.745	8.596	米3.167蘭印1.028印864英662加390濠291
石鹼	17.745	16.989	
植物油	17.254	278	米9.679獨670英610
帽子及帽體	14.327	5.466	米4.421印643蘭印419南阿396英345濠217
身邊裝飾品	11.707	1.151	米3.359印2.566英529.濠490
釦紐	11.701	1.503	英1.930和936印826米739濠723蘭印514
洋灰	11.549	3.020	蘭印1.044海峽528
綿タオル	9.835	667	南阿1.273濠957泰469蘭印362
石炭	9.665	5.417	香2.013海峽1.690佛印250

21

ゴムタイヤ	9.562	5.648	印1.172 蘭印488
麥酒	8.602	6.608	印 787
豆類	8.419		獨 3.150英2.797
寒天	8.144	485	米 1.536英1.297 獨1.123佛628
綿毛布	7.731	2.789	泰 745蘭印273比158.印126
除蟲菊	7.149		米 6.247
樟腦	5.868		米 1.989印1.923佛243英223濠156
米籾	5.826	1.764	
魚油獸油	5.802	479	米 2.998英771獨271
帽子用眞田	5.671		米 3.743佛335英135白119
薄荷腦	5.313		米 2.650印981英351
ブラッシュ	5.167	1.410	米 1.028英347和281蘭印277印274
燐寸	4.616	3.065	
絹手巾	2.940		印 744米664英403加143
薄荷油	2.584	19	獨 962英713佛461
洋傘	1.675	289	南阿192蘭印59
屑絲玉絲等	1.132		濠 410
黄銅	1.089	748	印 302

22

第四表　　主要國別輸出額及內容商品金額（昭和十四年）　　（單位千圓）

國別	輸出總額	主要商品別金額
滿洲關東洲	1.291.623	內容商品別金額ハ前表ニ詳細掲示セルニ付省略
支那	455.479	
米國	641.509	生絲437.611罐詰食料品31.991陶磁器11.115綿織物10.162 植物油9.679水產物9.025茶7.742絹織物7.413翫具7.068 除蟲菊6.247帽子帽體4.421眞田3.743裝飾品3.359 ランプ部分品3.167.魚獸油2.998薄荷腦2.650硝子製品2.471 メリヤス製品2.001
印度	210.995	綿織物62.364綿織絲28.959人絹織物19.589人絹糸14.163 絹織物5.416硝子製品4.991鐵製品3.585機械部分品3.305 裝飾品2.566陶磁器2.553毛織物2.512樟腦1.923 メリヤス製品1.732翫具1.402木材1.382紙類1.333ゴムタイヤ1.172
蘭領印度	137.802	綿織物53.156綿織糸14.094人絹織物9.411メリヤス製品6.349 鐵製品4.976陶磁器2.992硝子製品2.473紙類1.241洋灰1.044 ランプ部分品1.028木材949機械部分品888翫具804
英國	132.955	罐詰食料品40.991生糸36.920絹織物7.541木材4.728 翫具2.979豆類2.797メリヤス製品2.738釦紐1.930寒天1.297 魚獸油771薄荷油713ランプ部分品662陶磁器613植物油610
濠洲	72.101	人絹織物18.375綿織物15.118生糸9.381罐詰食料品2.534 陶磁器2.264翫具1.738絹織物1.456人絹糸1.201 綿タオル957硝子製品880紙類861釦紐723
南阿聯邦	46.802	綿織物10.646人絹織物4.255メリヤス製品3.172陶磁器1.318 綿タオル1.273絹織糸1.069硝子製品687翫具600木材462
香港	30.578	綿織物10.527綿織糸5.010人絹織物2.598石炭2.013紙類535
泰國	26.024	綿織物14.163人絹織物1.392綿織糸790綿毛布745 紙類547綿タオル469鐵製品453
佛國	25.934	生糸16.180絹織物2.716罐詰食料品1.732寒天628薄荷油461
獨逸	24.991	豆類3.150綿織物3.012寒天1.123絹織物1.073薄荷油962 植物油670
比律賓	24.744	綿織物5.985メリヤス製品3.732綿織糸1.[illegible]硝子製品732 人絹織物694陶磁器620鐵製品457
イラック	24.344	綿織物15.487
ケニヤウガンダタンガニーカ	22.874	〃　16.686
緬甸	21.555	〃　6.990
佛領モロッコ	20.593	〃　14.799
海峽植民地	20.426	〃　5.451人絹織物2.690石炭1.690洋灰528鐵製品390
イラン	19.324	〃　17.574
加奈陀	17.021	茶1.375陶磁器1.230翫具897人絹織物807ランプ部分品390
シリヤ	15.937	綿織物11.784
埃及	15.666	〃　5.811毛織物2.084絹織物1.704
ブラジル	15.609	陶磁器916
錫蘭	14.544	綿織物8.578
智利	14.010	〃　8.772
新西蘭	12.277	人絹織物3.487
和蘭	11.706	罐詰食料品1.661釦紐936翫具755木材639陶磁器514

23

24

モザンビツク	10.665	メリヤス製品1.030
白耳義 ルクセンブルグ	10.475	罐詰食料品3.080
アデン	10.002	綿織物 8.550
瑞典	9.314	〃 3.537
スーダン	8.923	〃 7.505
布哇	8.626	罐詰食料品1.643
白コンゴー	8.593	
アルゼンチン	8.152	綿織物3.177
パナマ	8.103	
ヴエネズエラ	7.984	綿織物4.554
メキシコ	7.940	人絹糸2.069
キユラソー	7.024	
ペルー	6.084	
伊太利	5.719	
ホンヂユラス	4.916	綿織物3.603
諾威	4.485	
ドミニカ	3.945	綿織物3.251

25.

第五表　本邦重要輸入品金額及國別金額　（昭和十四年）　（單位千圓）

商品	輸入總額	内 滿支ヨリ	主要第三國ヨリノ金額
實綿繰綿	[illegible],607	46,809	米146,640 印120,997 埃37,093 ケ・ウ・タ19,444 蘭印359
豆類	123,576	122,956	蘭印116 印105
油粕	104,639	104,639	
石炭	78,364	64,963	佛印13,307
羊毛	72,590	12,8 0 2	濠51,428 新西蘭4,351 南阿1,599 アルゼン686 英618
生ゴム	57,490		海峽18,99 蘭印16,178 佛印405
纖維素パルプ	56,537		米18,767 諾9,387 芬5,776 瑞典4,191 加2,034
木材	32,325	1,38	比10,366 米9,448 加5,171 ボルネヲ2,159 蘭印1,793 泰1,083
採油原料	31,932	27,831	印1,256 蘭印1,2 0 8
皮類	30,573	13,496	米8,668 濠2,316 アルゼン1,877 佛349
燐礦石	25,412		米7,370 埃5,966 海峽3,965
鐵	8,412	8,412	
麻類、植物纖維	38,266	20,502	比10,550 印5,799

26.

硫酸アンモニヤ	8，240	8，122	英118
米穀	6，286	2，974	泰3，189　印124
牛肉	4，162	3，225	濠80
小麥	4，090	2，601	濠230
合成染料	3，507		獨1，873　瑞西694　米538　英353
硝酸曹達	2，864		智2，554　米310
曹達	2，246	674	
發電氣變壓機	2，174		米1，764　獨253　瑞西106
革類	1，695		米142　印136

27

第六表　　主要國別輸入額及內容商品金額　　（昭和十四年）　（單位千圓）

國別	輸入總額	主要商品別金額
滿洲關東州	467，310	內容商品別金額ハ前表ニ詳細提示セルニ付省略
支那	215，662	
米國	1，002，384	實綿繰綿146，640　パルプ18，767　木材9，448 皮類8，668　燐礦石7，370　發電機變壓機1，764　合成染料538
印度	182，263	實綿繰綿120，997　麻類植物纖維5，766　採油原料1，256
獨逸	141，003	合成染料1，873　發電機變電機253
加奈陀	126，022	木材5，171　パルプ2，034
ブラジル	74，662	
蘭領印度	71，629	生ゴム16，178 木材1，793　採油原料1，208 實綿繰綿359
濠洲	71，026	羊毛51，428　皮類2，316　小麥230
英領馬來	69，006	
埃及	50，312	實綿繰綿37，093　燐礦石5，966
比律賓	49，117	麻類植物纖維10，550　木材10，366
海峽植民地	46，383	生ゴム18，999　燐礦石3，965
印度支那	26，651	石炭13，307　生ゴム405
瑞典	26，277	パルプ4，191
英國	24，426	羊毛618　合成染料353

28

諾威	21，869	パルプ9，387
ケニヤウガンダタンガニーカ	19，699	實綿繰綿19，444
白耳義ルクセンブルグ	19，028	
瑞西	16，656	合成染料694
墺太利	15，309	
緬甸	15，065	
佛國	14，264	皮類349
アルゼンチン	11，860	皮類1，877　羊毛686
英領ボルネオ	11，354	木材2，159
智利	10，230	硝酸曹達2，554
南阿	9，249	羊毛1，599
芬蘭	5，828	パルプ5，776
泰	5，536	米穀3，189　木材1，083

29

第七表　　〇輸出入額比較表　　（一月乃至六月）

（單位・千圓）

	輸出		輸入	
	昭和十五年	昭和十四年	昭和十五年	昭和十四年
滿洲國關東州	663,970	528,423	245,306	256,847
支那	350,306	195,778	157,268	98,799
亞細亞洲	1,312,210	981,417	774,252	591,750
歐羅巴洲	107,101	107,237	97,636	170,273
北亞米利加洲	224,657	217,171	648,493	574,663
中央亞米利加洲	20,042	17,514	4,496	1,532
南亞米利加洲	55,245	23,292	74,239	44,377
阿弗利加洲	90,356	66,197	52,534	43,346
大洋洲	52,553	41,575	60,403	52,381
合計	1,862,164	1,454,403	1,712,053	1,478,322

30

尙輸出入額增減ノ品種別ハ次ノ如シ

上半季輸出額　　（單位．千圓）

	昭和十五年	昭和十四年
食料品，粗製品	72.649	32.497
製造品	140.948	113.803
原料品	89.005	68.764
原料用製品	429.788	353.520
全製品	1.079.573	857.893
其他	50.201	27.921
合計	1.862.164	1.454.403

上半季輸入額　　（單位　千圓）

	昭和十五年	昭和十四年
食料品，粗製品	200.205	109.774
製造品	28.615	21.979
原料品	823.800	679.844
原料用製品	450.759	449.140
全製品	196.698	203.087
其他	11.753	9.498
合計	1.711.830	1.478.322

31

㊙

経研資料調第二四號

日米貿易斷交ノ影響ト其ノ對策

昭和十六年七月
陸軍省主計課別班

昭和一六、八、三 受

日米貿易斷交ノ影響ト其ノ對策

例言

本文ハ當班ノ委嘱ニ依ル神戸商大教授土島廣治郎氏ノ研究デアル．

昭和十六年七月

陸軍省主計課別班

目次

一

第一編　總論

第一編　總論

第一項　日米貿易断交ノ可能性

日米貿易断交ノ問題ハ今ヤ朝野ノ重大問題ニシテ、財界、特ニ主要商事會社ニ於テハ既ニ今春ヨリ夫々對策ヲ考究シツツアルモ、未ダ適切ナル具体的方策ニ到達セシヤ疑問ト思惟サルベシ.

今、日米貿易断交ノ可能性ヲ考察スルニ少クトモ次ノ三ツノ場合アリ.

一、日米戦争ノ勃発、二、米國ノ對日経済封鎖　三、本邦大東亜貿易政策ノ根本方針

一、日米戦争ノ勃発

日米開戦ニツキテハ民間ニ於テ未ダ明確ナル可能性ヲ把握セザルモノノ如シ。

此ノ問題ハ結局開戰ノ事実ニヨリテ実証ヲ待ツノミ、サレド理論的ニハ日米戦争ノ必然性、不可避性ヲ説ク数多ノ見解アリ. 遠クハ満洲事変、近クハ支那事変ノ勃発以來、日米戦争不可避トナス見解アリ. 之ニハ政治的見方（九ケ國條約・不戰條約ノ違反）ト経済的見方（支那市場ノ喪失・在支権益ノ擁護等）トアリ. 或ハ三國同盟ノ成立ハ日米戦争ヲ不可避的ナラシムトノ見解アリ. 或ハ日本ノ南進政策ハ必然的ニ日米戦争ヲ惹起セシムベシトノ見解アリ. 就中、米國ノ石油ノ全面的禁輸ハ必然的ニ日本ノ南進ヲ強化セシメ、日米衝突ヲ不可ナラシムトノ見解アリ. 何レニシテモ、日本ノ世界政策ガ英米中心ノ世界政治経済秩序ヲ打破シ、世界新秩序ヲ建設セントスル以上ハ日米開戦ハ理論的ニ不可避ト考ヘザルベカラズ・米國ノ「コンボイ」問題ヨリ独米間ニ宣戦布告ナキ開戦トナリ、之ガ結局日米開戦ヲ誘導スベシトノ見解アリシモ、軍艦ノ掩護問題ハ米國下院ニテ否決セラレ、従ツテ哨戒線ノ拡大ニ止リタルモ、独米間ノ前途ハ全ク暗澹タルモノニシテ、今ヤ開戦ハ時期ノ問題トナレルモ其ノ時期ニツキテハ明白ナル解答ヲ與フルコト至難ナリ.

然レドモ日米戦争ノ勃発スル時ハ直チニ日米貿易ハ全面的断交トナルコト明白ナリ、加之、日米開戦ハ日本ノ國際経済ニ深刻ナル影響ヲ及ボスベキハ明白ニシテ、其ノ深刻ノ度ハ戦局ノ如何、制海権ノ如何ニヨリテ自ラ異ルヲ以テ容易ニ豫断ヲ許スベカラズ.

二、米國ノ對日経済封鎖

(一)　日米通商航海條約ノ廃棄ヨリ對日禁輸、許可制ノ実施

米國ノ對日経済封鎖ハ米國ガ自主的ニ日米貿易断交ヲ行ヒ、更ニ本邦ノ第三國貿易ヲ封鎖シ、以テ本邦ヲ國際経済的孤立ニ陥レントスル企図ナリ. 此ノ場合ハ日米開戦ニヨル貿易断交ト自ラソノ影響ヲ異ニス. 前者ノ場合ハ全面的即発的貿易断交トナルモ、後者ノ場合ハ部分的ニ始リ次第ニ全面的断交ニ近クベシト雖モ両國間ノ貿易ハ必ズシモ完全ニ消滅スベキモノニ非ズ.

米國ノ對日経済封鎖政策ハ本邦ノ天津租界封鎖ノ後、即チ昭和十四年七月二十六日、一九一一年ノ日米通商航海條約廃棄ノ通牒ニ始ル. 是ヨリサキ、米國

ニ於テハ對日経済制裁トシテ、ピットマンノ提出セル「九ケ國條約違反國ニ對スル貿易制限決議案」(註一)ニ對シ、通商條約廃棄ヲ提出セル「ヴァンデンバーグ決議案」アリシモ、政府ハ結局通商條約ノ廃棄ヲ宣言シ、對日経済制限ニ対スル國際法的束縛ヲ脱却シテ對日経済封鎖ノ前提條件ヲ構ヘタリ。

(註一)「九ケ國條約違反國ニ對スル貿易制限決議案」ノ要点左ノ如シ。

九ケ國條約締結國ノ一國ガ米國市民ノ生命ヲ危険ニ曝シ、米國市民ノ合法的權利並ニ特權ヲ剥奪スル場合乃至ハ右條約ノ條項並ニ保障ニ反シ必要事項ノ履行ヲ怠ル場合ハカゝル國家ニ對シテ何時タリトモ左ノ各商品ノ輸出ヲ制限乃至禁止スル布告ヲ発シ得ベシ。

武器、弾薬並ニ軍需品

鉄、鋼、石油、ガソリン、屑鉄、其他金属類ノ合金ヲ含ム金属類

因ニ同案ヲ對日武器禁輸決議案トモ稱シ、同年七月十一日ノ提案ナリ。

尤モ米國ハ日米通商航海條約ノ廃棄ヲ通告セリト雖モ、差當リ本邦ニ對シ最

四

恵國ノ待遇ヲ與ヘ差別待遇ヲナサザル旨同年十二月二十九日商務省ヨリ正式通達アリシガ、既ニ同年十二月ヨリハ特定ノ原料品即チアルミニウム、モリブデン、航空機用ガソリン精製機械及ビ精製權及ビ技術的情報、國防上必要トスル大型特殊工作機等ハ所謂モラル・エンバーゴートシテ事実上對日禁制品トナレリ。

航空機及ビ同部分品ノ禁輸ニツキテハ夙ニ昭和十二年五月一日新中立法(ピツトマン共同決議)第五條ニヨル大統領布告ニ基キテ、ウイチタ号事件以来同年九月十四日大統領ノ声明ニヨリテ日支両國ニ對シ共通ニ実施セリ。此ノ場合ニハ米國政府船舶ニテ之ヲ輸出スルコトヲ禁ジ、政府以外ノ船舶ハ自己ノ危険ニ於テ為スベキコトゝナレルモ、結局モラル・エンバーゴートナレリ。但シ此ノ大統領声明ハ日支両國ニ對スル中立法ノ運用ニシテ、特ニ對日経済封鎖ノ意図ニ出デタルモノト解スベキ性質ノモノニハ非ズ。

米國ガ對日経済封鎖政策ヲ積極的ニ表明セルハ三國同盟ノ成立ニヨリテ我國ガ世界政策ノ根本方針ヲ表明シテ以後ノコトニ属ス。

五

六

即チ米國ハ、昭和十五年七月一日大統領布告 *Presidential Proclamation* ニヨリテ米國輸出統制法 *Export Control Act* ヲ公布シ、政府ハ國防強化ノ目的ヲ以テ特定品目即チ基本原料、化学薬品、機械器具並ニ、一九三七年五月一日新中立法第五條ニヨル大統領布告ニ列記セル武器弾薬及ビ戦争用品ハ國務省ノ許可ヲ得ルニ非ザレバ輸出スベカラザルコトヲ命令シ、同年七月五日ヨリ之ヲ実施セリ。輸出許可制ノ運用ニハ *Colonel Maxwell* ヲ長官トスル *Export Control Administration* ヲ制定シ、之ニヨリテ軍需品ノ枢軸國ニ輸出サルルコトヲ防止シ、同時ニ對日経済封鎖ヲ直接実行セントセリ(*Foreign Commerce Weekly, Oct. 5th. 1940*)。

今、七月五日実施ノ米國輸出許可制品目ヲ通覧スルニ、夙ニ昭和十二年五月一日新中立法第五條ニ規定セル武器弾薬並ニ航空機及ビ同部分品ヲ今回改メテ輸出統制法ニ依リテ許可制トナシ、又昭和十五年十二月以降既ニ對日モラル・エンバーゴートナリタル禁制品、例ヘバ特定アルミニウム、モリブデンヲ改メテ許可制品目トナセル以外ニ、(一)新ニアンチモニー、石綿、クロミウム、工業用ダイヤモンド、石墨、マンガン、マグネシウム、水銀、雲母、水晶、錫、タングステン、ワナヂウム、トリオール、光学用硝子ノ鉱物性原料 (二)コツトン・リンダース、亜麻、マニラ麻、羊毛、絹、ゴム、キニーネ、積皮ノ動植物性原料 (三)アンモニア化合物、塩素、ディメチルアニリン、ディフェニルミン、塩酸、硝酸、硝酸塩、ニトロセルローズ、曹達石灰、醋酸曹達、ストロンチウム、発煙硫酸ノ化学薬品 (四)防弾硝子、透明プラスチックス、砲火操作用及ビ飛行機装備用光学器具ノ光学用硝子及器具 (五)金属熔解鋳造、圧型研磨接合用ノ工作機ヲ輸出許可制品目トセリ。

爾来米國ハ此種ノ許可品目ヲ相次イデ拡大シ、現今ニ於テハ殆ンド一切ノ主要原料品、化学薬品、光学的資材及ビ器具、精密機具、工作器具ニ亘レリ。

次ニ本邦ニ直接影響アル許可制品目ハ次ノ如シ。

(一) 航空機及ビ同部分品及ビ附属品

(二) 航空機用高オクタン價ガソリン(オクタン價ハ七ヲ超ユルモノ)及石油一般

七

八

(三) 航空機用ガソリン精製機械及ビ精製確及ビソノ技術的情報
(四) 工作機
(五) 鉱及ビ金属
　一切ノ屑鉄鋼
　アルミニウム
　モリブデン
　銅
　各種鉄及鋼
　ニッケル
　鉛及ビトレルエチール鉛
　亜鉛
　コバルト
　黄銅、錫、マンガン、燐鉱石、石綿、水銀
　雲母、アンチモニー
(六) ゴム、塩化加里、カーボン・ブラック、シェラック、チタニウム、皮革、コールタール分溜物精製品、研磨材
(七) マニラ麻、コプラ、椰子油
(八) 純粋パルプ
(九) メーター類、喇筒

右ノ結果本邦對米輸入品ハ棉花、木材、自動車及ビ同部分品、揮発油ヲ除ク石油、原油等ヲ除ケバ殆ンド禁制品トナリタルコト明白ニシテ、就中、自動車及ビ同部分品、附属品及ビ石油ノ禁輸ノ危険ハ次第ニ近ヅキツツアルモノノ如シ。従ツテ對米輸入貿易ハ今ヤ全面的断交ニ近ヅキツツアリ。

更ニ米國ノ對日経済封鎖ノ問題トシテ本邦ヨリノ主要輸入品特ニ生糸ノ輸入禁止問題ヲ考察セザルベカラズ。

昨年十月頃ヨリ日本生糸ノ輸入禁止ハ必至ナリトノ情報ガ傳ヘラレシガ未ダ実現ヲ見ザルモ、生糸ノ對米供給ハ現在本邦ガ殆ンド大部分ヲ占メ、然モ米國

九

一〇

ニ不可缺ノ軍需品ナルガ故ニ、米國ニ於テモ之ヲ軽々ニ取扱ハザルコト勿論ナリ。此ノ問題ハ後ニ本邦ノ生糸問題ノ箇所ニ於テ再述スベシ。

最後ニ米國ノ輸出許可制ヲ比島ニ於テ如何ニ実施スルカノ問題ヲ考察セン。

最近ノ報道ニヨレバ、米國輸出統制法ハ昭和十六年五月二十九日ヨリ愈々比島ニモ適用サルルコトトナリ、マニラ麻、ロープ、コプラ、椰子油、クローム(鉱石及ビコンセントレート)、銅、鉄、マンガン等ノ商品ノ米國領土以外ヘノ輸出ハ許可ナキ限リ禁止サルル旨ヲ規定セリ。

本邦ノ比島ヨリノ重要輸入品ハマニラ麻、マンガン、クローム、銅、鉄鉱石、コプラ等ナリ。マニラ麻ノ輸入ハ昭和十三年度ニ於テ六千四百十一万斤、價格千四百十四万円ニシテ、此ノ輸入杜絶スル時ハ本邦ハ痛手ヲ蒙ルモ、何等カノ補償方法ヲ講ゼザレバ、比島経済界ハ大打撃ヲ蒙ルベシ。コプラ及ビ椰子油ハ昨年末来三井、三菱、大同各社ニヨリテ輸入シ、其額モ漸ク増大ノ傾向ニアリシモ、對独再輸出ノ疑惑ヲ受ケシモノナリ。

鉱産物デハクローム鉱ハ現在マデ古河系東邦金属製錬ノ手ニヨリテ本邦ノ不

足輸入量ノ殆ンド全部ヲ賄ヒシモノニシテ、比島クロームノ買入先ハ殆ンド日本ノミナリ。銅ハ年ニ銅鉱石ニテ二万五千噸、精鉱ニテ一千二百万封度余ヲ生産シ、之モ本邦ヲ第一ノ顧客トシテ積出サレ、マンガン鉱ハ日比鉱業ガ大量買付準備中ナリキ。鉄鉱ハ比島四大鉱山ヨリ岩井、三井、太平鉱業ガ買付ニ當リシモ、今後米國ガ鉱石ノ對日輸出ヲ停止スレバ比島業者ノ破綻トナルベク、従ツテ比島モ此ノ方面ニハ相當ノ手加減ヲ加フルモノト観測サル。

右ノ諸原料ハ総テ禁輸トナルカ否カハ不明ナルモ、銅、マンガンノ對日禁輸ハ確定セリ。一般ニ比島ガ禁輸ヲ行フコトハ比島産業ニ打撃深ク、タトヒ米國ガ比島資源ノ買取独占ヲ約スルモ、船腹不足ノ折、事実上買占ハ困難ナルガ故ニ、本邦ニ對スル供給ハ商品ノ種類ニヨリテ例ヘバ鉄鉱石ノ如キハ今後共継続スベシ。サレド本邦ノ對比輸入ガ減少スルトキハ同時ニ對比輸出ノ減少トナルベク、現ニ米國政府ハ比島銀行ニ對シ日比銀行勘定尻ヲ五月末ニテ一應調整スベシトノ内命アリタリト謂フ。之ヲ以テ比島ニ於ケル資金凍結ノ準備ト解釈スル者モアリ。

一一

(二) 本邦第三國貿易ノ妨害

米國ノ對日經濟封鎖ハ米國ガ其ノ屬領ト共ニ直接對日供給ヲ禁止スルノミニテハ有效ナラザルハ明白ナリ。之ニハ第三國ノ對日原料供給ヲ妨害又ハ阻止スルコトニヨリテ一段ノ效果ヲ收ムベシ。更ニ支那ニ於テ日本ノ買付ヲ妨害スルコトヲ得バ一層ノ效果ヲ挙グルコトヲ得ベシ。

一般ニ第三國ニ於ケル對日供給ヲ妨害スル方法ハ直接的方法ト間接的方法トニ分ツコトヲ得。

直接的妨害方法ハ本邦ノ第三國買付ニ對シ米國ノ商社ヲシテ独占的買占ヲ行ハシムル方法ナリ。之ハ中南米市場ニ於テ現在屡々行ハルル所ナリ。例ヘバメキシコノ石油、チリーノ銅鉱石、ボリビヤノ錫、タングステン等ニツキテハ米國ガ先物ヲ買取リテ邦商ノ買付ヲ妨害ス。此等ノ地方ニ於テハ米國ノ資本関係ニ基キテ米國ノ買占妨害ハ一層便利ニ行フコトヲ得。米國ノ中南米市場ニ於ケル買占妨害ノ実例ハ極メテ多ク従ツテ此處デハ之等ニツキテ叙述スルコトヲ略ス。

一二

同様ノ買占妨害ハ南洋市場ニ於テ英國ノ策動ニ基キテ時々行ハル。例ヘバ本邦ノ米ノ買付ニ對シ、サッスーンヲシテ米ノ買占ヲ行ハシムルガ如シ。本邦ハ外米ノ買付ニツキテハ商工省、農林省、大藏省ト二重三重ノ許可手続ヲ要シ、従ツテ常ニ買遅レニ陥リテ敵ニ買占メラルル結果ヲ招來スベシ。

次ニ間接的妨害方法ハ金融及ビ運輸上ノ妨害ニシテ、例ヘハ米國銀行ガ日本ノブラジル買付ニ紐育決済ヲ拒ミ、假令拒絶セザルモ不利ナル條件ヲ附スル方法ナリ。此ノ方法ハ本邦ノ南米取引ノミナラズ、ニューヨーク弗決済ノ第三國貿易一般ニ適用サルル危険アリ。加之、支那ニ於テモ遭遇スルコトアルベシ。

運輸上ノ妨害ニツキテハ米國ノ輸出許可品目ニ属スルモノハ假令米國以外ノ國、例ヘバブラジルヨリノ搬出貨物ニシテモ之ヲ米國ノ港例ヘバ紐育ニ於テ積換乃至大陸横断ヲ禁止セリ。之ハ米國ノ輸出許可制ノ規定ニヨリテ明白ナリ。サレド本邦ノ中南米貿易船ニ對シ米國ノ港ニ於テ差別待遇ヲ與フルコトハ未ダ実施サレザルモノノ如シ。

固ヨリ日米間ハ無條約國ナル故ニ、米國トシテハ米國港ニ出入又ハ碇泊スル

一三

日本船舶ニ對シ差別待遇ヲ與ヘ、特ニ檢査ヲ嚴重ニナシ、更ニ給水、燃料ノ供與ヨリ一切ノ便宜ヲ與フルコトヲ拒否シ、進ンデハ邦船ヲモ抑留スルコトモ可能ナリ。サレド実際問題トシテハ我方ニ於テモ之ニ對シ報復的措置ヲ講ジ得ベキガ故ニ、特別ノ事情ノ発生セザル限リ、又ハ両國ノ國交ガ断絶ニ切迫セザル限リ、船舶ノ抑留乃至一切ノ便宜ノ供與ノ拒否ノ断行ハ困難ナリ。尤モ我國ハ豫テヨリ斯カル事態ヲ慮リ米國及ビ中南米ニ對スル配船ニハ優秀船ヲ回収シテ成ル可ク悪シキ船ヲ配船スル方針ヲ採レリ。

以上要スルニ米國ノ第三國貿易ノ妨害ハ今後益々強化ヲ辿ルベシト覚悟セザルベカラザルガ故ニ、本邦ハ之ニ對シ第三國ヨリノ買付ハ出來ル限リ迅速ニ處理スルヲ要シ、且第三國貿易ノ決済ニツキテハ将來紐育決済ヲ回避シ、更ニ邦船ノ抑留危険ニ對シテハ中古船ヲ配船スル方針ヲ採ルベキナリ。

(三) 對日資産凍結ノ可能性

本邦ノ第三國貿易ノ金融的妨害ヲ徹底的ニ行フコトハ、結局對日資金凍結トナル。米國ガ對日資金ヲ凍結スレバ本邦ハ第三國貿易ニ對シ紐育決済ガ完全ニ不能トナル。本邦ノ在米資金ノ抑留ハ勿論ナリ。故ニ、問題ハ對日資金凍結ノ可能性如何ニアリ。

一四

抑々米國ノ外國資産凍結即チ管理（Regulating）ハ極メテ廣汎ニ亘リ、関係國政府並ニ國民ガアメリカ合衆國領土内ニ有スル　(一)各種ノ資金　(二)内外ノ諸証券　(三)各種ノ債權　(四)商品　(五)動産　(六)不動産及ビ　(七)ソノ他一切ノ財産ノ管理ヲ意味スル峻嚴ナルモノナリ。之ヲ沿革的ニ見ルニ、法源ハ遠ク一九一七年十月六日実施ノ對敵通商取締法ニアリ。同法第五條第二項ニ於テ大統領ハ米國内ニ於ケル各種ノ為替取引、金銀ノ外國輸出、資金債務証券及ビ財産所有權ノ對外譲渡等ヲ調査、管理又ハ禁止スル権能ヲ附與サレタリ。而シテ此ノ旧規定ニ基キ一九三四年一月十五日大統領令第六五六〇号ヲ公布シ、軽微ナル為替管理ヲ実施セリ。現今、所謂資金凍結ハ此ノ大統領令ヨリ出発ス。

昭和十五年四月独軍ノ丁抹及ビノルウェー占領ニ對シ、米國ハ四月十日大統領令第八三八九号ヲ公布シ、前記大統領令第六五六〇号ノ第八條ニ第九條乃至

一五

第十一條ヲ追加シ、両国ノ在米資産ノ凍結ヲ実施シ、以テ欧洲ノ所謂被侵略國ノ資産ガ侵略國独逸ニ帰スルコトヲ防止セントセリ．

今、大統領令第八三八九号第九條ノ規定ヲ見ルニ、一九四〇年四月八日又ハ其ノ以後ノルウエー及丁抹両國政府又ハ其ノ國民ハ米國領土内ニ直接間接利害関係ヲ有セル財産ニ就キテハ特ニ許可ナキ限リ次ノ行為ヲ為スコトヲ得ズトアリ．

（一）　アメリカ國内又ハ外國ニアル銀行間ニ於ケル一切ノ資金移動

（二）　アメリカ國内ノ銀行ニ於ケル一切ノ資金ノ受拂

（三）　アメリカ國内ノ一切ノ為替取引

（四）　アメリカ國内ヨリ金銀貨、地金並ニ通貨ノ持出又ハイーヤマークヲスルコト

（五）　アメリカ國内ニ於ケル一切ノ債務債券若クハ財産所有債権証書ノ取引

（六）　以上ノ禁止諸事項ノ適用ヲ免レントスル一切ノ取引

續イテ昭和十五年四月二十四日米國上下両院ノ銀行委員會ハ外國資産凍結ノ立法手続ヲ明確ナラシムル為「外國資金移動制限ニ関スル法案」ヲ急遽可決シ其ノ要点ヲ述ブレハ次ノ如シ．

（一）　大統領ハ外國政府又ハ外國人ガ米國内ニ保有スル証券其他各種資金ニ對シ戦争其他ノ非常時ニ際シ移動ヲ禁止スル権限ヲ附與セラル．

（二）　右権限行使ノ為ニ、ライセンス発行其他適宜ノ手段ヲ採ルコトヲ得、

其後欧洲戦局ノ拡大ニ伴ヒ同年五月十日和蘭、白耳義及ビルクセンブルグ政府並ニ個人所有ノ在米資産ヲ凍結ニ附シテ以來、佛蘭西、バルト三國、バルカン諸國等ニ之ヲ拡大セリ．即チ昭和十五年七月十日ニ佛蘭西、七月十一日ニラトビヤ、エストニヤ、リスアニヤ、十月九日ニ羅馬尼、本年ニ於テハ三月四日ニブルガリヤ、十三日ニ洪牙利、二十四日ニユーゴースラビヤ、六月十四日ニ希臘ノ資金ヲ凍結ニ付セリ．更ニ六月十四日ニハ独逸、伊太利ノ在米資金ノ即時凍結ヲ断行シ、同時ニ独、伊両國ノ在米資金ノ管理ヲ完全ニナセリ．加之、米國ハ國際金融取引ノ相関々係ニ鑑ミ、欧洲ノ被占領國及被侵略國ニシテ未ダ資金凍結令ヲ適用セザリシ諸國（アルバニヤ、墺太利、チエツコスロバキア、

ダンチツヒ及波蘭）ニ對シテモ今回之ヲ実施セリ．右ノ結果、未ダ凍結サレザル國ハ日本、英國、支那、中南米諸國及ソ聯ニシテ、残ル芬蘭、ポルトガル、瑞西、西班牙、瑞典等ノ諸國ハ凍結管理令ノ目的ヲ裏切ル為ニ使用セザル保証ヲナスコトニヨリ凍結管理ヨリ除外セラレタリ．固ヨリ将来枢軸國乃至ソ聯軍ノ進出拡大ニ伴ヒ、在米資金ノ凍結國ハ更ニ増加スルモノト謂ハザル可カラズ．

今、昭和十六年二月十日現在ノ在米凍結資産ノ総額及ビ内訳ヲ示セバ次ノ如シ（財務省発表）．

（單位　百万弗）

凍結資産総額	四、三六九
和蘭	一、六一九
佛蘭西	一、五九三
白耳義	七六〇
諾威	一七五
丁抹	九二
羅馬尼	五三
ルクセンブルグ	四八
ラトビア・リスアニア・エストニア　計	二九

種類別内訳	
金銀通貨及預金	二、三八七
保有内外証券	一、五九六
貸付金	二二一
商品其他動産	四五
不動産	二九
其他	九一

（同盟旬報　昭和十六年二月上旬号）

右ハ本年二月十日現在ノ数字ナルガ故ニ、今回ノ凍結資金ヲ合スレバ総計六十億弗ニ達スト謂フ．

日本ニ對シテハ昭和十五年十二月一日ヨリ資金凍結ヲ断行スベシトノ情報ガ昨年十月二十日頃可成確実ナル筋ヨリ傳ヘラレ、横浜正金銀行ハ政府筋ノ命令ニヨリテ在米資金ヲ南米例ヘバブラジルニ一部移動ヲ開始セシガ、米國ハ今回ノ独・伊資金凍結ノ際ニモ本邦ヲ除外セリ．其ノ理由ハ政治的考慮ニ基クト謂フ．サレド本邦ガ例ヘバ蘭印問題ニ對シ強硬政策ヲ断行スレバ、米國ハ直チニ

本邦ノ資金ヲ凍結ニ付スルモノト推測サルベシ．現ニ六月十四日ノ凍結令ニヨリ本邦（其他ノ非凍結諸國）ノ在米資金及ビ財産ハ米國政府之ヲ嚴重ニ調査登録スルコトトナリシガ故ニ、將來本邦ニ對シ何時ニテモ資金凍結ヲ断行シ得ベキ準備整ヘリト謂フヲ得ベシ．

本邦ノ在米資金ハ現在幾何アルカハ不明ナレド、資産内容ハ正金銀行等ノ資金、保險會社所有ノ外國証券、商事會社ノ商品ストック、移民ノ財産等ニシテ、之等ガ今凍結ニ附サルル時ハ資産ノ處分及海外移動ハ不可能トナリ、差當リ本邦ノ第三國貿易特ニ南米貿易ニツイテハ紐育弗決済ガ不能トナル．但シ本邦ト米國トノ直接取引ハ商品ノ種類ニヨリテハ、例ヘバ米棉ノ買付ノ場合ノ如キハ在米資金ニテ支拂フコトハ恐ラク許可ヲ受クルコトトナラン．加之、米國ガ對日資金凍結ヲ断行スレバ米國ト密接ナ関係ヲ有スル中南米諸國ガ之ニ追随シテ對日資金ヲ凍結ニ附スル危險性アリトサヘ稱サル．

カクテ米國ノ對日資金凍結ハ今ヤ時期ノ問題トナリタルガ故ニ、本邦ハ在米資金ノ南米移轉ヲ行フト同時ニ日米貿易及ビ中南米貿易ノ決済方法ニ再検討ヲ

二〇

必要トス、即チ日米貿易ニツキテハ輸出入ノ金額ノ均衡ヲ保ツ為、両國ノ銀行勘定尻ヲ例ヘバ二ケ月乃至三ケ月毎ニ調整セシメ、中南米貿易ニ就キテハ為替清算制ニヨリテ直接決済方法ニ進マシムルコトヲ要ス．

加之、米國ガ在米資金ノ凍結ヲ断行シ、之ヲ抑留スルニ於テハ、我方ニ於テモ在米資金ニ匹敵スル、恐ラクソレ以上ノ巨額ノ米國資産アルガ故ニ、米國ノヤリ方如何ニヨリテハ報復的措置ヲ講ズルコト難カラズ．例ヘバ三井及ビ三菱トノ合辨事業ニ於ケル米國ノ投資ノ如キ、或ハ在満支ニ於ケル米國ノ投資及ビ利權ヲ抑ヘテ對抗スル方法アリ．但シ之ハ本邦ノ第三國貿易ノ弗決済ノ代行トハナラザルコト明白ナリ．第三國貿易ノ決済ハ円決済以外ニハ結局為替清算協定ニヨリテ代行スル以外ニ方法ナシ．尤モ上海ニ於ケル米國系銀行ハ此ノ場合如何ナル措置ニ出ヅベキカハ頗ル興味アル問題ニシテ、或消息通ノ説ニヨレバ、邦商ニ對シ恐ラク拂出ヲ停止セザルベシト謂フ．同様ニ英國系銀行モ上海市場ニ於テハ比較的自由ノ余地ヲ此点ニツキ有スルト謂ハル．

二一

(四)　援蔣行為

援蔣行為ハ経済封鎖ト範疇ヲ異ニスト雖モ、敵國ニ對シ對日経済的武力的抗戰力ヲ増強シテ本邦ノ抗戰力ノ消耗乃至衰微ヲ目的トスル経済謀略ナル点ニ於テ経済封鎖ト共通ナルガ故ニ此處ニ問題トス．

米國ハ最近英國ニ代リテ援蔣行為ヲ積極化セルモノノ如シ．借款及ビ法幣安定資金ノ供與ハ勿論航空機、武器、彈薬ヨリ小麥及ビ小麥粉マデ供給セルモノノ如シ．

英米ノ援蔣行為ハビルマ・ルートヲ通ジ、香港、上海租界ヲ通ジデ行ハレ、ラングーン、シンガポール及ビマニラハ其ノ有力ナル基地タルノ役割ヲ演ズ．米國ノ援蔣借款ガ既ニ幾何ニ達セリヤハ不明ナルモ一億八千万弗トモ稱セラル．サレド過去ニ於テカヽル莫大ナル金額ニ相當スル物資ガ果シテ重慶政權ニ供給サレシヤハ疑問ナリ．蓋シ米國ノ援蔣借款ハ從來大体ニ於テ重慶政權下ニ生産スル主要原料、例ヘバタングステン、桐油、アンチモニー等ノ購買ニ對スル支拂ノ形態カ或ハ利權ノ獲得、例ヘバビルマヨリ支那ニ通ズル鉄道建設ヲ目的トセルモノト解セラレタリ．故ニ重慶ニ對シ航空機其他武器彈薬ヲ米國ヨリ供給スルコトヨリモ、逆ニ重慶ヨリ米國ノ必需物資ヲ獲得スルコトヲ眼目トセリト解サレタリ。

二二

(イ)　第三次援蔣借款

現ニ昭和十五年皇軍ノ佛印進駐ニ對シ米國ガ其ノ報復策トシテ発表セル第三次援蔣借款ニツキ米國聯邦融資長官ノ言ニヨレバ、米國輸出入銀行ガ重慶政權ニ今回供與セルニ千五百万弗ノ新借款ハ今後数年ニ亘リ支那側ガ米國復興金融會社（R・F・C）ノ仔會社タル金属保有會社ニ對シ、タングステン鉱ノ賣却ニヨリテ償還スベク、而シテ重慶政府ハ此ノ借款ヲ以テ外國為替資金ニ充當スルト稱セリト謂フ．之ト同時ニ米國金属保有會社ハ支那（例ヘバ華昌貿易會社）トノ間ニ三千万弗ノタングステン購入契約ノ成立ヲ発表セリ．又之迄支那ニ供與サレタ借款ノ総額ハ四千三百八十二万四千弗ニシテ全額支拂済、償還額ハ一千三百十六万弗ニシテ何レモ支拂期限前ニ返済サレタルコトノ発表アリ（同盟通

二三

信九月廿五日、同盟旬報一一八号）．

米國ノ援蔣借款ガ従來右ノ如キ形態ヲトリタルコトハ略推測スルコトヲ得ベシ．

抑々支那ハ世界第一ノタングステン、アンチモニー及ビ桐油ノ産地ナルコトハ周知ノ事実ニシテ、其ノ産地ハ何レモ皇軍占據地域外ノ奥地ニ属シ、重慶政権ノ外貨獲得ノ物資ナリ．米國ニ於テモ、タングステン鉱ノ産出アレド、高速度鋼及ビ其他ノ特殊鋼製造ニ基ク國内需要ノ約半ヲ充足セル現状ナリ．従ツテ其ノ残リハ支那．ボリビヤ其他ノ南米諸國ヨリ専ラ輸入シ、又濠洲、英領馬來、英領印度及ビ泰國ヨリモ輸入セリ．就中、支那ヨリノ輸入ハ従來大半ヲ占メタリ．

次ニ米國ノタングステン鉱石及選鉱（Ore and concentrates）ノ輸入状況ヲ示ス。

（單位　千封度、千弗）

國名	昭和十四年度 数量 高	昭和十四年度 数量 %	昭和十四年度 金額	昭和十五年度上半期 数量 高	昭和十五年度上半期 数量 %	昭和十五年度上半期 金額
支那	九〇〇	六〇・六	五八七	一、一〇三	四〇・九	九三五
英領馬來	一二四	八・四	一一三	一一九	四・四	一三三
英領印度及ビルマ	一三	〇・九	九	一一四	四・二	八八
泰國	ー	ー	ー	六六	二・四	三六
濠洲	五七	三・八	四二	三三九	一二・六	二八四
南米	三八九	二六・二	二四四	九三二	三四・六	七〇二
合計	一、四八五	一〇〇・〇	九九八	二、六九五	一〇〇・〇	二、一八九

（"Survey of Current Business," December, 1940, P.11）

支那ノ米國向タングステン鉱ノ輸出ハ従來佛印ヲ経由セシガ、昨年皇軍ノ佛印進駐以來ハビルマ・ルート以外ニ輸送公路ナク、従ツテビルマ・ルートヨリ

搬出シ得ル数量ハ夥シク制限ヲ蒙ルコトトナレリ．他方香港向積出サルルタングステンノ数量ハ一時可成増加セシガ、近時我方ニ於テソノ大部分ヲ取抑ヘ、我國ニ搬入セシメツツアリ．上海租界経由ノ数量モ自ラ制限アルコト勿論ナリ．右ノ結果重慶ノ對米タングステン鉱ノ供給ハ重大ナル支障ニ逢着セルモノノ如シ．逆ニ本邦ハタングステン鉱ニツキテハ充分ナル供給ヲ支那ヨリ受ケ得ル結果トナレリ．之ト同時ニ米國ノタングステンノ輸入ニ一大頓挫ヲ來シ、ソノ補給ヲ昨年末主トシテボリビヤニ求メントセリ（註一）。尤モ昨年度ノ米國ノタングステン輸入ハ前年ノ四・五倍ニ達セル由ナリ（"Survey of Current Business," December 1940, p.12, Monthly Summary of Foreign Commerce of The United States, December 1940, p.28 參照）．

（註一）　最近米國金属保有會社ハボリビヤ産タングステンヲ今後全部買占メ、向フ三ケ年間ニ二千五百万弗、数量一ケ年約四千百噸ノ供給ヲ受クル由．

左記ニ參考迄ニ支那ノタングステン鉱ノ輸出状況ヲ掲グ

支那タングステン鑛輸出高（單位　砙、千元）

國名	昭和十二年 数量	昭和十二年 金額	昭和十三年 数量	昭和十三年 金額	昭和十四年 数量	昭和十四年 金額
蘭印	〇	〇	〇	〇	七、七四八	三一、六四四
香港	四、三八六	一二、八二二	一一、三三五	四六、九二五	二、八二七	一二、六一四
ドイツ	四、八一五	一〇、五四九	七二五	二、五八一	〇	〇
米國	二、三八〇	五、四四七	七五	二八八	〇	〇
佛國	二、〇一〇	五、一〇七	一〇〇	二九三	〇	〇
英國	一、六三四	三、八六九	七五	二四五	〇	〇
計(其ノ他共)	一六、五一八	四〇、七五九	一二、三五八	五〇、四九二	一〇、六八九	四四、六七五

(港別)						
龍州	〇	〇	〇	〇	八、一三九	三三、二三六
汕頭	〇	〇	〇	〇	九八七	四、五九〇
蒙自	六七九	一、八二一	一、〇〇七	三、九一四	八八九	三、六五九
廣東	三、二三二	七、八九〇	八、四二六	三五、七五〇	五〇〇	二、五四九
上海	一〇、五六六	二四、四〇九	〇	〇	〇	〇
九龍	四九六	二、四〇三	一、四七〇	五、六三六	二五	一〇一

（「國勢グラフ」昭和十五年十二月号）

右統計ノ内デ佛印及ビ香港向輸出ガ特ニ顕著ナルガ、其ノ大部分ハ米國ニ再輸出サレタルモノト推測スルコトヲ得・支那ノ對米桐油供給ニツキテモ同様ノ事情ヲ推測スルコトヲ得ベシ。

次ニ参考ノ為ニ桐油輸出統計ヲ示ス・

支那桐油輸出表　（単位　瓲、千元）

國別	昭和十二年 数量	昭和十二年 金額	昭和十三年 数量	昭和十三年 金額	昭和十四年 数量	昭和十四年 金額
香港	二一、二四	一六〇八四	五五、八一	三〇九六一	三〇、〇七	三〇四二四
米國	六四、一一	五八五一五	五六九	三五八六	〇、七〇	五八七
英國	三、六八	三二六六	二、〇三	一〇七五	〇、六二	九七七
佛印	〇、〇五	二九	〇、二一	一一一	一、一八	六七五
独逸	四、二八	三八〇六	一、四八	八一九	〇、二八	二一一
佛國	三、七二	三三五五	一、〇八	六二八	〇、〇一	四
計（其他共）	一〇二、九八	八九八四六	六九、五八	三九二三七	三三、五〇	三三六一五
（港別）						
龍州	〇	〇	〇、〇三	一四	八、〇九	八〇四〇

北海	〇、一一	八二	〇、六三	五〇七	七、八七	一〇二四三
温州	〇、三八	二六五	四、三九	二七二八	九、八八	七七四一
蒙自	〇、三〇	一八四	一、八九	一〇四五	三、六七	三三四一
上海	七九、六七	七一七九五	九、〇二	五七七六	二、一九	二四六八
廣東	六、四三	五一九六	三二、六三	一七一七三	〇、二二	一四一
九龍	二、二五	一八八六	一一、九二	五八八六	〇、三三	三三八
梧州	一〇、八二	七七六四	六、三二	四三八一	〇	〇

（「國勢グラフ」昭和十五年十二月号）

米國側ノ統計ニヨレバ、支那ヨリノ桐油輸入高ハ昭和十三年ノ一億封度、十四年ノ七千五十四万封度ニシテ、ソノ金額ハ夫々千百十三万弗ト千六十五万弗トアリ。又香港ヨリノ輸入ハ十三年ノ七百四十万封度、十四年ノ八百十七万封度ニシテ、其ノ金額ハ夫々七十九万弗ト百八万弗トアリ。又昭和十五年ノ総輸入高ハ数量九千七百四万八千封度、金額二千二十七万四千弗ナリ・此ノ内ニ支

那及ビ香港ヨリノ輸入ヲ包含セルモノト解サル。

尤モ桐油ノ輸入ニツキテハ假令我國ノ妨害ヲ受クルモ米國ニ於テ桐ヲ栽培シ、自給策ヲ企図セルモ、支那ノ依存ヲ脱却スルコトハ差當リ困難ナルモノノ如シ。

以上ハ米國ガ莫大ナル援蒋借款ニヨリテ支那ノ重要特産物ヲ大量ニ獲得セントスル企図ハ我國ノ逆封鎖ニ遭遇シテ其ノ達成難ニ陥レルコトヲ説明セリ。

(ロ)　第四次援蒋借款

米國ノ第四次援蒋借款ハ昨年十一月三十日南京ニ於ケル日支新條約調印ト日ヲ同ジクシテ一億弗新借款供與ガ発表サレタリ。其ノ内容ニツキテハ、ルーズベルト大統領自ラ重慶政府ニ對スル追加借款五千万弗ヲ米國輸出入銀行ヲ通ジデ供與スルニ決定、並ニ之トハ別個ニ法幣安定資金トシテ更ニ五千万米弗ノ借款ヲ早急ニ供與スルコトヲ考慮中ナル旨ヲ発表セリ。此ノ一億弗ノ中、五千万弗ハ一般物資、即チ、タングステン、アンチモニー、錫、桐油等ノ購入ニ充當スルコトヲ決定シ、政府ハ金属保有會社ニ命ジ、重慶政府資源開発委員會ヨリ

之等物資六千万弗ヲ今後数年ニ亘リテ購入セシムルコトトナリ、他方輸出入銀行ハ右五千万弗ヲ重慶中央銀行ノ保障ノ下ニ経済的援助ヲ目的トシテ供與スルコトトナリ、其ノ償還ヲ右ノ物資調達ニヨリテ行フコトトナレリト謂フ。故ニ此種ノ五千万弗借款ハ第三次借款ト形式ニ於テ大差ナキモノト謂フヲ得ベシ。

残ル五千万弗ノ法幣安定資金ノ供與ニツキテハ、本年四月頃ノ情報ニヨレバ、米國ノ為替安定資金二十億弗ノ内ヨリ之ヲ蔣政権ニ供與スルコトトナリ、法幣安定資金供與協定ニ調印ヲ終ヘ、五千万弗ヲ限度トシテ法幣ノ購入ニ充當スベシト報ゼラレタリ。

此頃、又米支合作ニヨル支那防衛資材供給會社ヲ設立シ、之ヲ米國ト重慶トノ連絡機関トシテ武器貸與法運用ニ関スル事務ヲ扶掌セシムベシトノ報道アリキ。

惟フニ、右法幣安定資金ハ之ヲ悉ク法幣相場ノ安定ニ充當スルヤ、或ハ鉄道建設ノ利権或ハ支那産原料ノ獲得ニ使用スルヤ或ハ武器貸與ニ供スルヤハ推測シ難シト雖モ、何レニシテモ米國ガ對日経済圧迫ノ為ニ法幣ノ價値ヲ支持シ、

三二

本邦ノ支那経済建設ヲ妨害シ、同時ニ重慶ノ對日抗戰力ヲ強化セントスル手段タルニハ相違ナシ。

支那経済建設ノ現段階ハ法幣對聯銀券、軍票、新法幣トノ通貨戰ニシテ、之等円系通貨及ビ新法幣ハ互ニ旧法幣ニ對シ自己通貨ノ價値ヲ引上ゲ旧法幣價値ヲソレダケ引下ゲントスル闘争ナリ。故ニ米國ガ旧法幣ノ安定ニカヽル巨額ノ資金ヲ以テ乗出ストセバ、是ハ米國ノ對日禁輸乃至資金凍結ト異リ、直接我ガ占領地区ノ経済撹乱ヲ目的トセルコト明白ナリ。

若シ米國ガ眞ニ旧法幣安定ニ此際積極的ニ乗出サントスルニ於テハ我方ニ於テモ之ニ對抗スル方策アリ。我國ハ旧法幣ヲ模造シ之ヲ無制限ニ米國筋ニ賣却スル時ハ米國ノ安定資金ハ五千万弗ニテモ一億弗ニテモ無制限ニ我方ニ於テ獲得スルコトヲ得ベシ。約言スレバ模造法幣ニヨリテ米弗貨ヲ無限ニ獲得シ、同時ニ重慶ノ抗戰力ヲ弱メ且ツ米國ノ援蔣借款ヲ空文ニ帰セシムルコトヲ得ベシ。

筆者ハ支那事変以来既ニ三ケ年以上ヲ経過シタル今日ニ於テ、未ダ我國ニ完全ナル法幣ノ模造ニ成功セザリシコトヲ異トス。或ハ法幣ハ其ノ用紙ノ点ニ於

三三

テ、或ハ印刷ノ技術ニ於テ模造困難ナリト屡々聞ケド、過去三ケ年間ニ亘リ之ガ為ニ巨費ヲ投ジテ徹底的研究ヲ継続シ来ラバ昨今ハ恐ラク之ニ成功セルモノト思惟サルベシ。固ヨリ今ヨリ之ニ徹底的ニ着手スルモ敢テ遅キニ非ザルコトヲ力説セン。

(ハ)　援蔣武器輸出

次ニ米國ノ對支武器輸出ハ従来幾何ナリヤハ不明ナルモ、航空機及ビ同部分品ノ對支輸出ハ昭和十三年ニ於テ六百三十九万弗、十四年ニ百一万弗、又香港ヘノ輸出ハ両年ニ於テ夫々百二十一万弗、四十六万弗トアリ。又昭和十五年上半期ニ於テハ對支輸出ガ三百七十一万弗ニ増加セル由ナリ。下半期ニ於テモ更ニ輸出アリシガ故ニ、十五年度ノ對支航空機輸出ハ十三年程度ト推測スベク、従ツテ之迄ノ輸出ハ大ナルモノニ非ザルベシ。

サリ乍ラ米國ノ援蔣行為ハ近時頓ニ積極性ヲ帯ビ来リシコトハ看過スベカラズ。少クトモ支那事変ノ初期ト三國同盟成立後トニ於テ質的変化ヲ遂ゲシモノ

三四

ト云ハザル可カラズ。約言スレバ援蔣行為ノ消極的ヨリ積極的ヘノ転換ナリ。

我國ガ三國同盟ニ依ル独伊枢軸ノ参加ヲ決行シテ以来、更ニ最近欧洲ノ戰局ノ進展ニ鑑ミ、米國ハ國防上深刻ナル不安ヲ感ジ、特ニ太平洋ニ於テハ蔣政権ヲ米國々防ノ第一線タルコトヲ認識シ蔣政権援助ハ今ヤ米國ニトリテ不可欠ノ問題トナリ、従来ノ如キ單ナル物資ノ獲得又ハ利権ノ獲得ヲ目的トセズシテ経済的利害ヲ超ヘタル重大ナル國防的意義ヲ有スルコトトナレリ。此点ハ本年一月二十五日モーゲンソー蔵相ガ「米國ノ援助ナクシテハ蔣政権ノ對日抗戰ノ継続ハ到底不可能デアル」ト断言シ、又一月三十日我ガ野村新駐米大使トノ初會見ノ席上、ルーズヴェルト大統領ガ「極東ノ戰局ハ欧洲戰争ノ推移ト全然不可分タルコト」ヲ述ベタルハ米國ノ援蔣行為、従ツテ援蔣借款ノ趣旨ヲ披瀝セルモノト解スルコトヲ得ベシ。

最近ニューヨーク・タイムス紙重慶特電（五月二十八日）ニヨレバ、米國ト重慶政権トノ間ニ武器貸與法ニ基キ約一億弗ニ上ル米國製軍需品ヲ重慶政権ニ供給スル協定ノ成立ヲ見、既ニ其ノ第一便ハ支那ニ到着シツツアリト報ゼラル。

三五

此ノ武器貸與法ニヨル供給品ハ大ハ飛行機ヨリ小ハ毛布ニ至ルマデノ多種類ニ亘リ、トラック、小銃、砲彈、鋼鉄、其他ノ軍需品ガ此内ニ包含セラレ、米國製新高速追擊機モ近ク供給サレル由、今後米國ノ生產狀態ト英國ノ注文狀態トニ依リテ可能ナラバ更ニ多量ノ飛行機ヲ供給スル由報ゼラレタリ、此ノ報道ノ眞偽ハ固ヨリ不明ナルモ、之ニ依リ武器其他ノ軍需品ガ將來計画通リ重慶政權ニ事実供給サルルヤハ疑問ナリトス、蓋シ中南支ニ亘ル大小ノ港湾ハ本年皇軍ノ輝カシキ作戰ニヨリテ海上ヘノ通路ガ殆ンド封鎖サレタル以上、援蔣物資ハ一ニビルマ・ルートヲ経由セザルベカラザル実情ナリ、尤モ雲南鉄道ノ可及的速カナル建設ヲ企図シ、或ハ印度トノ間ニ陸空両路ノ開拓ヲモ企図セル由傳ヘラレ、或ハ西北ルートニ依ル物資ノ搬出入ノ計画案アリト雖モ、何レニシテモ机上ノ空案ニ過ギザルベシ、米國ヨリ五千万弗、英國ヨリ二千五百万磅ノ過大ナル借款ヲ獲得セルモ其ノ活用ニツキテハ日本軍ノ旺盛ナル攻勢ヲ前ニシテ殆ド万策盡キタルノ感アリト謂フベシ（「東亜」二月号、三月号「英米ノ對蔣新借款供與ノ意義」上、下）.

万一、重慶ニ對シ武器及ビ其他ノ軍需品ガ計画通リ供給サルルコトトナレバ、我國ハ速カニ重慶政權ニ對シ宣戰ヲ布告シ交戰權ヲ発動シテ援蔣武器乃至軍需品ヲ拿捕スル手段ニ出ヅルヲ要ス、現在ニ於テハ交戰權ヲ発動スルモ米國ノ中立法ニヨリテ對日禁輸ヲ受クル問題ハ夙ニ解消シ、唯日米関係ハ之ニ依リテ一段開戰ニ近ヅク結果ヲ招來スルノミ.

(五)　要　約

以上ハ米國ノ對日経済封鎖ヲ通商航海條約ノ廃棄ヨリ各種軍需品ノ對日禁輸、本邦ノ第三國貿易、就中、南米貿易ノ妨害ノ事実、サテハ在米資金乃至資產ノ凍結及ビ船舶抑留ノ危険性ヲ考察シ、米國ノ對日経済封鎖ガ今ヤ全面的ニ拡大シツツアルコトヲ論ジ、更ニ米國援蔣借款ニヨリテ重慶ノ對日抗戰力ヲ積極的ニ増加セントスル傾向ヲ明ニシタリ、而シテカゝル米國ノ敵性経済謀略ニ對處スベキ我ガ方策並ニ措置ニ就キテハ夫々論述セリ.

一般ニ米國ノ對日経済封鎖ニ對シテハ我國モ亦對抗上對米経済封鎖ヲナスベ

キモノニシテ現ニ米國ノ最モ必要トスル支那產タングステン鉱、桐油、錫、アンチモニー等ニツキテハ既ニ着手セル由ナルガ、今後ハ益々之ヲ強化拡大スルト共ニ、本邦ノ生糸及ビ樟脳ノ如キモ今後同様ノ措置ヲトルベキ性質ノモノナリ、加之、米國ガ重慶援助ヲ今後本格的ニ強化スルニ於テハ我國ハ重慶政權ニ對シ宣戰ヲ布告シテ之ヲ断乎排擊スルコトヲ得ベシ.

経済封鎖ノ影響及ビ個々ノ商品ニツキテノ對策ハ後ニ詳述セン.

三、大東亜貿易政策ノ根本方針

大東亜貿易政策ハ高度國防國家ノ建設ト世界経済新秩序ノ建設ヲ目標トスル大東亜共栄圏ノアウタルキーヲ目的トスベシ、就中、英米ブロックヨリ貿易ノ自立ヲ目的トスルガ故ニ、大東亜貿易政策ハ我國ガ自主的ニ對米貿易ヲ断交ニ導カシムベキ根本方針ヲ有スベシ、就中、軍需資材ノ對米依存ヲ速カニ脱却セシメテ自給自足ヲ促進セシムルヲ急務トス.

我國ハ支那事変以來對米外交ニツキ親善ヲ根本原則トナシ、之ニヨリテ軍需資材ノ供給ヲ主トシテ米國ニ仰ギ、其ノ輸入資產ハ英帝國及ビ對米輸出ニヨリテ獲得セシ外貨ヲ以テ充當シ來レリ、サリ乍ラ支那ニ於テ英國勢力ヲ駆逐シツツ而モ英國ト不分離ノ一体ヲナス米國ノ對支根本原則ヲ無視シツツ支那事変ヲ継続シ來リシガ、斯ノ如キ國際政治上根本的矛盾ヲ犯シ乍ラ、我ガ戰時國際経済ヲ長期ニ亘リ持続セントスルノ誤謬ハ明白ナリ.

加之、國際経済的ニ考察スルモ、一方ニ於テアウタルキーニ依ル東亜新秩序ノ建設ヲ叫ビ乍ラ、他方ニ於テ國際経済場面ハ比較的最近ニ至ルマデ自由國際経済ニシテ、輸出増進ニ依ル外貨獲得ト輸入増進ヲ実行シ來リシ結果、東亜ニ於ケルアウタルキーノ政策ハ空念佛ニ終ル憾アリ.

最近米國ノ對日禁輸ノ拡大強化ハ識者ヲシテ過去ノ根本的誤謬ヲ自覚セシメ、國際経済ノ重大転換ノ必要ヲ確認セシメツツアリト雖モ、未ダ根本的ニ大東亜貿易政策ノ目的ヲ把握セザルモノ尠カラズ、其ノ結果大東亜貿易政策ノ根本方針ニ疑義ヲ抱キアウタルキーノ実行困難ナル実情ヨリ推シテ戰後再ビ自由國際経済ノ復帰ヲ信ズルモノ尠カラズ.

固ヨリ大東亜共栄圏アウタルキーノ確立ハ一朝一夕ニシテ実現スルモノニ非ズ．不断ノ努力ニヨリテ達成サルベキモノニシテ、坐シテ求メ得ベキモノニ非ザルハ明白ナリ．サレド大東亜貿易政策ガアウタルキーヲ目的トセザル限リ高度國防國家ノ建設ト世界経済新秩序建設ハ結局画餅ニ帰スルニ至ルベシ．

惟フニアウタルキーハ（一）農業アウタルキー（食糧ノ自給）、（二）工業アウタルキー（原料及製品ノ自給）、（三）販路アウタルキー（四）貨幣的資金的アウタルキーニ分ツコトヲ得ベシ．

先ヅ農業及ビ工業ノアウタルキー．就中、國防上必要ナル資材ノ自給ハ出来ル限リ速カニ実現ヲ期セザル可カラズ．次ニ販路アウタルキーハ農業及ビ工業ノ生産アウタルキーニ比スレバ其ノ重要度小ナリ．特ニ製品ノ販路ハ左記ニ掲グル場合ニ限リ共栄圏外ニ廣ク拡大スルコトヲ得策トス．即チ其ノ場合トハ

(イ)　工業アウタルキー完成ニ必要ナル資材及ビ機械ノ不足ヲ補充スル輸入代金ノ獲得

(ロ)　軍需工業ノ確立ト繁栄ヲ期スル為ニ重工業及ビ化学工業製品ノ販路ヲ平時ニ於テ拡大スルコト

(ハ)　第一ニ述ベタル物資ヲ獲得シテ尚餘力アル時ハ文化水準及ビ生活水準ノ向上ニ必要ナル物資ヲ補給スル為ノ輸入代金ノ獲得

固ヨリ斯ク云フコトハ決シテ自由國際経済ノ復興ヲ意味スルモノニ非ズシテ國防産業ノ確立ヲ目的トスル輸出入ノ計画貿易ニ立脚スベキコト勿論ナリ．

貨幣的資金的アウタルキーハ金ニ基ク現時ノ世界貨幣制度及ビ金融組織ニ對シ、貨幣的資金的ニ貿易ノ自立ヲ目的トス．特ニニユーヨークニ於ケル米弗決済並ニロンドンニ於ケル英貨磅決済ヨリノ自立ハ速カニ実行セザル可カラズ．蓋シ如何ニ商品的アウタルキーガ実現サルルモ其ノ決済ニ於テ依然トシテ金ニ基ク英米ノ通貨乃至金ニ依ル決済ヲニユーヨーク又ハロンドンニ於テ行フガ如キハアウタルキーノ政策ト根本的ニ撞着ス．従ツテ東亜共栄圏内ニ於テハ円決済又ハ共栄圏共通ノ貨幣制度ヲ制定シ、共栄圏外ノ貿易ニ就キテモ円決済ヲ求ムルカ、然ラザレバ為替清算協定ヲ実施セシムルヲ要ス．今ヤ米國ニ集中セル金ハ莫大ナル額ニ達シ、昭和十五年十月末ニ於テハ二百十五億弗（貨幣用金保

有額）ニ上リ、之ニヨリテ世界ノ金保有高ヲ殆ンド壟断セル概アリ．米國ハ将来依然トシテ金ヲ以テ世界通貨ノ根底トナサントスルコト明白ナルガ故ニ、金ニ基ク通貨ノ決済ハ貨幣的アウタルキーノ原則ヨリ極力排撃セザル可カラズ．蓋シ金ハ多年ニ亘ル世界通貨ノ根底タリシガ、金ノ國際経済交換ニ對スル経済的不正義ト罪悪性ハアウタルキー理論ニ徴シ、今ヤ明白トナリタレバナリ（生島廣治郎「世界経済新秩序ノ発見」國民経済雑誌、昭和十六年一月）．

何レニシテモ大東亜貿易政策ハ叙上ノ意味ニ於テアウタルキーヲ目的トシ、特ニ國防資材ノ調達ト貿易決済ニツキテハ速カニ英米ブロックノ自立ヲ期スベキモノナリ．昨年十一月政府ノ発表セル日満支経済建設十ケ年計画ハアウタルキー政策ノ重大ナル発足ト見ルベク、従ツテ大東亜貿易政策ガ之ニ即應シテ確立サルベキハ言ヲ俟タザル所ナリ．

以上日米貿易断交ノ可能性ハ、一、日米戦争ノ勃発　二、米國ノ對日経済封鎖、三、大東亜貿易政策ノ根本方針　ノ三ツノ角度ヨリ検討セリ．而シテ第二ノ場合ハ今ヤ単ナル可能性ニ非ズシテ動カスベカラザル既成事実ナリ．第三ノ場合モ既ニ可能性ノ域ヲ脱シテ実行ニ発足セリ．第一ノ場合ニ至リテハ未ダ実現ヲ見ザルモ其ノ可能性ハ次第ニ濃厚ニ向ヒツツアリ．

附錄　米國軍需品輸出許可制品目

昭和十五年七月五日実施

一、武器彈薬及ビ戰爭資材
　中立法武器輸出許可制施行細則ニ規定セラルルモノ.

二、左記物資及ビ之ヲ含有スル製品

(一) アルミニウム (Aluminium)
　金屬アルミニウム含有量一〇%ヲ超エル粗製及ビ半製アロイ、同含有量ヲ超エル屑 (昭和十四年十二月以降モラル・エンバーゴートナレリ).

(二) アンチモニー
　鉱石、選鉱、金屬、粗製及ビ半製アロイ合金

(三) 石綿
　ファイバーノ長サ 3/4 吋又ハソレ以上ヲ超ヘル粗製及ビ半製品.

(四) クロミウム (Chromium)
　クロマイト・クロミウム金屬、含有量一〇%ヲ超ヘルアロイ非熔解クロマイト・クロミウム合成品.

(五) コットン・リンタース (Cotton Linters)

(六) 亜麻 (Flax)
　亜麻ヲ含ム織物、但シ衣服及ビ家庭用品トシテ製造サレタルモノヲ除ク.

(七) 石墨 (Graphite)
　片坩堝、蒸溜器・塞子.

(八) 犢皮 (Calfskins or Kipskins)

(九) 工業用ダイヤモンド (Industrial Diamonds)

(一〇) マンガン
　鉱石四五%以上ノマンガン金屬含有ノ選鉱、マンガン金屬一〇%ヲ

四四

四五

超ヘル合金.

(一一) マグネシウム (Magnesium)
　マグネシウム金屬一〇%ヲ超ヘル含有量ノ粗製・半製合金、同含有量ノ屑.

(一二) マニラ麻

(一三) 水銀 (Mercury)
　鉱石・選鉱・水銀金屬.

(一四) 雲母 (Mica)
　塊、板、裂及ビ半・粗製ノモノ.

(一五) モリブデン
　鉱石、選鉱、含有量一〇%ヲ超ヘルモリブデン金屬合成品 (昭和十四年十二月以降對日モラル・エンバーゴートナレリ).

(一六) 光学硝子 (Optical Glass)

(一七) 水晶 (Quartz Crystals)
　電気用・光学用ノモノ.

(一八) キニーネ (Quinine)
　規那ノ抽出セラルル各種規那皮又ハ其他ノモノ、規那亜硫酸塩.

(一九) ゴム (Rubber)
　各種粗製・再製及ビ五%ヲ超ヘル含有量ノ屑ゴム.

(二〇) 絹
　生糸及ビ屑絹

(二一) 特殊鋼
　クロミウム・マンガン・タングステン又ハワナヂウム含有特殊鋼、桁、板其他ノ形状、鋼片.

(二二) 錫 (Tin)
　金屬粗製及ビ半製ノ含有量五〇%ヲ超ヘル合金、錫板屑・錫箔又ハ錫鍍金物、其他ノ錫屑又ハ錫合金屑.

(二三) トルオール (Toluol)

四六

四七

トルオール及ビコールタール分溜ノ軽油.

(二四) タングステン（ Tungsten ）

鉱石及ビ選鉱、金属タングステン含有量五%ヲ超ヘル合金、タングステン合成物.

(二五) ワナヂウム（ Vanadium ）

鉱石及ビ選鉱、含有量一〇%ヲ超ベル合金、ワナヂウム合成物.

(二六) 羊　毛（ Wool ）

脂付洗滌皮附羊毛ノ洗帰セルモノ、但シ剥ガレ又ハ剪除セラレタル場合.

三、左記化学製品

(一) アンモニヤ及ビアンモニヤ化合物（ Ammonia and Ammonium Compounds ）

(二) 塩　素（ Chlorine ）

(三) ディメチルアニリン

(四) ディフェテルアミン

(五) 硝　酸

(六) 硝酸塩

(七) ニトロセルローズ（ Nitrocellulose ）

一二%以下ノ窒素ヲ含ムモノ（フィルム及ビ屑フィルム）

(八) 曹達石灰

(九) 醋酸曹達

無水ノモノ

(一〇) ストロンチウム

(二) 発煙硫酸

四、中立法武器輸出許可制実行細則ニ規定セラルルモノ以外ノ飛行機用各種部分品附属品、装甲板

防弾硝子（ Glass, Nonshatterable or Bulletproof ）

透明プラステックス

砲火操作用及ビ飛行機装備用光学器具.

五、金属ノ　(1) 熔解鋳造、(2) 圧型、(3) 研磨又ハ鍛造、(4) 接合　ニ使用スル工作機械.

昭和十五年八月一日実施

一、石油製品及ビ見本（、Petroleum, Petroleum Product and Samples ）

(一) 航空機用揮発油（ガソリン）（ Aviation Motor Fuel (Gasoline) ）

高オクタン・ガソリン炭化水素及ビ同混合物（原油ヲ含ム）ニシテ沸騰点華氏七五度乃至三五度ヲ有シ、一ガロンニ對シ三CC以下ノテトラエチル鉛ヲ添加スルコトニヨリ ASTM試験法ヲ以テ測定セルオクタン價ハ七ヲ超エルモノ又ハ或種物資ニシテコムシヤル蒸溜法ニヨリ前記ノ如キガソリン炭化水素又ハ炭化水素混合物ヲ三%以上分離シウルモノ.

（七月三十一日政府ノ聲明ニヨリ對日禁輸）

（航空機用ガソリン精製機械及ビ精製罐及ビ技術的情報ハ昭和十四年十二月以降對日モラル・エンバーゴートナレリ）

(二) 航空機用潤滑油（ Aviation Lubricating Oil ）

華氏二一〇度ニ於ケルゼーボルト粘度計ニ依リ測定セル粘度九五（秒）以上ニシテ粘度係数ハ五以上ノモノ.

(三) ディーゼル油（ Diesel Oil ）

(四) ケロシン油（ Kerosene ）

(五) バンカー燃料及ビ潤滑油（ Bunker Fuel and Lubricating Oils ）

(六) 燃料油（ Fuel Oil ）

二、テトラエチル鉛（ Tetraethyl Lead ）

純物、エチルフルード又ハ、一ガロン中ニテトラエチル鉛三CC以上ヲ含ム混合物資.

三、屑鉄鋼（ Iron and Steel Scrap ）

ヘビーメルテイング第一級品

昭和十五年九月十三日実施

一、航空機発動機用燃料及ビテトラエチル鉛精製ニ使用サルベキ一切ノ機械類.
二、上記機械類ノ製作及ビ運転ニ関スル一切ノ設計及ビ規畫.
三、航空機及ビ航空機用発動機ノ設計及ビ構造ニ関スル設計, 規畫, 記述書類其他技術的情報全部.

昭和十五年十月十五日実施

軍用光学機械 (Military Equipment Containing Optical Elements)
(一) 照準器 (Fire Control Instruments)
(二) 軍用探照燈 (Military Searchlights)
(三) 航空機用寫眞機 (Aerial Cameras)
(四) 其他ノ軍用諸光学機械類 (Other types of Military Equipment containing optical elements)

昭和十五年十月十六日実施

屑鉄鋼　　規格七十五品目全部. (對日禁輸)

昭和十五年十二月十日実施

手動又ハ中古或ハ改善セラレタル工作機械一切.

1. All, used or rebuilt machine tools of any description.
2. Pipe-threading machines.
3. Metal-cutting band saws.
4. Power-driven hack saws.
5. Keyseating machines.
6. Discgrinding machines.
7. Car wheel and locomotive wheel presses.

8. Burring machines - gear.
9. Chamfering machines - gear.
10. Burnishing machines - gear.
11. Planers - crank.
12. Bench power presses.
13. Saw sharpening machines.
14. Filing machines.
15. Pipe bending machines.
16. Thread chaser grinders.
17. Burnishing machines.
18. Tool and cutter grinders, universal and plain - hand feed.
19. Riveting machines.
20. Grinding machines - portable with flexible shaft

21. Centering machines.
22. Grinders - face milling cutter.
23. Arbor presses - hand, air, and hydraulic.
24. Grinding machines - drill.
25. Grinding machines - tap.
26. Grinding machines - hob.
27. Nibbling machines.
28. Grinders - lathe tool.
29. Gear lapping machines.
30. Gear shaving machines.
31. Polishing machines
32. Heat treating furnaces.
33. Founding machines.
34. Twist and other drills.

35. *Reamers.*
36 *Milling cutter.*
37. *Hobs.*
38. *Taps.*
39. *Dies.*
40. *Die hands.*
41. *Shear knives.*

（國防上ノ必要ナル大型特殊工作機ハ昭和十四年六月以降對日モラル・エンバーゴートナレリ）

昭和十五年十二月三十日実施

鉄及ビ鋼（*Iron and steel*）

以下ノ品目ヲ追加セリ．尚當分ノ間米國々防計画遂行上支障ナキ限リ對日輸出ニモ許可証発給スルモ其ノ数量ハ過去ノ平時数量或ハ戦前輸出数量ニ限定ス．

（一）鉄　鉱（*Iron ore*）

（二）銑　鉄（*Pig iron*）

（三）次ニ列挙スルフエロアロイ（*Ferro-alloys*）

フエロマンガン（*Ferromanganese*）
スピーゲル（*Spiegeleisen*）
フエロシリコン（*Ferrosilicon*）
フエロクロム（*Ferrochlome*）
フエロタングステン（*Ferrotungsten*）
フエロワナヂウム（*Ferrovanadium*）
フエロコラムビウム（*Ferrocolumbium*）
フエロカーボンチタニウム（*Ferrocarbontitanium*）
フエロホスホル（*Ferrophosphorus*）
フエロモリブデン（*Ferromolybdenum*）

（四）次ニ列挙スル半製品（*Semifinished products*）

鋼　塊（*Ingots*）
鋼　片（*Billets*）
鋼　片（*Blooms*）
板用鋼片（*Slabs*）
シートバー（*Sheet bars*）
スケルプ（*Skelp*）
線　材（*Wire rods*）

（五）次ニ列挙スル完製品（*Finished Products*）

建築用形鋼（*Structural sharpes*）
鋼矢板（*Steel piling*）
鋼　板（*Plates*）
スケルプ（*Skelps*）
軌　條（*Rails*）

添接用棒鋼及ビ紮板（*Splice bars and tie plites*）
各種棒鋼（*Bars*）
Merchant
Concrete reinforcing
Cold finished
Alloy
Tool steel
鋼帯及ビ包装用鋼帯（*Hoops and bailing bands*）
鋼　管（*Pipe and tube*）
継目無線（*Drawn wire*）
釘及ビ鈎釘（*Nails and staples*）
有棘螺旋状鉄線（*Barbed and twisted wire*）
鉄網柵（*Woven wire fence*）
バレタイス（*Bale ties*）

鋼製柵柱（Fence posts）
亜鉛メッキ鋼板（Black plate）
ブリキ（Tin plate）
薄鋼板（Sheets）
ストリップ（Strip）
車　輪（Wheels）
車　軸（Axles）
軌道打込釘（Track spikes）
鋳　鋼（Castings）
鍛造品（Forgings）

昭和十六年一月六日実施
左記ノ気体、金属及ビ機械類
(一) 臭　素（Bromine）

(二) エチレン（Ethylene）
(三) エチレンヂブロマイド（Ethylene dibromide）
(四) メチルアミン（Methylamine）
(五) ストロンチウム金属及ビ鉱石（Strontium Metals and Ores）
(六) コバルト（Cobalt）
コバルト金属（Cobalt metal）
コバルト酸化物（Cobalt oxide）
五％以上ノコバルトヲ含ム混合物（Alloys and compounds containing cobalt in excess of 5％）
(七) 研磨材（Abrasives and abrasive products）
金剛砂・鋼石及ビ柘榴石製ノ砥石車、自然又ハ人工ノ研磨材製ノ砥石、人工研磨材（粗及ビ粒）、研磨紙・布、其他ノ自然乃至人工研磨材・砥石及ビ砥石材等

1. Wheels of emery, corundum, and garnet.

2. Grindstones of natural and of artificial abrasives.
3. Artificial abrasives, crude and in grains.
4. Abrasive paper and cloth.
5. Other natural and artificial abrasives, hoves, whetstones, etc.

(八) 可塑物塑造機及ビ圧搾機（plastic molding machines and presses）
(九) 測定機（Measuring Machines）
光学・電気又ハ機械的方法ニヨッテ部分品ノ精密度ノ測定及ビ検査ニ使用スル機械（ベンチ及ビ総テノマイクロメーターヲ含ム）
(Machines for use in measuring and inspecting precision parts by optical, electrical, or mechanical means, including bench and all other types of micrometers)

(一〇) 計量器（Gauges）
鉤子・螺筋・プラッグ・環・型・深度高サ及ビ其他ノ計器並ニ精密部分品検査ニ使用スベキ精密計量器（Snap, thread, plug, ring, profiling, depth and height and other gauges and precission gauge blocks for use in impecting precision parts）
(一一) 試験機（Testing Machines）
張力・柔靭性・収縮度・硬度・扭力及ビ罅ノ有無ヲ試験スル機械（ダイナモメーターヲ含ム）（Tension, ductility, comtesting machines, including dynamometers）
(一二) 平衡機（Balancing machines）
金属部分品ノ静止又ハ力学的又ハ両者ニツイテ平衡ヲ試験スル機械（Machines for balancing metal parts statically or dynamically, or both）

(三) 水圧ポンプ（Hydraulic Pumps）

一吋立方ノ水ニ對シ百封度以上ノ水圧ヲ加ヘ得ルギヤー・ベイン及ビピストン式ポンプ（Gear, vane, and pistontype pumps capable of delivering pressures of 100 pounds per square inch and over, and controls for the same）

(四) 精密工具（工業用ダイヤモンドヲ含ム）（Tools incorporating industrial diamonds）

ダイヤモンド製ノ雄螺切（Diamonds dies）

ダイヤモンド製ノ旋盤錐（Diamond drilling bits）

ダイヤモンド製ノ仕上車（Diamond wheel dressers）

ダイヤモンド製ノ輪砥（Diamond grinding wheels）

ダイヤモンド製ノ硝子切及ビ同様製品（Diamond glass cutter and similar articles）

ダイヤモンド製ノ鋸（Diamond saws）

(五) 航空機用潤滑油製造ニ関スル装置及ビ設計（Equipment and plans for the production of aviation lubricating oil）

昭和十五年七月廿六日実施セル輸出許可品目中ニ規定シタ航空機用潤滑油ノ製造ニ使用サルルカ又ハ應用シ得ル装置（小部分品ヲ除ク）、航空機用潤滑油製造装置ニ関シ図形的又ハ技術的ニ知識ヲ與ヘル総テノ明細設計図或ハ他ノ文献．但シ右装置ノ組立設計又ハ操作或ハ右装置製造過程ニ関係アル設計乃至文献ニテ大衆的ナルモノヲ除ク．

（Ecuipment (encluding minor component parts) which can be used, or adapted to use, for the production of aviation lubricating oil, and any plans, specifications, or other documents containing descriptive or technical information of any kind (other than that appearing in any form avitable to the general public) useful in the design, construction, or operation of any such equip-

ment, or in connection with any such processes. Aviation lubricating oil shall-mean such lubricating oil as is defined in the regulations issued pursuant to proclamation no. 2417 of July 26, 1940, as may for time to time be amended）

昭和十六年二月三日実施

一、銅（Copper）

(一) 原鉱、精鉱、マット、合金銀粗銅・コンバーター・電解用陽極板ヲ含ム粗銅（Ore, concentrates, matte and unrefined copper including blister, black or coarse, converter, and anodes.）

(二) 精銅及ビ棒状、銅片、ケーク、型銅、板用銅片、其他ノ形銅（Refined copper in bars, billets, cakes, ingots, slabs, and other commercial shapes）

(三) 故銅及ビ屑銅（Old and scrap copper）

(四) 筒及ビ管（Pipe and tube）

(五) 銅板及ビ薄銅板（Plates and sheets）

(六) 銅　竿（Rods）

(七) 線（Wire）

裸　線（Bare）

絶縁線及ビケーブル線（Insulated wire and cable）

Rubber-covered wire

Weatherproof wire.

Other insulated wire.

(八) 其他主要建築物被覆及ビ化学装置作製用（Other primary fabrications）

(九) 同ジク軍需用ノモノ（Fabrications for munitions purposes）

(一〇) 黄銅及ビ青銅以外ノ銅合金（Alloys, other than brass and

bronze)

輸出許可制実施以前既ニ對日モラル・エンバーゴーヲ受ク。

二、黄銅及ビ青銅（Brass and Bronze）

㈠ 故及ビ屑（Scrap and Old）

㈡ 形銅及ビ其他ノ型（Ingots and other commercial shapes）

㈢ 棒及ビ竿（Bars and rods）

㈣ 厚板及ビ薄板（Plates and sheets）

㈤ 筒及ビ管（Pipes and tubes）

㈥ 線（裸線又ハ絶縁線）（Wire (bare or insulated)）

㈦ 其他ノ主要建築物被覆及ビ化学装置ノ作製用（Other primary fabrications）

㈧ 同ジク軍需品用ノモノ（Fabrications for munitions purposes）

三、亜鉛（Zinc）

㈠ 原鉱、精鉱、鉱滓（Ore, concentrates and dross）

㈡ 鋳物スラブ、板、塊（Cast in slabs plates, ore brocks）

㈢ 薄板及ビ條片（Rolled in sheets and strips）

㈣ 其他ノ型（屑ヲ含ム）（Other forms including scrap）

㈤ 合金（Alloys）

㈥ 粉末（Dust）

㈦ 二〇％以上ノ亜鉛ヲ含有スル製品（Manufactures containing 20% or more zinc.）

四、ニッケル（Nickel）

㈠ 原鉱、精鉱、鉱滓（Ores, concentrates, and matte.）

㈡ 形銅・棒・竿・薄板・厚板・屑ヲ含ムニッケル金属（Metal in any form including ingots, bars, rods, sheets, plates and sclaps.）

㈢ 一〇％以上ノニッケルヲ含ムニッケル合金（屑ヲ含ム）（Alloys con-

taining 10% or more nickel including scrap.）

㈣ 一〇％以上ノニッケルヲ含ムニッケル（化学的）合成物（Nickel compounds (chemical) containing 10% or more nickel.）

五、加里（Potash）

㈠ 加里塩（Potassium Salts and Compounds）

水酸化加里（Potassium hydroxide）

炭酸加里（Potassium carbonate）

塩素酸加里（Potassium chlorate）

過塩素酸加里（Potassium perchlorate）

青化加里（Potassium cyanide）

沃度加里（Potassium iodide）

硝石（Potassium nitrate）

過マンガン加里（Potassium permanganate）

錯酸加里（Potassium acetate）

重炭酸加里（Potassium bicarbonate）

重酒石酸加里（Potassium bitartrate）

㈡ 加里肥料原料（Potassic Fertilizer Materials）

塩化加里（Potassium chloride）

硫酸加里（Potassium sulphate）

二七％以上ノ酸化加里又ハ之ト同質ノモノヲ含ム加里肥料原料（All other potassic fertilizer materials containing 27% or more potassium oxide equivalent.）

二七％以上ノ酸化加里又ハ之ト同質ノモノヲ含ム加里塩等ト前者トノ化合物及ビ混合物（All combinations and mixtures of any of the foregoing containing potash salts of 27% or more potassium oxide equivalent.）

昭和十六年二月十日実施

一、鑿井機並ニ精油機
　　鑿井機及ビ其ノ部分品ヲ含ム石油、並ニ天然瓦斯井装置及ビ部分品、
　石油精製装置並ニ部分品.
二、ラヂウム
　　金属ラヂウム、ラヂウム塩及ビラヂウム化合物.
三、ウラニウム
　　金属ウラニウム、ウラニウム塩及ビウラニウム化合物、ウラニウム鉱.
四、犢皮及ビ仔山羊皮

　昭和十六年二月十五日実施
一、鉄鉱石、屑鉄ヨリ各種鉄鋼製品ニ至ル百四十八種ニ対スル再指定品目（フ
　エロアロイ及ビ不誘鋼ヲ含ム）
　　右ノ屑鉄中ニハヘビー・スメルチング屑鋼一級品及ビ二級品、水圧々
　延薄鋼板屑及ビ、ベールト・シート屑・鋳鉄屑及ビ灼鉄屑、ヘビー・シ

七二

　　ヤベリング鋼、軌條屑、線材屑其他ヲ含ム.
二、金属製ドラム鑵及ビ容器（Metal Drums and Containers）
　　五ガロン入以下ノ金属製容器及ビ五ガロン以上三〇ガロン入以下ノ金
　属製ドラム鑵及ビ容器ニシテ石油用以外ノモノハ許可ヲ要セズ.

　昭和十六年二月二十五日実施
一、ベリリウム（Beryllium）
　　ベリリウム含有原鉱石
　　賓石ヲ除クベリリウム凝固物、ベリリウム合金、ベリリウム屑、ベリ
　リウム塩、ベリリウム混合物.
二、電極用黒鉛
三、飛行士ノ航空・操縦・爆撃・機銃掃射地上練習用具

　昭和十六年三月十日実施

七三

一、ベラドンナ葉（Belladonna）
　　ベラドンナ膏薬
　　ベラドンナエキス
　　ベラドンナ流精
　　ベラドンナチンキ
　　ベラドンナ軟膏
　　ベラドンナ根
　　ベラドンナ根ヨリノ流精
　　ベラドンナ擦剤
二、アトロピン・アルカロイド
　　アトロピン臭化水素
　　アトロピン塩化水素
　　アトロピン臭化メチール
　　アトロピン硝酸メチール

七四

　　アトロピン硝酸塩
　　アトロピン硫酸塩
　　アトロピン硫酸
　　アトロピン蓚草酸塩
三、ソール・レザー（Sole leather）
　　バック革等ノ靴底革
四、ベルティング・レザー（Belting leather）
五、カドミウム（Cadmium）
六、カーボン・ブラック（Carbon Black）
七、椰子油（Coconut Oil）
八、コプラ（Copra）
九、クレジール酸及ビクレジール（Cresylic Acid and Cresols）
一〇、輸出許可制下ニアル植物油カラ精製セル脂肪酸（Fatty Acids produ-
　ced from vegetable oils under export control）

七五

一一．グリセリン（Glycerin）
一二．棕実油及ビ棕実（Palm-Kernel Oil and Palm Kernels）
一三．松葉油（Pine Oil）
一四．石油コークス（Petroleum Coke）
一五．シエラック（Shellac）
一六．チタニウム（Titanium）

昭和十六年三月二十四日実施

一．ジュート（Jute）
二．鉛（Lead）
三．硼砂（Borax）
四．燐鉱（Phosphates）

昭和十六年四月十五日実施

一．輸出許可制下ニアル凡ユル品目ノ製造又ハ製造過程ニ役立ツ考案，説明書又ハ技術上ノ参考文献（Plans, specifications, or technical information utilyed in connection with the production or processing of any of the items under control.）

二．獣油，魚油及ビ同脂肪（食用及ビ食用ニ非ザルモノヲ含ム）

植物油脂（食用及ビ食用ニ非ザルモノヲ含ム）

植物油種子及ビ採油原料

脂肪酸

剛　毛

マンチ子

ナイロン

カポック

純粋ウッドパルプ（アルフアセルローズ八割以上ヲ含有セルモノ）

コルク

電極用カーボン
石　油
アルカリ樹脂（Alkyd resins）
爆　薬
雷管及ビ爆発蓋（Detonators and blasting cap）
ナフタリン
石炭酸
アニリン
無水フタール酸
フタル酸デブチル
フタル酸デエチール
フタル酸デイプロピル
オメガクロロアセトン
スチーレン

Nitroderivatives of benzens, toluene, xylene, naphthalene and phenols.

ストリキニーン

Polymers and Copolymers of Butadiene, acrylonitrile, butylene, chloroprene, styrene, vinylidene, chloride and synthetic rubber like compound, fabricated or unfabricated.

クロロピクリン
酒石酸
Rochelle salts
Cuprous oxide
アセテイクアルデヒイド
Pentaerythrite
フオルムアルデヒイド

Nitro-guanidine
グアニヂン硝酸塩
ヂチヤンヂアミード
モノクロル醋酸
塩化クロロアセトン
Thio-diglycol
塩化エチール
ヘキサメチレン・テトラミン
Acrylonitrile
ブタヂーン
ブチレン
Chlorolene
塩素酸ナトリウム
Sulphur chloride

三塩化硅素
Vinylidene chloride
沃素

三、建築用及ビ運搬用機械、或種ノ採鉱、鑿井及ビポンプ用機械（Machinery includes only construction and conveying machinery, and certain mining, well and pumping machinery）

昭和十六年五月六日実施
Vegetable fibers and manufactures, Theobromin, Caffein, Sodium cyanide, Calcium cyanide, Casein.

昭和十六年六月三日実施
ハイオサイアマス、ストラモニウム、コランビウム、ダンタル、氷晶石、蛍石、化学用木材パルプ、ヂギタリスノ種子、

昭和十六年七月二日実施
蒼鉛、自然ゴム、樹脂、ジルコニウム、

昭和十六年七月二十三日実施
或種ノ植物製品及ビ化学製品（主ナルモノ左ノ如シ）
フェノール・フォルマリン樹脂
ユリア・フォルマリン樹脂
醋酸
無水醋酸
メンサノール
アセトーン
除虫菊粉

第二項　日米貿易ノ趨勢

一、概説

日米貿易ハ多年ニ亘ル歴史的発展ノ産物ナリ。今、昭和五年ヨリ支那事変発生ノ昭和十二年迄ノ日米貿易ノ趨勢ヲ見ルニ、輸出ハ減少ヲ辿ルカ又ハ格別増加セザルニ反シ、輸入ハ年々増加ノ一路ヲ辿リ、特ニ昭和十二年以後ハ飛躍的増進ヲ呈シタリ。其ノ結果、貿易残高ハ昭和六年迄出超ヲ示シタルガ、昭和七年ヨリ俄然入超ニ転ジ、爾来入超額ハ夥シク増大シ、特ニ昭和十二年以後ニ於テハ一層之ガ激増ヲ見ルニ至レリ　蓋シ日米貿易構造ハ元々生糸ト棉花トノ交換ヲ骨子トナセシガ、支那事変以来本邦ガ各種軍需資材及ビ生産力拡充資材ノ対米輸入ニ拍車ヲ加ヘタル結果、日米貿易ハ輸出構造ニ於テ格別変化ナカリシモ、輸入構造ニ於テ根本的急変ヲ生ジ、輸入ハ夥シク増大シ、終ニ昭和十五年ニ於ケル対日輸出禁止ニ逢着シ、輸入ハ再ビ急減シテ貿易構造ハ往年ノ状態ニ

立戻リ、更ニ日米貿易断交ノ悲劇ニ逢着シツツアリ。

次ニ昭和五年ヨリ十四年迄ノ日米貿易ノ趨勢ヲ示ス。

（単位　千円）

年度	輸出	輸入	差額
昭和五年	五〇六、二二〇	四四二、八八三	（＋）六三、三三八
〃六年	四二五、三二〇	三四二、三八九	（＋）八三、〇四一
〃七年	四四五、一四七	五〇九、八七三	（−）六四、七二六
〃八年	四九二、二三七	六二〇、七八八	（−）一二八、五四一
〃九年	三九八、九二八	七六九、三五九	（−）三七〇、四三一
〃十年	五三五、三八九	八〇九、六四四	（−）二七四、二五六
〃十一年	五九四、二五二	八四七、四九〇	（−）二五三、二三八
〃十二年	六三四、四二八	一、二六九、五四二	（−）六三〇、一一四
〃十三年	四二五、一二三	九一五、三〇〇	（−）四九〇、一八六
〃十四年	六四一、五〇九	一、〇〇二、三八四	（−）三六〇、八七五

更ニ本邦ノ対米貿易ニ朝鮮及ビ台湾ヲ含スルトキハ支那事変以来ノ状勢ハ次ノ如クナル。

（単位　千円）

年度	輸出	輸入	差額
昭和十二年	六四二、三二三	一、二九三、四五四	（−）六五一、一三一
〃十三年	四三〇、五四五	九三五、六三四	（−）五〇五、〇八九
〃十四年	六五四、五二〇	一、〇二七、六五六	（−）三七三、一三六

右ノ結果ハ本邦ノ対米貿易ハ之ニ朝鮮及ビ台湾ヲ加フルモ輸出入ハ大差ヲ生ゼザルコト明ラカナリ。

二、輸出貿易構造

本邦ノ対米輸出貿易額ハ右ニ掲ゲタル統計ノ示ス如ク、昭和十一年ノ五億九千四百二十五万円ヨリ十二年ニ六億三千四百四十三万円トナリ、十三年ニハ四億二千五百十二万円ニ減ジ、十四年ニハ生糸相場ノ恢復ヨリ六億四千百五十一万円ニ恢復セリ。昭和十五年ノ輸出額ハ不明ナルモ前年ト大差ナキモノト推測スル者アリ。

輸出品ハ生糸ヲ大宗トシ、昭和十四年ニ於テハ対米輸出額ノ六八％ヲ占メタリ。生糸ニ次グ輸出品ハ蟹及ビ鮪ノ鑵詰食料品ナレド、其額ハ対米輸出ノ僅々五分ニ過ギズ。陶磁器・綿織物・植物油・水産物・茶・絹織物・玩具・除虫菊等ノ輸出品ハ何レモ輸出額ニ対シ夫々ニ％以下一％ニ過ギザルナリ。其他対米輸出品ハ其ノ種類数多アレド、何レモ輸出額ニ対スル割合ハ極メテ僅少ナリ。結局、輸出額中生糸ノ六八％ヲ除ク残リノ三二％ハ鑵詰食料品ヲ始メ種々雑多ノ商品ニヨリテ構成サルヽ実情ナリ。

次ニ本邦対米輸出商品別構造ヲ数量・金額並ニ対米輸出総額ニ対スル歩合及

ビ各種商品ノ対米依存歩合（即チ各種商品ノ輸出総額ニ対スル対米輸出額ノ歩合）ヲ示ス（別表第一）。

米國ノ對日主要輸入品金額(1)　（單位　千弗）

品名	昭和十二年	昭和十三年	昭和十四年
總額	二〇四、二〇一	一二六、七六二	一六一、一九六
生糸	九九、五七三	八三、六五一	一〇六、九三六
壜罐詰	二、九〇九	二、二一三	三、七六五
茶	三、七二五	二、〇五四	三、三〇四
晒綿布	四、二七四	一、三〇九	二、七七九
陶磁器	三、三五一	一、八五九	二、〇七二
絹織物	三、四〇二	二、七八八	一、九八九
除虫菊	一、九九五	一、七八一	一、六二八

八七

八八

品名	昭和十二年	昭和十三年	昭和十四年
鮪罐詰	一、九一三	九六〇	一、三一四
帽子	一、四九一	九七五	一、一九九
製帽用真田	一、四三九	一、二五四	一、一一八
其他	八〇、一二九	二七、九一八	三五、〇九二

註(1) "The Annals of the American Academy of Political and Social Science." September, 1940. P.127.

今、右ノ輸出品ノ対米依存度ヲ其ノ順位ニヨリテ排列シ、之ト対米輸出額内ニ占ムル此等輸出品ノ重要度トヲ比較スレバ次ノ如キ結果トナル。

品名＼昭和十四年	對米依存度	輸出額重要度	對米依存係数
除虫菊	八七、三八	〇、九七	〇、八五
生糸	八六、三四	六八、〇五	五八、七五

（別表第一）

對米輸出

品名	数量単位	数量 昭和12年	数量 昭和13年	数量 昭和14年	金額（単位 千円） 昭和12年	金額 昭和13年	金額 昭和14年	金額 昭和14年 %	各種商品総輸出額ニ対スル歩合
輸出総額		-	-	-	634,428	425,123	641,509	100,00	
生糸	百斤	379,977	393,274	331,524	325,225	297,882	437,611	68.05	86.34
罐壜詰食料品	容器共百斤	222,326	161,192	483,666	21,940	12,212	31,991	4.98	24.23
陶磁器		-	-	-	19,460	8,696	11,115	1.73	22.85
綿織物	千方碼	123,776	16,115	71,547	22,138	2,407	10,162	1.58	2.51
植物油（芳香性ノモノヲ除ク）	百斤	667,739	273,978	394,271	18,956	5,638	9,679	1.50	56.09
水産物	〃	156,806	103,434	125,776	3,972	3,370	9,025	1.40	14.57
茶	〃	126,728	92,152	111,339	7,750	4,316	7,742	1.20	32.98
絹織物	千方碼	27,444	23,702	13,215	11,531	3,282	7,413	1.15	15.64
玩具		-	-	-	16,521	6,093	7,068	1.10	32.09
除虫菊	百斤	131,739	66,419	55,348	6,879	5,275	6,247	0.97	87.38
帽子及帽体	千打	1,666	639	560	8,979	3,081	4,421	0.68	30.85
製帽用真田	千束	15,204	10,681	9,700	4,780	3,640	3,743	0.58	66.00
身辺装飾用品		-	-	-	3,132	1,369	3,360	0.52	28.70
ランプ及同部分品		-	-	-	4,238	1,737	3,167	0.49	17.84
魚油及獣油	百斤	33,856	41,125	29,534	1,486	1,886	2,998	0.46	55.67
薄荷脳	〃	3,632	2,382	2,356	3,271	2,688	2,650	0.41	49.87
硝子及同製品		-	-	-	4,543	1,857	2,471	0.38	9.13
メリヤス製品	千打	3,037	745	1,161	6,849	1,462	2,001	0.31	4.47
樟脳	百斤	6,735	5,624	8,693	1,490	1,040	1,989	0.31	33.89
紙類	〃	16,734	8,418	9,079	1,773	1,497	1,797	0.28	2.30
人造絹織物	千方碼	4,839	1,647	4,404	1,512	624	1,621	0.25	1.18
寒天	百斤	5,061	4,465	3,979	1,236	1,152	1,536	0.23	18.85
ブラッシ ユ		-	-	-	2,715	830	1,028	0.16	19.89
釦鈕	千哥	978	553	1,064	575	343	739	0.11	6.31
絹製手巾	千打	699	387	335	1,704	667	664	0.10	22.58
木材		-	-	-	622	159	230	0.03	0.17
米及籾	百斤	5,175	5,175	10,185	89	102	205	0.03	3.51
豆類	〃	67,576	3,677	2,643	1,070	51	52	0.008	0.61
屑糸、真綿及玉糸等	〃	1,808	511	190	378	179	50	0.007	4.41
麦酒	石	862	698	773	54	42	47	0.007	0.54
燐寸	百斤	3,805	2,501	5,144	41	38	22	0.003	0.47
羅薄	〃	844,978	260,449	△	9,512	4,015	△		
地毯	千方碼	13,529	5,202	△	8,950	3,291	△		
魚粉	百斤	904,406	332,415	△	7,067	2,590	△		
テーブルクロース	千方碼	78,355	11,127	△	411,982	1,902	△		
百合根	千個	23,650	20,861	△	1,990	1,828	△		
クレアソート	百斤	411,437	317,899	△	1,985	1,492	△		
豚毛	〃	2,215	620	△	3,186	1,049	△		
豆電球	千哥	720	342	△	2,301	893	△		
木蝋	百斤	30,766	10,761	△	1,168	625	△		

（昭和15年6月．商工省貿易局「最近三年本邦外国貿易要覧」ニヨル）　(註) △印ハ未詳ノモノナリ．

製帽用真田	六六、〇〇	〇、五八	〇、三八
植物油（芳香性ノモノヲ除ク）	五六、〇九	一、五〇	〇、八四
魚油及獣油	五五、六七	〇、四六	〇、二六
薄荷脳	四九、八七	〇、四一	〇、二〇
樟脳	三三、八九	〇、三一	〇、一一
茶	三二、九八	一、二〇	〇、四〇
玩具	三二、〇九	一、一〇	〇、三五
帽子及帽体	三〇、八五	〇、六八	〇、二一
身辺粧飾用品	二八、七〇	〇、五二	〇、一五
罐詰食料品	二四、二三	四、九八	一、二一
陶磁器	二二、八五	一、七三	〇、四〇
絹製手巾	二二、五八	〇、一〇	〇、〇二
ブラッシュ	一九、八九	〇、一六	〇、〇三
寒天	一八、八五	〇、二三	〇、〇四

八九

九〇

ランプ及同部分品	一七、八四	〇、四九	〇、〇九
絹織物	一五、六四	一、一五	〇、一八
水産物	一四、五七	一、四〇	〇、二〇
硝子及同製品	九、一三	〇、三八	〇、〇三
釦鈕	六、三一	〇、一一	〇、〇一
メリヤス製品	四、四七	〇、三一	〇、〇一
屑糸真綿及玉糸等	四、四一	〇、〇〇七	—
米及籾	三、五一	〇、〇三	—
綿織物	二、五一	一、五八	〇、〇四
紙類	二、三〇	〇、二八	〇、〇一
人造絹織物	一、一八	〇、二五	—
豆類	〇、六一	〇、〇〇八	—
麦酒	〇、五四	〇、〇〇七	—
燐寸	〇、四七	〇、〇〇三	—

右ニ依ルト対米依存度ノ最モ高キ輸出品ハ除虫菊ニシテ其ノ輸出額ハ対米総輸出額ノ一%以内ニ過ギザルモ、対米依存度ハ八七%即チ除虫菊ノ世界輸出ノ八七%ガ米国ニ集中セルコトヲ知ル。生糸ハ対米依存度ノ第二位ニ位シ、輸出額ハ対米総輸出額ノ内六八%ヲ占ムルモ対米依存度ハ八六%ナリ、生糸ニ次ギテ対米依存度高キモノハ製帽用真田ノ六六%、植物油ノ五六%、魚油及ビ獣油ノ五五%、薄荷脳ノ四九%、樟脳ノ三三%、茶ノ三二%、玩具ノ三二%ナリ。之等ノ商品ノ輸出額ハ対米総輸出額ニ対シ最高一・五%ヨリ最低〇・三%ニ過ギズ。先ニ対米総輸出額中生糸ニ次グ第二位ト称セシ罐詰食料品（四・九八%）ハ対米依存度二四%、輸出額ノ第三位ヲ占ムル陶磁器ノ依存度ハ二三%、第四位ノ綿織物ハ対米依存度僅カニ二・五%、第六位ノ水産物ノ対米依存度ハ一四%、第七位ノ茶ノ依存度ハ三二%ナリ。何レニシテモ生糸ヲ除ケバ対米依存度ト輸出額重要度トハ殆ンド一致セザルコトヲ知ル。従ッテ各種輸出品ノ対米輸出ノ重要性ヲ更ニ明ラカニスル為ニハ、対米依存度ニ輸出額重要度ヲ乗ジタル係数ニヨリテ知ルコトヲ得ベシ。

九一

九二

以上ハ日本内地（樺太ヲ含ム）ノ対米輸出貿易ノ趨勢ノ考察ナルガ、更ニ台湾ノ対米輸出ヲ考察スルニ、昭和十二年ノ六百四十二万円、十三年ノ四百十四万円ヨリ十四年ノ九百三十七万円ニ増加セリ。而シテ輸出額中第一位ヲ占ムルハ烏龍茶ノ四二%、第二位ヲ占ムル紅茶ノ三一%、両者合セテ七三%ヲ占メ、第三位ハ樟脳ノ一八%、之ニ樟脳副産油及ビ同加工油ヲ合スレバ二一%ヲ占ムルコトヽナル。此外ニ鳳梨罐詰ノ二・三%、羽毛ノ一・四%ニ相当スル輸出アレド、台湾ノ対米輸出ハ結局茶ト樟脳ニテ輸出額ノ約九〇%ヲ占ムル実情ナリ。

今、此等輸出品ノ対米依存度ヲ見ルニ、其ノ最高ハ烏龍茶ノ九〇%ニシテ、第二位ハ樟脳ノ八三%、第三位ハ紅茶ノ五二%、第四位ハ樟脳副産油及ビ同加工油ノ五二%ナリ。従ッテ台湾ノ輸出品ニ於テハ対米依存度ト輸出額重要度トハ内地ノ場合ノ如キ不一致ヲ見ザルナリ。

次ニ主要輸出品ノ金額・数量・輸出額重要度並ニ対米依存度ヲ示ス。

台湾対米輸出品別表

（単位　千円）

品名		数量単位	昭和十二年	昭和十三年	昭和十四年	総輸出額ニ対スル割合	対米依存度
輸出総額			六、四二〇	四、一四一	九、三六五	一〇〇・〇〇	
烏龍茶	数量	百斤	二八、九〇五	三五、四九〇	三八、六七一		
	金額		二、一二八	二、二二〇	三、八九七	四一・六一	九〇・四八
紅茶	数量	百斤	三四、〇八一	一二、二一一	三六、〇七一		
	金額		二、一九五	七〇一	二、八七二	三〇・六六	五二・四四
樟脳	数量	瓩	三八六、一六〇	二八四、三四〇	六六三、六六〇		
	金額		八二五	六五三	一、六四一	一七・五二	八二・八七
樟脳副産油及同加工油	数量	瓩	一九五、五六〇	一六〇、六六〇	一二九、三一〇		
	金額		二八三	三六八	三五九	三・八四	五一・五八
鳳梨罐詰	数量	容器共百斤	二八三、九三六	―	一七、九七七		
	金額		五〇四	―	二二一	二・三五	一〇・三七
羽毛	数量	百斤	一、六二三	八六七	一、二六二		
	金額		二九四	四三	一三三	一・四二	三〇・二九

（昭和十五年六月、商工省貿易局「最近三年本邦外国貿易要覧」）

最後ニ朝鮮ノ対米輸出貿易ヲ考察スルニ、昭和十二年ニ輸出八百四十七万円、十三年ニ百二十八万円、十四年ニ三百六十五万円ト増加シ、主要輸出品ハ魚粉ニテ、其ノ七〇%ヲ占メ、電球ガ第二位ニテ一〇%以上ヲ占メ、従ッテ魚粉ト電球トニテ朝鮮ノ輸出ノ八一%ヲ占ムル状態ナリ。而シテ魚粉ノ対米依存度ハ八六%、電球ノ対米依存度ハ四三%ナリ。之ヲ実数ニテ示セバ次ノ如シ。

朝鮮対米輸出品別表　（単位　千円）

品名		数量単位	昭和十二年	昭和十三年	昭和十四年	総輸出額ニ対スル割合	対米依存度
輸出総額			一、四七五	一、二八二	三、六四六	一〇〇・〇〇	
魚粉	数量	百斤	四五、一八〇	一二七、〇七二	二六五、〇五二		
	金額		三三二	八四三	二、五七三	七〇・五七	八六・〇五
電球	数量	千打	三四八	四一二	―		
	金額		五一	五六	三八七	一〇・六一	四三・四三

（昭和十五年六月、商工省貿易局「最近三年本邦外国貿易要覧」）

以上要スルニ対米輸出貿易ノ商品構造ハ内地ガ生糸、台湾ガ茶（烏龍茶及ビ紅茶）、朝鮮ガ魚粉ニテ構成サルヽト謂フヲ得ベク、此等ハ何レモ輸出額全体ノ約七〇%ヲ占メ、而モ対米依存ハ約八〇%以上七〇%ニ達セル状態ナリ。一般ニ対米輸出商品ハ主トシテ消費財ナルコト勿論ナリ。

三、輸入貿易構造

本邦ノ対米輸入貿易額ハ昭和十一年ノ八億四千七百四十九万円ヨリ、十二年ニ一躍シテ十二億六千九百五十四万円トナリ、十三年ニ稍減ジテ九億千五百三十万円トナリ、十四年ニハ再ビ増加シテ十億二百三十八万円トナリ、輸出ガ之ニ比例シテ増加セザリシ為、輸入超過ハ夥シク増大シ、昭和十一年ノ二億五千三百二十三万円ヨリ十二年ニハ六億三千十一万円ニ激増シ、十三年ニハ稍減ジテ四億九千十八万円トナリ、更ニ十四年ニハ減少シテ三億六千八十七万円トナレリ。

輸入額ノ第一位ヲ占ムルモノハ鉄鋼ニシテ、総輸入額ノ二三%ヲ占メ第二位ハ石油ニシテ総輸入額ノ一七%、第三位ハ棉花ニシテ一四%、第四位ハ機械及ビ同部分品ニシテ一四%、第五位ハ銅（塊及ビ錠）ノ一〇%ナリ。次ニ各種鉱石類、繊維素パルプ、自動車及ビ同部分品、鉛（塊及ビ錠）、木材、皮類、燐礦石ノ順序ナレド、此等ノ総輸入額中ニ占ムル割合ハ二%ヨリ〇・七%ニ過ギズ。此ノ外、各種原料品及ビ機械類等種々アレド何レモ輸入額ニ対スル歩合ハ僅少ナリ。

次ニ参考ノ為ニ対米輸入品ノ実数ヲ掲ゲン。（別表第二）。

（別表第二）

對米輸入

品名	数量単位	数量 昭和12年	数量 昭和13年	数量 昭和14年	金額（単位千円） 昭和12年	金額 昭和13年	金額 昭和14年	昭和14年 %	各種商品総輸出額ニ対スル分合
輸入總額	竏	—	—	—	1,269,542	915,300	1,002,384	100,00	
礦油（原油及重油）	〃	3,529,669	3,985,565	3,307,802	152,550	196,556	147,737	14.73	82.12
其他ノ礦油（比重0.73ヲ超エザルモノ）	〃	14,601	38,761	68,604	4,178	11,682	22,549	2.24	98.82
同（比重0.8762ヲ超エザルモノ）	〃	116,542	222,435	64,507	8,492	15,506	9,567	0.95	30.56
鑛	百斤	504,925	260,330	344,094	3,861	7,190	19,908	1.98	12,54
銑鉄	〃	6,829,763	5,176,998	538,483	46,586	23,665	2,297	0.22	4.06
レール及フイッシュプレート	〃	2,404,906	1,252,073	602,803	15,318	6,843	4,092	0.40	98.98
其他ノ鉄	〃	37,722,075	19,541,472	39,595,182	291,437	127,318	222,105	22.15	69.39
鉛（塊及錠）	〃	128,928	400,799	637,980	3,109	6,925	10,855	1.08	37.34
銅（〃）	〃	1,466,722	1,674,198	1,879,676	88,004	76,292	101,797	10.15	99.84
錫（〃）	〃	—	15	—	—	3	—		
亜鉛（塊錠及粒）	〃	131,536	67,218	189,221	2,998	1,152	3,024	0.30	18.33
自動車及同部分品	〃				40,402	21,290	12,683	1.26	93.84
其他ノ機械及同部分品	〃				76,847	124,563	146,268	14.59	59.04
実綿及繰綿	〃	4,223,964	3,248,976	2,872,822	306,388	166,414	146,640	14.62	31.71
繊維素パルプ	〃	3,185,610	872,310	834,968	49,181	15,111	18,767	1.87	33.19
木材	〃	—	—	—	30,077	9,770	9,448	0.94	29.22
皮類	〃	112,301	201,113	151,646	9,396	10,954	8,668	0.86	28.35
燐礦石	〃	4,290,491	2,438,450	4,733,307	7,760	4,725	7,370	0.73	29.00
発電機及ビ変圧機	〃	2,683	5,097	3,654	980	1,969	1,764	0.17	80.74
合成染料	〃	5,895	836	914	1,932	355	538	0.05	15.39
粗製硝酸曹達	〃	99,914	3,387	40,451	438	18	310	0.03	10.82
革類	〃	1,366	668	1,132	1,061	175	142	0.01	8.37
生ゴム	〃	2,438	85	1,145	203	7	80	0.007	0.13
懐中時計及同部分品	〃	—	—	—	466	134	14	0.001	24.90
塩化加里（粗製）	〃	819,009	652,548	△	7,054	5,950	△		
松脂	〃	404,887	149,723	△	7,066	1,988	△		
カーボンブラック	〃	99,192	63,274	△	2,914	1,753	△		
綿、麻繊維及屑繊糸、屑糸	〃	147,642	80,307	△	3,543	1,475	△		
葉煙草	〃	15,192	9,489	△	3,226	1,442	△		
鑑棵	〃	—	—	△	2,779	961	△		
硼酸曹達	〃	192,633	73,451	△	2,120	886	△		
活動写真用フィルム	米、百斤	2,746	527	△	3,539	775	△		
石絨及同製品	百斤	81,196	37,574	△	1,251	764	△		
メーター類		—	—	△	1,526	754	△		
汽罐、同部分品及附属品		—	—	△	582	749	△		
コールタール分溜物生成品	百斤	11,378	5,657	△	1,336	710	△		
喞筒	〃	2,015	1,694	△	349	693	△		
研磨用鑛物材料	〃	40,126	12,930	△	1,219	680	△		
コークス	英噸	1	5,713	△	0	563	△		
インヂアラッバー及ゲタパーチャ（生）		—	—	△	878	542	△		

（昭和14年12月、大蔵省、外国貿易月表附属表
昭和15年6月、商工省貿易局「最近三年本邦外国貿易要覧」）
（註）△印ハ未詳ノモノナリ

右ノ統計ニヨリテ明ラカナル如ク、対米輸入品ハ事変以来軍需品ガ其ノ主要部分ヲ占ムルコトヽナリ　棉花・パルプ・木材ノ如キハ總輸入額中ニ占ムル地位ハ極メテ低キコトヲ知ルベシ。今、米國側ノ調査ニヨレバ米國ノ対日輸出額ニ於テ軍需品ト棉花其他ノ商品ノ占ムル割合ハ次ノ如クナルト謂フ。

（"The Annals of the American Academy of Political and Social Science." Sep. 1940, P.P. 125-6, "American Trade and Japanese Aggression" by T. A. Bisson）

（一月－十一月）	昭和十二年		昭和十三年		昭和十四年	
（単位千弗）	金額	%	金額	%	金額	%
軍需資材	一五七、〇四一	五七・八	一四二、三三五	六七・四	一四二、三三〇	六九・八
原綿	五九、八七六	二二・〇	四七、一七九	二二・三	三五、八五二	一七・六
其他	五五、〇三一	二〇・二	二一、五七九	一〇・三	二五、六三七	一二・六
合計	二七一、九四八	一〇〇・〇	二一一、〇九三	一〇〇・〇	二〇三、七一九	一〇〇・〇

九七

九八

右ニヨルト本邦ノ対米輸入ハ昭和十二年ニ於テ軍需品ガ總輸入額ノ五八%ヲ占メ、十三年ニハ六七%、十四年ニハ七〇%ニ増大シタルガ、棉花ハ昭和十二、三年両年ノ夫々ニ二%ヨリ十四年ノ一八%ニ減少シ、以テ米國ノ対日軍需資材供給ノ割合ガ支那事変以来、毎年増大セルコトヲ暗示セルモノヽ如シ。尤モDaily Metal Trade誌（一九四〇年一月二十四日）ニハ日本ノ対米軍需品輸入割合ハ昭和十二年ガ五四%、十三年ガ五六%ト計算ス。

右ノ「アナルス」誌ニ於テハ軍需資材輸出額ノ内容ヲ次ノ如ク示セリ（別表第三）。

固ヨリ右ノ調査ハ一月ヨリ十一月ニ亘ルモノニシテ、其自体正確ニアラズ。加之、カヽル計数ガ果シテ正確ナリヤハ疑問ナリ。蓋シ商品ニ依リテハ増加セルモノアレド、反対ニ減少セルモノモアルコトハ本邦ノ統計ニヨリテ知ルコトヲ得ベシ。現ニ銑鉄ノ如キハ昭和十四年度ニ輸入激減シ、レール及フイッシュ

（別表第三）

米國ノ對日軍需品輸出額

1月 ― 11月　　（単位　弗）

品名	昭和12年 金額	%	昭和13年 金額	%	昭和14年 金額	%
石油	35,583,787	24.56	45,424,529	31.93	43,022,227	30.26
屑鉄鋼	39,189,406	24.95	19,337,485	13.60	30,032,412	21.12
銅	18,132,255	11.55	17,914,999	12.59	24,156,986	16.98
金属工作機械	9,120,839	5.80	21,669,836	15.23	22,449,295	15.78
自動車部分品及附属品	13,333,641	8.49	9,141,149	6.43	6,249,269	4.39
フエロアロイス	1,232,918	0.79	2,270,216	1.60	5,575,275	3.92
半成鉄及鋼	31,014,071	19.75	10,615,534	7.46	2,874,685	2.02
航空機及同部分品	2,050,544	1.31	10,170,231	7.15	2,403,240	1.69
鉛	604,540	0.38	1,819,267	1.28	2,153,962	1.51
皮	2,414,918	1.54	2,487,273	1.75	1,663,510	1.17
屑ゴム	171,362	0.11	212,698	0.15	729,334	0.51
アルミニウム	249,991	0.16	317,697	0.22	454,550	0.32
内燃機関	328,759	0.21	293,510	0.21	352,379	0.25
ニッケル	186,217	0.12	135,460	0.10	53,068	0.04
其他ノ非鉄金属	75,771	0.05	308,007	0.22	47,062	0.03
革	262,927	0.17	15,826	0.01	12,445	0.01
亜鉛	49,846	0.03	26,768	0.02	525	×
武器及弾薬	39,419	0.03	74,047	0.05	32	×
合計	157,041,211	100.00	142,234,532	100.00	142,230,256	100.00

プレートモ亦同様ニシテ、其他ノ鋼材ノ輸入モ昭和十四年ハ十二年ニ比スレバ金額減少セリ。棉花ノ対米輸入ノ減少ハ支那事変以来ノ現象ニ非ズシテ夙ニ分散買付政策ノ実行ノ結果現レタル傾向ナリ。サレド一般ニ支那事変以来軍需資材ノ米國ヨリノ輸入ガ急増セルコトハ動カスベカラザル事実ト謂ハザルベカラズ。

是ニ於テ本邦ノ軍需資材其他主要輸入品ノ対米依存度ガ問題トナル。

次ニ輸入品ノ対米依存度ヲ順位ニヨリテ排列シ、且対米輸出額中ニ占ムル割合ト比較対照セン。

	對米依存度	輸入額重要度	係数
銅（塊及錠）	九九・八四	一〇・一五	一〇・一三
レール及フイッシュプレート	九八・九八	〇・四〇	〇・三九
石油（比重〇・七三〇ヲ超エザルモノ）	九八・八二	二・二四	二・二一
自動車及同部分品	九三・八四	一・二六	一・一八
礦油（原油及重油）	八二・三二	一四・七三	一二・一三
発電機及変壓機	八〇・七四	〇・一七	〇・一四
鋼材	六九・三九	二二・一五	一五・三七
各種機械及同部分品	五九・〇四	一四・五九	八・六一
鉛（塊及錠）	三七・三四	一・〇八	〇・四〇
繊維素パルプ	三三・一九	一・八七	〇・六二
実綿及繰綿	三二・七一	一四・六二	四・六四
石油（比重〇・八七六ヲ超エザルモノ）	三〇・五六	〇・九五	〇・二九
木材	二九・二二	〇・九四	〇・二七
燐礦石	二九・〇〇	〇・七三	〇・二一
皮類	二八・三五	〇・八六	〇・二四
懐中時計及同部分品	二四・九〇	〇・〇〇一	―
亜鉛（塊錠及粒）	一八・三三	〇・三〇	〇・〇一
合成染料	一五・三九	〇・〇五	〇・〇一
鑛	一二・五四	一・九八	〇・二五
粗製硝酸曹達	一〇・八二	〇・〇三	―
革類	八・三七	〇・〇一	―
銑鉄	四・〇六	〇・〇二	―
生ゴム	〇・一三	〇・〇〇七	―

九九

一〇〇

右ニ依ルト軍需資材ノ内デ対米依存度ノ最高ハ銅（塊及錠）ノ九九・八％、レール及フイッシュプレート並ニ比重〇・七三〇ヲ超エザル石油ハ何レモ九八％以上、自動車及同部分品ハ九三％、原油及重油ハ八二％、発電機及変壓機ハ八〇％、鋼材ハ六九％、各種機械及同部分品ハ五九％ナリ。対米依存度三〇％以上ノモノハ鉛、各種機械及同部分品、繊維素パルプ、棉花、比重〇・八七六ヲ超エザル石油ニシテ、何レモ主要原料ノ対米依存度ノ如何ニ高キカヲ現ス。而シテ亜鉛ハ一八％、各種礦石ハ一二％ニシテ遥カニ小ナリ。此等輸入原料及ビ製品ニツキテモ対米依存度ト輸入額重要度トノ不一致ハ明カニ看取サレ得ベク、此

一〇一

内輸入額重要度ノ最モ高キモノハ鋼材ノ二二%ニシテ、次イデ各種石油ノ一七%ヨリ各種機械類並ニ棉花ノ夫々一四%ヲ除ケバ他ハ悉ク二%ヨリ%以下ノモノナリ。故ニ依存度ノ高キ割合ニ輸入数量乃至金額ノ低キモノアルコトヲ知ルベシ。

更ニ米國ノ対日軍需資材ノ供給カ世界ノ対日軍需資材ノ供給上如何ナル地位ヲ占ムルカノ問題ヲ考察セン。之ニツキテハ米國ノ「アナルス」誌("American Trade and Japanese Aggression" by T.A. Bisson, "The Annals of the American Academy of Political and Social Science," Sep. 1940, P.124)ニ発表サレタル調査ヲ見ルニ、世界ノ日満両國ニ対スル軍需資材ノ輸出ハ昭和十二年ノ三億千七百二十一万弗ニ対シ、米國ノ輸出ハ一億七千三百万弗ニシテ、五四%ヲ占メ、又昭和十三年ニハ世界ノ輸出三億六百三十九万弗ニ対シ米國ノ輸出ハ一億七千百五十七万弗ニシテ五六%ヲ占ムルト称ス。之ヲ商品別ニ考察スレバ、右ノ米国対世界ノ割合ハ年度ニヨリテ多少異ル。昭和十二年ニハ銅カ最高ニシ

(別表第四)

日満両國ニ對スル世界軍需品輸出ト米國ノ地位

(單位 弗)

品名	昭和12年				昭和13年			
	世界ノ輸出		米國ノ輸出		世界ノ輸出		米國ノ輸出	
	金額	%	金額	%	金額	%	金額	%
總額	317,209,688	100.00	173,009,621	54.54	306,393,950	100.00	171,574,167	56.00
石油②	71,598,824	22.57	44,900,486	62.71	81,034,885	26.45	53,135,672	65.57
金属工作機械	17,578,766	5.54	12,223,524	69.53	36.448,527	11.90	24,454,707	67.09
屑鉄,故鉄鋼	44,752,546	14.11	39,385,832	88.01	24,407,089	7.97	22,061,212	90.39
銅	20,184,773	6.36	19,212,434	95.18	24,385,546	7.96	22,163,778	90.89
航空機及同部分品③	3,538,757	1.11	2,483,946	70.19	22,692,655	7.41	17,454,477	76.92
其他ノ半成鉄及鋼	49,218,217	15.52	32,676,320	66.39	20,973,343	6.84	11,251,804	53.65
自動車部分品,附属品	16,456,036	5.19	15,206,231	92.41	18,635,299	6.08	12,050,536	64.67
ゴム	28,678,611	9.04	171,362	0.60	14,864,069	4.85	249,792	1.68
アルミニウム	4,808,810	1.52	280,061	5.82	13,095,231	4.27	476,345	3.63
皮	12,832,580	4.04	2,690,983	20.97	7,916,835	2.58	2,652,482	33.50
ニッケル	5,740,697	1.81	218,638	3.81	6,624,440	2.16	157,317	2.38
鉛	7,708,198	2.43	754,358	9.79	4,613,888	1.51	2,100,054	45.52
フエロアロイ	1,717,712	0.54	1,366,062	79.53	2,819,420	0.92	2,331,979	82.71
亜鉛	4,967,672	1.57	53,999	1.09	2,794,622	0.91	26,768	0.96
内燃機関	1,139,630	0.36	538,555	47.26	1,658,875	0.54	542,637	32.71
武器及弾薬	2,626,918	0.83	49,038	1.87	696,186	0.23	100,365	14.42
革	2,562,460	0.81	702,942	27.43	528,369	0.17	44,676	8.46
其他ノ金属及合金	158,406	0.05	94,852	59.88	321,711	0.10	319,566	99.33
其他④	20,940,075	6.60	—	—	21,882,960	7.15	—	—

註 ②ケロシンヲ除ク　③1938年(昭和13年)ノ米國輸出額ハ上海向輸出ヲ含ム　④此内ニ鉱石,錫,アンチモニー,水銀,雲母及アスベストヲ含ム

("American Trade and Japanese Aggression" by T. A. Bisson, "The Annals of The American Academy of Political and Social Science", Sep. 1940, p.124.)

テ世界輸出ノ九五%、次ニ自動車及同部分品及附属品ノ九二%、第三位ガ屑鉄及故鉄鋼ノ八八%、第四位ガフェロアロイノ七九%、第五位ガ航空機及同部分品ノ七〇%、第六位ガ金属工作機ノ六九%、第七位ガ鋼材及銑鉄ノ六六%、第八位ガ石油ノ六二%、第九位ガ金属及合金ノ五九%、第十位ガ内燃機関ノ四七%、第十一位ガ皮革ノ二〇%乃至二七%ニシテ他ハ遥カニ低率ナリ。

昭和十三年ニ於ケル此ノ割合ヲ見ルニ、第一位ハ金属及合金ノ九九%、第二位ハ銅ノ九〇%、第三位ハ屑鉄及故鉄鋼ノ九〇%、第四位ハフェロアロイノ八二%、第五位ハ航空機及同部分品ノ七六%、第六位ハ金属工作機ノ六七%、第七位ハ石油ノ六五%、第八位ハ自動車及同部分品ノ六四%、第九位ハ鋼材及銑鉄ノ五三%、第十位ハ鉛ノ四五%、第十一位ハ皮類ノ三三%、第十二位ハ内燃機関ノ三二%ニシテ此外ハ武器弾薬ノ一四%以外ハ極メテ低率ナリ。

次ニ此間ノ詳細ヲ示ス。（別表第四）

固ヨリ斯ノ如キ計数ガ果シテ正確ナリヤ否ヤハ別トスレド、先ニ掲ゲタ本邦ノ統計ニ基ク対米依存度ノ情勢ト大体ニ於テ大差ナキモノト云フヲ得ベシ。何

レニシテモ軍需資材ノ対米依存度ノ極メテ高率ナリシコトハ動カスベカラザル事実ニシテ、其ノ反面ニ於テ如何ニ此等資材ノ分散買付ヲ行ハザリシカヲ物語ル。蓋シ本邦ニ於テハ夙ニ羊毛ニ関シテハ分散買付ヲ強制シ、次イデ棉花ニツキテ之ヲ実行セシメタルニ反シ、支那事変以来軍需資材ノ買付ニ当リ何故ニ分散買付ヲナサザリシカヲ怪シム。此等軍需資材ニツキテモ羊毛又ハ棉花ノ場合ト同様、業者ノ採算ヲ無視シテ何故政府ハ分散買付ヲ決行セシメザリシカハ了解ニ苦シマザルヲ得ズ。此ノ結果、米国ノ対日禁輸ニ逢着シテ狼狽シ、或ハ米国ニ本邦ノ抗戦能力ヲ知ラシムルガ如キ状態ニ陥リタルナリ。

以上ハ日本内地ノ対米輸入貿易ノ趨勢ノ考察ナルガ、更ニ台湾及ビ朝鮮ノ対米輸入貿易ノ情勢ヲ明カニセン。但シ台湾及ビ朝鮮ニツキテハ軍需資材ノ輸入計数不明ナルガ故ニ、唯輸入総額ト普通原料ノ輸入ニツキテ述ブルニ止ムベシ。

先ヅ台湾ノ対米輸入総額ハ昭和十二年ノ二百九十三万円ヨリ、十三年ノ二百五十五万円、十四年ノ百七十五万円ニ減少ヲ辿レリ。輸入額中第一位ヲ占ムルモノハ礦油関係ノ七三%、第二位ハ機械類等ノ二二%ニシテ両者デ九五%ヲ占

メ、残リハ米材其他ナリ。此内礦油関係（油・脂・蝋及ビ同製品）ノ対米依存度ハ僅カニ六・三二%、機械類ノ依存度モ〇・九%ナルニ反シ、米材ノ依存度ハ四%ナリ。何レニシテモ、台湾ノ主要輸入品ノ対米依存度ハ極メテ低キコト明白ナリ。対比律賓貿易ヲ加算スルモ大差ナキヲ知ルベシ。次ニ此等ノ計数ヲ掲載セン。

（単位　千円）

		昭和十二年	昭和十三年	昭和十四年	総輸出額ニ対スル割合	対米依存度
輸出総額	米国	二、九三四	二、五五〇	一、七五〇	一〇〇・〇〇	
	米国及比律賓	二、九九八	三、〇四〇	二、〇七四	一〇〇・〇〇	
油脂蝋及ビ同製品（但シ硬化油、蝋ヲ含マズ）	米国	五	九	一、二八四	七三・四三	六・三二
	米国及比律賓	－	－	－	六一・九六	
機械類・船車	米国	－	一七	三八三	二一・九二	〇・九三
時計及学術器	米国及比律賓	－	一七	三八三	一八・五〇	〇・九三
鑛及金属	米国	－	－	五	〇・二七	〇・〇三
	米国及比律賓	－	－	一九〇	九・一六	〇・七五
米材及其他ノ木材	米国	－	－	五七	三・二五	四・〇七
	米国及比律賓	三五	五七	八〇	三・八七	五・七五

次ニ朝鮮ノ輸入総額ハ昭和十二年ニ二千九十七万円、十三年ニ千七百七十七万円ヨリ十四年ニハ二千三百五十二万円ニ増大シ、輸入品ハ礦油関係ガ総輸入額ノ六九%、機械類ガ総輸入額ノ一三%ヲ占メタルヲ筆頭ニ、次イデ車輌及ビ同部分品、木材（一・七%）、パルプ（一・四%）、棉花（一・一%）、燐灰石（一・一%）ノ順位ナリ。故ニ油ト機械ニテ輸入ノ八二%ヲ占ム。此ノ傾向ハ台湾ノ場合ト同様ナリ。此内、対米依存度ノ高キハパルプノ八三%ヲ首位ニ鑛油類ノ六九%、機械類ノ五〇%ガ之ニ次ギ、木材ニ四%、燐灰石一〇%ニ過ギザル状態ナリ。故ニ朝鮮ノ輸入ニツキテハ対米依存度ト輸入額重要度トハパルプヲ除ケバ一致スルコトヲ示スベシ。

（別表第五）

米國對日本、台湾、朝鮮貿易

輸出 品名	数量単位	数量 昭和13年	数量 昭和14年	金額(千弗) 昭和13年	金額(千弗) 昭和14年	輸入 品名	数量単位	数量 昭和13年	数量 昭和14年	金額(千弗) 昭和13年	金額(千弗) 昭和14年
輸出総額		—	—	239,662	231,405	輸入総額		—	—	126,762	161,196
牛生皮	千封度	23,113	16,137	2,435	1,616	國内消費用		—	—	131,633	161,082
煙草	〃	694	30	289	2	鮪（罐詰油）	千封度	4,872	7,764	960	1,314
棉花	千梱	1,028	829	52,850	42,488	蟹肉（味付）		5,974	10,710	2,213	3,765
丸太及製品木材						ミンク毛皮(衣服用ニ非ズ)	千単位	597	744	737	984
米松	千呎	5,028	7,817	62	94	刷毛	千封度	96	155	314	405
米栂	〃	1,914	3,256	21	39	茶	〃	17,086	23,511	2,054	3,304
米杉	〃	853	624	16	8	ゴム底布靴	足	880,281	828,162	169	140
製材セル米松	〃	27,042	42,432	426	702	除虫菊	千封度	10,896	7,340	1,791	1,628
米松板類	〃	3,004	2,444	63	67	紫蘇油	〃	15,237	22,415	856	944
木材パルプ	米噸	61,533	31,251	5,663	1,948	晒綿布	千平方碼	28,806	77,379	1,309	2,779
石油及製品	合計	—	—	51,191	45,290	未晒綿布	〃	12	69	2	5
原油(1バレル＝42ガロン)	千バレル	21,272	16,084	29,358	20,924	綿床敷物	千	5,549	7,157	717	905
ガソリン	〃	1,059	1,198	7,713	7,352	綿布片	千封度	18,405	7,576	1,049	546
石油（燈用）	〃	×	105	×	150	帽子打紐	千碼	803,144	701,049	1,254	1,118
燃料油	〃	5,297	6,020	6,675	7,071	生糸	千封度	51,323	44,585	83,651	106,936
残滓燃料油	〃	3,030	3,889	2,532	2,847	絹及物（大量ヲ除ク）		—	—	2,788	1,989
機械油	〃	307	514	2,789	5,184	帽子ボンネット、被物	千単位	5,698	6,543	975	1,199
銑鉄	千英噸	316	10	4,886	146	薄織物及紙類似物	千封度	587	571	420	338
鉄屑	千噸	1,382	2,027	22,061	38,593	陶器、磁器テーブル					
鋼鉄、錬鋼、塊鉄、鉄片等（合金ヲ含マズ）	千噸（英）	91	97	3,085	3,664	台所備品		—	—	1,859	2,072
鉄線材	千封度	24,052	7,064	551	126	土器及石器		—	—	867	968
鋼鉄板（鍍金セズ）						スライドファスナー（ヂッパー）	千単位	39,006	28,908	745	578
銑鉄及鋼鉄薄板						電球	〃	66,115	96,019	478	761
錻力、錻力用鍋及ターンプレート						薄荷脳	千封度	346	271	827	615
精銅						粗製樟脳	〃	784	1,157	237	323
古屑銅						精製樟脳	〃	719	848	329	329
鉛、亜鉛塊及棒等						人形及附属品	〃	—	—	138	119
金属機械類						其他玩具		—	—	828	770
自動車及部分品、附属品	合計					刷毛	千単位	48,940	52,579	383	314
乗客用自動車車台	数										
貨物自動車バス等	〃	5,804	2,429	2,129	1,007						
組立用自動車部分品		—	—	3,624	2,591						
自動車エンヂン	数	7,089	6,940	959	971						
飛行機同部分品											
硼砂	千封度	14,167	11,092	258	156						
油煤	〃	9,173	10,643	443	484						
燐酸鑛物	噸	159,270	217,729	664	845						
加里肥料	千噸	31,290	52,766	1,222	2,137						

（「通商彙報」大阪府立貿易館発行、昭和15年6月号、43～46頁）

（別表第六）

米國對関東州貿易

輸出（再輸出ヲ含ム） 品名	数量単位	数量 昭和13年	数量 昭和14年	金額（千弗） 昭和13年	金額（千弗） 昭和14年	輸入 品名	数量単位	数量 昭和13年	数量 昭和14年	金額（千弗） 昭和13年	金額（千弗） 昭和14年
輸出総額		-	-	17,005	15,546	輸入総額		-	-	1,626	1,546
小麦粉	千桶	-	275	-	605	國内消費用		-	-	1,293	1,710
棉花	俵	3,0530	657	1,556	32	大豆油糟及油糟粉	千封度	7,726	13,563	96	177
石油及製品	合計	-	-	4,442	4,096	大麻種子	〃	246	1,580	5	28
ガソリン	千バレル	637	769	1,727	1,975	紫蘇油	〃	14,940	28,374	716	1,231
原油	〃	917	818	1,372	1,190	大豆油	〃	1,747	674	102	18
石油（燈用）	〃	221	212	393	354	其ノ他		-	-	374	256
燃料油	〃	-	53	-	72						
機械油	〃	57	36	591	385						
鐵力及鐵力鍋錫	千封度	2,846	2,560	145	116						
精銅セル銅、同塊棒等	〃	5,545	3,357	589	369						
銅線材	〃	3,617	12,945	362	1,424						
鋼鉄棒（合金ヲ含マズ）	〃	36,968	25,959	831	494						
銑鉄及鋼鉄板（鍍金ヲ含マズ）	噸	76,362	47,549	1,581	847						
組立用製品及製品デナイモノ	〃	13,647	8,662	664	363						
車輪、輪鉄及車軸	千封度	-	-	-	-						
鉄道レール	噸	15,559	-	673	-						
自動車、同部分品、附属品				1,902	582						

（大阪府立貿易館発行「通商彙報」、昭和15年6月号 43－46頁）

以上本邦ノ対米輸入貿易ノ商品別構造ハ主トシテ軍需資材ヨリ成リ、而モ其ノ分散買付ヲ怠リタル結果、夥シキ対米輸入偏重トナリ、対米依存度極メテ高率トナリシガ、終ニ昨年来米國ノ対日軍需資材輸出禁止ニ遭遇シテ、今ヤ輸入構造ハ根本的ニ変革ヲ蒙リツヽアル実情ナリ。

今、米國ガ鉄鋼類・鉛・銅・亜鉛・自動車及同部分品・機械類及同部分品及全石油ノ輸出ヲ禁止スレバ、対米輸入額ハ急轉直下十億円ヨリ三億円トナルベク、朝鮮及ビ台湾ノ油及ビ機械類ノ禁輸ヲ行ヘバ朝鮮ノ輸入ハ二千四百万円ヨリ四百万円トナリ、台湾ハ四百七十万円ヨリ八万七千円トナルベシ。從ツテ輸入物資ハ厖大ノル不足ヲ招來スルコト云フヲ俟タザルナリ。

終リニ参考迄ニ日米貿易ノ趨勢ヲ米国側ノ発表セル米国対日本、台湾及ビ朝鮮ノ貿易額並ニ米国対関東州（満洲國ヲ含ム）ノ貿易額ヲ昭和十三年及ビ十四年ニツキテ掲ゲン（別表第五、第六）。

第三項　第三國貿易ト日米貿易

一、本邦第三國貿易上ニ於ケル日米貿易ノ地位

支那事変以來我国ハ第三国ヨリ所謂不急不要ノ物資ニ対シ輸入ヲ抑圧シ、専ラ軍需資材ノ輸入増進ニ傾注セルコトハ周知ノ事実ニシテ、而モ軍需資材ノ輸入ガ主トシテ米国ニ集中セルコトハ既ニ述ベタル如シ。從ツテ対米支拂ノ急増ニ対シ所謂外貨獲得ガ益々急務トナリ第三国輸出貿易ノ振興ガ深刻ナル問題トナレリ。サレド第三國貿易ハ事変以來輸出入共急減ヲ辿リ、輸出貿易ハ昭和十二年ノ二十三億八千四百十六万円ヨリ、十三年ノ十五億二千四百十四万円ニ減ジ、十四年ニハ十八億ニ千九百二十七万円ニ多少恢復シ、又輸入貿易ハ昭和十二年ノ三十三億四千五百二十七万円ヨリ、十三年ノ二十億九千九百二十八万円ニ減ジ、十四年ニ二十二億三千四百六十九万円ニ多少恢復セル狀態ナリ。而シテ之ニ台湾及ビ朝鮮ノ貿易ヲ加算スルモ結果ニ於テハ大差ナシ。

本邦第三國貿易額　（単位　千円）

	昭和十二年	昭和十三年	昭和十四年
輸出合計	二、四一八、三五四	一、五三九、三六二	一、八三七、五一〇
内地及樺太	二、三八四、一六〇	一、五二四、一三七	一、八二九、二六七
朝鮮	一六、一一二	六、一七〇	八、二四三
台湾	一八、〇八二	九、〇五五	一三、二三三
輸入合計	三、四〇五、五五四	二、一五二、六三九	二、三〇七、五二三
内地及樺太	三、三四五、二七一	二、〇九九、二八六	二、二三四、六九四
朝鮮	四六、五二八	五二、三〇六	五八、四二〇
台湾	一三、七五五	一一、〇四七	一四、四〇九

（商工省貿易局編、昭和十五年六月発行「最近三年本邦外国貿易要覧」）

先ヅ対米輸出入貿易ガ本邦第三国貿易上如何ナル地位ヲ占ムルカヲ考察スルニ、輸出ハ昭和十二年ニ於テ第三国貿易額ニ対シ二六・六％ナリシガ、十四年ニハ三五・一％ニ増加シ、之ニ朝鮮・台湾ノ対米貿易ヲ合算スレバ、十二年ニハ二六・六％、十四年ニハ三五・六％ニシテ、前者ト殆ド変化ナク、輸入ハ昭和十二年ノ三七・九％ヨリ十四年ニハ四四・八％ニ増加シ、台湾・朝鮮ノ対米貿易ヲ加フルモ此ノ割合ハ夫々三八％、四四・五％ニシテ大差ナシ。

更ニ米國及ビ屬領ヲ合シタル米国ブロックトノ貿易ガ第三国貿易ニ占ムル地位ヲ見ルニ、輸出ハ昭和十二年ノ二九・八％ヨリ、十四年ノ三七・一％ニ増加シ、輸入ハ昭和十二年ノ三九・四％ヨリ十四年ノ四七・一％ニ増加セリ。米国ブロックトノ貿易ノ比率ガ斯ク前者ノ場合ヨリ高キハ當然ノコトニシテ、其ノ増加ハ特ニ本邦ト比島トノ貿易ノ増加ニヨルモノナリ。

何レニシテモ本邦ノ対米貿易ハ第三國貿易ニ対シ、輸入ガ約半ヲ占メ、輸出ガ三五乃至三七％ヲ占ムル事実ニヨリ対米貿易ガ第三國貿易ニ於テ如何ニ重要ナル地位ヲ占ムルカヲ知悉スルコトヲ得ベシ。從ツテ今、対米貿易ガ全面的ニ断交トナル時ハ本邦第三國貿易ハ昭和十四年度ノ計数ニヨリテ輸入ガ半減シ、

輸出ガ三五乃至三七%方ノ激減トナルベシ。

二、本邦対英米ブロック貿易ニ於ケル日米貿易ノ地位

次ニ対米貿易ハ本邦英米ブロック貿易ニ対シ如何ナル地位ヲ有スルカ。英米ブロック貿易ハ輸出ガ昭和十二年、二十六億三千三百二十六万円ヨリ十四年ノ十三億三千八百八十五万円ニ減ジ、輸入ガ昭和十二年ノ二十五億四千四十六万円ヨリ十四年ノ十六億九千八百二十四万円ニ減少セリ。而シテ英米ブロック貿易総額ガ第三国貿易総額ニ對スル割合ハ輸出ガ昭和十二年ノ六八・五%ヨリ十四年ノ七三・二%ニ、輸入ガ十二年ノ七五・九%ヨリ十四年ノ七六%ニ何レモ向上セリ。

然ルニ本邦ノ英帝国貿易ヲ見ルニ、輸出ガ昭和十二年ノ九億二千二百七十六万円ヨリ十四年ノ六億六千五十八万円ニ約三分ノ一ノ減少ヲ呈シ、輸入ハ昭和十二年ノ十二億二千四百十五万円ヨリ十四年ノ六億四千五百七十一万円ニ半減セリ。対米貿易ノ減少ノ割合小ナルニ対シ、英帝國貿易ノ減少ノ割合ハ夥シク

一一一

大ナリ。故ニ英米ブロック貿易ノ相対的増加ハ対米貿易ノ増加ニヨルモノト謂フベシ。

要スルニ本邦ノ第三国貿易ハ其ノ七〇%以上ヲ英米ブロック貿易ニ依存スルコトハ驚クベキ事実ニシテ、第三国貿易ハ即チ英米ブロック貿易ナリト稱スルモ敢テ過言ニ非ザルナリ。

次ニ英米ブロック貿易総額ニ対シ、対米貿易ノ占ムル割合ヲ考察スルニ、輸出ハ昭和十二年ニ三八・八%ヨリ十四年ニ八・四七・九%トナリ、輸入ハ十二年ニ四九・九%ヨリ十四年ニ八五九%ナルガ故ニ、昭和十四年ニ於テハ結局英米ブロック向輸出ノ約半、英米ブロックヨリ輸入ノ半以上ガ対米貿易トナルベシ。今、対米貿易ニ米国屬領貿易ヲ加フレバ此ノ比率ハ多少増大ス。即チ本邦米国ブロック貿易ハ英米ブロック貿易ニ対シ、比率ハ輸出ガ昭和十二年ノ四三・五%、十四年ノ五〇・六%、輸入ガ十二年ノ五一・八%、十四年ノ六一・九%トナル。右ノ結果、日米貿易断交ノ場合ハ、本邦ノ英米ブロック貿易ハ輸出入共約半ヲ喪失スルコトトナル。

一一二

更ニ貿易殘高ノ問題ヲ考察スルニ、本邦第三國貿易ハ輸入超過ニシテ昭和十二年ガ九億八千七百二十万円、十四年ガ四億七千万円ノ入超ナリ。此内、対米貿易ガ昭和十二年ニ六億三千五百十一万円ノ入超、十四年ニ三億六千八十七万円ノ入超ヲ占メタリ。故ニ第三國貿易ノ莫大ナル入超ハ対米貿易ノ莫大ナル入超ニ帰スベク、即チ第三國貿易ノ入超額ノ七六・七%ガ対米入超尻ニ當ル。而シテ米國ブロック貿易ノ入超尻ハ三億七千四百二十六万円（昭和十四年）ナルガ故ニ、全体ニテ第三國貿易尻ニ対シ七九・六%ニ増大ス。尤モ英帝國トノ貿易殘高ハ昭和十二年ニ於テ三億百三十九万円ノ入超ナリシガ、十三年ヨリ出超ニ轉ジ、十四年ニハ千四百八十七万円ノ出超トナレリ。此ノ結果、昭和十四年ニ於テ英米ブロック貿易ニ於テ入超殘高ハ三億五千九百三十八万円ニ幾分縮少スルコトヲ得タリ。故ニ本邦ノ英帝国貿易ハ近年対米入超尻ヲ軽減セシムル役割ヲ演ジタリト云ンヲ得ベシ。之ニ英帝國ヨリ受取勘定トシテ海運收入可成アリタルガ故ニ、英帝國向商品輸出及ビ運賃收入ハ対米支拂ニツキ本邦戰時國際経済

一一三

運営上不可欠タリシコト明白ナリ。換言スレバ本邦ハ此ノ金額ダケ金ノ現送ヲ節約スルコトヲ得タルナリ。

（單位　千円）

	輸出		輸入		殘高	
	昭和十二年	昭和十四年	昭和十二年	昭和十四年	昭和十二年	昭和十四年
第三國貿易	二、四一八、三五四	一、八三七、五一〇	三、四〇五、五五四	二、三〇七、五二三	(－)九八七、二〇〇	(－)四七〇、〇一三
英國ブロック貿易	九二二、七六〇	六六〇、五八五	一、二二四、一五六	六四五、七一二	(－)三〇一、三九六	(＋)一四、八七三
米国ブロック貿易	七一〇、五〇一	六七八、二六八	一、三一六、三一〇	一、〇五二、五二九	(－)六〇五、八〇九	(－)三七四、二六一
米國貿易	六三四、四二八	六四一、五〇九	一、二六九、五四二	一、〇〇二、三八四	(－)六三五、一一四	(－)三六〇、八七五

以上要スルニ日米貿易ニシテ全面的断交アル場合ニ於テハ、昭和十四年ノ計数ニヨレバ本邦ハ第三國貿易ノ約半ヲ失ヒ、輸出貿易ノ三五%ヲ喪失シ、更ニ英國ブロックガ貿易断交ニ追随スレバ本邦第三國貿易ハ輸出入共七〇%ヲ喪失スルニ至ルベシ。從ツテ第三國貿易ハ約三〇%ニ縮少スル結果トナル。同時ニ

一一四

貿易残高モ約一億円ノ入超ニ縮少スルニ至ルベシ。固ヨリ之ハ金額上ノ結果ニシテ、物資ノ過不足ハ夥シキニ至ルコト必然ナリ。

三、日米貿易断交ノ為替ニ及ボス影響

日米貿易ガ全面的断交トナレバ円為替ハ如何ナル影響ヲ受クルカ。

(イ)、直接取引

對米直接取引ハ消滅スルガ故ニ、之ヨリ生ズル米弗手形ノ賣買ハ行ハレズ。假令本邦ヨリ米弗手形ヲ振出スモ銀行ニ於テ買取ヲ拒否スベシ。従ツテ米弗為替相場ハ事実建タザルコトトナルベシ。

(ロ)、間接取引

本邦ト第三國トノ貿易決済ニツキテモ、米弗手形ノ賣買ハ行ハレズ、従ツテ此ノ場合ニモ米弗建相場ハ建タザルコトヽナル・

右ハ一般的観測ナルガ、上海為替市場ニ於テハ事情ハ聊カ異ルベシ。蓋シ上海為替市場ハ紐育又ハ倫敦ヨリ独立セルガ故ニ、此所デハ米弗手形ノ賣買ガ外

一一五

國銀行筋デ行ハルヽ可能性アリ。従ツテ円為替相場ハ其時ノ自由相場タルコト現在ト異ラズ。現在上海ノ円為替相場ハ約六弗ナルガ故ニ、貿易断交ノ際ニハ六弗ヲ基準トシテ需給関係其他ニ依リテ上下スルコトヽナル。結局日米貿易ノ断交ノ結果米弗ノ決済ハ紐育ヨリ上海乃至香港ニ移ルガ如キ変態的状態ヲ現出スルニ至ルベシ。

以上述ベシコトハ一般ニ円系通貨即チ聯銀券、軍票、満洲國通貨、蒙銀券ニモ適用サルベシ。即チ円系通貨ノ米弗建相場ハ建タザルベク、又米建手形ノ賣買ハ正式ニハ行ハレザルベシ。但シ上海ノ外國銀行ニ於テ米弗手形ノ自由賣買ハ継續サルベク、従ツテ円系通貨ノ米弗建相場ハ現在ノ自由相場ヲ基準トシテ上下スルコト円為替ノ場合ト同様ナルベシ。

斯クノ如ク第三國貿易ニ於テ米弗決済ガ消滅スル時ハ第三國貿易ノ決済ニ磅決済ノ方法ガ残ルベシ。

米國ト貿易断交アルモ英帝國ガ之ニ全面的ニ追随セザル時ハ本邦ト英帝國トノ貿易ガ継續サレ、従ツテ英貨磅ノ取引ハ継續サルベシ。現在、英貨磅ハ未ダ英

一一六

帝國全体ニ亘ル國際通貨タルノ役割ヲ演ジ、南阿ニハ南阿磅、濠洲ニハ濠洲磅アレド本邦ノ南阿及ビ濠洲トノ取引ハ英貨磅ニ非ザレバ事実上決済不能ノ状態ナリ。蓋シ英貨磅ガ未ダ英帝國内ニ信用ヲ有スレバナリ。従ツテ将來英貨磅ガ信用ヲ失墜スル時ハ英帝國ハ少クトモ貨幣的ニ独立シ、夫々自國ノ通貨、例ヘバ南阿磅・濠洲磅ニテ自國ノ取引ヲ直接決済スルコトヽナル。換言スレバ、本邦ノ英國ブロック諸國トノ取引ハ総テ円又ハ相手國ノ通貨ニテ直接決済ヲナスコトヽナル。但シ此ノ場合夫々ノ國トノ為替相場ハ現在ノ相場ヲ基準トシテ建ツルヨリ方法ナカルベシ。

一般ニ現在我國ノ第三國貿易ハ紐育ニテ米弗決済ヲ行フカ、或ハ倫敦ニテ英貨磅ニテ決済ヲ行ヘルガ故ニ、日米貿易断交ノ結果紐育米弗決済ガ停止トナリ、又英貨磅ガ國際性ヲ失ヒテ、倫敦決済ヲ行ハザルニ至ル時ハ、結局第三國貿易ハ円決済ヲトルカ又ハ相手國ノ夫々ノ通貨ニテ相手國ト直接決済ヲナスヨリ外ニ方法ナシ。但シ、上海市場ニ於テ米弗決済ガ行ハレ得ル餘地アルベシ。第三國貿易ガ斯ク直接決済トナルコトハ必然的ニ為替清算協定ノ成立ヲ要請スル結

一一七

果トナル。要スルニ第三國貿易決済ヨリ米弗及ビ英貨磅ト断交スル時又ハ断交セシメントスレバ、相手國ト為替清算協定ヲ締結スルニ若カザルナリ。従ツテ日米貿易断交ノ為替ニ及ボス影響対策ハ速カニ列國ト為替清算協定ノ締結トバーター協定ノ締結ヲ促進セシムルニアリ。

一一八

第二編　商品別考察

第一部　輸出商品

第二部　輸入商品

第二編　商品別考察

此處デハ日米貿易断交ノ影響ヲ重要輸出入品ニ就キテ考察シ、其ノ對策ヲ述ブベシ。

第一部　輸出商品

對米輸出商品ハ輸出額ニ於テハ生糸ヲ大宗トシ、蟹及ビ鮪罐詰食料品・陶磁器・綿織物・植物油・水産物・茶・絹織物・玩具・除虫菊等ノ順序ニジテ、其ノ對米依存度ニ於テハ除虫菊及ビ生糸ヲ筆頭トシ、製帽用眞田・植物油（芳香性ノモノヲ除ク）・魚油及ビ獣油・薄荷腦・樟腦・茶・玩具・帽子及ビ帽体・身辺装飾用品・罐詰食料品・陶磁器等ノ順位ナルコトハ既ニ述ベタルガ如シ。

第一項　生糸

既述ノ如ク生糸ノ対米輸出ハ昭和十四年ニハ対米総輸出額ノ六八％ヲ占メ、対米依存度ハ六六％ナルガ故ニ、対米輸出問題ハ生糸ノ問題ニ帰スルト稱スルモ過言ニ非ズ。故ニ日米貿易断交ノ輸出ニ及ボス影響ヲ考察スルニ當リ、先ヅ生糸問題ヲ論述セン。

一、生糸ノ生産ト輸出トノ関係

先ヅ生糸ノ生産ト輸出トノ発展及ビ両者ノ関係ヲ見ルニ次ノ如シ。

生糸ノ生産及ビ輸出高　（単位、千俵、百万円）

	生産		輸出 対米輸出		輸出 全輸出		生産ニ対スル対米輸出割合	
	数量	金額	数量	金額	数量	金額	数量	金額
昭和十年	七二六・八	四九九・八	四六六・六	三二八・九	五五三・二	三八七・〇	七六・四	五七・二
十一年	七〇五・一	五一七・二	四二七・六	三三三・〇	五〇三・四	三九三・八	七一・五	七五・九
十二年	六九七・九	五二七・三	三七九・〇	三二五・二	四七三・四	四〇七・一	六八・〇	七七・二
十三年	七三四・五	五三四・二	三九三・三	二九七・九	四七七・五	三六四・一	六五・〇	六八・〇
十四年	七三七・六	ー	三三一・五	四三七・六	三八六・〇	五〇六・八	五二・四	ー
十五年（三月迄）	ー	ー	三四・六	六四・八	一五〇・六	九六・七	ー	ー

先ヅ生糸ノ対米輸出額ハ昭和十年ニ於テ三億二千八百万円ナリシガ、昭和十四年ニハ四億三千七百万円ニ吾増セルニ対シ、数量ハ昭和十年ノ四十六万六千俵ヨリ昭和十四年ノ三十三万一千俵ニ減少セリ。数量減シ金額増ハ生糸相場ノ騰貴ノ結果タルコト勿論ナリ。

次ニ輸出ノ生産ニ対スル割合ヲ見ルニ昭和十年ニ於テハ生産数量ノ七六％ガ対米輸出ナリシガ、昭和十四年ニハ之ガ五二％ニ激減シ、之ヲ金額ニツキテ見レバ生産額ニ對スル輸出額ノ割合ハ逆ニ増加セル有様ナリ。後者ハ生糸相場ノ騰貴ノ結果タルコト明白ナリ。何レニシテモ生糸ハ其ノ生産ノ五〇%乃至七〇%カ対米依存タルコト明カナリ。

二、生糸輸出市場ノ分布

生糸ノ輸出市場ハ米國ニ偏在セルコト勿論ナルカ、其ノ割合ハ昭和十年ニハ数量ニ於テ八四・三%ヨリ十四年ニハ八五・八%ニ増加シ、金額ニ於テハ昭和十年ノ八四・九%ヨリ十四年ノ八六%ニ増加セリ。即チ数量ニ於テモ金額ニ於テモ多少増進セルコト明カナリ。

次ニ生糸ノ輸出市場ノ分布状態ヲ示ス。

（単位　俵）

市場	昭和十三年七月－十四年六月 数量	%	昭和十四年七月－十五年六月 数量	%	昭和十五年七月－十六年一月 数量	%	昭和十四年七月－十五年一月 数量	%
米国	三六四、一五三	八四・二	二七五、七〇八	八二・八	一八七、三五七	九五・九	二〇一、四六一	八三・六
欧洲	五七、八六一	一三・三	四九、二一五	一四・七	二、五五九	一・三	二八、七二〇	一一・九
濠洲	六、五二〇	一・五	七、一七三	二・一	三、〇五三	一・五	四、八三五	二・〇
其他	三、五五六	〇・八	七三二	〇・二	二、二八七	一・一	五八〇	〇・二
合計	四三二、〇九〇	一〇〇	三三二、八二八	一〇〇	一九五、二五六	一〇〇	二四〇、八一六	一〇〇

右ノ生糸ノ輸出統計数量ハ前ニ掲ゲタ統計ト異リ、生糸年度ニヨルモノナルカ故ニ、計数ハ自ラ異ル。昭和十四年七月ヨリ十五年六月ニ至ル対米輸出数量ハ二十七万五千俵ニシテ前年ノ同期ヨリ二四%減少シ、更ニ十五年七月ヨリ本年一月ニ至ル数量モ前年同期ニ比スレバ約七%ノ減少ヲ呈セリ。而シテ生糸ノ輸出市場分布ノ変化ヲ見ルニ、昭和十四年七月ヨリ十五年六月ニ至ル期間ニ於テ対米輸出割合ハ全輸出ノ八二・八%ヨリ前年同期ノ八四・二%ニ稍減ジ、反対ニ欧洲及ビ濠洲ヘノ輸出割合ハ一三・三%ヨリ一四・七%、一・五%ヨリ二・一%ニ夫々増大セリ。尤モ昨年七月ヨリ本年一月ニ至ル期間ニ於テハ前年同期ニ比シ米國向輸出偏在ノ傾向ハ却ツテ増大セリ。生糸ノ欧洲市場ハ元、英國・佛国・瑞西等ナリシが、現在ニ於テハ主トシテ獨逸トナリ、之ガ為ニ欧洲向輸出ハ昨年下

半期ヨリ本年ノ初ニカケテ激減シタルナリ。而シテ獨逸向輸出モ獨ソ開戦ニヨリ杜絶スルニ至レリ・其他ノ市場ハ南米・印度・佛印等ニシテ、此ノ割合ガ著シク増加セリ・但シ其ノ絶対額ハ微々タルモノナリ。

右ハ何レモ生糸ノ輸出ガ対米市場ニ偏在セル事実ノ説明ナリ。此ノ事実ヲ更ニ其ノ輸入國タル米國ノ立場ヨリ考察スルモ、米國ノ生糸輸入ハ日本ニ偏在シ、昭和十四年ニ於テ輸入生糸数量九千百五十九万五千封度ノ内、対日輸入ハ八六・四%ヲ占メ、支那ヨリ輸入ガ一一・四%、伊太利ヨリノ輸入ガ二・二%ナリ。故ニ日米間ニ於テ生糸ノ輸出及ビ輸入関係ハ本邦ノ依存度ハ六・三%、米國ノ依存度ハ八六・四%ニシテ、偶然ニモ完全ニ一致セル結果トナレリ・尤モ米國ノ生糸ノ対日依存度ハ昭和十五年上半期ニ於テハ減少シテ七七・七%トナリ、伊太利ニ依存度ガ七・四%ヲ増加セリ。

次ニ米國ノ生糸輸入状況ヲ掲グ。

米國ノ生糸輸入表

（単位、千封度、千弗）

	昭和十四年 数量 実数	数量 %	金額	昭和十五年上半期 数量 実数	数量 %	金額
合計	五一、五九五	一〇〇・〇	一二〇、八四八	一五、八三八	一〇〇・〇	五〇、〇九四
日本	四四、五七八	八六・四	一〇六、九四九	一二、三〇六	七七・七	四一、二六〇
支那	五、八六二	一一・四	一一、七一一	二、〇〇七	一二・七	五、三〇四
伊太利	一、一四一	二・二	二、一六三	一、五二四	九・六	三、五二七

（"Survey of Current Business," Dec. 1940. P.11.）

米國ニ於テハ昭和十五年ヲ通ジ生糸ノ輸入数量ハ四千四百八十五万七千封度ニシテ、前年ヨリモ一三%ノ減少ナルガ、輸入金額ハ一億二千四百九十九万七千弗ニ増加セリ。尤モ輸入市場別数字不明ナレド、伊太利ヨリ生糸ノ輸入杜絶スレバ主トシテ本邦ニ求メシモノト想像サルベク、支那ヨリノ輸出ハ既ニ華中蚕糸株式会社ガ製糸及ビ販賣ヲ悉ク統制セル関係上、急増セシ筈ハナク、唯密

輸出ガ幾何アリシカゞ問題ナリ。

三、貿易断交ノ影響ト蚕糸業轉換策

今、日米貿易断交ノ結果、生糸ノ輸出入ガ全面的ニ停止スレバ、本邦ハ昭和十四年ノ計数ニヨレバ生糸ノ生産ノ約半以上ガ滞貨トナリ、生糸ノ全輸出ノ八〇％ガ販路ヲ喪失スルニ至ル。同時ニ米國モ輸入数量ノ約八〇％ガ輸入杜絶ニ陥リ、而モ之ヲ支那生糸ニテ補充スルコトハ本邦ノ統制ニヨリテ困難ナリ（但シ廣東生糸ハ別トス）。

然ラバ斯ノ如キ厖大ナル過剰生糸三十万俵以上ヲ如何ニ捌クベキカ。之ヲ他ノ第三國市場例ヘバ欧洲市場ニ轉換セシムル限度ハ微々タルモノニシテ、結局其ノ大多数ハ國内ニ於テ消化スルヨリ外ニ方法ナカルベシ。是ニ於テ本邦蚕糸業ノ重大轉換策ガ問題トナル。

農林省ノ繭及ビ生糸計画生産ニヨレバ、本年度ノ繭ノ生産ハ八千万貫（玉繭屑繭ヲ含ム）ヲ目標トシ、其ノ内訳次ノ如シ。

一二六

輸出・國用向糸繭数量	六千百万貫（座繰、玉糸用繭ヲ含ム）
特種繭数量ハ（短繊維用）	一千五百万貫
種繭数量	百万貫

次ニ生糸ノ製造数量ハ五十五万俵ヲ目標トシ、其ノ内訳ハ

輸出向生糸数量	二十万俵乃至二十五万俵
國用向生糸数量	三十五万俵乃至三十万俵（座繰玉糸ヲ含ム）

ニシテ、輸出向生糸ハ米國及ビ其他ノ諸國ニ輸出サルベキ計画数量ナリ・而シテ対米生糸ノ輸出ガ貿易断交ニ依リテ全部停止スルコトヽナレバ、生糸ノ生産計画ハ変更シテ輸出用生糸ノ繭ヲ國用生糸並ニ短繊維用ニ流用セシメル計画ナリ。従ッテ輸出用生糸ノ莫大ナル生産過剰ヲ生ゼシメザル計画ナリ。尤モ実際ニ於テハ多少ノ生産過剰ヲ生ズベシト雖モ、大体ニ於テ之ヲ最少限度ニ阻止スルコトガ政府ノ繭及ビ生糸計画生産ノ眼目ナリ。

尚、短繊維用繭ハ羊毛・人絹・スフ・綿等ノ代用品ニシテ、繭ヲ直接切開キテ繊維ヲ取リタルモノニシテ、之ヲ羊毛・人絹等ノ繊維ト同ジ長サニ切断スル

一二七

ガ故ニ短繊維ノ名アリ。生糸ト短繊維トノ差ハ前者ガ製糸過程ヲ経タルニ対シ、後者ハ既述ノ如ク、製糸過程ヲ経ザル繊維ニシテ「セリシン」膠着セルガ故ニ羊毛代用繊維トナルナリ。

固ヨリ右ノ如キ蚕糸業轉換政策ニハ過剰釜数（三六・一％）ノ整理ヲ必要トセシコト勿論ナリ。何レニシテモ日米貿易断交対策トシテノ蚕糸業轉換政策ハ既ニ一應確立セリト云フヲ得ベシ。従ッテ販路杜絶ニヨル過剰生糸ニヨリテ生糸相場ノ暴落ハ起リ得ザル事トナレリ。

然ラバ生糸相場ハ如何ニ統制サルヽカ。云フマデモナク政府買取数量ハ十万俵ニ達セル状態ナリ。尤モ最高價格ハ千七百円ナリ。而シテ蚕糸業轉換ニ當リ政府ハ蚕糸統制会社ヲ設立シテ蚕種ヨリ繭、生糸及ビ短繊維マデ悉クソノ價格及ビ配給ヲ統制セントス。

次ニ現在マデ成立セル統制方法ヲ述ベンニ、先ヅ統制会社ハ蚕種ヲ買取リ、之ヲ養蚕家ニ標準値段ニテ配給シ、養蚕家ハ之ニテ得タル繭ヲ統制会社ニ六十掛ノ値段ニテ賣渡シ、統制会社ハ之ヲ六十一掛値段ニテ製糸業者ニ配給ス。而

一二八

シテ製糸業者ハ国用生糸工場ト輸出指定工場トニ分レ、輸出工場ハ輸出生糸ヲ或ハ問屋或ハ統制会社ニ賣却シ、統制会社ハ此ノ場合ノ買取價格ヲ前記ノ六十一掛値段九百七十六円ニ工賃ト適正利潤ニ百九十円ヲ加ヘタル千二百六十六円トス。統制会社ハ輸出生糸ヲ問屋又ハ輸出商ニ千四百四十円ニテ配給シ、輸出商ハ之ヲ最高千七百円ヨリ最低千三百五十円ニテ輸出スルコトヽナル。而シテ國用生糸工場ハ之ヲ千百九十六円八十銭（十貫、七百四十八円）ニテ統制会社ニ賣却シ、統制会社ハ之ヲ消費者即チ機屋ニ千四百四十円（十貫、九百円）ニテ配給ス。何レニシテモ統制会社ハ製糸業者ヨリノ生糸買入値段ト輸出高又ハ消費者ニ販賣値段トノ間ニ可成、利潤ヲ得ルコトヽナルモ、此ノ利益ハ損失補償ニ充當サルベキモノトナレリ。

短繊維ノ製造業者ハ其ノ繭ヲ統制会社ヨリ買受ケ、製品ヲ再ビ公定値段ニテ同会社ニ賣渡スコトヽナレド、未ダ其ノ價格ハ公定ニ至ラザルモノヽ如シ。而シテ短繊維ノ生産費ハ其ノ繭ノ値段ノ高キ為ニ、羊毛・人絹・スフ等ノ代用品トシテ夥シキ高キ値段トナルベシ。

一二九

左ニ羊毛・スフ・短繊維ノ混紡割合ニ依リテ原價ノ相違ヲ示セバ次ノ如シ。

但シスフ一封度一円、羊毛二円五十銭、短繊維十円ト假定ス。

スフ　¥1.00×0.7＝¥0.70
羊毛　¥2.50×0.3＝¥0.75
短繊維　¥10.00×0
¥1.45

スフ　¥1.00×0.7＝¥0.70
羊毛　¥2.50×0
短繊維　¥10.00×0.3＝¥3.00
¥3.70

スフ　¥1.00×0 ＝
羊毛　¥2.50×0.3＝¥0.75
短繊維　¥10.00×0.7＝¥7.00
¥7.75

斯ノ如ク短繊維ヲ実用ニ供スルニハ價格ノ点ニ於テ障害アルガ故ニ、之ヲ思ヒ切ッテ引下ゲザレバ利用價値少シ。而シテ之ヲ幾何ニ決定スルカヾ実際問題ニシテ、何レニシテモ蚕糸統制会社ノ損失トナル。此ノ損失ヲ輸出生糸値段ヲ高クシテ補塡セントスルモ、生糸輸出ノ消滅スレバ、斯ル計画ハ不能トナルベク、従ッテ之ヲ国用生糸ノ値段ニ轉化スレバ、結局國内ノ消費者ノ負擔ニテ農民ノ為ニ高キ繭價ヲ支拂フ結果トナルベシ。繭ハ一貫、圭円以下ニテハ絶対ニ作ル能ハズト稱スルモ、斯ノ如キ高價ノ繭ヲ必ズシモ国内用ニ作ラシムル必要アリヤハ大ナル疑問ナリ。之ハ特定地域ノ農民ノ利益ヲ考慮シテ国民ノ被服資料ノ問題ヲ無視セントスル主張ニシテ国民経済全体ヨリ考察スレバ繭ノ代リニ棉花又ハ麻ノ如キ繊維ヲ栽培セシムルコトヲ得策トス。

加之、製糸業ハ労力ヲ夥シク要スル産業ナルガ故ニ、カヽル産業ハ相当制限ヲ加ヘ、寧ロ短繊維製造ニ轉換セシムベキモノナリ。而シテ其ノ繭ハ出來ルダケ安價ナル繭ヲ原料トスベキハ云フヲ俟タザルナリ。

以上要スルニ日米経済断交ニヨリ生糸ノ輸出杜絶スルト雖モ、我國ニ於テハ其ノ應急対策確立シ、過剰商品ヲ國内市場ニ轉換セシムル具体的方策ハ略々明ラカニシテ、而モ蚕糸價格ハ之ニヨリテ大ナル動揺ヲ生ゼシメザル計画ナリ。

唯、問題ハ斯ノ如キ應急対策ヲ將來如何ニ恒久化スルカニアリト謂フベシ。

第二項　罐詰、特ニ蟹及鮪類罐詰

一、本邦罐詰工業ノ重要性

罐詰ハ生糸ニ次グ対米輸出品ノ第二位ニアリト雖モ、生糸ハ対米輸出総額ノ六八%ヲ占ムルニ対シ、罐詰ハ僅カニ四・九%ニ過ギズ、サレド本邦ノ貿易全般ノ上ヨリ見レバ、罐詰食料品ハ近年輸出品中第五位ヲ占メ、輸出額ハ年々夥シキ増加ヲ辿リ、昭和十四年ニハ内地輸出ガ一億三千二百万円、露領直輸出額ガ二千二百万円、合計一億五千四百一万円ニ上リ、昭和六年ニ比シ約五倍ノ膨脹ナリ。

第三國貿易ニ於テハ罐詰食料品ノ地位ハ一層高ク、生糸・綿織物ニ次グ第三位ノ重要輸出品ニシテ、昭和十四年ニハ内地輸出額ハ九千四百四十一万円ニ達セリ。之ニ露領ヨリノ輸出額ヲ算入スル時ハ此ノ数ハ更ニ増大スベシ。第三国貿易中第一位ノ輸出先ハ英国ニシテ合計六千二百九十九万円（内地及露領直輸出額）ニシテ、第三国向輸出ノ約半ニ當ル。米国ハ英国ニ次グ第二ノ輸出市場ニシテ、次表ニ示ス如ク、昭和十年ヨリ年々増大シ、十四年ニハ約倍額トナレリ。但シ罐詰ノ総輸出額ニ対スル対米輸出ノ割合ハ二四%ニシテ昭和十年來低下ヲ辿リツヽアル。

今、其ノ変遷ヲ示セバ次ノ如シ。

本邦罐詰輸出高　（単位　千円）

	輸出総額	對米輸出額	輸出総額ニ対スル割合
昭和十年	五七、一二九	一六、八一三	二九・四
十一年	七一、〇七六	一五、四五八	二七・七
十二年	八六、九〇五	二一、九四〇	二四・九
十三年	九二、八一八	一二、二一二	一三・一
十四年	一三二、〇〇九	三一、九九四	二四・二

（註）右ハ内地輸出ノ数字ナルカ故ニ、之ニ露領ヨリ直輸出ノ金額ヲ加フレバ右ノ数ハ多少修正ヲ受クベシ。

昭和十三年ニ輸出ノ減少セルハ日米関係ノ悪化ニヨルト謂フ。而シテ昭和十四年ニ於テ輸出額ノ急増セシハ日米通商条約廃棄ニ伴フ先行不安ヲ見越シ、両国間ニ取引頓ニ活発トナリテ空前ノ対米輸出ヲ呈シタルナリ。

更ニ罐詰ノ対米輸出状況ハ次ニ掲グル日本罐詰輸出組合ノ輸出統計ニ依リテモ窺フコトヲ得ベシ。

（單位　円、函）

		昭和十三年	昭和十四年	昭和十五年
水産罐詰	数量	三六一、六一五	八二八、一〇六	一八七、三四三
	金額	五、五五〇、七九〇	一四、七七三、四一一	三、三七二、一七四
農畜産罐詰	数量	六一、二七八	四二三、五一五	一三〇、四五七
	金額	八二八、四七九	五、五九五、四五一	一、七六一、一七〇
蜜柑罐詰	数量	四〇、五〇〇	五八、〇七五	七五、七三一
	金額	二三九、三五五	五〇七、八〇八	七五七、三一〇
合計	数量	四六三、三九三	一、三〇九、六九六	三九三、五三一
	金額	六、六一八、六二四	二六、八七六、六七〇	五、八九〇、六五四

右ノ数字ハ既ニ掲ゲタル大蔵省ノ貿易統計ノ輸出数字ト可成開キアレド、増減ノ比率ハ略々等シク、而シテ昭和十五年ニ於テ対米輸出ガ約四分ノ一ニ激減セルコトヲ知ルコトヲ得。

次ニ對米輸出罐詰品ノ内容ヲ考察スルニ、水産罐詰ガ圧倒的多数ヲ占メ、昭和十四年ニハ輸出ノ約三分ノ二ヲ占メタリ。而シテ其ノ大部分ハ蟹及ビ鮪類油漬罐詰ニシテ、鳳梨・蜜柑等ガ之ニ次グ状態ナリ。故ニ対米輸出罐詰ハ蟹及鮪類油漬罐詰ト称スルモ可ナリ。此ノ詳細ハ次ニ掲ゲタル対米罐詰輸出品類別表ニヨリテ明ラカナリ。

昭和十四年對米罐詰輸出品内譯（單位　函）

	品種別	對米輸出高	輸出總高
畜産罐詰	牛肉	一八八	五三、五〇八
	豚肉	一一三	四、二五〇
	鶏肉	七六	五、五〇〇
	其ノ他ノ鳥獣肉	一五	三、八八三
	煉乳	｜	二〇八、八四四
	小計	二九二	二七五、九八五
水産罐詰	鮭鱒	五、八九〇	二、三三四、九四一
	蟹（タラバ）	四〇六、〇〇三	六一三、〇三〇
	其他ノ蟹	七、六三五	五九、四七三
	鮪類油漬	三七二、一一五	五七三、九八〇
	鮪類水煮	｜	二三、九九三
	鮪類（其他ノモノ）	五六五	一九〇、七八六
	鰮トマト漬	六五〇	七五〇、八四九
	鰮油漬	三〇一	一二、六五三
	鰮水煮	｜	三八、八七五
	鯖香辛料漬	｜	六二、六七一
	鰮味付	一一五	四五、三五三
	鰻穴子	四三九	三、六八九
	其他魚類水煮	五六	四、五三四
	其他魚類味付	二、五七一	三八、五三七
	北寄水煮	一、二七二	五、九一五
	帆立水煮	二七〇	三、八九四
	蛤水煮	一、六五二	二、三一二
	蜊水煮	一六、二七三	一七、五五一
	鮑水煮	五四	一六、一七〇

詰	牡蠣水煮	—	四五九
	牡蠣油煮	五九五	二、四一〇
	蝶螺味付	二九六	一〇、七三九
	貝類味付	八一八	五二、二一〇
	烏賊・蛸味付	二五〇	一〇、四七一
	蝦水煮	五	二、七〇五
	燻製品	八、四五五	二七、六六九
	海苔佃煮	—	一〇、一八二
	其他水産物	一、八二六	八一、八〇六
	小計	八二八、一〇六	四、九九七、八五七
蔬	福神漬	二、〇七三	二九、〇四二
	其他漬物	三、〇〇一	六、〇〇二
	筍製品	一九、一四三	二二三、六八六
	松茸製品	四三四	一四九八〇

菜罐詰	マッシュルーム	二三五	七、七一五
	ピース	—	五七、〇〇〇
	落水煮	二、一〇六	一七、四七五
	豆類	一二九	六四、三五〇
	雑蔬菜	三、三五八	一一〇、四五一
	小計	三〇、四七九	五三〇、七〇一
果実罐詰	鳳梨	三八八、五〇九	一一五一、六七五
	蜜柑	五八、〇七五	一三〇五、九七〇
	桃	—	七五、九四二
	ジャム類	—	一六、四五三
	雑果実	五五二	二五〇、五八八
	小計	四四七、一三六	二、八〇〇、六二八
雑類		三、六八三	六六、一九九
総計		一、三〇九、六九六	八、六七一、三七〇

（日本罐詰協会調査部編「本邦罐壜詰輸出年報」昭和十五年版、統計表六、七頁）

二、蟹罐詰

抑々蟹罐詰工業ハ昭和以来急速ナル発展ヲ遂ゲ、生産ハ昭和十二年ニハ四十八万九千箇ノ記録ヲ印シ、更ニ十三年ニ於テハ五十九万八千箇ニ躍進シ、十四年ニハ五十一万箇ニ稍減退セル状態ナリ。而シテ其ノ原料タル蟹ノ漁獲ハ露領カムチヤツカ、北千島ガ主要漁区ニシテ、鮭、鱒ト等シク日露漁業條約ニ基ク我ガ漁業権ノ目的物タリ。固ヨリ漁獲高ハ年ニヨリテ豊凶アリ。昭和十三年ノ如キハ露領カムチヤツカ沖取（工船）、北千島・樺太ガ非常ニ豊漁ナリシ為、罐詰ノ製造ハ空前ノ活況ヲ呈シタリ。輸出ハ露領ヨリ直輸出ト内地ヨリ輸出トニ分ル。而シテ輸出蟹罐詰ノ主ナルモノハ「たらば蟹」ニシテ、其ノ生産ノ約半ハ工船ニテ行ハル。

米国向蟹罐詰ノ輸出ハ昭和十三年ノ十四万六千函ヨリ十四年ニハ四十一万三千函ニ躍進シ、全輸出数量ノ六一・五％ヲ占メ、之ニ英国向輸出ニ五・七％ヲ合ス

（別表第七）

昭和１４年度蟹罐詰國別並ニ種類別輸出高　（單位函）

	たらば蟹	毛蟹	花咲蟹	ずわい蟹	合計	１４年度歩合	１３年度合計	増減
滿洲國及支那	5,597	10,677	4,965	-	21,239	3,35	11,503	9,736
イギリス	113,688	9,585	9,675	715	133,663	21,12	113,904	19,759
フランス	4,963	336	6,061	-	11,360	1,79	3,011	8,349
ドイツ	5,019	-	-	-	5,019	0,79	7,166	△ 2,147
丁抹	187	-	1	-	188	0,02	148	40
瑞典	614	10	247	25	896	0,14	710	186
和蘭	2,097	-	50	300	2,447	0,38	1,782	665
ベルギー	11,159	-	3,473	-	14,632	2,31	15,460	△ 828
ギリシヤ	895	-	34	-	929	0,14	718	211
北米合衆国	406,003	6,380	1,255	-	413,638	65,36	146,416	267,222
カナダ	2,609	500	-	-	3,109	0,49	3,335	△ 226
中南米諸国	1,262	277	15	-	1,554	0,24	1,392	162
アフリカ	1,742	81	45	-	1,868	0,29	1,107	761
濠太剌利	14,567	1,350	2,035	-	17,952	2,83	14,644	3,308
布哇	1,652	220	926	40	2,838	0,44	3,473	△ 635
其他諸国	1,322	160	35	-	1,517	0,23	1,114	403
合計	573,376	29,576	28,817	1,080	632,849	100,00	325,883	306,965

（註）　露領ヨリノ直輸出ヲ含マズ

（日本罐詰協会調査課編「本邦罐壜詰輸出年報昭和１５年版」統計表９頁）

レバ、英米両国ニテ輸出ノ八七％ヲ占ムルコトヽナル。米国向輸出ハ主トシテ「たらば蟹」ニシテ、英国向輸出モ亦同様ナリ。

今、其ノ詳細ヲ示セバ次ノ如シ（別表第七）。

扨、日米貿易断交トナル時ハ蟹罐詰工業ハ如何ナル影響ヲ受クルカ。既ニ述ベタル如ク、此種ノ商品ノ対米輸出ハ全輸出数量ノ六一・五％ヲ占ムルガ故ニ、斯界ハ重大ナル打撃ヲ蒙ルベシ。加之、全輸出ノ二五・七％ニ當ル対英輸出ハ既ニ英国ノ戦時経済政策ノ見地ヨリ輸入ヲ禁止セルガ故ニ、輸出販路ハ両者デハ七％ヲ喪失スルコトヽナル。残ル一三％ノ内、濠洲向輸出ニ五％ハ既ニ英本国ニ追随シ輸入禁止トナレルガ故ニ、残存販路ハ約一割トナルベシ。而モ斯業ハ生産ノ為ンド大部分ヲ輸出スル純輸出工業ナルガ故ニ、対米輸出杜絶ヨリ受クル打撃ハ蓋シ最大ナルベシ。尤モ以上ハ生産及ビ輸出ノ最高記録ノ年ヲ基準トセル考察ナレド、之ヲ其ノ前年ノ計数ニトルモ結果ニ於テハ大ナル相違ナキナリ。

何レニシテモ、日米貿易断交ノ結果ハ市場轉換ノナキ限リ斯業ハ全滅スルト

一四一

一四二

稱シテ可ナリ。而シテ市場轉換ノ方法トシテハ欧洲及満洲国乃至支那ニ販路ヲ擴大スル以外ニ方法ナカルベシ。サレド此等ノ市場ヲ合シテモ、過去ノ生産高ノ三割ニ達スルヤ疑問ナリ。就中、欧洲市場ニ対スル輸出ハ獨ソ開戦ニヨリテ杜絶スルニ至レリ。

斯業ハ既述ノ如ク、日・ソ漁業條約ニヨリテ出漁ノ権利義務ヲ負ヒ、出漁セザル時ハ漁区租借料及ビ税金ノ負擔大ナルガ故ニ、極メテ不利ニ陥ル。故ニ実際問題トシテハ罐詰ノ販路如何ニ拘ラズ出漁ヲ敢行シ、罐詰製造ヲ継續シテ之ヲ自己ノ金融ト危険ニ於テ貯蔵シ、而モ其ノ貯蔵期間ハ可成長期ニ亘ルベク、徐々ニ海外市場ノ開拓ヲ待チテ少シ宛消化スルヨリ外ニ方法ナカルベシ。但シ漁業條約ヲ廃棄スルニ至レバ結果ハ自ラ異ルベシ。

三、鮪類油漬罐詰

鮪類油漬罐詰事業ハ由來対米輸出ヲ目的トシテ勃興セル昭和五年以來ノ企業

（別表第八）

昭和14年度鮪類罐詰國別輸出高

（單位函）

國名	油漬	水煮	其他ノ物	合計	14年度歩合	13年度合計	増減
滿洲國及關東州	100	1,781	170,115	171,956	21.80	39,898	132,098
支那	272	—	19,002	19,274	2.44	55,772	△ 36,498
海峡植民地	—	1,700	21	1,721	0.21	1,060	661
印度	4	5,050	—	5,054	0.64	10,591	△ 5,537
比律賓	—	9,458	105	9,563	0.21	7,759	1,804
蘭領東印度	—	4,478	—	4,478	0.56	2,046	2,432
シリヤ	18,890	—	—	18,890	2.39	8,607	10,283
パレスタイン	3,479	—	—	3,479	0.44	2,663	[illegible]
英吉利	11,575	—	—	11,575	1.46	650	10,925
ベルギー	37,630	—	—	37,630	4.77	26,968	10,662
イタリー	4,481	—	—	4,481	0.56	1,444	3,037
ギリシヤ	639	250	—	889	0.11	3,805	△ 2,916
和蘭	2,012	—	—	2,012	0.25	500	1,512
ジブラルタル	2,206	—	—	2,206	0.27	2,305	△ 99
独逸	2,035	—	—	2,035	0.25	5,008	△ 2,973
マルタ	8,224	—	—	8,224	1.04	8,673	△ 449
瑞西	10,726	—	—	10,726	1.35	600	10,126
埃及	11,771	125	33	11,929	1.51	18,442	△ 6,513
北米合衆國	372,115	—	565	372,680	47.24	181,699	190,981
カナダ	85,298	—	565	85,863	10.88	59,778	26,085
濠太剌利	70	—	3	73		132	△ 59
布哇	—	—	231	231	0.02	158	73
其他ノ諸國	2,453	1,151	146	3,750	0.47	9,409	△ 5,659
合計	573,980	23,993	190,786	788,759	100.00	447,967	340,792

（日本罐詰協會調査部編「本邦罐詰輸出年報昭和15年版」統計表 11頁）

ニシテ、爾来濫設續出シ、米國ト悶着絶エザリシカバ、昭和九年農林省ハ斯業ノ積極的統制ニ乗出シ鮪罐詰事業ヲ悉ク許可制トシ、其ノ生産及ビ販賣ヲ統制シ、海外販路ノ確保ニ努メタリ。此ノ結果対米輸出ハ昭和九年ヨリ冷凍鮪三千五百噸、罐詰三十万個乃至三十五万個ニ制限セラレタリ。

一般ニ鮪類罐詰ハ油漬ト水煮ト其他ニ類別サレルモ、油漬罐詰ノ生産ガ圧倒的多数ヲ占メ、従ッテ対米輸出ハ殆ンド鮪類油漬罐詰ナリト称スルヲ得ベク、其ノ輸出数量ハ昭和十三年ガ十八万七百八十四函、十四年ガ三十七万二千百十五函ニシテ、前年ニ比シ夥シキ膨脹ヲ示セリ。尤モ之ハ輸出制限数量三十五万函ヲ超過セルモ、輸出制限年度ト右統計年度トノ不一致ノ結果ナリ。而シテ対米輸出数量ハ全輸出数量ノ約半ヲ占ムルガ故ニ、斯業ノ対米輸出ガ如何ニ重要タルカヲ知ルヲ得ベシ。

次ニ鮪類罐詰國別輸出表ヲ掲グベシ（別表第八）。

更ニ之ヲ米國側ヨリ見ルモ、同國ノ鮪罐詰輸入高ノ内、本邦ヨリノ輸入ガ圧倒的多数ヲ占ムルコト次ノ数字ニ依リテ明ラカナリ。

一四三

一四四

米國鮪罐詰國別輸入表

（單位　封度）

	昭和十二年	昭和十三年	昭和十四年
日本	九,五〇四,〇四八	四,六三四,五〇二	六,五八一,一九六
比律賓	一	六〇六,九三四	八九七,四〇三
葡萄牙	一	一三二,二〇九	五三,六九五
馬來	一四八,七五八	三一五,六四六	七五〇,六四八
墨西哥	五八二,四三四	一,〇八六,四〇五	三三七,六二九
其ノ他	一一六,六九三	七八,三九九	二七七,六九五

（日本罐詰協会調査部編、昭和十五年本邦罐壜詰輸出年報五九頁）

然ラバ鮪類油漬罐詰ハ日米貿易断交ノ結果如何ナル影響ヲ蒙ルヤ。抑々鮪類罐詰ハ鮪ノ罐詰ニ限ラズ鰹其他ノ類似ノ魚類ノ罐詰ノ総称ニシテ、其ノ漁獲ハ琉球、小笠原、九州、房州、金華山沖ニ於テ専ラ行ハレ、従ッテ日・ソ漁業條約ト何等ノ関聯ヲ有セザルコト勿論ナリ。故ニ蟹・鮭・鱒ノ罐詰ノ場合ノ如ク、罐詰ノ販路ノ如何ニ拘ラズ之ヲ漁獲スルガ如キ苦痛ヲ有セザルモ、一旦、対米輸出杜絶スル時ハ、斯業ノ輸出ハ忽チ半減スベキ運命ヲ有スベシ。尤モ蟹罐詰ノ場合ト異リ、対英輸出ハ僅カニ一.五%ニ過ギズ。而シテ満洲国及ビ支那向輸出ガ二四%ヲ占メ、輸出市場ハ比較的分散セルガ故ニ、市場ノ轉換ニ就テハ蟹罐詰ヨリモ遥カニ有利ナリ。尤モ欧洲向輸出ハ獨ソ開戦ニヨリテ杜絶スルニ至レリ。故ニ対米輸出数量ハ東亜共榮圏ニ対スル輸出ノ増進ニヨリテ補充シ、残リハ國内ニ之ヲ貯蔵シテ、徐々ニ國内市場及ビ外国市場ニ消化セシムベキモノナリ。

対米輸出罐詰ハ蟹及ビ鮪類油漬罐詰ガ主ナルモノナルガ、此外ニ水産罐詰トシテハ鮭ノ燻製罐詰ノ五千八百九十函（昭和十四年、鮭鱒罐詰総輸出高、百六十六万四千四百三十三函）ヲ始メ、鰮其他アレド、其ノ数量ハ何レモ特ニ大ナラズ。

一四五

四、貿易断交対策

以上要スルニ罐詰食料品工業ハ日米貿易断交ノ結果、蟹罐詰ニ於テ最大ノ打撃ヲ蒙リ、鮪油漬罐詰ニ於テハ其打撃前者程大ナラズ。其他ノ罐詰類ニ於テハ打撃一層軽微ナリ。而シテ其ノ対策トシテハ（一）、市場ノ轉換、（二）国内貯蔵（三）減産ノ外ナク、特ニ市場轉換ノ困難ナル場合ニハ減産、而シテ減産ノ困難ナル場合ハ之ヲ国内ニ貯蔵シテ徐々ニ販路ヲ待ツノミナリ。尤モ貯蔵ニハ多額ノ資金ヲ要スベク、其ノ金融的負担大ナリト云フベシ。

固ヨリ罐詰工業ハ戦時食糧政策上重要ナル工業ニシテ、第一次世界大戦ノ際、米国ガ聯合軍ニ供給セル罐詰ノ数量ハ四十八億函ニ達シ、其ノ高サ富士山ノ十四萬倍ニ當ルト謂フ。而シテ戦争ガ長期化スル程、長期保存ニ堪エ得ル罐詰ハ貴重ナル食糧資源ナルガ故ニ、國内ニ於テモ又外国ニ於テモ、其ノ需要ハ特ニ激減セザルベク、従ツテ罐詰工業ノ前途ハ寧ロ楽観スベキモノナリ。

最後ニ罐詰ノ市場轉換ニツキテハ、欧洲市場向転換ガ最モ重要ナル問題ナル

一四六

モ、之ハ今次、獨ソ開戦ニヨリテ全ク絶望視セラルヽニ至リタリ。然レドモ獨ソ開戦以前ニ於ケル欧洲ノ罐詰需給状況ヲ一瞥スルモ意義ナキコトニハ非ザルベシ。

今、欧洲諸国（英・ソヲ除ク）ノ罐詰需給状況ヲ見ルニ、昭和十四年度ニ於ケル欧洲大陸ノ罐詰生産高ハ約四千百四十八万四千函ニシテ、其内、輸出ハ二千五十六万函、輸入ハ一千五十七万五千函ナリ。今、假ニ生産高ヨリ輸出高ヲ控除シ、之ニ輸入分ヲ加算セルモノヲ消費高トスレバ、全消費高ハ約三千百四十九万九千函トナルベシ。輸入ノ最モ多キ國ハ獨逸ニシテ、次デ佛國ナリ。輸出デハ和蘭（主トシテミルク及バター）ガ最高ニシテ、伊太利、西班牙之ニ次グ。消費ノ最大ナルハ獨逸ニシテ、第二位ハ佛国、次デ伊太利ノ順位ナリ。

今、本邦罐詰ノ此等欧洲大陸諸国向輸出ヲ見ルニ、昭和十四年度ノ輸出総額ハ六十三万二千五百四十函、金額一千五百九十万円ニシテ、鮭鱒ノ三十八万二千函ヲ筆頭ニ、鰮ノ七万函、鮪類ノ六万八千函、鳳梨ノ六万一千函、蟹ノ三万六千函、蜜柑ノ一万四千函、其他三千函ナリ。次ニ欧洲大陸諸國向本邦罐詰輸

一四七

出高ヲ掲グベシ。

欧洲大陸諸国向本邦罐詰輸出高（単位　函、千円）

	昭和十二年		昭和十三年		昭和十四年	
	数量	金額	数量	金額	数量	金額
鮭鱒	三九七、八五六	八、三五五	二八〇、九〇四	六、四六一	三八二、四三〇	一一、四七三
蟹	四三、五三八	二、二三〇	二九、六〇二	一、五六九	三六、一一四	一、九一四
鮪類	一〇六、一九三	一、五四〇	五〇、六二八	八一〇	六八、二〇三	一、〇九一
鰮	九七、四六四	六八二	八四、五三六	六三四	六九、九七八	七〇〇
其他水産物	七六二	一〇	一、一七六	一六	一六六	二
蔬菜類	四、八一六	五八	一、四七四	一九	三八八	六
鳳梨	七六、二八八	五三四	二一、一八七	一六九	六〇、六四七	六〇六
蜜柑	一五、四七五	一〇一	二三、四九九	一五三	一四、三四一	一〇八
其他ノ果実	三、四三六	四五	七、〇〇八	九八	二五七	四
雑類	一三九	二	八七	一	一七	一

一四八

	合計
	七四五、九五七
	一三、五四七
	五〇〇、一〇一
	九、九三〇
	六三三、五四一
	一五、九〇四

（「国勢グラフ」昭和十五年十二月号三三頁）

昭和十四年度欧洲大陸諸國向本邦鑵詰國別並ニ品種別輸出高　（單位　函）

品種別	水産 鮭鱒	蟹（タラバ）	其ノ他ノ蟹	鮪類油漬	鮪類水煮	鰮トマト漬	鰮油漬	其他魚類水煮	牡蠣油漬	貝類味付	燻製品	海苔佃煮	其他水産物	鑵詰 小計
佛国	七一、二〇四	四、九六三	六、三九七											八二、五六四
伊太利	一、三六五			四、四八一		一六〇								六、〇〇六
獨逸	二、〇八〇	五、〇一九		二、〇三五		一二五	一							九、二六〇
丁抹	六四〇	一八七	一											八二八
瑞典	一、九五五	六一四	三八二			一七五								三、〇二六
和蘭	二六、二六六	二、〇九七	三五〇	二、〇一二		一四、九六五								四五、六九〇
白耳義	一六二、八〇八	一一、一五九	三、四七三	三七、六三〇		四九、一一四								二六四、一八四
希臘	六、九九一	八九五	三四	六三九	二五〇	二、〇八三	一、九一六							一二、八〇八
其他ノ欧洲	一九、一二一	六〇八	三五	二一、一五六		一、四一九	二〇	七〇	七一	三	三	四	一五	四二、五二五

品種別	蔬菜鑵詰 福神漬	其他漬物	筍製品	松茸製品	マッシュルーム	ピース	蕗水煮	雑蔬菜	小計
佛国									
伊太利									
獨逸									
丁抹									
瑞典									
和蘭									
白耳義									
希臘									
其他ノ欧洲	九	三	二二	五	一五〇	三	二	一九四	三八八

品種別	果実鑵詰 鳳梨	蜜柑	桃	雑果実	小計	雑類	総計	昭和十三年度総計
佛国							八二、五六四	一〇三、八五三
伊太利							六、〇〇六	二、九九四
獨逸	三、三八七	一			三、三八八		一二、六四八	一八、四六七
丁抹	四五〇				四五〇		一、二七八	一、一〇二
瑞典	一八、四六一				一八、四六一		二一、四八七	一五、五八三
和蘭	二一、七三六	一四、二二〇			三五、九五六		一七一、六四六	一〇一、七八四
白耳義	一五、四一六	七五			一五、四九一		二七九、六七五	一八九、二四一
希臘							一二、八〇八	二四、三二七
其他ノ欧洲	一、一九七	四五	一〇	二四七	一、四九九	一七	四四、四二九	四二、七五一

（日本鑵詰協会調査部編「本邦鑵壜詰輸出年報」昭和十五年版統計表七頁）

一四九

一五〇

一五一

一五二

固ヨリ鑵詰類ハ之ヲ国外ニ輸出ノミヲ以テ能事トセズ、国内ニ於テハ将来ノ空襲ニ備フルタメ、一定数量ノ鑵詰ヲ政府又ハ民間ニ於テ貯蔵セシムルコト必要ナリト云ハザルベカラズ。

（別表第九）

陶 磁 器 國 別 輸 出 一 覧 表

（單位 噸，円）

國名	昭和13年		昭和14年			昭和15年		
	数量	金額	数量	金額	%	数量	金額	%
北米合衆國（布哇，ポートリコヲ含ム）	81,743	9,626,953	96,707	13,216,034	28.58	85,382	18,306,559	27.49
カナダ	15,673	1,341,617	13,290	1,302,710	2.82	13,949	1,883,700	2.82
英領印度（ビルマ，錫蘭，イラン，イラク，アラビアヲ含ム）	40,469	4,045,247	36,991	4,045,148	8.74	17,853	2,907,558	4.36
蘭領印度	30,596	2,660,276	30,397	2,936,353	6.35	18,912	3,034,714	4.55
比律賓	5,599	592,592	4,917	582,889	1.26	3,089	639,122	0.96
馬來	2,759	320,470	4,713	557,391	1.20	3,901	718,755	1.07
佛印	1,220	132,156	1,335	160,335	0.34	839	222,281	0.33
泰國	918	97,637	2,366	282,392	0.61	2,228	425,066	0.63
欧洲	19,687	3,254,051	12,384	1,981,637	4.28	1,102	230,318	0.34
濠洲	34,390	3,531,764	22,455	2,536,023	5.48	13,513	2,049,218	3.07
東南アフリカ	15,485	1,570,371	17,562	1,968,120	4.25	12,123	1,992,235	2.99
西北アフリカ	1,219	157,493	1,181	129,890	0.28	1,312	166,688	0.25
近東埃及	5,820	741,218	3,124	444,654	0.96	1,444	279,377	0.41
伯剌西爾	4,161	594 719	6,018	905,152	1.96	5,692	1,415,423	2.12
アルゼンチン	5,977	822,730	2,647	380,225	0.82	7,960	1,940,225	2.91
其他中南米	11,281	1,519,940	9,998	1,584,434	3.42	15,468	4,065,793	6.10
満洲國関東州	44,516	3,995,534	75,729	8,234,231	17.81	90,744	14,856,232	22.31
支那香港	19,689	1,874,547	46,262	4,985,371	10.78	65,587	11,444,723	17.18
合計	341,202	36,879,315	388,076	46,232,989	100.00	361,098	66,577,987	100.00

（日本陶磁器輸出組合「輸出統計」ニヨル）

第三項 陶磁器

陶磁器ハ現在生糸、罐詰ニ次グ対米輸出品中第三位ヲ占メ、其ノ輸出額ハ対米総輸出額ノ一・七％（昭和十四年）ニ当ルト雖モ、同製品ノ世界輸出総額ニ対シ二八％ヲ占メ、更ニ第三國向輸出総額ノ四一％ヲ占ムル重要輸出品ナリ。

陶器器ノ対米輸出額ハ昭和十年ニハ一千七百七十九万八千円、十二年ニハ二千二百二十四万九千円ナリシガ、十三年ニ於テ九百六十二万六千九百円ニ激減シ、爾来恢復シテ、昭和十五年ニハ対米輸出額ハ一千八百三十万六千円トナレリ。而シテ輸出品ハ近年高級ナル「セット物」多ク、独逸及ビ英國製品ト競争ノ結果販路ヲ獲得セル故ナリ。

次ニ陶磁器ノ輸出市場分布ノ情勢ヲ掲グベシ（別表第九）。

右ニヨルト陶磁器ノ対米輸出ハ同製品ノ約二八％ニ当リ、円ブロック向輸出ト同様ノ割合ナリ。而シテ残ル第三國市場ハ着シク分散セル状態ナリ。サレド

日米貿易断交ノ結果ハ対米輸出品ガ高級品ノ「セット物」ナルガ故ニ、之ヲ円ブロックニ転換スルコトハ難ク、勢ヒ第三國市場ニ転換セシムルヨリ外ニ方法ナカルベシ。尤モ対米輸出ガ第三國向輸出ノ約四〇％ヲ占ムルガ故ニ、之ヲ全部第三國ニ振向ケルコト困難ナレド、既述ノ如ク第三國市場ハ比較的分散化セル関係上、対米過剰品モ夫々出来ル限リ第三國市場ニ分散的ニ振向ケルコトニ努ムルヲ要ス。固ヨリカヽル方法ニヨリテモ本邦陶磁器輸出工業、特ニ名古屋ノ陶磁器工場地帯ハ相当打撃ヲ蒙ルニ至ルベシ。

第四項 綿織物、植物油及除虫菊

一、綿織物

綿織物ハ対米輸出品中第四位ニ当ルト雖モ、対米輸出総額ノ一、六％（昭和十四年）、綿織物全輸出ノ二・五％ニ過ギズ。輸出額ハ昭和十二年ノ二千二百十三万八千円ヨリ、十三年ノ二百四十万円ニ激減シ、十四年ニハ稍恢復シテ千

十六万円トナリタルモ、十三年ノ半ニモ達セザル状態ナリ。昭和十五年ニハ八十九十七万円トナレリ。綿織物ノ対米輸出ハ陶磁器ト等シク、米國ノ輸入防止ニモ拘ラズ当業者ノ異常ナル努力ニヨリテ増進セル結果ニシテ、偶々昭和十二年ノ日米綿業協定ノ成立ニヨリテ本邦ノ輸出数量一億碼ニ制限ヲ蒙リ、爾来遂ニ躍的発展ヲ見ザルニ至レリ。今最近三ケ年間ノ対米綿織物輸出統計ヲ示セバ次ノ如シ。

対米綿織物輸出状況

（單位千平方碼、千円）

年度	品種別	対米輸出額 数量	対米輸出額 金額	世界総輸出額 数量	世界総輸出額 金額	%
昭和十三年	生地	三一	七	八二九、二一三	一二六、三一八	×
	晒	一四、八五五	二、〇〇〇	五〇九、七八一	八八、七七四	二・二五
	加工	一、二二九	四〇〇	八四一、一九三	一八八、九一四	〇・二一
	合計	一六、一一五	二、四〇七	二、一八〇、一九七	四〇四、〇〇六	〇・五九
昭和十四年	生地	一、二五四	三一五	八五〇、一七一	一一〇、五一五	〇・二八
	晒	六七、五七二	八、七七〇	五一六、三七二	七九、三四三	一一・一〇
	加工	二、七二二	一、〇八三	一、〇七六、三九七	二一三、六五〇	〇・五〇
	合計	七一、五四八	一〇、一六八	二、四四三、九四〇	四〇三、五〇八	二・五一
昭和十五年	生地	一五六	四五	五三七、三四七	九四、〇八二	〇・〇四
	晒	五三、六五〇	八、四二一	四四五、五九三	九三、七九一	八・九七
	加工	三、二〇四	二、五〇六	八二〇、八四二	二二三、七一一	一・一二
	合計	五七、〇一〇	一〇、九七二	一、八〇三、七八二	四一一、五八四	二・六六

（日本綿糸布輸出組合「輸出統計」ニヨル）

一五五

一五六

然ラバ日米貿易断交ハ本邦綿業界ニ如何ナル影響ヲ及ボスカ、多年築キ上ゲタル対米市場ノ喪失ハソレダケ斯業ニ打撃ヲ與フルニ相違ナシト雖モ、原綿ノ獲得ニ重大ナル障碍ニ逢着セル現在ニ於テ対米市場ノ喪失ハ格別重大問題タラザルコト明白ナリ。

二、植物油

植物油ノ対米輸出ハ昭和十年ニ二千七百万円ニシテ対米輸出額ノ五％ニシテ第三位ノ重要輸出品タリシガ、昭和十二年及ビ十三年ニ於テ輸出額減少シ、昭和十四年ニ於テ稍恢復シテ九百六十八万円トナリ対米輸出額ノ一・五％ヲ占メ、対米輸出品中第五位ニナレリ。サレド植物油ノ対米依存度可成高ク、対米輸出額ハ同品總輸出ノ半以上ヲ占ムルガ故ニ、日米貿易断交ニヨル影響ハ甚大ナリト云ハサル可カラズ。サレド植物油ノ市場転換ハ決シテ困難ニハ非ザルベシ。第三國市場ハ、独逸其他ノ欧州市場ハ独ソ開戦ニヨリ輸出杜絶セルモ、其他ノ第三國乃至東亜共栄圏ニ輸出ヲ分散シ得ル可能性アリト云フヲ得ベシ。因ニ米國ハ植物油ヲサラダ油及ペイント材料ニ供ス。

次ニ対米輸出ノ状況ヲ掲グベシ。

本邦植物油輸出高

（單位 千円）

	対米輸出	輸出總額	%
昭和十年	六二、五八五	七六、一四五	八二・一九
〃 十一年	六七、三三七	七八、五二八	八五・七四
〃 十二年	四〇、〇六四	五〇、一七八	七九・九一
〃 十三年	一六、四三九	二三、二九一	七〇・五八
〃 十四年	二三、六五六	四〇、四二四	五八・五一

一五七

一五八

三、除虫菊

除虫菊ハ対米依存度最高ノ輸出品ニシテ、此ノ商品ノ總輸出額ノ八七％ガ対米輸出ナリ。輸出額ハ昭和十年ノ六百四十万円、十二年六百八十八万円、十三年五百二十七万円、十四年六百二十五万円ニシテ、対米總輸出ノ約一歩ニ相当ス。此ノ商品ハ菊其儘ニテ輸出シタリシガ、近年粉末又ハ「エツキス」ニテ輸出スル傾向増加セリ。而シテ除虫菊ノ生産ハ近年大差ナク、二百五、六十万貫ナレド、金額ハ市價ノ昂騰ニヨリ著シク増大シ、昭和十三年ニハ千二百五万円ニ上レリ。輸出ハ生産ノ約半ヲ占メ、而モ其ノ約九〇%ガ対米輸出ナルコト既ニ述ベタル通リナリ。従ツテ日米貿易断交ノ結果ハ除虫菊ノ輸出ハ全滅ヲ意味スルコトヽナル。

サレド除虫菊ハ現在「エツキス」ノ形態ニテ大陸ニ盛ンニ輸出セルガ故ニ、対米輸出杜絶ノ上ハ之ヲ「エツキス」又ハ殺虫粉或ハ蚊取線香トナシテ支那及ビ南洋ニ輸出ノ販路ヲ拡大スルコトハ決シテ困難ニ非ザルベシ。

第五項　要約

以上ハ日米貿易断交ガ本邦輸出貿易ニ及ボス影響ヲ主要輸出品ニツキ考察セリ。先ヅ第一ニ輸出ノ大宗タル生糸ヨリ考察シテ蚕糸業ノ転換策ヲ検討シ、次

一五九

ニ第二次的重要性ヲ有スル輸出品即チ罐詰食料品、特ニ蟹及ビ鮪類油漬罐詰、陶磁器、綿織物、植物油、除虫菊ノ順序ニ依リテ夫々ノ影響並ニ対策ヲ研究セリ。此外ニ対米輸出品ハ凡ソ三十数種ニ上レドモ、此処デハ一々問題ヲ検討スルコトヲ省略セリ。而シテ貿易断交対策ノ根本問題ハ生糸問題ニシテ、之ニツキテハ既ニ釜数ノ整理ト繭ノ利用方法ノ改革ヲ骨子トセル應急対策既ニ成立セルガ故ニ、仮令対米販路ヲ喪失スト雖モ、之ニ依リテ差当斯業ニ大動搖ヲ生ゼシメザルコトヽナルベシ。而シテ第二次的重要輸出品中、其ノ処置ニ最モ厄介ナルハ蟹罐詰ニシテ、販路ノ縮小ニモ拘ラズ其ノ製造ヲ継続スベキ事情アルコトナリ。蟹罐詰以外ノ商品ニツキテハカヽル厄介ナル問題ハ存在セズ。唯、市場転換ノ程度如何ヲ問題トスルノミナリ。

一般ニ対米輸出ノ増進ニ従来異常ノ努力ヲ拂ハレタルハ、之ニヨリテ外貨即チ米弗ノ獲得ヲ目的トセル故ナリ。而シテ何ガ為ニ外貨ヲ獲得スベキカニツキテハ当業者即チ生産者及ビ貿易業者共ニ従来明確ナル認識ヲ有セザルモノヽ如シ。外貨獲得ハ之ニヨリテ重要軍需資材及ビ原料ヲ輸入セシムル手段ニシテ、

一六〇

之以外ニ何等ノ意味ヲ有セズ。従ツテ徒ニ外貨ヲ獲得スルモ之ニヨリテ輸入スベキ必要物資ガ輸出禁止トナレバ外貨獲得ハ全然徒労ニ帰スベク、今ヤ外貨獲得論ハ既ニ錯覚ニ陥レリト云フヲ得ベシ。英貨磅獲得ニツキテモ亦同様ナリ。

要ハ輸出ニヨリテ如何ニシテ、所要物資ヲ獲得スルカニアリト云ハザルベカラズ。

一六一

第二部　輸入商品

我国ガ戦時必要物資ノ輸入ヲ夥シク対米依存ニ集中セシコトハ内外人ノ等シク認識セル所ニシテ、今ヤ此等重要物資ハ相次イデ米国ノ対日禁輸ニ逢着シ、本邦戦時経済ノ運営ニ当リ諸種ノ支障ヲ随所ニ見ルニ至リタルハ遺憾ノ極ナリト云フベシ。若シ政府ニシテ夙ニ重要原料ノ分散買付ヲ強行セシメタランニハ現在ノ如キ支障ハ夥シク緩和サレシナラン。

以下日米貿易断交ガ本邦重要輸入商品ニ及ボス影響ヲ検討シ其ノ対策ヲ考究セン。

第一項　鉄鋼類

鉄鋼類ハ先ヅ銑鉄、鋼材、鋼塊、特殊鋼及ビ屑鉄ニツキテ考察シ、次ニ其原

一六二

（別表第十）

銑鐵國別輸入表

國名	昭和12年 数量	昭和12年 金額	昭和13年 数量	昭和13年 金額	昭和14年 数量	昭和14年 金額
滿洲國	百斤 3,548,200 瓲 (212,892)	円 16,121,425	百斤 3,462,916 瓲 (207,775)	円 19,241,277	百斤 5,865,839 瓲 (351,950)	円 32,511,244
關東州	-	-	36,947 (2,217)	186,978	1,679 (101)	10,069
中華民國	-	-	41,271 (2,476)	160,386	-	-
英領印度	4,725,486 (283,529)	18,844,869	5,444,128 (326,648)	28,276,974	4,986,333 (299,180)	20,053,710
英吉利	132,847 (7,971)	1,044,498	40,643 (2,439)	393,422	-	-
独逸	10,161 (610)	60,943	-	-	-	-
白耳義	101,739 (6,104)	670,953	9,136 (548)	53,200	-	-
瑞典	-	-	-	-	-	-
北米合衆國	6,829,763 (409,786)	46,586,103	5,176,998 (310,620)	23,664,532	538,483 (32,309)	2,297,112
其他	1,236,809 (74,209)	4,013,312	71,972 (4,318)	314,175	390,927 (23,456)	1,603,054
合計	16,585,005 (995,100)	87,342,103	14,284,001 (857,041)	72,290,944	11,783,261 (706,996)	56,475,189

（昭和14年12月　大藏省外國貿易月表附属表　12－13頁）

料タル鉄鉱及ビ石炭ニツキ論述セン。

一、銑鉄

銑鉄ノ輸入ハ明治十二年ノ八千七百三十四万円ヨリ年々減少シ、十四年ニハ五千六百四十七万円、数量十一億七千八百三十二万六千斤（七十万七千瓲）ニシテ、此内、対米輸入ハ僅カニ四%ニ過ギズ。而モ本邦ノ対米輸入額ノ〇、二%ニ過ギザル状態ナリ。本邦ニ於テハ銑鉄ノ最大供給先ハ満洲國ニシテ英領印度之ニ次ゲリ。従ツテ銑鉄ニツキテハ日米貿易断交アルモ時ニ大ナル影響ナカルベシ。

次ニ本邦ノ銑鉄國別輸入表ヲ掲グベシ（別表第十）。

國ヨリ銑鉄ノ禁輸ニツキテハ米國ハ勿論、英領印度ヨリノ輸入モ望ミ得ザルガ故ニ、勢ヒ銑鉄ハ國内及朝鮮ノ増産ト満洲國ヨリノ輸入増加ニ俟タザル可カラズ。

満洲國ノ銑鉄生産能力ハ現在百五十万乃至百八十万瓲ナレド、石炭ノ不足ニ

一六三

ヨリ生産数量ハ昭和十五年ニ於テ九十五万瓲ニ過ギズ。此ノ内、自家用四十八万瓲、並ニ國内供給用十八万瓲ヲ差引キ、残ル三十万瓲ガ昨年度ノ対日供給数量ナリ。而シテ昭和十六年度ノ予定計画ハ生産数量百十万瓲ニシテ、自家用五十万瓲、國内供給二十万瓲、差引四十万瓲ガ本年度ノ対日供給予定数量ナリト謂フ。尤モ昭和十六年度以後ニ於テハ銑鉄ノ対日供給量ハ激減シ、其ノ代リ半製鋼材ノ対日供給ヲ増大セシムル計画ナリト謂フ。

本邦ノ銑鉄生産能力ハ現在僅カニ四、五百万瓲ニ過ギザルモ、将来ノ需要量千五百万瓲ヲ目標トシテ昭和十七年ノ春千二百万瓲ニ拡大ノ予定ナリト謂フ。要ハ溶鉱炉ノ拡大、石炭、鉱石ノ供給如何ニアルベシ。然ラバ千五百万瓲ノ銑鉄生産ニハ溶鉱炉幾何ヲ要スベキカ、鉱石及石炭ヲ幾何要スベキカ、更ニ船腹ハ幾何要スベキカ。先ヅ溶鉱炉一基ノ最高生産能力ハ一日千瓲ニシテ、一ケ年三十六万瓲ナルガ故ニ、千五百万瓲ノ銑鉄生産能力ニハ溶鉱炉六十基ヲ要スベシ。

次ニ鉄鉱石ハ約三千万瓲ヲ要シ、石炭ハ銑鉄百万瓲ニ対シ二百万瓲ヲ要スル

一六四

ガ故ニ、千五百万瓩ノ銑鉄ニ対シテハ三千万瓩ノ石炭ヲ要スベシ。而シテカヽル尨大ナル鉱石及石炭ノ輸送ニハ更ニ大ナル船腹ヲ要スベク、此点ハ後ニ触ルヽガ故ニ、此処デハ省略ス。

二、鋼塊、鋼材及特殊鋼

本邦ノ鋼塊、鋼材ノ輸入高ハ昭和十二年ヨリ十四年ニカケテ左記ノ統計ノ示ス如ク、年々減少ヲ辿リ、即チ昭和十二年ニハ輸入額二億二千六百五十三万七千円ヨリ、十三年ノ一億三十八万四千円ニ、更ニ十四年ニハ五千七十二万円ニ激減セリ。之ニ反シ、特殊鋼ノ輸入ハ年々増加シ、昭和十二年千六百二十九万円ヨリ、十三年ノ三千三十九万円、十四年ノ六千百九十二万円ニ膨張セリ。鋼塊及鋼材ノ輸入減少ハ一應、日本、朝鮮及満洲國ニ於ケル増産ノ影響ト推定シ得ベク、特殊鋼輸入ノ膨脹ハ我方ノ需要ノ激増ニ対シ生産ノ追随シ得ザル結果ト推測スルコトヲ得ベシ。

鋼塊、鋼材及特殊鋼ノ輸入状況ノ詳細ハ次ノ如シ。

一六五

一六六

今、此等半成品ノ輸入國別割合ヲ考察スルニ、此ノ場合正確ナル統計資料ナキガ故ニ、鋼塊、鋼材及特殊鋼ノ外ニ屑鉄ヲモ算入セル輸入國別統計表ニヨリテ一應輸入割合ヲ見レバ次ノ如キ計数トナル（別表第十一）。

昭和十二年屑鉄輸入國別表

	英吉利	加奈陀	濠太剌利	北米合衆國	比律賓	佛蘭西	合計
数量(瓩)	一一、一三八	四七、六九九	六七、八六八	一、九〇四、七六八	六、五〇七	九、九八三	二、〇四七、九六三
%	〇、五二	二、三二	三、三一	九三、〇〇	〇、三一	〇、四八	一〇〇・〇〇

之ニヨルト右ノ商品ノ対米依存度ハ約七〇%ニシテ、独逸五、六%、濠太利四・六%、英領印度、瑞典、濠洲、蘭印ノ順位ナルガ、之ニハ屑鉄ノ尨大ナル輸入高ヲ算入セルガ故ニ、今、各年ノ輸入高ヨリ屑鉄ノ輸入高ヲ除キ、昭和十二年ノ屑鉄輸入ノ九三%ヲ米國ヨリノ輸入トシ、十三年ニハ七七%、十四年ニ

（別表第十一）

品名	数量単位	昭和12年 数量	昭和12年 金額	昭和13年 数量	昭和13年 金額	昭和14年 数量	昭和14年 金額
鋼塊及錠	百斤	7,088,790	円 72,383,809	4,981,846	円 57,117,851	3,490,776	34,366,500
	(瓩)	(425,327)		(298,911)		(209,447)	
フエロマンガニース	百斤	—	—	—	—	—	—
其他ノ不可鍛性鉄合金	〃	8,553	4,723,017	13,846	6,308,254	10,995	649,061
シートバー（ティンバーヲ含ム）	〃	3,802,818	33,679,521	2,776,900	28,423,976	1,453,304	12,818,401
インゴット、ブルーム、ビレット及スラッブ	〃	3,268,858	33,784,477	2,189,538	22,343,443	2,026,188	20,890,157
其他ノ塊及錠鉄	〃	8,561	196,794	1,562	42,178	289	8,881
丸角及平形鉄	百斤	1,633,191	21,660,551	350,227	6,922,814	108,442	3,236,315
	(瓩)	(97,991)		(21,014)		(6,507)	
テー形及アングル形等鉄	百斤	1,101,142	12,689,028	88,871	1,046,322	6,713	95,683
	(瓩)	(66,069)		(5,332)		(403)	
レール	百斤	2,711,362	18,127,172	1,320,350	7,275,096	607,775	4,104,357
フィッシュプレート	〃	16,251	251,663	435	7,327	4,204	29,611
ワイヤロッド	〃	1,103,829	12,224,732	311,240	4,459,642	67,448	1,363,578
板	〃	4,095,236	66,494,640	764,393	14,586,834	136,467	1,727,023
	(瓩)	(245,714)		(45,864)		(8,188)	
金属ヲ鍍セザル	百斤	2,818,916	39,518,038	421,362	5,735,275	130,021	1,559,691
厚0.7ミリ以下(硅素鋼板)	〃	98,488	2,984,613	3,294	107,090	1	115
同（其他）	〃	43,317	493,059	5,113	59,352	172	13,112
厚3ミリ以下	〃	142,847	2,609,200	15,646	326,861	3,141	125,036
其他	〃	2,534,264	33,431,166	397,309	5,241,972	126,707	1,421,428
葉鉄及葉鋼	〃	1,243,473	26,464,725	339,961	8,784,008	6,446	167,332
亜鉛鍍鉄板	〃	2,493	41,464	0	5	—	—
其他ノ卑金属ヲ鍍シタル	〃	30,354	470,413	3,070	67,546	—	—
線	〃	42,087	1,932,658	16,429	1,674,046	15,946	1,561,553
	(瓩)	(2,525)		(986)		(957)	
卑金属ヲ鍍シタル	百斤	2,973	75,456	418	11,847	2	226
其ノ他	〃	39,114	1,857,262	16,011	1,662,199	15,944	1,561,327
帯	〃	727,347	10,116,224	133,065	3,134,288	33,277	1,274,571
冷間圧延シタルモノ	〃	55,679	2,925,812	20,308	1,364,228	5,930	775,522
其ノ他	〃	671,668	7,190,412	112,697	1,770,060	27,347	499,049
線索及撚合線	〃	7,412	365,431	1,355	78,499	521	27,344
筒及管	〃	703,142	10,187,192	153,909	4,079,748	76,045	2,934,291
	(瓩)	(42,189)		(9,235)		(4,563)	
鉄エルボー及ジョイント（金属ヲ鍍セザルモノ）	百斤	3,454	281,416	155	22,155	243	57,601
鋳鉄製	〃	422	10,318	2	39	2	45
其他(金属ヲ鍍セザル内径150ミリ以下)	〃	634,000	8,659,084	136,508	3,435,802	65,962	2,505,663
同（〃其他）	〃	58,771	1,086,464	17,226	621,115	9,835	370,566
同（卑金属ヲ鍍シタル）	〃	6,495	149,910	18	637	3	416
其他ノ鉄	〃	2,377	101,439	1	1,710	—	—
合計		19,232,166	226,537,539	8,122,121	100,384,177	4,547,614	50,720,826
特殊鋼	百斤	363,377	16,290,618	411,033	30,391,318	760,684	61,923,291
	(瓩)	(21,802)		(24,662)		(45,641)	
甲	百斤	350,584	15,967,246	407,789	30,257,594	757,788	61,764,063
乙	〃	12,793	323,372	3,244	133,724	2,896	159,228
総計		19,595,543	242,828,157	8,533,154	130,775,495	5,308,298	112,644,117

（昭和14年12月 大蔵省「外國貿易別表」附屬表ニヨル）

（別表第十二）

鐵鋼類國別輸入統計

國名	昭和12年 数量	昭和12年 金額	昭和13年 数量	昭和13年 金額	昭和14年 数量	昭和14年 金額	%
	瓩	円	瓩	円	瓩	円	
英領印度	3,383,378	17,294,317	1,428,745	6,985,823	1,800,098	8,041,185	2.48
蘭領印度	1,635,949	8,523,735	1,111,565	5,294,408	806,536	3,691,888	1.13
英吉利	888,256	15,670,918	215,025	6,460,233	39,599	1,307,752	0.40
佛蘭西	651,819	6,750,487	63,374	1,954,196	113,148	1,391,839	0.42
独逸	2,068,118	26,838,566	282,638	12,439,960	446,671	18,211,900	5.61
白耳義	2,894,233	26,253,680	325,536	2,945,789	631,136	4,126,449	1.27
伊太利	23,194	307,229	54	63,929	118	25,897	
墺地利	222,373	7,224,573	117,027	9,149,178	90,513	15,109,592	4.66
瑞典	299,699	9,430,126	190,646	7,854,723	168,158	7,508,961	2.31
北米合衆國	40,126,981	306,755,032	20,793,545	134,160,862	39,197,985	226,197,178	69.77
加奈陀	406,764	2,250,496	194,918	1,002,587	387,588	1,911,937	0.58
濠太剌利	1,405,028	6,671,028	506,528	2,693,814	1,553,227	6,682,200	2.06
其他	5,920,545	42,488,616	5,934,550	57,978,192	2,660,292	29,977,470	9.24
合計	59,926,337	476,458,803	31,164,151	249,003,694	47,895,069	324,184,248	100.00
屑鉄	40,330,794	233,630,646	22,630,997	118,228,199	42,586,771	211,540,131	
屑鉄ヲ含マザル合計	19,595,543	242,828,157	8,533,154	130,775,495	5,308,298	112,644,117	

（昭和14年12月　大蔵省外國貿易月表附屬表ニヨル）

ハ八〇%ト仮定スレバ鋼塊、鋼材及特殊鋼ノ米國ヨリ輸入割合ハ昭和十二年ニ三六・八%　十三年ニ三三%、十四年ニ五〇%トナル。米國側ノ調査ニヨレバ日満両國ガ米國ヨリ輸入スル此等鋼半成品ノ輸入割合卽チ対米依存度ハ昭和十二年ガ六六、三%、十三年ガ五三%トアレド、此ノ数字ハ何レモ過大評價ナルベシ。尤モ此ノ場合、満洲國ノ輸入ガ加ハリ、而モ「フエロアロイス」ヲ除キタル計算ナリ。何レニシテモ鋼塊、鋼材及特殊鋼ノ対米依存度ハ三〇乃至四〇%ト推定シ得ベク、次イデ独逸ノ一六%、墺太利ノ一三%、印度ノ七・一%、瑞典ノ六・六%、白耳義ノ三・七%ノ順位ト推定スルコトヲ得ベシ。

尤モ普通鋼材ノミニ就キテ見レバ、米國ノ対日輸出ハ同國ノ輸出ニ於テ占ムル割合ハ極メテ低率ナルコトヲ知ル。

卽チ次ノ統計ノ示ス如ク昭和十四年ニ於テ鋼材ノ対日輸出ハ五%、十五年ニ於テハ二、五%ニ過ギザルナリ。

一六七

一六八

米國鋼材輸出國別表（單位　屯）

國別	昭和十五年（一月—八月）数量	昭和十五年（一月—八月）%	昭和十四年（一月—八月）数量	昭和十四年（一月—八月）%
英國	一、六五五、〇四二	二一・八七	五二、七五〇	二・九三
加奈陀	五〇一、六七四	六・六二	一六六、二四一	九・二四
日本	一九二、五三七	二・五四	八九、九四一	五・〇〇
アルゼンチン	三〇〇、七六六	三・九七	一三、八三四	〇・七六
南阿聯邦	一〇七、〇八三	一・四一	三〇、一三六	一・六七
ブラジル	一九二、六〇一	二・五四	九〇、八三七	五・〇五
比律賓	九六、五八二	一・二七	八二、六六八	四・五九
其他	四、五二四、五〇七	五九・七六	一、二七二、〇五四	七〇・七三
合計	七、五七〇、七九二	一〇〇・〇〇	一、七九八、四六一	一〇〇・〇〇

（日本製鉄参考資料　第七巻第六号　五二一頁）

米国ノ鋼塊、鋼材及特殊鋼ノ対日禁輸ニ対シ本邦ノトルベキ対策ハ結局国内朝鮮、満洲国、更ニ北支ニ於ケル鋼ノ増産ニ俟ツ以外ニ方法ナクルベシ。

翻ツテ本邦ノ製鋼高ヲ見ルニ、普通鋼材ハ昭和十五年度ニ於テ約五百万屯ナリシガ、本年ノ物動ニ於テハ約四百十万噸ニ低下セリ、尤モ十七年度ハ四百六十万噸、十八年度ハ五百十万噸ノ生産計画ナリトイフ。製鋼能力ガ斯ク低下セル原因ハ一方ニ於テ圧延設備能力ノ拡大ガ鋼塊ニ比シ甚シク劣レルコト、他方原料関係ニ於テハ（一）銑鉄製造能力ノ小ナルコト、（二）石炭及ビ鉄鋼石ノ不足、（三）屑鉄ノ不足ニ帰スベシ。就中、米国ノ屑鉄禁輸ハ恐ラク最大ノ打撃タルベシ。蓋シ本邦ニ於テ製鋼高ニ対スル屑鉄消費高ハ約六五％ト推測スレバナリ。故ニ対策ハ（一）銑鉄ノ生産能力ヲ鋼鉄ノ生産能力ニ追着カシムルコト．（二）銑鋼一貫作業ノ拡大（三）廻転炉（例ヘバローターリーキルン）ニヨルコト（四）鉄鋼石及ビ石炭ノ供給ノ拡大、ニアリト云フベシ。固ヨリ

一六九

製鋼業ノ斯ノ如キ技術的組織的改編ハ製鋼対策ノ固有ノ問題ナル故ニ、茲デハ特ニ立入ラズ。但シ之ニハ、数年ノ期間ヲ要シ、應急ノ対策トナラザルモ、可及的速カニ其ノ実現ヲ期スベキモノナリ。

一七〇

次ニ満洲国ノ鋼塊及鋼材ノ対日供給ノ問題ヲ考察スルニ、満洲国ノ対日供給ノ増大ハ固ヨリ望マシキモ、昭和製鋼所ノ実情ニ照シ、多クヲ期待スルコトヲ得ズ。今康徳七年度（昭和十五年）ニ於ケル鋼鉄ノ生産及ビ対日供給ノ実績並ニ康徳八年（昭和十六年）ノ予定計画ヲ示セバ次ノ如シ。

康徳七年（昭和十五年）度実績　（単位　瓲）

	生産量	自家用	国内供給	対日供給
銑鉄	九五〇、〇〇〇	四八〇、〇〇〇	一八〇、〇〇〇	三〇〇、〇〇〇
鋼鉄	五六〇、〇〇〇	五三〇、〇〇〇	三〇、〇〇〇	―
鋼材	四五〇、〇〇〇	―	四〇〇、〇〇〇	〇〇〇（主トシテ Sheet Bar）

康徳八年度（昭和十六年度）豫定計画　（単位　瓲）

	生産量	自家用	国内供給	対日供給
銑鉄	一、一〇〇、〇〇〇	五〇〇、〇〇〇	二〇〇、〇〇〇	四〇〇、〇〇〇
鋼鉄	六〇〇、〇〇〇	五一〇、〇〇〇	三〇、〇〇〇	―
鋼材	四八〇、〇〇〇	―	四二〇、〇〇〇	六〇、〇〇〇
粒銑	三〇、〇〇〇	―	―	三〇、〇〇〇

現在製鋼能力ハ約六十万瓲ニシテ、昭和十六年度以後ハ第四期計画ニヨル増産設備完成シ、製鋼能力ハ約二倍ニ拡大スル予定ナリ，尤モ現在第四期計画ニ依ル粒銑生産設備、即チ廻転炉ニヨル特殊鋼原料粒塊製造設備ニシテ十八年ニ完成スル時ハ粒銑ノ輸出能力ハ約五万乃至七万瓲ニ達シ、本邦特殊鋼原料問題解決ヲ促進スベシ。

一七一

固ヨリ本年度ニ於テ右ノ如キ予定計画ガ計画通リ実行サルベキヤガ問題ニシテ、之ニハ（一）北支炭ノ対満割当、（二）国内ニ於ケル労力ノ不足、（三）電力不足、（四）補助原料タル満俺合金鉄等ノ供給不安アリト前途必シモ楽観ヲ許サザルナリ。

一七二

三、屑　鉄

本邦製鋼業ハ従来平炉ガ甚シク普及シ、且製銑能力ガ製鋼能力ニ対シ著シク劣レル結果、原料トシテ屑鉄ノ輸入ガ根本問題トナレリ。本邦ノ屑鉄輸入高ハ昭和十四年ニ於テ二百五十五万五千瓲、即チ四十二億五千八百六十七万斤ニシテ、其ノ金額ニ億一千百五十四万円ニ達セリ。之ハ同年ノ鉄類総輸入額三億八千六十六万円ニ対シ五五％ニ当ル。而シテ屑鉄ノ輸入先ハ主トシテ米国ナリキ。

今、我国屑鉄需要高ヲ見ルニ、昭和十三年ニハ三百四十三万二千瓲ニシテ、其ノ供給ハ自家用屑七十九万屯（二三％）、国内屑八十四万二千屯、輸入屑百八十万屯（五二％）ニテ充足セリ。而シテ輸入屑鉄ノ内、米国ヨリノ輸入ハ八百

三十八万二千屯ニシテ輸入数量ノ七七%ヲ占メ、屑鉄全需要ノ四〇%ニ当ル。

今、本邦ノ屑鉄需給関係ヲ示セバ次ノ如シ。

本邦屑鉄需給高　（単位 千屯）

	全需要	自家用 数量	自家用 %	国内屑 数量	国内屑 %	輸入屑 数量	輸入屑 %	製鋼額	製鋼額ニ対スル屑鉄需要割合%
昭和元年	六五九	二二〇	三三	三五九	五五	八〇	一二	一五〇六	四四
〃二年	八五九	二四〇	二八	三九五	四六	二二四	二六	一六三五	五三
〃三年	一〇六九	二八〇	二六	四二五	四〇	三六四	三四	一九〇六	三六
〃四年	一一三三	三四〇	三〇	三〇四	二七	四八八	四三	二二九四	四九
〃五年	一二三八	三三〇	二七	四一九	三四	四八九	三九	二二八九	五四
〃六年	一一〇六	二八〇	二五	五三〇	四八	二九六	二七	一八八三	五九
〃七年	一三〇二	三五〇	二七	三九三	三〇	五五九	四三	二二九八	五四
〃八年	一九六六	四八〇	二五	四一三	二二	一〇七二	五三	三二〇三	五九
昭和九年	二五三八	五八〇	二三	五四五	二一	一四一三	五六	三九〇四	六五
〃一〇年	三一二二	七二〇	二三	七一〇	二三	一六九二	五四	四八〇〇	六五
〃一一年	三三三六	七九〇	二四	一〇四九	三一	一四九七	四五	五三一〇	六三
〃一二年	三七〇五	八五〇	二三	一一五五	三一	二四〇〇	四六	五七〇〇	六五
〃一三年	三四三二	七九〇	二三	八四二	二五	一八〇〇	五二	五二八〇	六五

一七三

一七四

昭和十四年度ノ需要ハ更ニ増大セルガ故ニ、屑鉄ノ輸入モ二百五十五万屯ニ増大シ、対米輸入数量ハ二百万屯余ニ増大セリ。何レニシテモ本邦製鋼業ノ如ク平炉法ノ普及セル国ニ於テハ鋼材ノ製造ニ平均、屑鉄三分ノ二、銑鉄三分ノ一ヲ使用セルガ故ニ、鋼材生産ノ増加ハソレダケ屑鉄ノ需要ヲ増大セシムルコトトナル。本邦ハ世界第一ノ屑鉄輸入国ト称セラレタルハ右ノ事情ニ依ルモノナリ、次ニ世界屑鉄輸入ノ趨勢ヲ示セバ左ノ如シ。

世界屑鉄輸入国別表　（単位 千キロ屯）

	昭和十年	昭和十一年	昭和十二年	昭和十三年
独逸	二七六、九	三三一、九	五五七、六	一、一四六、〇
墺太利	三三、五	二二、一	六七、五	四五、〇
白耳義・ルクセンブルグ	六五、一	一〇六、六	一二三、八	七五、〇
佛国	九四、六	五二、三	三〇、七	一六、五
英吉利	四四三、四	一、一〇二、六	九六六、一	六四〇、七
チエッコスロバキヤ	五九、七	八四、五	二五六、一	一七〇、〇
芬蘭	一九、〇	三、〇	一一、四	一五、〇
伊太利	九九〇、〇	四〇〇、四	五四五、一	六〇〇、〇
ユーゴースラビヤ	三二、五	四三、〇	二六、三	三〇、〇
和蘭	二三、五	一六、九	二八、三	三二、〇
瑞典	七〇、三	一〇六、二	九六、九	一一、〇
波蘭	三六〇、三	四五一、四	六四一、四	四一五、〇
羅馬尼	二七、一	三六、八	二四、一	五二、五
西班牙	一〇〇、〇	一〇〇、〇	一〇〇、〇	一〇〇、〇
洪牙利	五二、七	四八、九	五六、九	五八、〇
欧洲計	二、六四四、八	二、九〇六、六	三、五三二、二	三、四〇六、七
北米合衆国	六五、八	一四五、五	八二、九	二四、〇
加奈陀	九六、四	六七、三	一七七、九	一五〇、〇
墨西哥	四二、一	三二、五	五七、九	六〇、〇
アメリカ計	二〇四、三	二四五、三	三一八、八	二二〇、〇
英領印度	一、六	一、二	一、六	三、五
日本及満洲	一、六九二、八	一、五一一、八	—	—

一七五

一七六

豪洲	○、三	○、二	○、六	○、六
総計	四、七四八、一	四、九一〇、四	六、九一二、八	六、四五一、八

（三宅運秀著「世界の屑鉄」四二―四四頁）

世界ノ屑鉄輸出國ハ近年米國ガ第一位ニシテ世界屑鉄輸出高ノ大部分ヲ独占セリ。米國ニ次グ屑鉄輸出國ハ佛國、白耳義、ルクセンブルグ、和蘭ニシテ、此等三國ノ輸出ハ一ヶ年百万瓲トナレリ。今、其ノ詳細ヲ示セバ次ノ如シ。

世界屑鉄輸出國別表　（單位　千キロ屯）

	昭和十年	昭和十一年	昭和十二年	昭和十三年
独逸	七四、四	五七、八	二、七	一七、九
墺太利	六、三	一八、九	一二、〇	五、〇
白耳義・ルクセンブルグ	四二四、三	五四五、六	三四二、九	四四〇、〇
佛蘭西	七四四、一	六八八、九	二一三、九	四〇〇、〇
英吉利	一七〇、九	一四一、四	二三三、八	一七六、〇
丁抹	八五、三	八八、〇	一二二、五	八八、五
和蘭	二三三、二	三一八、二	五〇九、七	二四五、〇
諾威	四〇、〇	四〇、〇	四〇、〇	四〇、〇
瑞典	七、一	一四、五	一〇、六	一八、〇
瑞西	六七、一	五二、一	九七、六	七五、〇
欧洲計	一、八五七、二	一、九七八、八	一、五八九、五	一、五〇八、一
北米合家國	二、一三七、六	二、〇〇三、九	四、一六一、四	三、〇四七、〇
加奈陀	一一六、九	二二七、七	一四六、三	一二〇、〇
英領印度	五七、八	一〇〇、八	八〇、四	四四、〇
日本	一五、八	一二、一	—	—
満洲國	—	三五、一	七六、四	六〇、〇

一七七

一七八

豪洲	五〇、〇	五〇、〇	六八、一	七〇、〇
総計	四、二三五、四	四、四〇八、五	六、一三〇、一	四、八四九、二

（三宅運秀著「世界の屑鉄」四四―四五頁）

固ヨリ現在屑鉄ハ多クノ國ニ於テ輸出ヲ制限シ、米國モ終ニ一切ノ種類ノ屑鉄ノ輸出ヲ許可制トナセルガ故ニ、世界ノ屑鉄輸入國ハ何レモ打撃ヲ蒙ルコトトナリシモ、別シテ我國ノ打撃ハ最モ深刻ナリト云ハザルベカラズ。

米國ニ於ケル屑鉄ノ需要数量ト輸出数量トノ関係ヲ考察スルニ、次ニ掲グル計数ニヨリテ明ラカナル如ク、昭和十二年以来米國ハ國内需要ノ約一割ヲ輸出シ、昭和十四年ニ於テハ屑鉄需要高ハ三千四百八十万屯ニシテ、其ノ一〇、一%ニ当ル三百五十万屯ヲ輸出セル状態ナリ。

米國ノ屑鉄需要ト輸出トノ関係（單位　千屯）

一七九

	國内需要量	輸出総額	合計	需要ニ対スル輸出ノ割合
昭和二年	二二、六〇〇	二三九	二二、八三九	一、〇
〃　三年	二五、一〇〇	五一〇	二五、六一六	二、〇
〃　四年	二九、三〇〇	五五五	二九、八五五	一、八
〃　五年	二八、一五〇	三五〇	二八、五〇〇	一、二
〃　六年	一九、一五〇	一三六	一九、二八六	一、〇
〃　七年	九、八〇〇	二二七	一〇、〇二七	二、二
〃　八年	一六、一〇〇	七七六	一六、八七六	四、八
〃　九年	一八、〇〇〇	一、八三六	一九、八六三	一〇、〇
〃　十年	二六、五〇〇	二、一〇四	二八、六〇四	七、七
〃　十一年	二六、五〇〇	一、九三七	二八、四三七	五、〇
〃　十二年	三八、〇〇六	四、一〇二	四二、一〇八	一〇、六
〃　十三年	二一、三四五	二、九九九	二四、三四四	一四、〇

一八〇

〃　十四年	二四、八〇〇	三、五〇〇	三八、三〇〇	一〇、一

米国ノ屑鉄輸出先ハ次ノ統計ノ示ス如ク、昭和十三年迄ハ本邦ガ第一位ニシテ総輸出ノ約半ヲ占メ、就中、自動車ノ解体ヨリノ屑鉄ガ此ノ約七〇%ヲ占メタリ。本邦ニ次グ輸出先ハ英国及ビ伊太利ニシテ両者ヲ合シテモ対日輸出高ニ及バザル状態ナリキ。

今、米国屑鉄国別輸出割合ヲ示セバ次ノ如シ。

米国屑鉄輸出国別表　（単位、千グロス屯）

	輸出市場 日本		英国		伊太利		其他		輸出合計		米国全出廻量
	数量	%	数量	%	数量	%	数量	%	数量	%	
昭和三年	一六一	三〇	一一	二	七〇	一四	二七四	五三	五一六	二	二五、六一六
〃　四年	二〇八	三八	一	〇	一〇二	一八	二四五	四四	五五五	二	二九、八五五
〃　五年	一六八	四八	—	—	三三	九	一四九	四三	三五〇	一	二八、五〇〇

一八一

	日本 数量	%	英国 数量	%	伊太利 数量	%	其他 数量	%	輸出合計 数量	%	米国全出廻量
昭和六年	四八	三五	—	—	四	三	八四	六二	一三六	一	一九、二八六
〃　七年	一六四	七二	—	—	—	—	六三	二八	二二七	二	一〇、〇二七
〃　八年	五四八	七〇	六	一	一二一	一六	一〇七	一三	七七六	五	一六、八七六
〃　九年	一、一六九	六四	一三四	六	二二六	一三	三〇七	一七	一、八三六	九	一九、八三六
〃　十年	一、〇六五	五三	二七七	一三	三八三	一八	三二六	一六	二、一〇四	八	二八、六〇四
〃　十一年	一、〇一〇	五五	三六五	二〇	二八三	一四	二二九	一一	一、九三七	七	二八、四三七
〃　十二年	一、八七三	四七	八四七	二一	二八一	九	九六二	二三	四、〇九二	一〇	四二、一〇八
〃　十三年	一、三六六	四六	三八七	一二	四三五	一五	七九五	二七	二、九九九	一二	二四、三四四
〃　十四年	二、〇一六	五六							二、〇一六		

米国対日屑鉄輸出月別表　（単位　グロス屯）

年	一月	二月	三月	四月	五月	六月	七月	八月	九月	十月	十一月	十二月	計
昭和十五年	一五三、三三一	一六九、七二九	二〇〇、四七〇	一三四、八八四	一九七、九四四	一七八、一六六	一二一、〇一二	一三〇、四九五	一七七、一〇四	二四八、一七六	一八〇、五三八	一二四、二一六	二、〇一六、〇六五
昭和十三年	三一、二八一	八八、一〇三	一四一、四三二	二〇〇、八三七	二二〇、二四〇	八五、〇五六	六〇、四五二	四三、三七六	五八、九七九	一一四、七八九	一四三、七九五	一七七、三八一	一、三六五、七二一
昭和十二年	三三、二四六	六六、〇五一	二二〇、四五二	二七八、五八〇	四三七、六三四	二五二、九六〇	二〇七、三二三	二〇四、五八四	六八、八七二	六一、三二七	二二、二四五	九、三三六	一、八七二、六四六

一八二

（日本製鉄参考資料第七巻第二号一三一—二頁）

一八三

尤モ昭和十五年ヨリハ米国ノ屑鉄輸出相手国ノ順位ハ変更シ、飾チ交戦国タル英国、伊太利、加奈陀向輸出数量急増シ、第一位ノ米国屑鉄輸入国タリシ日本ハ終ニ第二位ニ落チ、更ニ屑鉄ノ対日禁輸以来皆無トナリシコト勿論ナリ。

今、昭和十五年上半期ニ於ケル米国ノ輸出国別高並ニ同年六月乃至八月ニ於ケル国別割合ヲ示セバ左ノ如シ。

米国屑鉄輸出国別表　（単位、グロス屯）

	昭和十五年上半期	%	昭和十四年上半期	%
英吉利	四五九、四四九	三〇、九二	一五四、四〇一	八、五一
日本	四一五、〇一六	二八、二四	一、〇三九、二五七	五七、二八
伊太利	三二〇、九二三	二一、八三	二七四、八四三	一五、一四
加奈陀	一五六、三七〇	一〇、六四	六九、七〇九	三、八四
合計	一、四六九、五四三	一〇〇、〇〇	一、八一四、二五〇	一〇〇、〇〇

一八四

昭和十五年六月乃至八月ニ於ケル米國屑鉄輸出國列表（％）

	六月	七月	八月	昭和十四年間ノ平均
英吉利	四九％	四三％	三九％	一四％
日本	一八	三五	四〇	五七
加奈陀	一七	一七	一六	五
伊太利	六	—	—	一二
其他	一〇	五	五	一二

（三宅運秀著「世界の屑鉄」一〇九頁）

斯ノ如ク世界最大ノ屑鉄供給國ガ突如屑鉄ノ輸出禁止ヲ本邦ニ対シ全面的ニ断行セルコトハ、本邦ノ製鋼業ニ甚大ナル打撃ヲ與ヘシコト明白ナリ。既ニ述ベタル如ク、本邦ハ米國ノ輸出屑鉄ノ約半ヲ輸入シ、之ニヨリテ鋼ノ生産ヲ増

大スルコトヲ得タリ。故ニ屑鉄ノ禁輸ハ忽チ本邦ノ鋼材生産高ヲ二分ノ一乃至三分ノ一程度ニ減殺セシムル結果トナル。

由来世界ニ於ケル製鋼方法ヲ概観スルニ、生産ノ七五％ガ平炉方法ニシテ、二二％ガ廻転炉方法ヲトリ、電気炉ニヨル生産ハ僅カニ三％ニ過ギズ。平炉製鋼法ノ著シク普及セルハ米國ヲ始メ英國、日本ニシテ、米國ハ鋼ノ九〇％カ平炉デ造ラレ、其ノ原料ノ平均五〇％ガ屑鉄ナリ。而シテ本邦ハ大体原料ノ三分ノ二ガ屑鉄ナルコト既ニ述ベタル通リナリ。何レニシテモ製鋼ガ平炉ニヨル時ハ屑鉄ノ消費ハ夥シク大ニシテ、廻転炉、電気炉、高周波ノ場合ニハ殆ンド之ヲ使用スルヲ要セズ。現ニ廻転炉ニ於テハ消費割合ハ僅カニ一％ニシテ、而モ其ノ使用目的ハ温度ノ調節ヲ助クルニアリ。又電気炉ノ屑鉄消費割合ハ四％（米國）ニ過ギザル状態ナリ。

屑鉄禁輸対策

然ラバ我國ハ屑鉄禁輸ニ対シ如何ナル対策ヲトルベキカ。之ニハ次ノ方策ガ

問題トナル。

(1) 屑鉄輸入先ヲ他ニ求ムルコト。
(2) 國内ノ屑鉄回收。
(3) 銑鉄ノ増産。
(4) 鋼鉄製造ニ銑鉄及屑鉄混合割合ノ変更。
(5) 満洲國ノ銑鉄、ルツペ等ノ対日供給ノ増加。
(6) 鉄鉱石ノ輸入増進。

先ヅ第一ニ屑鉄輸入先ヲ他ニ求ムルコトハ世界ノ屑鉄輸出ガ米國ニ偏在スル以上、決シテ容易ニ非ザルハ明ラカナリ。而シテ其ノ補給先トシテハ支那、南洋及ビ英領印度、ブラジル等ガ問題トナルモ、数量ニ於テ何レモ多クヲ期待スルコトヲ得ザルベシ。支那ニ於ケル屑鉄回收限度ハ三千五、六百万瓲ト称スルモ輸送問題アリテ一時ニ多量ヲ回收スルコトヲ得ザルハ明ラカニシテ、且其ノ将来性ハ疑問ナリ。固ヨリ支那ニテモ南洋ニテモ出来ル限リ補給ヲ求ムベキハ当然ナリ。

第二ニ國内屑鉄ノ回收問題ヲ考フルニ、我國ハ過去五十ヶ年間ニ鋼材約六千万瓲ヲ消費シ、其内三割ハ回收絶対不能トスルモ、約四千万瓲ハ本邦ノ何処カニ散在セル道理ナリ。故ニ其ノ百分ノ一ヲ急速ニ回收スレバ約四十万瓲ノ屑鉄ヲ得ベキナリ。之ニ支那ノ屑鉄ノ百分ノ一ヲ合スレバ合計七十万乃至七十五万瓲ヲ得ベク、之ニテ対米輸入屑鉄ノ約三分ノ一ヲ補給シ得ル計算ナリ。

更ニ本邦ノ大中小平和産業ノ遊休設備ヲ此際断乎トシテ整理スルトキハ屑鉄ノ増産ト脆弱ナル工業ノ整理トヲ同時ニ遂行シテ一石二鳥ヲ收ムルニ至ルベシ。

第三ニ銑鉄ノ増産ノ必要ハ勿論ノ事ナリ。本邦ハ既ニ述ベタル如ク、製銑能カト製鋼能カトノ割合ガ著シク相違シ、一対二ノ割合ナリ。之ヲ英米ト比較スレバ五対一、佛蘭西ハ一対一、独逸ハ二対一ノ割合ニシテ、之ヲ矯正スルニハ熔鉱炉ノ増設ヲ急ガザルベカラズ。此点ハ既述ノ通リナリ。

第四ニ銑鉄ト屑鉄トノ調合割合ノ変更ニヨリテ屑鉄ノ消費ヲ制限スルコトヲ得ベシ。日鉄ノ如キハ銑鉄六五％、屑鉄三五％ニテ操業セルモ、其他ノ各社ハ概ネ屑鉄七〇ニ対シ銑鉄三〇ガ多ク、従ツテ一時ハ全國平均ニテ銑鉄五八％、

屑鉄四二%ニ決定サレタリ。而シテ実験ノ結果、銑鉄ニ対スル屑鉄ノ割合ハ四〇%ヨリ漸次引上ゲテ九〇%マデ拡大スルコト可能ニシテ、商工省ハ最近屑鉄禁輸対策トシテ屑鉄三〇%ニ限定スルニ至レリ。

最後ニ満洲國ノ「ルッペ」、其他銑鉄、鋼塊ノ対日供給ノ増加ニヨリテ多少ノ補給ヲ見ルコトヲ得ベキモ、其ノ急増ヲ期待スルコト困難ナルベシ。

以上要スルニ屑鉄禁輸対策ハ結局ニ於テ銑鉄ノ問題トナルベク、銑鉄ノ原料ハ鉄鉱石ト石炭トノ問題ニ帰スベシ。蓋シ鉄鉱石ト石炭ハ製鉄業ノ根本問題ナリト謂フベシ。

四、鉄鉱石

本邦ハ過去十ケ年間ニ於テ所要原鉱ノ約三〇%ヲ國内ニテ自給シ、残リハ支那ヨリ三〇%、馬来半島及ビ比律賓ヨリ三六%、濠洲、印度及ニューカレドニヤヨリ六%ヲ輸入シタリ。故ニ鉄鉱石ハ日支ニテ六〇%ヲ自給シ、四〇%ガ第三國依存ナリキ。今後ハ此ノ割合ヲ修正シ、前者ヲ六六%ニ拡大シ、後者ヲ三

一八九

三%ニ縮小セントスル鉄鉱石取得計画アリテ之ヲ実施セントス。即チ其ノ内訳次ノ如シ。

一九〇

昭和十五年度鉄鉱石供給割合

國内	三八・一%
円ブロック	二八・〇
計	六六・一
馬来	一八・一
比島	一二・六
其他	三・二
計	三三・九
総計	一〇〇・〇

（日本製鉄参考資料第八巻第一号　八、九頁）

右ハ鉄鉱石ノ単ナル自給率乃至輸入率ノ計画ニシテ、之ニハ鉱石需要量ノ増大ヲ幾何考慮ニ入レタルヤ甚シキ疑問ト云ハザルベカラズ。

蓋シ昭和十二年ニ於テ鉄鉱石ノ需要ハ約四百二十万瓲、内、六十万瓲ヲ内地ニテ自給シ、残ル三百万瓲ヲ輸入セリ。即チ馬来半島ヨリ百六十万瓲、支那ヨリ百二十万瓲、残リハ印度、濠洲等ヨリ輸入セリ。此ノ場合、鉱石ノ自給率ハ（内地）約一四%ナリキ。而シテ当時ノ銑鉄ノ需要量ハ僅カニ三百五十三万瓲ニシテ、内、二百五十三万瓲ヲ内地ニテ自給シ、百万瓲ヲ輸入シ、又鋼材ノ需給ハ五百八十七万瓲ニシテ、内、五百十四万瓲ヲ自給シ、七十三万瓲ヲ輸入シタリ。而シテ鉄鉱石ノ自給率ガ既述ノ如ク三〇%ト称セルハ鉱石需要僅カニ二百万瓲内外ノ時代ノコトニ属ス。

然ルニ銑鉄ノ需要三百五十万瓲乃至鋼材ノ需要五百八十万瓲ノ如キハ今ヤ高度國防國家建設ノ立場ヨリ見レバ、殆ンド問題トナラザル実数ニシテ、現在乃至近キ将来ニ於テハ銑鉄千二百万瓲ヲ要シ、少クトモ千五百万瓲ヲ目標トス。従ツテ鉱石ノ需要ハ約二千四百万瓲乃至三千万瓲ニ達スベシ。現在内地及朝鮮ニ於ケル鉄鉱石ノ生産高ハ不明ナルモ、仮ニ昭和十二年度ノ産額ノ二倍ニナリ

一九一

テモ（百二十万瓲）需要鉱石ノ五%ニ過ギズ。従ツテ残ル九五%ハ支那及南洋ヨリ輸入セザルヲ得ズ。尤モ屑鉄ノ輸入ガ自由ニシテ、仮ニ二百五十万瓲ノ輸入可能トセバ鉱石ノ輸入ハ約五百万瓲減少シ得ベク、即チ所要鉱石二千四百万瓲ノ約二〇%ハ不必要トナルガ故ニ、鉱石ノ輸入率ハ七五%ニ低下セシムルコトヲ得ベシ。サレド屑鉄禁輸ノ現在ニ於テハ斯ノ如キ輸入率ノ低下ハ望ムコトヲ得ザルベク、主トシテ原料ヲ鉱石ニ求メザルヲ得ザル状態ニ至レリ。故ニ鉱石ノ輸入率ハ鉄鉱石取得計画ニ予定セルモノト全然逆ノ結果ヲ招来スルコトトナルベシ。

然ラバ所要鉱石二千四百万瓲乃至三千万瓲ニ対シ、支那ヨリ幾何調達シ得ベキカ。又南洋ヨリ幾何調達ノ可能アリヤ。

一九二

（一）　支那ノ鉄鉱石

先ヅ支那ノ鉄鉱資源ノ分布ヲ考察スルニ北ハ家猛ノ竜烟鉄鉱アリ北支ノ金嶺鎮及ビ利國ノ鉄山、中支即チ揚子江流域ノ当塗鉄山、大冶、桃冲等ノ諸鉄山、

南ハ海南島ニ亘ル状態ニシテ、今其ノ概略ヲ述ブベシ。

(イ)　龍　烟

鉱床ハ(1)宣化ノ北方、烟筒山地区、(2)宣化ノ東方、龐家堡地区、(3)竜関ノ東方、辛窰地区、(4)三叉口地区、(5)竜関ノ南方、麻裕口地区、(6)宣化ノ南方、涿鹿地区ナリ。鉄鉱ハ赤鉄鉱ニシテ魚卵状ノ鉱石ガ特色ナリ。品位ハ五〇乃至六〇％ノ富鉱ニシテ、残リハ硅酸多ク、燐、硫黄ノ含有ハ少量ナリ。故ニ鉱石ノ技術的処理ハ簡単ナリ。

此等ノ鉱床ノ地質調査ハ烟筒山ト龐家堡ヲ除キテハ殆ンド未了ナルモ、或書物ニハ五億ト推定サレ居レリ。併シ龐家堡ノ埋蔵量ノミニテモ一億五千万頓、品質五八％、八粁ニ亘ル厚イ鉱床ニシテ、近キ将来採掘ニ着手サル、計画ナリ。現在ハ昭和十二年暮ヨリ着手サレタル烟筒山ノミ採掘サレ、埋蔵量ハ千四百万屯ニ過ギザルモ、品位五〇乃至五二％、硅酸一〇乃至一五％ナリ。現在ノ採掘設備ハ極メテ簡単ニシテ、鉱区内ノ輸送機関ガ主ナル設備ナルガ故ニ、産出量

モ昨年ハ四十乃至五十万屯ニ過ギズ。現状ニテハ七十万屯迄採掘可能ナリト謂フ。将来、機械化設備ガ加重サレ、龐家堡ノ鉱床ガ新式ノ設備ニテ開発サル、時ハ、鉄鉱ノ採掘高ハ著シク増大スルコト勿論ナリ。近キ将来ノ増産計画ハ烟筒山七十万屯、龐家堡百三十万屯ヲ目標トス。従ツテ二百万屯ヲ最高限度トス。要ハ開発資材ノ供給ト輸送能力如何ニシテ労働者募集難ハ此処デハ炭坑ノ場合ノ如ク甚シカラズ。現在鉱石ハ京包線ニヨリテ搬出セラレ、北京郊外ノ石景山ノ製鉄所並ニ日鉄製鉄所デ使用サレ、特ニ本邦向積出ニハ、昨年ハ壷蘆島ノ利用ニヨリテ実績改良サレタリト謂フ。

北支ノ鉄鉱輸出高

（単位　千屯、千元）

	輸出合計		日本		関東州	
	数量	金額	数量	金額	数量	金額
昭和十三年	七八、六	二八〇	七八・五	二七九	〇・一	二
〃十四年	一〇一・七	四一三	一〇一・七	四一二	—	—
〃十五年（十一月末迄）	二〇八、一	二、二五六	一二三・九	八三二	八四・二	一、四二四

（北支海関統計ニヨル、但、昭和十五年ハ十一月迄トス）

右ニ依ルト北支ヨリ鉱石ノ対日輸出高ハ年々増加ヲ示セルモ、昭和十五年度ハ仮令十一月末迄ニシテモ対日供給高僅カニ十二万瓲ニシテ、之ニ十二月分ノ輸出ト満洲国壷蘆島ヨリノ輸出ヲ加フルモ全部ニテ約二十万瓲ニ達セシヤ疑問ナリ。

(ロ)　金嶺鎮及利国

金嶺鎮鉱山ハ山東省臨淄県ニアリ。其ノ開発ノ現状不明ナリ。利国鉱山ハ江蘇省利国駅ニ在リ、昭和十四年六月十日、日本鋼管ニ対シ鉱山ノ開発権ヲ認可セラレタリ。現在、鉱夫百人ヲ使役シ、一日百瓲（品位四五％）程度ヲ採鉱中ナリ。将来機械採鉱ヲ行ヒ、年産十万瓲程度ニ拡充セントスル計画ナリ。

次ニ金嶺鎮及ビ利国両鉱山ノ五ケ年間ノ生産目標ヲ掲グベシ。

金嶺鎮、利国両鉱山生産目標

（単位　千瓲）

	昭和十六年	昭和十七年	昭和十八年	昭和十九年	昭和二十年
利国	四〇	八〇	一〇〇	一〇〇	一〇〇
金嶺鎮	三〇	一〇〇	二〇〇	三〇〇	三五〇
合計	七〇	一八〇	三〇〇	四〇〇	四五〇

尤モ北支製鉄五ケ年計画ニ基キ、出来得レバ両鉱山ノ現地利用ヲ目標トシテ、適地（例ヘバ青島）ニ製鉄所ヲ建設セントスル案モアリ。

(ハ)　中　支

安徽省ニ於テハ華中鉱業ノ開発ニ属スル当塗県下ノ南山、大凹山、黄梅山ニ

テ採掘セラレ、現在生産量ハ一ケ月約五万二千屯（南山、二万九千屯、大凹山二万屯、黄梅山三千屯）ニ達セリ。昭和十五年度ニ於テハ六十万噸ノ計画ナリシト謂フ。

南京附近ノ鐘山、鳳凰山モ開発ニ着手シ、鐘山ハ先ヅ山元貯鉱ノ選別ヲ実施シ、既ニ其ノ貯鉱三万噸ニ及ビ、鳳凰山ハ在来旧鉱ヲ清掃シ、更ニ延長試掘ヲ実施シツツアリ。

繁昌縣（安徽省）桃冲鉄山ハ既ニ調査ヲ終リ、荻港江岸事務所、桟橋、倉庫、鉱山機械及ビ鉄路ノ修復等略々完成シ、昭和十四年十一月ヨリ採業ヲ開始シ、月産一万噸ニテ、昭和十五年度ニ於ケル出鉱五万噸ヲ予定セラレタリ。

大冶鉄山ハ今尚復旧続行中ニシテ未ダ採掘ニ至ラズ・其ノ江岸貯鉱ハ二十九万五千噸（石灰窰碼頭十四万五千噸、新廠工場敷地四万五千噸、象鼻山碼頭十万五千噸）、山元貯鉱約四十万噸ニシテ、其内ヨリ本邦ニ対シ、昭和十三年ニ一万五千五百噸、十四年（八月迄）ニ十万九千噸、合計十二万四千五百噸ヲ輸出セリ。其ノ本格的採鉱開始ハ昭和十五年秋ヨリ行ハレ、同年度内ニ約八十万

一九七

噸ノ出鉱ヲ予定セラレタリ。尚、山元（新廠）、石灰窰間ノ鉄道ハ十四年九月全通セリ。

次ニ右ノ鉄鉱ノ本邦ニ対スル推定供給量ヲ掲グベシ。（単位、噸）

	昭和十四年		昭和十五年	
	月産	年産	月産	年産
當塗鉄山				
南山	二九、〇〇〇	（四月ヨリ）三四八、〇〇〇	三〇、〇〇〇	三六〇、〇〇〇
大凹山	二〇、〇〇〇	（四月ヨリ）二四〇、〇〇〇	一五、〇〇〇	一八〇、〇〇〇
黄梅山	三、〇〇〇	（四月ヨリ）〇	四〇〇〇	五〇、〇〇〇
鐘山、小姑山	（十月ヨリ）一、〇〇〇	六、〇〇〇	一八、〇〇〇	二二〇、〇〇〇
鳳凰山	（十一月ヨリ）一〇〇	五、〇〇〇	二、五〇〇	三〇、〇〇〇
安徽銅官山	—	—	一、六〇〇	二〇、〇〇〇
景牛山	—	—	一、二〇〇	一五、〇〇〇
桃冲	（十二月ヨリ）一〇、〇〇〇	五〇、〇〇〇	一三、〇〇〇	一五五、〇〇〇
大冶	—	—	—	八〇〇、〇〇〇
鄂城	—	—	四、〇〇〇	五〇、〇〇〇
合計	—	六八五、〇〇〇	—	一、八八〇、〇〇〇

一九八

尚、昭和十六年ニ於テハ日鉄ノ大冶、鄂城ハ合計二百万噸、華中鉱業ノ当塗桃冲等ハ合計百万噸、総計三百万噸ノ出鉱能力アルモノト推定セラル。

右諸鉱山ノ外、三山鎮（調査セルモ埋蔵十分ナラズ期待薄ナリ）及ビ左記諸鉱山ノ調査ヲ計画シ、逐次実施中ナリ。

	地	点	位置	埋蔵量	品質（鉄分）	現況
占領	中	首山	南京南方十五粁	三〇万噸	三三—五六％	調査中
〃	静	竜山	秣陵関ノ西方	六〇	二三—五四	〃
非占領	長興	景牛山	李家巷ノ南東四粁	二〇〇	二〇—六〇	〃
〃	土	王洞	〃　北東三粁	一六〇	五〇—六〇	〃
占領		銅陵、銅官山	大通ノ北東十五粁	四九〇万噸	五五—六七％	調査中
〃		九江、城門山	九江ノ西二十三粁	六三〇	二九—六三	〃
〃		瑞昌、銅嶺山	〃　四十五粁	五八	五六	〃

一九九

以上ニヨリテ北支及ビ中支ノ近キ将来ニ於ケル鉄鉱生産量ヲ推定スルニ次ノ如シ。（単位、万噸）

北支		二三〇
	龍烟及龐家堡	二〇〇
	利國及金嶺鎮	三〇
中支		三〇〇
	當塗及桃冲	一〇〇
	大冶其他	二〇〇
北中支合計		五三〇

二〇〇

従ツテ北中支ヨリ将来ハ少クトモ五百万瓲以上ノ鉱石ヲ望ミ得ル道理ナルモ、之ヲ如何ニシテ搬出スルカガ問題ナリ。現ニ華中鉱業ノ経営セル当塗鉄山ヨリ六十万瓲ノ対日輸送ニ就キテモ配船不足ノ為、昭和十三年度ハ七万四千噸、十四年度（八月迄）ハ八万噸ニ過ギズ。其ノ山元ヨリ江岸迄ノ輸送能力ハ月六万噸ニシテ、採掘能力ヨリ約一万噸ノ余力アリ。江岸碼頭ノ積込能力モ六万噸乃至七万噸ニシテ、現地ニ於ケル供出力ハ十分発揮シ居ルモ、配船不足ノ結果、月三万噸ニ充タズ。故ニ、昨年碼頭及ビ山元ニ停滞セル貯鉱二十七万噸（碼頭六万六千噸、山元、二十万四千噸）ニ達シ、自然採掘ヲ控ヘツヽアル状態ナリ。従ツテ輸送能力ヲ十分発揮セシムル為ニハ配船ノ問題ガ根本ナリ。大冶鉄山ニ就キテモ同様ナリ。昨年度当初ニ計画セラレシ六十万噸ノ輸送予定モ、既述ノ如ク八月迄ニ十一万噸輸出セルノミニシテ、予定計画量ノ一八%ニ過ギザル状態ナリ。

斯ノ如ク揚子江沿岸ヨリ鉄鉱石ヲ船舶ニヨリテ本邦ニ供給スルニハ船腹ノ問題ガ根本ニシテ、従来ノ如ク採掘高ノ約一五乃至二〇%ヲ船積セル実情ニテハ、

二〇一

二〇二

総テ鉱石ノ生産計画モ画餅ニ帰スベシ。龍烟鉄鉱ノ塘沽ヨリ積込モ亦同様ナリ。現ニ昨年ハ塘沽ノ港ニ十万瓲ノ鉱石ガ空シク貯鉱サレ、終ニ秦皇島ヨリ搬出計画実現シテ蘇生ノ思ヲナセリト謂フ。結局昨年ノ北中支ヨリ鉱石ノ対日供給高ハ北支ヨリ約三十万噸、揚子江沿岸ヨリ百万乃至百五十万噸見当ナルベシ。之ヲ五百万噸計画ニ対比スレバ僅カニ五分ノ一ニ過ギザルナリ。

(二)　海南島

一般ニ支那大陸ノ鉄資源ハ石炭ニ比スレバ極メテ貧弱ナリト唱ヘラレシガ、最近海南島ニ於テ富鉱ノ埋蔵大ナルヲ発見シ、本邦ノ鉄資源ノ補充ニ一大光明ヲ与フルニ至レリ。尤モ其ノ詳細ハ不明ナルモ、石原産業ノ開発セル田独鉱山ト日本窒素経営ノ石碌鉱山ハ将来有望ナル鉄鉱供給先トナルベシ。日本窒素ノ石碌鉱山ニ於テハ埋蔵量一億噸ノ赤鉄鉱ニシテ、品位六五%ナリト謂フ。之ヲ鉱区ノ北側ヲ起点ニ昌化大江ニ木橋ヲ架ケ、北黎経由八所港迄約六十粁ノ鉱山鉄道ニヨリテ船積セントスル計画ナリト謂フ。又石原産業ノ田独鉱山ハ磁鉄鉱ニシテ埋蔵量五百万噸、品位六四%乃至六八%、燐及ビ硫黄ノ含有少ク、之ヲ楡林港ヨリ（九粁）本邦ニ輸送スト謂フ。

因ヨリ海南島ニシテモ又支那大陸ニシテモ、以上ノ諸鉱山ヲ本格的ニ開発スルコトハ将来ノ事ニ属シ、現段階ニ於テハ支那ヨリ一ケ年五百万瓲ノ鉱石ヲ本邦ニ搬入スルコトハ決シテ容易ナラズ、此ノ半数ノ獲得モ配船宜シキヲ得ザレバ困難ニ陥ルベシ。サレド屑鉄禁輸ノ應急策トシテ鉱石ノ輸入ヲ増加セザレバ本邦ノ製鋼業ハ立行カザルガ故ニ、海南島ノ開発ヲ始メ、大陸ノ諸鉄山ノ増産ト輸送ニ拍車ヲ加ヘザルベカラズ。

サレド支那ノ鉄鉱ノ輸入ヲ仮ニ五百万噸ニ増進シテモ、之ニヨリテ鉄鉱需要二千四百万噸ノ約五分ノ一ニ過ギズ。従ツテ残ル五分ノ四ノ内、少クトモ千五、六百万噸ハ南洋ヨリ輸入セザルベカラズ。而シテ支那ノ鉱石輸入ガ三、四百万瓲ニ達セザル時ハ南洋鉄石ノ輸入数量ハ千九百万乃至二千万瓲ニ増大セザルベカラズ。是ニ於テ南洋ノ鉱石輸入ガ本邦製鋼業ノ現在及ビ将来ニ対シ根本問題トナルベシ。

二〇三

二〇四

一般ニ南洋ハ支那ヨリモ遠距離ナルモ、海運上ヨリ見レバ、平時海上運賃ハ陸上運賃ノ約十分ノ一ナルガ故ニ、本邦ト南洋トノ経済的距離ハ予想以上ニ小ナルベク、従来南洋鉱石ヲ盛ンニ輸入シタルハ蓋シ自然ノ帰趨ナルベシ。

(二)　南洋ノ鉄鉱石

本邦ガ従来鉱石ヲ輸入セシ相手国ハ馬来半島、蘭領印度、比律賓、濠洲等ナリシガ、最近ハ英國属領ヨリ鉱石其他ノ軍需資材ノ対日輸出ハ禁止又ハ制限ヲ蒙リ、本邦ノ鉱石獲得ニ重大ナル障害ヲ呈セリ。現在ハ大体ニ於テ馬来半島ノ東海岸、又ハシンガポール以東ノ地方又ハ圏ヨリ輸入スル方針ナリト謂フ。

(イ)　英領馬来半島

英領馬来半島ニ於ケル鉄資源ハ主トシテ馬来保護領ニ集リ、何レモ本邦ノ利権ニ属ス。此等ハ何レモ品位高キ赤鉄鉱乃至褐鉄鉱ニシテ遠ク本邦ニ輸送ニ適スルモノナリ。

鉱床	鉱床名	開発会社	年産能力（千瓲）
鉄鉱床	Sri Medan, Johore	石原産業	六〇〇
	Kemaman (太陽), Trengganu	〃	一五〇
	Dungun (竜運), Trengganu	日本鉱業	一、〇〇〇
	Temangan, Kelantan	南洋鉄鉱	二〇〇
マンガン鉱床	Kemaman (太陽), Trengganu	石原産業	
	Tan Dox, Kelantan	日本鉱業	

右ノ内 Sri Medan ハ新嘉坡以西ノ海岸ニシテ、他ハ悉ク新嘉坡以東ノ海岸ニアリ。

Sri Medan ノ鉱山ハ残存鉱量約三百万瓲ト云ハレ、年産約六十万瓲ニシテ Simpang Kiri 川ヲ約十六粁 Batu Pahat ニ送ラレ、此処デ本船ニ積換ヘ本邦ニ送ラレタリ。

二〇五

二〇六

Kemaman ノ鉱石ハ私設鉄道約二十二粁、ケママン河口マデ輸送シ、艀ニテ本船ニ積取リ、年産約十五万瓲ナリ。

Dungun ハ埋蔵量一億瓲ト称セラレ、馬来半島最大ノ鉱山ナリ。年産約百万瓲ニシテ、鉱石ハ私設鉄道約三十一粁ヅングーン河口ニ運バレ、艀ニヨリテ本船ニ積取ラル。

Temangan 鉱床ハ埋蔵量約四百万瓲、年産約二十万瓲以内、鉱石ハ約一六粁ノ鉄索並ニ約七十五粁ノ鉄道ニヨリ、ケランタン河口ニ運バレテ本船ニ積込ム。

以上馬来半島ノ鉄産額ハ約百五十万瓲ニシテ、其ノ殆ンド全部ガ本邦内地ノ製鉄業ニ供給サレタルコトハ注目ニ値ス。尤モ東支那海岸ハモンスーン季節即チ十一月中旬ヨリ二月乃至三月迄ハ荷役不能ニツキ、鉱石ヲ夫々地元ニ貯蔵スルガ故ニ、此ノ期間ハ本邦ニ輸送不能ナリ。又河口浅ク満潮以外ハ荷役不能ナリ。若シ馬来鉄鉱ニシテ英国ガ搬出不許可ヲ実行スルトキハ、本邦ハ約百五十万瓲ノ鉱石供給ヲ喪失スルコトトナル。

(ロ) 比律賓

比律賓ノ鉄資源モ調査不十分ナルガ、主ナル鉄鉱床ハ Calambayanga, Surigao, Hernani, Mariundugue ナルガ如シ。Calambayanga 鉱床ハ埋蔵量五百万瓲ト称シ Atlantic Gulf & Pacific Co. 之ヲ経営シ昭和十年以来、岩井商店ニヨリテ本邦ニ輸送セラレタリ。スリガオ鉱床ハミンダナオ島ノ北端ニ位シ、鉱量五億瓲ト称シ、比島政府ニヨリテ組織サレタル National Iron Co. ノ所有ニ属ス。品位五二%ニシテ、ニッケル及クロームノ含有量多ク、良鉱ト称シ難シ。採掘可能千七百万瓲ナリト謂フ。比島政府ハ鉱床ノ賃貸ヲ拒否セルモ、鉱石ハ本邦ニ買付ケラレ輸送サル。ヘルミナ鉱山ハ良質ノ赤鉄鉱ヲ産シ、鉱量百万乃至二百万瓲ト推定サレ、B. W. Caduallader ノ経営ニシテ本邦ニ輸送サレタリ。Mariundugue ハ磁鉄鉱ニシテ、Mariundugue Gold Star Mining Co. 之ヲ開発シテ本邦太平洋鉱業会社ニ鉱石ヲ売ルコトトナレリ。

以上比島ノ鉄鉱ハ年産約五十万瓲乃至百万瓲（昭和十四年ニハ百十六万瓲）

二〇七

二〇八

ニシテ、其ノ大部分ガ従来本邦ニ供給サレ、米国ニハ殆ンド供給サレザリキ。

(ハ) 蘭印及佛印

東ニ蘭印ノ鉄鉱床ハスマトラ島東南端ノ Lampong 鉱床、ボルネオ島東南端ノ Sebolkol 島及ビ Dauawon 島並ニボルネオノ南東部 Solugei Daew、セレベスノ南部 Laroua ニアリ。鉱石ハランポン鉱以外ハニッケル、クローム含有、品位四五乃至五〇%ニシテ良質ナラズ。ボルネオノ鉱量ハ約五億瓲、セレベスハ約五億瓲、スマトラハ千二百万瓲ト称セラル。之等ノ鉱床ハ何レモ未ダ開発サレザルモ、販路ハ本邦ニ求ムル以外ニナキ状態ナリ。蘭印政府ハ輸出鉱石ノ五〇%以上ハ蘭船ニヨル輸送ヲ規定シ、蘭船ノ運賃ハ邦船ノ約三倍ナリシコトガ開発ヲ遅ラシメタリ。

佛印ニ於ケル鉄鉱床ハ地域的ニ三区ニ分ル。第一ハ東京州紅河流域、第二ガ安南州、第三ハカンボヂヤ丘陵地帯ナリ。何レモ調査不十分ナレド、東京州ノ紅河流域ノ鉱床デ最モ有望ト称サル、モノハ Thai Nguyen 太原鉱床ニシテハ、嘗テ佛印政廳ハ此ノ開発ノ為ニ太原ヨリ Phulan Thang 間ニ五十五粁ノ運河ヲ開鑿シ三百噸ノ解船ノ航行ヲ可能ナラシメタリシガ採鉱ハ事実開始サレザリキ。而シテ政府保留鉱区ハ Yuoune, Molinam, Poulus 等大小多数ノ鉄鉱床ノ調査シ、埋蔵量一億屯、品位六八%、採掘可能二百三十万瓲ト称ス、我ガ台湾拓殖会社ハ此ノ資源ニ着目シ、昭和十二年ヨリ日佛合弁印度支那産業会社ヲ創立シ、政府保留鉱区ノ内ニ鉱山、即テ、モリナム及グ・ヴァンノ開発ニ着手シ、Molinam 鉱山ノ経営ニ当レリ。同社ハ海防ニ十万屯ノ貯鉱場ヲ有シ、鉱石約百五十屯ヲ艀ニヨリテ運河及河川ヨリ海防ニ輸送シ以テ本船ニ積換ヘテ本邦ニ輸送セリ。鉱山出鉱能力一ケ年約十二万瓲ナリトイフ。

次ニ安南州ノ鉱床 Mui Bam ヨリ Jourane 迄南北約八百粁ニ亘ル海岸地域ニ散在シ、主トシテ褐鉄鉱及ビ赤鉄鉱ヨリ成ル。就中、Mui Bam, Dong Keu, Don Joai 附近ノ鉱床ハ本邦製鉄工業ニ利用ノ目的ヲ以テ日佛合弁或ハ本邦資本ニヨリテ採掘ニ着手サレタリ。但シ規模ハ甚ダ小ナリ。

二〇九

第三ニカンボヂヤ州ノ鉄鉱ハコンポン、ソム地方ニ産スル優良ノ赤鉄鉱ニシテ、就中、プノンデク鉱山ガ著名ナリ。同鉱山ノ採掘可能四百五十万瓲ナリト謂フ。台湾拓殖ハ最近之ヲ手ニ入レシガ、鉱床ハ海岸ヨリ百四粁ノ地点ニアル為、原鉱搬出難ニ陥レリ。

此外ニニューカレドニヤニ鉄鉱床ガ数年前、日佛合弁会社ヌベルカレドニ一ニヨリテ、南部ゴロノカスカード鉱山ヨリ開発サレ（品位五五%）、昭和十五年一月ヨリ本邦ニ輸出開始セリ。現在、年三十万瓲輸出可能ト謂フ。

二一〇

(三)　東亜共栄圏ニ於ケル自給ノ限度

以上東亜共栄圏ニ於ケル鉄鉱資源ノ分布ヲ考察シ、鉱石ノ対日供給可能限度ノ基本的問題ヲ取扱ヘリ。先ヅ支那ニ対シテハ鉱石ノ五百万瓲ヲ当分ノ目標トスレド、実際ニ於テハ三百万瓲程度トナルベシ。次ニ南洋ニ対シテハ馬来半島ヨリ百五十万瓲以上、比島ヨリハ百万瓲以上ヲ望ミ得ベク、更ニ蘭印ヨリ約三十万瓲、佛印ヨリ二百万瓲ヲ得レバ南洋ヨリ合計約五百万瓲ノ原鉱ヲ得ルコトトナル。従ツテ之ト支那ノ三百万瓲ヲ合スレバ八百万瓲トナルベシ。之ヲ鉱石需要一千四百万瓲ニ対スレバ約三〇%トナル。此ノ輸入率ヲ如何ニシテ増進スベキカゞ今後ノ問題ニシテ、要ハ南洋鉱石及ビ支那ノ鉱石ノ対日供給高ヲ二倍ニ増大セシムベク努力スルニアリ。即チ支那ノ鉱石ヲ七百万瓲、南洋ノ鉱石ヲ主トシテ佛印ノ増産ニヨリテ七百万瓲マデ増大スレバ本邦ハ千四百万瓲ヲ東亜共栄圏ヨリ獲得スルコトトナリ、本邦需要ノ約六〇%ヲ充足スルコトトナル。

因ヨリ南洋鉱石ノ本邦ヘ搬出ニモ種々ノ障害アルコト明ラカニシテ、現在ノ対日供給高ヲ増加セシムルコトハ決シテ容易ナル業ニハ非ズ。船腹ノ問題ハ別トシテモ、政治的障害ハ英領馬来半島及ビ比島ニ於テ今後加ハルベク、現ニ英領馬来半島ニ於テハ軍需資材ノ輸出許可制ヲ実施シ、比島亦然リ。然ラバ南洋ニ於ケル鉱石ノ二大供給地ヨリ輸出ハ将来減少スルトモ増加ヲ望ムコトハ次第ニ困難ニ陥ルベシ。尤モ馬来半島、比島、蘭印等ノ鉱石ハ本邦以外ニハ大ナル供給先ナキガ故ニ、当該産業ハ販路難ニ陥ルコト明ラカナリ。若シ馬来及ビ比

二一一

島共ニ鉱石ノ禁輸トナレバ（鉱石、二百五十万瓲喪失）本邦ハ先ニ屑鉄ノ禁輸ニ逢着シ、今又之ヲ補充スベキ原鉱ノ禁輸ニ直面シ、而モ支那ノ対日供給ノ急増ヲ望ミ得ズトセバ、本邦ノ製鋼能力ハ原料ノ基礎ヲ大半喪失スルコトトナルベシ。故ニ鉄鉱石ニ対スル應急策トシテハ現在鉱石ノ買ヒ得ル國又ハ地方ヨリ出来ルダケ大量ニ且速カニ輸入セシムルコトガ蓋シ得策トナルベシ。而シテ供給先ハ更ニ印度、豪洲、智利（年産約百瓲）等ニ拡大スベク、尤モ豪洲及ビ印度ハ事実上困難ナルモ、印度ノ鉱石ハ國内ノ需要ヲ超過セルガ故ニ、邦船ノ復航ノバラストトシテ積取ニ努力スベキナリ。之ト同時ニ支那及ビ佛印ノ鉱山開発ヲ急ガザル可カラズ。

然リト雖モ原鉱ノ輸入ハ結局船腹ノ問題ニ帰スベク、船腹ノ問題ハ結局造船ノ問題ニ帰スベク、造船ノ問題ハ再ビ鉄鉱石ト石炭ノ問題ニ還元スベシ。鉄鉱石ガ先カ、造船ガ先カ、鶏ト卵トノ関係ノ如ク、何レカ一方ガ解決スル時ハ他ハ自ラ解決スベキ性質ノモノナリ。従ツテ現在之ヲ同時ニ解決セントスル所ニ多大ノ難関ノ横ハルコトヲ認メラル。サレド此ノ問題ハ先ヅ船腹側ヨリ解決シ

二一二

即チ配船ノ優先的割当ニヨリテ問題解決ノ第一歩ヲ踏出スコトヲ得ベシ。

因ヨリ鉄鉱輸送ハ一万噸級ノ船舶ニテ積載数量ハ千屯、石炭消費高一日三十屯ト謂フ。而シテ南洋往復ニ二ケ月ヲ要ス。故ニ鉱石二千万屯ノ輸送ニハ一万噸級船舶ガ五回往復スレバ、五百隻、総屯数五百万噸ヲ要スル計算トナル。之ハ本邦船舶ノ殆ンド全部ニ匹敵スル数字ニシテ、従ツテ船腹ノ問題モ容易ナラザルヲ知ルベシ。

右ノ結果應急策トシテハ屑鉄ノ利用ニ再ビ問題ハ還元スベク、従ツテ国内屑鉄ノ回収ニ一段拍車ヲ加ヘ鉱石ノ不足ヲ補充スル以外ニ方法ナカルベシ。而シテ之ニハ平和産業ノ遊休機械ヲ充ツベキナリ。

五、石　炭

最後ニ製鋼業ノ基本原料問題トシテ石炭ノ問題ヲ一瞥セン。

由来製鉄ノ原料ハ鉄鉱石ガ主ナリヤ石炭ガ主ナリヤ、現在ニ於テハ明確ナル解答ヲ得ザル如ク石炭ノ問題ハ重大トナレリ。蓋シ鉄鉱石二百万屯ヨリ百万屯

二一三

ノ銑鉄ヲ作ルニハ二百万噸ノ石炭ヲ要シ、更ニ之ヲ圧延シテ鋼材ヲ製造スルニハ百万噸ノ石炭ヲ要スレバナリ。今、東亜ニ於ケル石炭ノ資源ヲ見ルニ、内地百八十七億瓲、樺太二十億瓲、台湾四億瓲、朝鮮十七億瓲、合計二百二十八億瓲（但シ経済的利用ノ限度ハ約百億瓲）、而シテ満洲ハ二百億瓲、支那ハ二千四百億瓲、内八割以上ガ北支ナリト称セラル。従ツテ満洲及ビ北支ノ石炭ニシテ本邦ニ潤沢ニ供給サルトキハ石炭問題ハ忽チニシテ解消スルニ至ルベシ。然ルニ事実出炭高ヲ見ルニ、昭和十四年ニハ内地四、五千万瓲、満洲国千五、六百万瓲ニシテ、支那ハ事変前ノ千四百万瓲ニ対シ、現在ハ微々タル状態ニシテ、出炭高ハ埋蔵量ト反比例セル実情ナリ。一般ニ内地及ビ樺太ノ石炭ハ瀝青炭ニシテ、現在内地ニ於テハ石炭ノ増産方法トシテ奨励金ノ交附、資材ノ優先的配給等種々ノ施設アレド、堀鑿ノ深度ノ進ムニ従ヒ、資材労力ヲ益々多ク要シ、低廉ナル石炭ヲ得ラレザルノミナラズ、内地ノ埋蔵量ハ既ニ科学的調査行届キ、現在以上ニ増産ヲ望ミ得ル余地ナキモノト称スルコトヲ得ベシ。故ニ内地ハ五、六千万瓲ノ出炭ガ恐ラク限度ナルベシ。

二一四

従ツテ大陸ノ炭坑ノ開発増産ガ本邦石炭不足ヲ充足スベキ根本的使命ヲ有スルモノト云ハザル可カラズ。此処デハ主トシテ製鋼原料ノ見地ヨリ瀝青炭ヲ考察セン。

(一)　満洲国ノ石炭

満洲国ニ於テハ撫順ヲ始メ、尤大ナル埋蔵量ヲ有スト称セラル、阜新、鶴岡、密山、札賚諾爾アレド、阜新ヲ除クバ何レモ僻隅ノ地ニシテ、開発ニ遅レ輸送問題ニ逢着セルモノノ如シ。而モ撫順及ビ阜新ノ石炭ハ共ニ無煙炭ニシテ燃料ニ適スルモ、粘結性ヲ要スル鋼鑵ノ原料トナラズ。粘結性ノ大ナル瀝青炭ハ密山炭（適道炭）ニシテ、鶴岡炭モ亦粘結性ナレド搬出ニ不便ニシテ多クノ数量ヲ期待スルコトヲ得ズ。

五ケ年計画最終年度ニ於テ三千五百万屯ヲ目標トセシガ、実績ハ之ヨリ遥カニ遠キモノノ如シ。従ツテ満洲国ヨリ本邦及朝鮮ニ対スル供給ハ依然トシテ増進セズ、昨年ノ如キハ対日供給高ハ前年ヨリモ減退セル状態ナリ。

二一五

今、満洲国ノ対日石炭供給高ヲ見ルニ、昭和十三年度ハ八百三十八万瓲ナリシガ、十四年ニハ八十四万瓲ニ激減シ、十五年度ハ更ニ七十七万瓲ニ減ジタリ。本年ハ九十万瓲供給ノ見込ナリト謂フ。

今、其ノ内訳ヲ示セバ左ノ如シ。

康徳五年度対日供給実績　（単位　千瓲）

	日本内地	朝鮮	合計
撫順	九四四	四二八	一、三七二
瓦房店	七	―	七
本溪湖	二六	八一	一〇七
牛心台	四四	一	四五
復州	八六	―	八六
阜新	一一九	八	一二七

二一六

	日本内地	朝鮮	合計
滴道	五二	—	五二
北票	一〇四	—	一〇四
煉炭	—	二	二
合計	一、三八二	五二〇	一、九〇二

康徳六年度対日供給実績　（単位　瓲）

	日本内地	朝鮮	合計
撫順	七一一、九九二	二〇六、〇九八	九一八、〇九〇
瓦房店	—	八九七	八九七
本渓湖	三、〇一三	三八、二五三	四一、二六六
牛心台	一八、六〇六	五四〇	一九、一四六
復州	三五、九九九	—	三五、九九九
阜新	一六、六七四	五九、六二九	七六、三〇三
滴道	二六、一七一	—	二六、一七一
城南	二五、九六二	七、六〇六	三三、五六八
和竜	六、五〇二	—	六、五〇二
八道濠	—	一六、五四七	一六、五四七
通化	—	三六、四六二	三六、四六二
合計	八四四、九一九	三六六、〇三二	一、二一〇、九五一

康徳七年度対日輸出炭実績見込表　（単位　瓲）

	康徳七年四月―康徳八年三月　実績	康徳八年三月見込	合計
撫順	五四〇、九九一	四五、〇〇〇	五八五、九九一
阜新	三六、九三七	—	三六、九三七
密山	五〇、七二二	五、〇〇〇	五五、七二二
和竜	一五、七五三	—	一五、七五三
復州	三一、〇四六	—	三一、〇四六
牛心台	三二、七九二	五、〇〇〇	三七、七九二
東辺道	一一、八五八	—	一一、八五八
田師付	三一八	—	三一八
合計	七二〇、四一八	五五、〇〇〇	七七五、四一七

康徳八年度対日供給予定表　（単位　瓲）

内地	朝鮮	合計
九〇〇、〇〇〇	三三〇、〇〇〇	一、二三〇、〇〇〇

朝鮮向骸炭輸出実績　（単位　瓲）

康徳五年（昭和十三年）	鞍山骸炭	八七七
康徳六年（昭和十四年）	鞍山骸炭	二、三四〇
	満化骸炭	二、一六四
	合計	四、五〇四

康徳七年度ノ輸出実績不明ナルモ本渓湖骸炭六千瓲、安東瓦斯骸炭二百瓲程度ナルベシ。

(二)　北支石炭

更ニ北支ニ於ケル石炭ニ至リテハ其ノ埋蔵量ハ二千四百八十億瓲ト称スル天文学的数字ナルモ、其ノ出炭ノ実績ハ微々タルモノニシテ、此処ニモ無盡蔵ノ資源ガ空シク地下ニ眠レルヲ知ルベシ。北支ノ石炭資源ニツキテハ之ヲ詳述スルコトヲ避ケ、製鋼用原料タル粘結性石炭ノ分布及ビ出炭状態ニツキテ述ベン。

粘結性炭坑ハ主トシテ河北及ビ山東ニ多ク、即チ開灤、井陘、淄川、博山、中興等ノ炭坑ナリ。開灤炭坑ハ埋蔵量七億瓲ト称シ、英・白・支合弁ニヨリテ事変前約五百万瓲ヲ産出セル支那随一ノ炭坑ナリキ。開灤炭並ニ右ニ列挙セル諸炭坑ノ粘結炭ハ何レモ事変前ヨリ本邦製鉄業ノ原料トシテ供給サレタリ。淄川、博山ト中興トノ中間ニ新泰、大汶口、莱蕪、顔荘ノ諸炭坑アリ。又中興ノ東方ニ沂州、莒県ノ炭坑アリテ何レモ埋蔵量一億瓲以上ト推定サレ、就中、山東省ノ新泰ハ埋蔵量五億瓲ヲ有スル品質優良ナル粘結炭坑ナリ。更ニ江西省ノ萍郷、河南省ノ六河溝ハ粘結炭坑ニシテ、事変前約五十万瓲ノ出炭アリキ、事変前ニハ北支ノ石炭輸出ガ凡ソ支那ノ石炭輸出ニシテ、輸出高ハ百十万瓲、内八六%ガ本邦ニ輸出サレ、而モ開灤炭ハ其ノ半ヲ占メタリ（七十万瓲）。

事変以来北支ノ諸炭坑ガ皇軍ノ手ニ帰シテ以来、此等ノ炭坑ヲ本邦及ビ満洲國ノ製鉄原料ニ供スベク生産力及ビ輸出力ノ増進ニ向ハシメタリ。開灤炭坑ハ其ノ生産力ヲ拡大シ、井陘、六河溝、中興等ハ既ニ復興ノ途ニ就キ、井陘及ビ六河溝炭ハ石景山製鋼所ニ、中興炭ハ本邦ニ供給サレ、爾余ノ炭坑モ漸次復興

二二一

二二二

ノ緒ニ就ケルモノノ如シ。而シテ昭和十三年度ノ北支炭対日供給高ハ百八十万瓲ニシテ、其ノ内、大同炭十万瓲、中興炭三万瓲ヲ除ケバ全部開灤炭ナリシガ、昭和十四年度ニ於テハ之ヲ最低三百万瓲ニ引上ゲ、開灤炭百四十万、中興炭二十万、井陘炭十万、大同炭三十万ニ割当輸出ノ計画アリシガ、結果ハ次ノ統計ニヨリテモ合計二百四十一万瓲ニ過ギザリキ。

次ニ北支ノ石炭及コークスノ輸出状況ヲ示スベシ（別表第十三第十四）。

何レニシテモ現在ニ於テハ北支ノ粘結炭ハ其ノ出炭ノ如何ニヨリ、又日本及満洲國ニ対スル輸出ノ大小ニヨリテ、日満両國ニ於ケル鋼塊及鋼材ノ生産高ヲ左右スル原動力ナルガ、其ノ輸出高ハ右ノ如ク瀝青炭及無煙炭各種デ三百五十万瓲程度ニテハ心細シ。要ハ採掘設備、労力、陸上輸送力、荷役設備、船腹等ニ帰スベク、時ニハ昨年（昭和十五年）ノ夏ノ如ク山西、河北、山東ニ亘リ重要ナル粘結性炭坑ノ爆破ヲ蒙ルコトモアルベシ、故ニ炭坑ノ警備モ厳ニスベカラザルナリ。従ツテ本邦鉄鋼業用ノ粘結炭ハ当分ノ間依然トシテ開灤炭坑ノ出炭高ニヨリテ左右サルルコト、ナルベシ。仮ニ本邦ノ石炭需要高ヲ一億瓲トシ、

（別表第十三）

北支ノ石炭及コークス輸出統計

品名	年度	数量単位	総額		日本		朝鮮		台湾		関東州		合計	
			数量	金額	数量	金額	数量	金額	数量	金額	数量	金額	数量	金額
				円		円		円		円		円		円
石炭	13	瓲	2,060,497	14,236,480	1,700,928	11,704,274	163,709	1,125,305			31,968	256,879	1,896,605	13,086,458
	14	〃	2,899,902	27,766,714	2,416,271	22,540,178	289,523	2,879,486			141,622	1,973,763	2,847,416	27,393,427
	15	〃	4,315,841	51,839,538	3,503,321	39,911,658	351,417	4,728,895	1,560	31,200	414,540	6,768,300	4,270,838	51,440,053
コークス	13	〃	11,500	324,712	1,252	32,766	1,971	54,468			8,327	237,478	11,550	324,712
	14	〃	22,112	790,387	200	16,000	6,213	264,911			15,699	509,476	22,112	790,387
	15	〃	18,227	707,150	34	2,720	3,349	168,045			14,693	529,590	18,076	700,355

（北支海関統計ニヨル．昭和15年ハ11月末迄トス）

（別表第十四）

本邦石炭輸入國別表

（単位　英噸）

國名	昭和12年		昭和13年		昭和14年	
	数量	金額	数量	金額	数量	金額
		円		円		円
輸入総額	4,356,465	59,224,254	3,682,531	67,217,482	3,794,710	78,363,522
満洲國	2,240,948	29,957,801	1,439,805	27,951,077	752,043	16,393,492
関東州	4,421	60,239	10,816	230,515	700	16,450
中華民國	1,286,569	16,279,247	1,620,937	26,877,176	2,433,937	48,553,126
佛印	819,330	12,831,866	607,033	12,107,833	603,698	13,306,989
露領亜細亜	3,346	60,078	-	-	-	-
其他	2,051	35,023	3,340	50,881	4,332	93,465

（昭和14年12月 大蔵省「外国貿易月表」ニヨル）

コークス用石炭需要ヲ三千万瓲トスレバ、北支ヨリ粘結炭五百万瓲ノ供給ヲ受クルモ、三千万瓲ニ対シ僅ク一七%ニ過ギズ。而シテ石炭ノ需要高一億瓲ハ高度国防国家建設ノ上ヨリ見レバ過小ニシテ、同様ニコークス用石炭ノ三千万瓲モ過小ナリ。従ツテ北支ノ石炭一般ノ対日供給量ガ三百五十万瓲ノ現状ニ於テハ其ノ開発ノ前途ハ実ニ遼遠ナル観ナキニシモアラズ。仮ニ之ヲ倍加スルモ七百万瓲ノ対日供給ニシテ、近キ将来ニ於テハ恐ラク此ノ程度ガ可能的ナル限度ナリト推測サルベシ。ソレニシテモ増産ハ望マシキコト勿論ニシテ、北支産業五ケ年計画ノ実行ニ当リ、鉄鉱石ト等シク重点主義ヲ徹底強化スルコトハ焦眉ノ急務ナリト云ハザル可カラズ。同時ニ船腹ノ優先的割当ト北支特有ノ港湾問題ノ合理的解決ニ俟タザルベカラズ。特ニ港湾、従ツテ築港計画ノ如キハ従来ノ行懸ヲ一掃シテ根本的ニ再検討ヲ要スベキ問題ナリ。

(三)　中支ノ石炭

中支ニ於ケル占領地域内ノ炭坑ハ准南炭坑ヲ主トシ、現在中支ニ於ケル唯一

二二三

二二四

ノ石炭供給地ト称スルヲ得ベク、出炭計画ハ昭和十四年、二十一万瓲ヨリ昭和十九年ニ於テ二百十万瓲ニ達スル予定ナリト謂フ。埋蔵量三億瓲ト謂フ。今増産計画ヲ示セバ次ノ如シ。

准南炭坑増産計画

(単位　千噸)

	大通坑	九竜坑	洞山坑	新坑	計
昭和十四年	二〇〇	一五	—	—	二一五
〃 十五年	五五〇	一五〇	〇	—	七四〇
〃 十六年	六五〇	二〇〇	〇	九〇	一、〇〇〇
〃 十七年	七〇〇	二〇〇	一五〇	三〇〇	一、三五〇
〃 十八年	八〇〇	二五〇	二五〇	五〇〇	一、八〇〇
〃 十九年	八五〇	二五〇	二五〇	七五〇	二、一〇〇

右ノ外、江蘇省江岸縣ノ下蜀(埋蔵量二千五百万瓲、出炭少量ナリ)、湖北省大冶縣石灰窰(埋蔵量千二百万瓲、年産三十万瓲)、安徽省巣縣南御附近、其他江蘇省呉縣ノ洞庭西山、同句容ノ句容炭田、同江岸ノ江寧炭田、安徽省蕪湖縣ノ趙家冲、石碗鎮、湖北省大冶縣ノ保安炭田、同京山縣ノ京山炭田、同武昌縣ノ湯家山、同蒲圻縣ノ神山、仙人山、寺中幾多ノ炭坑アルモ、或ハ敵匪ニヨリ破壊サレ、或ハ旧式工法ニヨリ能力少ク、品質不良ニシテ山元又ハ江岸貯炭合計三万噸内外ヲ利用シ得ルニ過ギザル状況ナリ。

右ノ結果、中支ノ石炭ハ格別期待シ得ベキモノニ非ズシテ准南炭坑以外ニ現在利用ノ道ナク、其ノ輸送設備ノ整備ガ急務ナリ。

(四)　佛印ノ石炭

以上述ベタル如ク大陸ノ石炭ハ埋蔵量無尽蔵ナルニ反シ、出炭量ハ微々タル状態ナルガ故ニ、之ヲ補充スベキ石炭ノ輸入先ガ更ニ問題トナリ、佛印ノ石炭輸入増進ヲ必要トスルニ至レリ。尤モ佛印ノ石炭ハ無煙炭ニシテ粘結炭ニ非ザ

二二五

二二六

ルモ、之ニヨリテ石炭燃料ノ不足ヲ補充スルニ足ル。

由来石炭ハ佛印鉱産物中最モ重要ナルモノニシテ、佛印全鉱産額ノ六三%ヲ占ム。佛印ノ石炭ハ夾炭層ハ侏羅紀ニ属シ、古期石炭岩層ノ上ニ不整合ニ横ハリ、褐炭又ハ瀝青炭ヲ含ミ第三期層ニヨリテ不整合ニ掩ハル。石炭ノ総埋蔵量ハ佛印政府ノ発表ニヨレバ推定十一億二千五百八十万瓲、確実一億二千三百二十万瓲、可採三千九百七十九万瓲ナルモ、此ノ評価ハ過少ノ嫌アリ。日本流ノ計算ニヨレバ此ノ数十倍加スベシ(別ニ東京二百億瓲、安南二百五十万瓲ナル見積モアリ)。炭田ハ鴻基、ケバオ、クルーベー、ドントリュー及チュエンカンフクンメ等ガ有名ナリ。此ノ内、埋蔵量、炭質、採掘、運搬等ノ要素ヨリ見テ最モ重要ナルハ鴻基炭田ニシテ、ケバオ炭田、クルーベー炭田之ニ次グ、佛印全部ノ出炭量ハ昭和十二年度、二百三十万瓲ニシテ、其ノ九八%ガ無煙炭ナリ。就中、東京炭礦会社ハ佛印出炭ノ七〇%ヲ占ム。更ニ昭和十二年度、二百三十万八千瓲、十三年度、二百三十四万八千瓲、十四年度、二百五十九万六千八百瓲ノ出炭アリト謂フ。

輸出ハ昭和十二年総出炭ノ七〇%百五十三万二千瓲ニシテ、主トシテ其ノ六四%ニ当ル八十万八千瓲ハ本邦ニ輸出サレ、佛印総出炭ノ四五%ヲ占ム。

佛印石炭輸出國別高　（単位　千瓲）

	昭和八年	昭和九年	昭和十年	昭和十一年	昭和十三年
支那	四〇一	二七四	二六一	二九七	二五七
香港	一一二	九五	八八	八八	一一二
日本	五二八	五四七	七五八	九一三	八〇八
フランス	一八〇	一九六	二五二	二八五	二四九
北米	—	—	六一	八七	八
伊太利	—	—	五三	—	—
比律賓	—	—	二九	九	一六
泰國	—	—	一二	八	一四
新嘉披	—	—	九	一一	二〇
其他	三一	五九	二七	二一	四八
合計	一、二五一	一、一七一	一、五〇五	一、七一八	一、五三二

（「地学雑誌」昭和十六年一月号、別所文吉「佛印ノ鉱物資源」三八頁）

二二七

二二八

（五）東亜共栄圏ニ於ケル石炭自給ノ限度

以上ニヨリ東亜共栄圏内ニ於ケル石炭自給ノ向題ハ仮ニ一億瓲ヲ目標トスレバ次ノ如キ現状（推定）トナルベシ。

一億噸自給目標　（単位万瓲）

		内地	樺太朝鮮台湾	満洲國	北支	佛印	合計
生産	目標	五、〇〇〇	五〇〇	三、五〇〇	二、〇〇〇	一、五〇〇	一二、五〇〇
	推定現状	五、〇〇〇	五〇〇	一、五〇〇	不明	三〇〇	
対日供給	目標	五、〇〇〇	三〇〇	一、五〇〇	一、〇〇〇	一、〇〇〇	八、八〇〇
	推定現状	五、〇〇〇	三〇〇	一二〇	三五〇	一〇〇	五、八七〇

右ノ結果、本邦ノ石炭調達ニハ約四千万瓲ノ不足ノ生ズルコトトナル。要ハ満洲、北支、佛印ヨリ対日供給ヲ増大セシムルコトニアリト謂フベシ。

六　結論

以上要スルニ米國ノ鋼屑、鋼材、及特殊鋼並ニ屑鉄ノ禁輸ニ対シ、本邦ノトルベキ対策ハ既ニ明白ナリ。要ハ本邦、朝鮮及ビ満洲國ニ於ケル製鋼業ノ計画的増産ニシテ高度國防國家ノ建設ノ必要上万難ヲ排シテ決行セザルベカラザル向題ナリ。而シテ製鋼業ノ躍進ハ結局ニ於テ其ノ原料的基礎タル鉄鉱石ト石炭ニ帰スベク、従ッテ鉄鉱石及ビ石炭ノ重点主義的計画増産以外ニ方法ナカルベシ。サレド應急策トシテハ鉄鉱石ハ海外諸國ヨリ出来ルダケ多ク之ヲ輸入セシメ、且貯蔵政策ヲトルコトヲ急務トス。石炭ニツキテモ同様、支那ノミナラズ佛印炭ノ輸入ヲ増大シテ其ノ不足ヲ補給セシメ且貯蔵政策ヲトルベキナリ。本邦ニ於テハ米國ガ現ニ実行セル戦時必要物資ノ尨大ナル貯蔵政策ヲ考究シ、或ハ政府補償ノ下ニ貯蔵会社ヲ設立シ、或ハ政府自ラ買上貯蔵ヲ実行シテ石油以外ニモ広ク主要原料ノ國内貯蔵ヲ豊富ナラシムルコトヲ急務トスベシ。

二二九

二三〇

第二項　石油

一、輸入状況

本邦ノ石油輸入状況ヲ種類別ニ考察スルコトハ統計数字不明ノタメニ困難ナルモ、大蔵省ガ徴税ノ目的ニヨリテ類別セル統計数字ニヨレバ、原油及重油ノ輸入ハ昭和十二年四百七十九万七千竏ヨリ十三年ニ五千百万竏ニ増加シ、十四年ニ四百十六万六千竏ニナリ、比重〇・七三〇ヲ超エザル石油ハ昭和十二年一万五千九百竏ヨリ昭和十三年ニ十一万竏ニ激増シ、十四年ニハ七万竏ニ減少セリ又比重〇、八七六二ヲ超エザルモノハ昭和十二年七十万竏ヨリ十三年六十六万竏ニ減ジ、更ニ昭和十四年ニハ四十一万四千竏ニ減少セリ。

右ノ各種石油ヲ通ジ輸入国別ヲ見ルニ、昭和十四年ニハ米国ガ全体ノ七〇・五%　蘭印ガ一一・四%、英領ボルネオガ三・三%ニシテ、此ノ内、原油及ビ重油ノ米国ヨリ輸入割合八八二・三%、比重〇、七三〇ヲ超エザル石油ハ米国

二三一

二三二

ヨリ輸入割合九八、八%、比重〇、八七六ニヲ超エザルモノハ米国ヨリ輸入割合三〇、五%ニシテ、蘭印ヨリノ輸入割合五六、五%ナリ，

此ノ詳細ヲ掲グレバ次ノ如シ（別表第十五）。

尤モ之ヲ金額上ヨリ見レバ原油及重油ハ米国ヨリ輸入額、昭和十四年ニ於テ一億四千七百七十三万円ニシテ、対米総輸入額ノ一四、七三%ナレド、原油及重油ノ総輸入額ニ対シ八二・三%トナル。比重〇・七三〇ヲ超エザルモノハ対米輸入額、同年ニ於テ二千二百五十五万円ニシテ対米輸入総額ノ二、二%ナレド、同品ノ総輸入額ニ対シ九八、八%ヲ占ム。又比重〇、八七六ニヲ超エザルモノハ対米輸入額九百五十六万ニシテ対米輸入額ノ〇、九五%ニ当レド、同品ノ総輸入額ニ対シ三〇、五六%トナル。米国側ノ研究ニヨレバ、米国ノ対日軍需品輸出額中、石油ハ約三〇%ヲ占メテ最高ノ割合ヲ収メ、更ニ米国ノ日満両国ニ対スル石油ノ輸出ハ世界ノ日満両国ニ対スル輸出ノ約六〇%ヲ占ムルト謂ノ

何レニシテモ本邦ノ対米石油依存度ハ極メテ高ク、石油輸入ノ約七〇%ヲ占ムル状態ナリ。而モ本邦石油生産高ハ小ニシテ需要数量ノ九〇%ガ輸入ニヨリ

（別表第十五）

礦油輸入國別表

品名及國名	数量單位	昭和12年 数量	昭和12年 金額	昭和13年 数量	昭和13年 金額	昭和14年 数量	昭和14年 金額	%
			円		円		円	
礦油（原油及重油）	竏	4,797,667	202,414,603	5,100,559	240,422,020	4,166,870	179,456,481	100.00
滿洲國		72,363	1,872,044	76,256	2,194,418	60,041	2,050,695	1.14
英領ボルネオ		254,008	11,302,306	223,080	8,833,732	109,109	3,604,218	2.00
蘭印		535,514	24,829,979	306,279	13,419,269	315,726	11,661,333	6.49
露領亜細亜		—	—	—	—	1	95	—
露西亜		—	—	—	—	—	—	—
北米合衆國		3,529,669	152,550,236	3,985,565	196,556,291	3,307,802	147,736,653	82.32
其他		406,113	11,860,038	509,379	19,418,310	374,191	14,403,487	8.02
其他ノ礦油（比重0.730ヲ超エザルモノ）	竏	15,948	4,419,679	110,468	16,584,784	70,972	22,816,807	100.00
蘭印		1,347	240,917	53,973	3,650,734	2,355	265,592	1.16
北米合衆國		14,601	4,177,707	38,761	11,681,681	68,604	22,548,614	98.82
其他		0	1,055	17,734	1,252,369	13	2,601	0.01
同（比重0.8762ヲ超エザルモノ）	竏	701,803	52,517,590	661,824	45,901,204	414,134	31,299,630	100.00
英領ボルネオ		1,890	133,003	5,603	339,864	43,392	2,466,482	7.88
蘭印		513,252	38,999,234	411,678	26,731,620	281,435	17,680,717	56.48
露領亜細亜		—	—	—	—	—	—	—
獨逸		672	177,893	203	54,695	64	16,966	0.05
北米合衆國		116,542	8,419,512	222,435	15,506,312	64,507	9,566,860	30.56
其他		69,447	4,715,948	21,905	3,268,713	24,736	1,568,605	5.01

（昭和14年12月大蔵省外國貿易月表附屬表ニヨル）

テ充足サル、実情ナリ。台湾及朝鮮ニ於テモ事情亦同ジ。

本邦ノ石油消費高ハ明ラカナラザルモ、平年ハ百万瓲、戦時ハ百五十万乃至二百万瓲ナリト称セシガ、事変以来各種石油ノ需要急増シ、恐ラク一ケ年五百万瓲ヲ要スルモノト推定ス。之ニ対シ国内ノ石油自給率ハ僅カニ一割以内ニシテ九割ガ対外依存タルコト右ニ述ベタル通リナリ。而シテ国内ニ於ケル石油貯蔵高ハ之ヲ仮リニ三百万瓲トシテモ、大艦隊ヲ動カセバ一挙ニシテ之ヲ消費スル有様ナルガ故ニ、現時ノ石油需要ヲ一ケ年五百万瓲トナスコトハ過小評価ニ陥ルベシ。従ツテ国内ノ増産意ノ如ク実現シ得ザル現段階ニ於テ、石油ノ対日禁輸ハ本邦戦時経済ノ運営ニ大ナル支障ノ生ズルコト明白ナリ。

米国ハ未ダ石油ノ全面的禁輸ヲ実行セザルモ、ヤガテ其ノ時期ノ到来スルコトヲ覚悟セザル可カラズ。現在ハ本邦ニ対シ高オクタン価ノガソリンノ輸出ヲ禁止シ、且其ノ精製機械ト精製ニ要スル「テトラエチル鉛」ノ輸出ヲ禁止セリ。尤モ石油ハ航空用揮発油以外ニ潤滑油、デイーゼル油、ケロシン油、バンカー

二三三

燃料及ビ潤滑油並ニ燃料油ニ至ル迄悉ク輸出許可制トナレリ。最近米国ノ東部諸州ニ於テ石油不足ガ唱ヘラレ更ニ石油ノ全面的輸出統制実施トナリタル結果石油ノ対日禁輸実行ノ時期ハ意外ニ早ク到来スルヤモ知レズ。

二、米国ノ石油輸出

昭和十四年米国ハ全世界石油総産額ニ十億七千六百万バーレルニ対シ、十二億六千四百万バーレルノ約六〇%ヲ占メ、消費量モ亦六〇%ニ達ス。

次ニ米国及ビ世界石油消費高並ニ日米両国ノ石油消費高ヲ掲ゲン。

米国及世界石油消費高（単位千バーレル）

年度	米国		其他		世界消費
	数量	対世界消費	数量	対世界消費	
昭和7年	835,282	63.0%	492,325	37.0%	1,327,807
〃 8年	868,488	61.7	638,435	38.3	1,406,923
〃 9年	920,165	61.2	587,434	38.8	1,507,599
〃 10年	981,650	60.9	632,825	39.7	1,614,475
〃 11年	1,192,750	60.9	702,810	37.9	1,795,560
〃 12年	1,169,682	61.0	745,174	39.0	1,914,856
〃 13年	1,137,123	59.4	776,884	40.6	1,914,007
〃 14年	1,233,000	60.0	790,883	40.0	2,023,883

二三四

（「国勢グラフ」昭和15年11月号、14頁）

日本及米国ノ石油消費高（昭和十四年）（単位千バーレル）

	モーター・フユーエル	ケロシン	ガス及フユーエル・オイル	潤滑油	其他	合計	世界消費ニ対スル割合
米国	五五四、〇〇〇	六〇、〇〇〇	四五五、〇〇〇	二四、〇〇〇	一三九、五〇〇	一二三三、〇〇〇	六〇・〇
日本	八、〇〇〇	一、五〇〇	一二、〇〇〇	一、八〇〇	二、一〇〇	二五、四〇〇	一・三

(The Oil Weekly, March, 18, 1940)

米国ノ原油輸出高ハ生産ノ僅々六%ニシテ、他方ニ〇・二%ノ輸入アルガ故ニ、

二三五

実際輸出量ハ四%以下タルベシ。尤モ製品ノ輸出ガ相当アル故、此ノ割合ヲ其侭全石油ノ輸出量トナシ得ザルモ、同国内産石油ハ大体国内ニ消費スルト看做スモ大過ナク、ソレダケ輸出石油ノ占ムル割合ハ比較的僅少ナリ。併シ乍ラ、米国ノ全輸出貿易上輸出石油ノ占ムル割合ハ昭和十三年総輸出額三十億四千六百万弗ニ対シ、三億八千九百万弗ニシテ、約一三%ニ当ル。十四年度ハ総輸出額三十一億二千三百万弗ニ対シ、三億八千四百万弗ニシテ、約一二%ヲ占メ、今ヤ石油ハ米国第三位ノ重要輸出品トナレリ。次ニ米国石油ノ輸出国別高ノ明細ヲ掲グベシ（別表第十六）。

次ニ米国石油類ノ対日輸出推移ヲ見ルニ、輸出総額ハ昭和十年、二千五百六十五万弗、十二年、四千四百八十二万弗、十四年、四千五百二十九万弗ナリ。而シテ石油ガ対日輸出貿易総額ニ於ケル地位ハ昭和十年ノ一二・六%ヨリ十二年ノ一五・五%トナリ、更ニ十四年ニハ一九・六%ニ増大シテ対日輸出ノ大宗タル棉花ニ肉薄シ、十四年ノ如キハ遂ニ棉花ヲ凌駕シテ対日輸出ノ首位ヲ占ムルニ至レリ。更ニ対日石油輸出ガ石油類総輸出額ニ対スル割合ハ昭和十年ノ一

二三六

（別表第十六）

北米合衆國石油仕向國別輸出数量（昭和14年及昭和15年）

（單位、バーレル）

仕向國	年度	原油	天然揮発油	航空揮発油	其他揮発油	其他軽質製品	ベンゾール	ミネラルスピリット	燈油	瓦斯油及蒸溜燃料油	残滓燃料油	潤滑油	潤滑グリース	合計
加奈陀	15	28,778,149	1,051,364	123,308	1,203,566	85,472	5,120	9,000	186,251	539,243	1,643,888	546,661	7,783,293	34,172,020
	14	28,120,634	796,342	194,474	1,758,199	94,859	2,400	1,200	189,168	569,060	610,779	523,800	7,397,861	32,860,915
英吉利	15	533,126	199,080	845,977	2,345,439	25,547	–	740	428,442	3,363,814	340,331	3,457,123	7,801,983	11,360,619
	14	560,297	785,802	491,481	7,562,673	173,542	80,000	800	1,466,894	4,343,832	279,293	2,903,470	9,982,495	18,648,884
佛蘭西	15	5,586,558	191,265	513,513	1,137	1	151,300	170	491	–	–	330,793	3,406,877	6,775,228
	14	14,955,208	526,784	645,880	1,358,646	43,633	168,300	60	465	132,854	–	480,470	4,566,766	18,312,300
蘭領西印度	15	–	103,851	499,197	274,009	20,227	–	60	26,089	2,015,289	–	20,425	104,206	2,959,147
	14	–	1,504,211	786,620	2,050,982	686,351	–	40	560,785	–	–	20,363	288,758	10,452,555
伊太利	15	1,420,253	19,455	–	55,243	120	14,000	–	3	172,622	129,793	317,488	1,357,199	2,128,977
	14	4,984,829	101,324	213,927	4,773	–	–	–	13,793	150,831	1,402,017	483,471	674,599	10,452,555
キューバ	15	822,137	–	27,906	501,527	67	3,200	60	136	59	566,052	39,813	1,743,783	1,960,957
	14	1,140,859	–	19,133	511,085	120	3,400	30	1,172	67,595	322,362	55,338	2,571,752	2,121,094
オーストラリア	15	8,745	–	1,311	928,040	33,079	–	10,600	154,130	62,375	7,249	626,603	4,226,895	1,832,132
	14	–	–	3,080	734,095	18,828	–	41,200	107,734	35,122	–	600,282	5,963,034	1,540,341
ブラジル	15	249,567	–	57,961	755,938	6,755	6,000	9,070	227,173	161,234	–	313,420	2,360,283	1,781,718
	14	172,745	–	25,313	1,246,256	7,183	8,000	17,800	413,372	179,931	–	301,042	2,754,714	2,364,442
中華民國	15	–	–	1,209	319,461	1,388	500	400	332,083	225,088	61,739	204,087	4,135,487	1,145,910
	14	88,962	–	–	149,199	622	1,800	200	231,302	341,307	221,674	124,599	1,497,204	1,159,665
露西亜	15	–	–	–	1,065,421	–	–	–	–	65,285	–	29	13,440	1,130,735
	14	–	–	2	883,530	–	–	–	–	–	–	2	68,439	883,534
亜爾然丁	15	779,070	–	–	–	1,134	1,800	400	708	158	–	46,965	109,339	830,225
	14	2,124,955	–	409	79	350	4,400	800	157	–	–	22,565	282,516	2,153,715
ニュージランド	15	200	–	513	3,722	9,596	–	3,500	6,755	48,605	100,828	161,311	1,646,211	335,024
	14	–	94,359	79,871	210,799	2,742	400	5,100	29,214	49,654	89,435	106,228	1,283,865	666,802
日本	15													
	14	16,086,176	181,210	547,343	650,379	2,534	–	–	104,501	6,020,182	3,888,754	513,630	12,024,436	27,894,709
総計※	15	51,599,402	1,707,098	2,992,457	16,542,718	229,268	189,000	62,000	3,138,822	17,596,828	11,847,631	10,362,563	99,758,014	116,267,787
	14	72,063,824	4,110,896	3,983,728	32,504,970	1,443,550	322,000	121,000	7,994,223	30,664,514	14,925,823	11,364,943	108,561,007	180,009,476

（註）※　上記諸国以外ノ国ヲ含ム。

（日本石油株式会社考査部調査課，昭和16年4月29日発行「世界の石油事情」第103号，統計表39頁）

〇・三％ヨリ十二年ノ一一・九％トナリ、十四年ノ一一・八％ト漸次其ノ相対的重要性ヲ増加シ来レリ。固ヨリ本邦石油ノ対米依存度大ナルハ最近ニ始マリタル事実ニ非ズシテ歴史的産物ナリ。加州産石油ハ古クヨリ同州産出ノ五〇％ヲ本邦ニ供給シ、供給者ハ本邦ノ要求ヲ良ク知リタルガ故ニ、石油取引ハ多年円滑ニ行ハレタリキ。而シテ加州ノ原油ハガソリン用トシテ世界ニ比類ナキ良質ニシテ、而モ本邦トハ距離ノ関係ヨリ近接セシカバ、石油ノ対米依存傾向ハ期セズシテ進展シタルナリ。

三、石油禁輸対策

米国ノ石油ガ全面的禁輸トナレバ本邦ハ石油需要ノ約九〇％、輸入ノ七〇％ヲ米国ニ求メタル関係上、石油調達ニ就キテ根本的打撃ヲ蒙ルコト明白ナリ。此ノ場合、対策トシテハ、(一)分散買付、(二)国内及ビ満州国ニ於ケル石油ノ増産、(三)代用品ノ改良及ビ増産、(四)石油ノ消費規正(五)石油ノ貯蔵ガ問題トナル。此内、第一ヲ除キテハ何レモ豫テヨリ計画的ニ努力サレシガ、消費規正ヲ除キテ

二三七

ハ未ダ殆ンド成果ヲ見ザル実情ナリ。

(一)　分散買付

石油ノ分散買付ハ本邦ニ於テハ従来殆ンド実行サレザリキ。世界ノ石油ノ産地ハ米国ヲ第一トシ、露西亜、ヴェネズエラ、イラン、蘭印、ルーマニア、メキシコ、コロンビア等ノ順序ニシテ、其ノ詳細ハ次ノ統計ノ如シ（別表第十七）。

右ノ内、本邦ノ石油輸入先ハ既述ノ如ク従来殆ンド米国ニ集中シ、石油ノ種類ヲ無視スレバ近年輸入ノ七〇％ガ米国ニシテ、残リノ二〇％以上ガ蘭印並ニ英領ボルネオナリキ。従ッテ分散買付ハ殆ンド実行セラレスト称スルモ可ナリ。尤モ日本ガ嘗テ輸入ノ経験ヲ有スル石油ハ中南米デハ墨西哥、コロンビヤ、エクアドルニシテ、ペルーヨリハ嘗テタンカー一隻一荷シ、ヴェネズエラヨリハ全然輸入セシコトナシ。羅馬尼ヨリハ嘗テバーター制ニヨリ可成ガソリンヲ輸入シ、バーレン諸島ヨリハ昨年日本石油会社ガ多少輸入シ、イランヨリハ本年タンカー二隻輸入セル状態ナリ、サレド何レモ輸入数量ハ微々タルモノニシテ、

二三八

（別表第十七）

最近五ヶ年間ノ世界原油産額

（単位、千バーレル）

國名	昭和11年	昭和12年	昭和13年	昭和14年	昭和15年	昭和15年迄ノ総産油額	%
歐洲							
アルバニア	273	619	752	934	1,424	4,064	0.06
チエッコスロバキア	127	123	130	120	119	2,557	–
英吉利	㋺	㋺	㋺	㋺	㋺	20	–
佛蘭西	503	562	513	500	499	11,167	0.02
獨逸	3,115	3,176	3,861	4,487	4,544	50,357	0.21
墺太利	50	221	383	693	718	2,109	0.03
洪牙利	–	15	318	1,055	1,755	3,144	0.06
伊太利	123	110	101	91	57	2,767	–
波蘭	3,789	3,716	3,763	3,898	3,891	262,795	0.13
羅馬尼	63,659	52,452	48,366	45,996	43,823	916,026	2.03
露西亜	186,206	193,241	204,956	212,500	215,659	4,398,082	10.03
其他欧洲	1	4	9	9	10	35	–
合計	257,846	254,180	263,152	270,283	272,499	5,653,123	12.67
阿弗利加							
埃及	1,278	1,196	1,581	4,415	5,159	43,217	0.24
アルヂェリア	㋺	㋺	㋺	㋺	㋺	143	–
其他阿弗利加	4	22	27	27	25	109	–
合計	1,282	1,218	1,608	4,442	5,184	43,469	0.24
北米							
加奈陀	1,500	2,944	6,966	7,838	8,529	64,370	0.39
墨西哥	41,028	46,690	38,279	42,779	40,347	1,986,798	1.87
トリニダッド	13,237	15,503	17,737	19,270	20,169	201,733	0.93
合衆国	1,009,687	1,279,160	1,214,355	1,264,256	1,350,736	23,803,233	62.85
其他北米	62	33	78	84	100	455	–
合計	1,155,514	1,344,330	1,277,415	1,334,227	1,419,880	26,056,589	66.06
南米							
亜爾然丁	15,458	16,355	17,076	18,486	20,266	225,172	0.94
ボリヴィア	105	122	226	215	110	1,338	–
コロンビア	18,756	20,599	21,582	22,037	25,932	276,007	1.20
エクアドル	1,942	2,161	2,246	2,313	2,515	24,998	0.11
ペルー	17,593	17,457	15,839	13,508	13,427	265,336	0.62
ヴェネヅエラ	154,794	186,230	188,174	205,956	186,780	2,074,999	8.69
其他南米	–	–	–	–	–	–	–
合計	208,648	224,924	245,143	262,515	249,030	2,867,850	11.58
亜細亜							
バーレン島	4,645	7,762	8,298	7,589	7,330	37,205	0.34
ビルマ	7,588	7,848	7,538	7,396	7,979	45,530	0.37
英領印度	1,978	2,162	2,488	2,164	2,250	256,980	0.10
イラン	62,718	77,804	78,372	78,151	79,292	1,029,224	3.68
イラク	30,406	31,836	32,643	30,791	25,725	191,843	1.19
蘭印	50,025	56,724	57,318	61,580	60,830	974,999	2.83
樺太	3,212	3,656	㋩3,821	㋩4,000	㋩4,000	36,240	0.18
英領ボルネオ	5,209	6,009	6,913	7,104	7,048	101,176	0.32
サウヂアラビア	20	65	495	3,855	5,365	9,800	0.24
日本及其他アジア	2,440	2,488	2,511	2,654	2,639	82,850	0.12
合計	168,241	193,354	200,397	205,284	202,458	2,765,853	9.42
オーストラリア及ニュージランド	5	4	4	4	4	26	–
其他	4	4	4	17	–	1,043	–
總計	1,791,540	2,039,014	1,987,723	2,076,772	2,149,055	37,387,953	100.00

（註）㋑樺太ヲ除ク其他アジアノロシア領ヲ含ム。㋺資料ナシ。㋩概算

（[illegible]「世界の石油事情」第103号統計表5頁）

之ヲ以テ分散買付ト称スルコトヲ得ズ。

因ヨリ分散買付ノ場合ニハ米国ヨリ輸入ニ比シ、必ズ不便不利ヲ伴ヒ、特ニタンカーノ不足ト品質ノ低下ノ問題ニ逢着シ、例ヘバ品質ニツキテハ米國加州産ノ石油ニ比シ二倍ノ数量ヲ要シ、従ツテ船腹不足ヲ一層累加セシムト謂フ。サレド石油ノ分散買付ニツキテハ更ニ再検討ヲ要スベシ。以下主要油田ノ現状ニツキ考察セン。

（イ）墨西哥油田

墨西哥ノ石油産額ハ昭和十四年、四千二百八十九万七千バーレルニシテ、其ノ輸出ノ四分ノ一以上ハ従来独、伊ニ向ヒタルガ、大戦ノ勃発ニヨリテ欧洲市場ヲ喪失シ、一時販路難ニ逢着セシガ、其後墨西哥政府国有油田ノ機関ペトロレオス・メキシカノスト米国系合同石油会社トノ間ニ賠償問題ト関聯シテ一ケ年五百万バーレルノ原油購入契約ガ成立シ、之ニヨリテ販路ノ補充ヲ見ルコトヲ得タリ。墨西哥ノ原油ノ内、ポサリカ油田ノ原油ハ揮発油含有ノ原油ニシテ全生産ノ七〇％ヲ占ムル最大ノ油田ナリ。同様ニ輸出ノ七〇％モ此ノ油田ノ産

二三九

二四〇。

物ナリ。昨年墨西哥石油ノ輸出ニツキテ墨西哥横断輸送管線建設ノ計画ガ発表サレ、石油ヲ直接太平洋岸ニ輸送スル企図ガ問題トナレリ。此ノ輸送管線ハ墨西哥ノ最モ狭キ地域タル「テハンテペク」地峡ノPuerto MexicoトSalina Cruz間ヲ横断スル百四十九哩ノ、パイプ・ラインニシテ、全世界ノ視聴ヲ集メタリ、之ニツキテ曽テ独乙側ノ論説ヲ見ルニ大要次ノ如シ。

「カ、ル計画ニ対シ米国政府並ニ其ノ石油工業ハ反対ナルモ、メキシコニ於テハ戦後他ノ工業国ガ技術的並ニ財政的援助ヲ之ニ提供スベシトノ観測ニヨリ結局計画ヲ放棄セザルベシ。日本ハ其ノ急迫セル石油ノ需要ト米国石油ノ離脱トノ観点ヨリ、カ、ル「パイプライン」ヲ利用シテ太平洋ニ於テ石油ヲ獲得スルコトヲ得バ日本ハ墨西哥石油ヲ購入スルコトヲ利益トナスベシ。今此ノ「パイプライン」敷設予定線ニ沿ヒテ墨西哥横断鉄道ガ存在セルニ拘ラズ、又米国ノ輸出制限ノ可能性アルニ拘ラズ、墨西哥石油ハ加州産石油ト競争困難ニシテ、ホーン岬ヲ廻リ、又ハパナマ運河ヲ通リテ対日輸送ハ日本向墨西哥石油ノ価格ヲ高クセシムルコト、ナル。故ニ「パイプライン」ノ設置ハ日本ノ輸入

ニ便利トナル。

然ラバ米国ハ何故ニ「パイプライン」建設ニ反対スルカ。之ニハ三ノ原因アリ。即チ第一ハ統制収用セル石油産業ノ管理ニ関スル墨西哥ノ問題ヲ軽減スルガ如キ計画ノ認可ニハ恐ラク不同意ナルコト。第二ニハカヽル「パイプライン」ハ合衆国ノ日本向供給ヲ制限スルコトヲ直接目的トスル石油経済政策ニ対シ抜穴トナル事情。第三ハカヽル「パイプライン」ノ完成ハパナマ運河帯管理局ノ収入ヲ減少セシムル事実等ナリ。又産油過剰及ビ輸出困難ニ悩ム合衆国石油工業ハ勿論、隣接セル競争者ガ米国ノ技術ニヨリテ其ノ商業上ノ重要ナル刺戟ヲ受クルト云フガ如キ事ニ対シ無関心タリ得ザレバナリ。尚此ノ計画ノ実際上ノ進捗状態ニツキテハ、ニユーヨークノ一商会ハ此ノ計画ニ対スル接近ヲ否定セルモ、墨西哥市ヨリノ報道ハ墨西哥政府ノ代表者ハニユーヨークノ一建設会社ト協商中ナル旨報告セルコト事ニツキテハ発表ナシト謂フ」。（日本石油株式会社考査部調査課編昭和十六年四月二十九日発行「世界の石油事情」二八頁）

二四一

右ノ「パイプライン」ガ果シテ何時建設サルヽヤハ疑问ナルモ将来建設ノ暁ニ於テハ墨西哥石油ノ購入ニ便利トナルベク、本邦トシテモ将来ノ問題トシテ留意スベキナリ。現在ノ問題トシテハ油田ハ政府ノ国有ナレド、米国ノ努力浸潤セルガ故ニ、本邦ノ買付ハ必ラズシモ容易ニアラザルモ、最近墨西哥ノ石油ト伊太利ノ人絹トノバーター協定成立セルト謂ヘルガ故ニ、本邦モ何等カノ工作ハ必要ナリ。

二四二

(ロ)　ヴエネズエラ及其他ノ南米油田

ヴエネズエラノ油田ハ世界第三ノ油田ニシテ、国内消費少キガ故ニ、其ノ生産ノ九〇乃至九五％ヲ輸出シ、（一億九千五百万バーレル以上）其ノ輸出先ハ西半球、地中海諸国及ビ北欧諸国ガ主ナリシガ、戦争ノ勃発ニヨリ甚大ナル打撃ヲ蒙レリ。従ツテ其ノ販路ヲ他ニ求ムルコト急ナルヲ知ルベシ。本邦トハ未ダ曾テ石油ノ取引ナシト称スルモ再考ニ値スベシ。

コロンビアハ世界第八位ノ油田ニシテ、輸出高ハ千八百万バーレル以上ナリ。ペルー、エクアドルニ於テモ油田アレド其ノ産額遥カニ小ナリ。

一般ニ南米諸国ノ油田ハ米国系資本ニヨリテ開発セラルルガ故ニ、本邦ノ買付ニハ可成支障ヲ生ズベシト雖モ、果シテ買取ノ努力ヲナセシヤ否ヤガ疑問ナリ。

(ハ)　近東ノ油田

近東ノ油田ニハ世界第四位ノイラン油田ヲ始メ、第九位ノイラク油田、ビルマ、ペルシヤ湾ノバーレン諸島、サウヂ・アラビア等アリ。

イランノ石油ハイラクト共ニ戦争ノ勃発ニヨリテ大打撃ヲ蒙リシモノヽ如シ。尤モ此ノ打撃ノ程度ハイランヨリモイラクガ遥カニ大ナルベシ。イランノ油田ハアングロ・イレニアン石油会社ノ経営ニシテ、同社ノ資本ハ英国政府其ノ半ヲ所有シ石油ハ現在阿弗利加ヲ廻リテ英国ニ輸送サルヽト謂フ。而シテ石油ノ輸出総高ハ戦前ニハ約七千二百万バーレルナリ。又イラクノ油田ハ英国ノ圧倒的支配下ニアルイラク石油会社ニヨリテ経営サレ、輸送管線ハ地中海東部ニ達シ、其ノ大部分ヲ佛蘭西ニ供給セシガ、佛蘭西ノ敗戦ニヨリ閉鎖サレシト謂フ。戦前輸出高ハ三千二百万バレルナリ。今ヤ近東ニ戦禍拡大シ、イラクノ油田ノ帰属問題ハ勿論、英国ガ近東地方ヨリ退去スル暁ニ於テハイラク及ビイランハ本邦ノ石油供給先トシテ必ズ今ヨリ考究ヲ要スル問題ナリ。特ニバーター制ニヨリテ石油ヲ獲得スベキ工作ヲ要スベシ。

二四三

以上要スルニ本邦ハ石油ノ購入ニ就キテガリフオルニヤ石油ニ集中シ、タンカーモ専ラ之ガ為ニ造ラレタリト称スルモ過言ニ非ズ。従ツテ中南米及ビ近東ヨリ石油ノ分散買付ハ採算其他ノ理由ニヨリテ怠リシ結果、新ニ取引関係ヲ開ク場合ニ種々ノ支障ヲ来スベシト雖モ、石油不足ノ急迫セル現状ニ於テハ採算ヲ無視シテ出来ル限リノ分散買付ヲ決行セシムベキモノト云ハザルベカラズ。

(ニ)　蘭領印度ノ石油

サレド本邦ニ於テ米国石油ニ代ルベキ最モ重要ナルモノハ蘭印ノ石油ナリ。従ツテ此処デハ蘭印ノ石油ニツキテ稍詳細ニ述ブベシ。

二四四

（イ）生産

蘭印ノ石油生産高ハ累年上昇ノ一途ヲ辿リ、昭和五年ノ五百五十三万一千瓲ヨリ十年ニハ六百八万二千瓲トナリ、十四年ニハ七百九十四万三千瓲ニ増大セリ。併シ之ガ世界産額ニ於テ占ムル割合ハ僅カニ二・八%ニ過ギズ。而モ蘭印ノミノ産額ニ見レバ、累年増産セルモ、之トテ世界産額ノ増昇ト殆ンド並行状態ニテ、大体コヽ十年間世界産額ノ二・五乃至二・九%ノ生産高ヲ保持セリ。而シテ蘭印ハイランニ次グ亜細亜ニ於ケル有力ナル生産地ニシテ、而モ東亜ニ於ケル地位ハ更ニ重ク、東亜供給量ノ約八二%ヲ占ムル状態ナリ。

蘭印ノ石油生産ヲ地域別ニ考察スレバ、次表ニ示ス如ク、スマトラハ合計五百三十二万九千瓲ヲ産シ、蘭印全産額ノ六七%ヲ占ム。加之、マラッカ海峡及ビ支那海方面ニハ広大ナル地域ニ亘リ未開発ノ油田多々アリ。ジャバ島ハ蘭印産額ノ一一%ニ過ギザルモ全島殆ンド新第三紀層ヨリ成リ有望視セラル。従ッテ開発ノ努力次第ニテ蘭印石油ノ地下資源ハ将来性ニ富メルモノト云ハザルベカラズ。

二四五

次ニ蘭印ノ地域別原油生産高及ビ品種別製産高ヲ掲グベシ。

地域別原油生産高

（単位、千瓲）

	昭和九年	昭和十年	昭和十一年	昭和十二年	昭和十三年	昭和十四年
ジャバ及マヅラ	五〇九、九	四六四、七	四九九、〇	九六〇、一	九三三、六	八四一、〇
北部スマトラ	一、〇四〇、六	八八九、四	六九〇、〇	八一九、九	九〇五、一	九八四、〇
パレンバン	二、二二一、〇	二、四九三、九	二、七六一、七	二七八四、五	二、七四七、〇	三、一二五、〇
ジャンビー	三〇九、二	三七五、七	六六三、一	八八五、八	一、〇一〇、七	一、二一一、三
東部ボルネオ	一、一〇三、一	一、〇〇九、〇	一、〇二八、五	一〇〇五、八	九八四、七	九九二、〇
タラカン	八一二、〇	八〇一、〇	七四〇、〇	七三三、六	七三五、一	六八三、八
ボエンジョー	九、一	六、〇	五、〇	〇、二	—	—
セラム	三六、八	四二、〇	五〇、四	七二、一	八一六	一〇六、一
合計	六、〇四一、七	六、〇八一、七	六、四三七、七	七、二六二、〇	七、三九七、八	七、九四三、二

（"The Netherlands Indies", June - August 1940, P. 223）

二四六

品種別生産高

	昭和十三年	昭和十四年
ベンヂン	一、八五〇九	二、〇九九・八
航空用ベンヂン	四〇一・四	四一六・〇
ホワイト・スピリット	五八・二	五一・八
ケロシン	九三一・二	一、〇三七・二
ソラル油及ディーセル油	二、七九二・七	二、九〇二・四
機械油	二五・一	二九・二
インプレーグ・ネーティングオイル	一七・二	
パラフイン	七八・二	
アスファルト	二四・七	
其他生産額	二四〇・七	四五二・一
消失	二〇〇・〇	一一六・九

（「国勢グラフ」昭和十五年十月号八頁）

二四七

右ニヨリ蘭印ノ精油事業ハ近年高度化ニ向ヘルコトヲ知ルベシ。

（ロ）石油会社

蘭印ノ石油会社ニ十三社ノ内、其ノ大部分ハバターフセ会社、コロニアン会社、蘭印石油会社ノ三社ニヨッテ独占サレ、爾餘ノ各社ハ殆ンド重要視サレザル状態ナリ。右三社ノ資本関係ハ英米二国ノ支配下ニアリ、バターフセ社ハ和蘭資本ノコーニング社ト英国系ノシエル社ノ合併ニヨリテ成立シ、公称資本三億盾、株株ハ英国側四〇%、和蘭側六〇%ナルモ、実際ノ資本ハ五億盾ト云ハレ英国ノ投資ニヨルモノ多シ。蘭印石油会社ハ和蘭政府トバターフセ社トノ共同出資ニヨレルモ、事業ハバターフセ社ノ経営ナリ。上記英系二社ニ対シ、コロニアン社ハ米国スタンダード石油会社ノ設立ニシテ公称資本一億盾（投資額二億五千万盾）ノ純米系会社ナリ。一般ニ蘭印鉱業ニ投資セル外国資本ハ採金業ニ英国ノ六千万盾、他ニ華僑資本若干アルノミニテ他ハ殆ンド全部石油業ノ投下ト見ルベク、而モ石油事業ハ夙ニ着手サレ、ベ社ハ一九〇七年、コ社ハ一九一

二四八

二年ニ設立ヲ見タリ。以上三社ノ事業ヲ英米二系統ニ大別スレバ、昭和十四年度ニ於テハ英系七三%、米系二七%ヲ示シ、蘭印石油事業ノ大半ハ英国資本ニ把握サレ、従ツテ対米石油交渉ハバタビアト共ニロンドンニテ行ハザルヲ得ザリキ。

今、主要会社別生産内訳及ビ三重要会社ノ地域別生産高ヲ示セバ次ノ如シ。

主要会社別生産高　（単位、千瓲）

会社名	昭和六年 生産	昭和六年 %	昭和十一年 生産	昭和十一年 %	昭和十四年 生産	昭和十四年 %
バターフセ社（英系）	三、六四三	八八	三、六一四	五六	四、四八六	五六
コロニアレ社（米系）	七七七	一六	二、〇六三	三二	二、一四〇	二七
蘭印石油社（英系）	二七七	六	七五九	一二	一、三二〇	一七

二四九

三社ノ地域別生産　（単位　千瓲）

	昭和十一年	昭和十二年	昭和十三年
バターフセ社			
スマトラ	一、三〇七・七	一、三二六・一	一、五六五・〇
ジャバ	四八八・一	九五二・一	九二六・四
ボルネオ	一、〇二六・五	一、〇〇五・八	九八四・七
タラカン（ボルネオ）	七四〇・〇	七三三・七	七三五・一
セラム	五〇・四	七二・一	八一・六
合計	三、六一四・七	四、〇八九・八	四、二九二・七
コロニアレ社			
スマトラ	二、〇五二・八	二、一五八・二	一、九七三・五
ジャバ	一〇・九	八・〇	七・二
合計	二、〇六三・六	二、一六六・二	一、九八〇・八
蘭印石油会社			
ジャムビー（南スマトラ）	六六三・一	八八五・八	一、〇一〇・七
プルパンジャン（北スマトラ）	九一・二	一二〇・〇	一〇三・六
バニユー（ボルネオ）	五・〇	〇・二	—
合計	七五九・三	一、〇〇六・一	一、一一四・三

二五〇

（「国際グラフ」昭和十五年十月号七頁）

(ハ)　輸出

蘭印ノ原油ノ生産ハ既述ノ如ク約八百万瓲ニ垂ントシ、石油ノ輸出ハ生産ノ約八〇%ニ当リ優ニ本邦石油需要ヲ充足スルニ足ル。サレド、之ヲ仔細ニ検討スルニ蘭印ニ於テハ原油ノ輸出ハ石油輸出全体ノ一・五%ニシテ大部分ハ精製油トシテ輸出サレル実情ナリ、而シテ輸出先ハ約八〇%ガ英領ニシテ新嘉坡向輸出ハ二四%ナリ。

今此ノ詳細ヲ示セバ次ノ如シ（別表第十八）。

最近蘭印ニ於テ航空燃料タルイソ・オクタンノ製造ハ急速ニ発達シ、昨年ヨ

二五一

リ本年ニカケテ新工場ノ操業ヲ開始セルモノ多ク、近キ将来ニ於テ蘭印ハ商業航空及ビ空軍燃料供給地トシテ東亜ニ於ケル重要ナル地位ヲ占ムルコト明ラカナリ。而モ蘭印ノ石油ハ右ノ統計ノ示スガ如ク主トシテ英領向ケ輸出ナルガ故ニ、蘭印ノ精油工業ノ発達スルコトハ即チ英国ノ南洋ニ於ケル防衛ヲ強化スルコトヲ意味スベシ。換言スレバ蘭印ガ新嘉坡其他ノ英領ニ対シ輸出スル石油ノ数量ガ増大スレバスル程、英国ノ東洋ニ於ケル攻勢ヲ促進セシムルガ故ニ、之ニヨリテ蘭印ノ英国依存ノ信念ヲ益々強化セシムル結果トナル。

蘭印ノ本邦ニ対スル石油ノ輸出ハ昭和十三年、三十五万三千瓲ヨリ、十四年三十二万六千瓲ニ減ジ、蘭印ノ石油輸出高ニ対シ僅カ五・五%ニ当ル。之ヲ本邦ノ石油輸入ノ上ヨリ見レバ輸入ノ約二〇%ニ相当スベシ。蘭印ヨリ石油輸入割合ガ斯ノ如ク僅少ナルガ故ニ、本邦ハ石油分散買付ノ建前ヨリ此ノ割合ヲ増大セシムルコトガ焦眉ノ急務ニシテ、之ガ日蘭会商ノ重要項目タルニ相違ナシ。

惟フニ日蘭交渉ハ石油ニ関シテハ蘭印ノ石油ヲ繞ル日英石油争奪戦ト見ザルベカラズ。即チ本邦ガ輸入スル割合ガ増加スレバ英国ノ割合ガ減少スベク、逆

二五二

(別表第十八)　蘭印石油ノ仕向地及品種別輸出数量　(昭和14年)　(單位千バーレル)

仕向國	燃料油 原油	揮発油	燈油	重質ガソリン系油	其他	瓦斯油及ディーゼル油	潤滑油	パラフィンワックス	黒焚油	合計	総出額ニ対スル%
佛蘭西	—	334	—	—	—	—	—	—	—	334	0.69
英吉利	—	220	58	42	—	14	—	55	—	380	0.78
蘭領西印度	—	252	—	—	80	—	—	—	—	332	0.68
埃及及埃及スダン	—	439	138	449	—	200	—	—	—	1,226	2.53
南阿聯邦	—	286	135	39	152	19	3	18	—	652	1.34
スエズ	—	328	90	—	—	—	—	—	—	418	0.86
ポート・スダン	—	170	56	—	—	—	—	—	—	226	0.46
セーロン島	—	87	121	—	382	25	—	—	—	615	1.27
アデン	—	—	—	—	226	—	—	—	—	226	0.46
英領馬来	—	222	131		102	462	—	1	—	917	1.89
ピナン島	—	13	16	—	80	—	5	2	—	116	0.24
新嘉坡	36	5,575	1,597	606	1,942	1,919	48	15	—	11,738	24.28
香港	—	82	140	111	307	124	8	9	—	781	1.61
支那	—	275	449	295	—	67	1	155	—	1,242	2.57
印度	—	43	182	—	—	—	—	2	122	349	0.72
泰國	—	14	9	—	21	—	7	7	—	58	0.12
比律賓	—	2	—	—	726	692	14	4	—	1,438	2.97
濠洲	676	1,733	333	65	1,034	2,489	1	27	—	6,358	13.15
新西蘭	—	597	63	—	476	489	—	9	—	1,634	3.38
プウルウ・ビンタン ㋑	—	3,562	1,849	—	1,135	63	—	—	—	6,609	13.67
プウルウ・サンブウ ㋑	10	3,805	944	61	178	753	—	—	—	5,751	11.90
プウルウ・サバン ㋺	—	—	—	—	42	389	—	—	—	431	0.89
佛領印度	—	226	253	12	90	159	21	9	—	810	1.67
船舶供給用	—	—	—	50	725	1,777	—	—	—	2,552	5.28
其他		394	142	1,777	124	400	13	271	2	3,123	6.46
合計	722	18,699	6,705	3,507	7,822	10,041	121	584	124	48,325	100.00
割合%	1.5	39	14	23		21	0.3	1.2	0.3	100	
日本										2,670	5.53

(註)　(イ)貯蔵、積換ニ用ヒラルヽ新嘉坡湾内ノ島。(ロ)同ジクスマトラノ北西端洋上ニアル島。
(「世界の石油事情」ニヨル、「図説グラフ」昭和15年10号3頁)

ニ本邦ノ割合ガ減少スレバ英国ノ割合ハ増加スベシ。而シテ此ノ割合ノ増減ハ日英両国ノ南洋ニ於ケル抗戦力ノ強弱ヲ意味シ、現ニ英国東洋艦隊ガ新嘉坡要塞ヲ中心トシテ攻勢ヲ固メツヽアルハ蘭印ノ石油ニ負フ所尠カラズ。故ニ日蘭会商ハ石油ニ関シテハ商略ニ非ズシテ軍略ナリ。茲ニ所謂平和的通商交渉トシテ出発セル根本的誤謬ノアルコトヲ知ルベシ。

日蘭交渉ニ於テ本邦ノ要求セン石油ノ数量ハ百万瓲乃至二百万瓲ト称サレシガ、斯ノ如キ要求ノ程度ヲ以テ日英石油争奪戦ニ臨ムコトガ誤リナリ。何故ニ斯ノ如キ程度ノ輸入要求ヲナセシカヲ推測スルニ、根本ニ於テ之ガ日英石油争奪ノ軍略タルコトヲ深ク認識セシヤ否ヤガ疑問トナル。今、此問題ヲ考フルニ、少クトモ三ツノ事情アルコトガ推測サルベシ。(一)従来ヨリ本邦ノ戦時石油需要量ヲ過少ニ評価スル弊、(二)石油ノ輸入ニツキ対米依存ノ容易ニ断念シ難キコト。(三)タンカーノ不足。就中、タンカーノ不足ニツキテハ現在精油用タンカー即チ「クリーンタンカー」ハ一万六千噸級ガ僅カ二隻アルノミニシテ、両者ニテ石油ノ輸送力ハ一往復僅カ三万二千噸ニ過ギザルナリ。既述ノ如ク蘭印ハ現在原

二五三

油ヲ輸出セズシテ精製油ヲ輸出セルガ故ニ、蘭印ヨリ石油ノ輸入ヲ増進スルニハ先ヅ以テ「クリーンタンカー」ノ準備ヲ要スベク、米国原油輸入ニ使用セシタンカーハ全然之ニ充当スルコトヲ得ザルナリ。石油分散買付ヲ多年怠リタル弊害ハ輸送能力上ニモ明ラカニ看取スルコトヲ得ベシ。

最近ノ情報ニヨレバ日蘭交渉ハ決裂ニ瀕シ、本邦代表引上ノ運命ニ至リシ由ナルガ、抑々蘭印ニ対シ所謂平和的通商交渉ヲ開始セシコトガ既ニ当初ニ於テ今日アルヲ豫期セザルベカラズ。加之蘭印ノ石油事業ニ関シテハ既述ノ如ク石油事業ハ和蘭石油会社ト和蘭政府、英国石油会社ト英国政府並ビニ米国石油会社ノ所有経営ニ属シ、而モ和蘭政府ハ英国ニ在ルガ故ニ、蘭印石油ノ問題ハ資本関係モ政府関係モ共ニ英国ト不分離ニ解決ヲ要スル実情ニアリ。従ッテ日蘭石油交渉ハ蘭印当局トノ交渉ノミナラズ結局和蘭政府及ビ英国政府トノ交渉ニシテ、而モ問題ハ日英両国間ニ蘭印石油ノ争奪ナルガ故ニ、交渉ノ困難ナルコト推シテ知ルベキナリ。況ヤ直接交渉ニ於テハ心術弄労ナル和蘭人ナルガ故ニ会商ハ何回繰返スモ容易ニ纏ラザルコト明白ナリ。要ハ和蘭ヲシテ英国ニ與セ

二五四

シムルカ本邦ニ與セシムルカニアリテ、之ヲ單ナル平和的通商交渉ニテ解決スルコトノ至難ナルハ明白ナリ。之ニハ我方ヨリ蘭印ニ対シ強力ナル政治的圧力ヲ加ヘ、以テ当方ノ要求ヲ受諾セシムル以外ニ方法ナカルベシ。

固ヨリ本邦ノ軍事的圧力ハ南方ニ伸張セリト雖モ、蘭印ガ新嘉坡其他ノ英領ニ多量ノ石油ヲ供給スル限リ英国ノ勢力ヲ常ニ過大ニ評價シ、従ツテ本邦ノ南方ニ対スル圧力ハ直接痛感セズト推測スルコトヲ得ベシ。故ニ、本邦ガ蘭印ニ対シ我方ノ要求ヲ受諾サセル時ハ直チニ蘭印ノ攻略乃至新嘉坡ノ攻略ヲ開始スベキコトヲ英蘭両国ニ対シ暗示セシムルコト必要ナリ。英国ニシテ若シ本邦ト南洋ニ於テ開戦ヲ欲セザレバ蘭印ヲシテ少クトモ当方ノ要求ノ半位ハ受諾セシムベシト思惟サルベシ。而モ近東ノ戦局ガ英国ニ不利トナリタル時期ヲ以テスレバ其ノ効果ハ一層大ナリ。

何レニシテモ日蘭会商ハ出発点ヲ誤レリ。会商ノ成否ハ本邦ガ対英米戦争ニ乗リ出スヤ否ヤノ大決心ニアリ。始メヨリカヽル決心ヲ有セズシテ唯平和的通商交渉ニヨリ問題ヲ解決セントスルハ結局徒労ニ帰スベシ。要ハ忍ニ非ズシテ、

二五五

強固ナル決意ニアリ。

以上ハ米国石油ノ全面的禁輸ニ対シ世界ノ主要油田ヨリ分散買付ヲ速カニ実行スベキコトヲ慫慂セリ。固ヨリ石油ノ分散買付ハ相当ナル犠牲ト努力ヲ要スベシ。本邦ニ於テ分散買付ヲ怠リタルハ此ノ犠牲ト努力トヲ惜ミタル結果ナリ。サレド蘭印ノ石油ニシテモ本邦ノ意ノ如ク獲得スルコト能ハザルニ於テハ應急策トシテ米国其他ヨリ急遽大量ノ原油ヲ輸入シ、以テ彪大ナル貯蔵政策ニ出ヅベシ。尚、南米ヲ通ジテ石油ヲ直接間接ニ購入スル方法モ講ズベシ。要ハ石油ノ貯蔵ニアリテ、貯蔵政策ハ戦時原料政策ノ根本問題タルベシ。サレド石油ノ分散買付トイヒ、又貯蔵政策トイヒ、結局タンクトタンカーニ帰スベク、特ニタンカーノ問題ハ先決問題ナリ。本邦ハ現在油槽船三十万噸ニシテ、大型十五隻、中型十隻ナリ。従来外国ノタンカーヲ傭船セルモ、今後ハ其ノ余地少ク、従ツテ大型及中型ノタンカーノ造船ヲ急務トスベシ。昭和十六年度ニ於テハ起工スルモノ七隻、竣工スルモノ二隻ノ予定ナルモ、増産ハ結局資材ト奨励金ニヨリテ促進スルコトヲ得ベシ。

二五六

(三)　石油自給策

石油ノ自給策ニツキテハ先ヅ東亜共栄圏ノ油田ノ分布ヲ考察セザルベカラズ。

(イ)　東亜共栄圏ニ於ケル石油資源ノ分布状況

東亜共栄圏ノ石油地帯ハ之ヲ二ツニ大別スルコトヲ得ベシ、第一ハ東西大陸ノ外廓ヲナス諸島嶼ニシテ、北ハ樺太ヨリ始リ日本々土、台湾、比律賓ヲ経テ遠ク南洋諸島ニ到リ、更ニ此処ヨリ北方、ビルマ、印度ニ至ル第三紀層ノ東亜大陸ノ東側及ビ西側ヲ囲繞セル連続地帯ナリ。第二ハ東部アジア大陸内ニ於ケル斑点状ニ盆地ヲ形成セル地帯ニシテ前者ト全然趣ヲ異ニシ、中世代ノ層ヨリ形成セラル。

今、此等石油地帯ニ於ケル石油産出ノ現状ヲ見ルニ、先ヅ第一ニ東亜大陸ノ外側ノ石油地帯ハ一ケ年約一千万瓲ノ石油(印度ヲ除ク)ヲ産出ス。樺太其他台湾ニ至ル油田ハ約七十万瓲ヲ出シ、比律賓ハ石油ノ徴候アルモ未ダ油出ヲ見

二五七

ズ。蘭印ハ既述ノ如ク約八百万瓲、英領ボルネオハ九十万瓲、合セテ南洋ヨリ八百九十万瓲産出ス。之ニビルマノ百万瓲ヲ合スレバ此ノ石油地帯ノ産油ハ合計約一千万瓲余ニ達シ、東部アジアニ於ケル唯一ノ重要石油地帯ヲ構成ス。南洋ノ油田ハ將来開発ヲ要スル地点頗ル多ク、更ニニユーギニア、セラム等ニモ油田地帯アルガ故ニ、石油ニ就テハ南洋ハ將来最モ有望ナリト謂フベシ。

次ニ亜細亜大陸内ノ石油地帯ヲ見ルニ、現在ノ産出高ハ到底前者ノ比ニ非ズ。現在陝西省延長縣ニ於テ一ケ年百五十瓲程度ノ石油ノ産出アル状態ナリ。支那大陸ニ於テ夙ニ石油ノ発見セラレシ地方ハ、第一ニ四川ニシテ、重慶附近ノ自然ノ盆地ニ中世層ガ発見サレ、石油ノ徴候ヲ多分ニ有スルモ、現在未ダ油出ナク、第二ハ陝西省ノ小判形盆地ニシテ、中世層発達シ、多大ノ石油徴候ヲ有シ二十年前日本ノ越後ノ職工ガ掘リタル井戸及ビ其後ニ掘リタル二個ノ井戸ガ既述ノ如ク一ケ年僅カニ百五十瓲ヲ産出スルニ過ギズ。

満洲国ニ於テハ昭和六年、ジヤライノールニ石油ノ徴候ヲ発見シ、次デ昭和十三年阜新ノ炭坑附近ニ之ヲ発見セルモ何レモ未ダ油出ニ至ラズ。今後ノ試掘

二五八

ヲ待ツ実情ナリ。何レニシテモ大陸ノ油田ハ将来ノ問題ナルモ、大陸ニ於テハ石油ノ試掘ヨリモ石炭ノ液化ノ増産ニ努力スルコトヲ賢明トス。

最後ニ北樺太油田ニツキテ一言セザルベカラズ。北樺太油田ハ北緯五〇度五〇分附近ヨリ五三度五〇分内外ニアリ。南ハデ・リル・デラ・クロアエール岬ヨリ北ハ「オハ」ノ北方ニ及ブ東海岸一帯ニ亘ル。主ナル油田ハカタングリ、ヌイオ、バターシン、ヌトウ、ピリツン、ポロマイ、エハビ、オハ等ニシテ、ソ聯国営事業ト本邦北樺太石油会社トニヨリテ開発サレ、年産約四十万瓲ヲ見タリ。北樺太石油会社ハ日ソ基本條約ニ基ク石油利権契約ニヨリテ北樺太八ケ所ノ油田、約四十六平方露里（千五百八十九万七千坪）ノ五〇%ニ対シ、四十五ケ年ノ期限ニ亘リ採掘権ヲ有シ、但十一地域、一千平方露里（約三億四千万坪）ノ試掘権ヲ昭和十五年末迄有セリ。尤モ同社ノ採掘セシ油田ハ、オハ、カタングリ、エハビノ三区域ニシテ、生産高約二十万瓲程度ナリ。採掘及ビ試掘共ニ大規模ニ拡大スル計画ナリシガ、ソ聯ノ妨害ニヨリ採油及試掘モ事実上停頓ノ状態ニ陥レリ。サレド石油不足ノ本邦ニ於テハ北樺太油田ノ開発問題ヲ此

二五九

際是非トモ忘ル可カラズ。尤モ冬期ハ輸送管凍結スル危険アルガ故ニ、石油ノ積取ハ主トシテ夏期ニ行フコト、ナルベシ。

斯ノ如ク東亜共栄圏ニ於テハ蘭印ヲ除ケバ大油田乏シク、其他ハ北樺太油田ヲ除ケバ利用シ得ベキ油田ハ差当リナシト称スルコトヲ得ベシ。故ニ残リタル問題ハ、(1)試掘、(2)人造石油、(3)代用燃料ノ問題トナル。

(ロ)　内地、樺太、台湾、及ビ南洋ニ於ケル石油試掘

石油ノ試掘ニツキテハ本邦ハ多年之ヲ実行セルモ容易ニ大ナル効果ヲ期スルコトヲ得ズ、例ヘバ南樺太油田ニ於テハ昭和十四年ヨリ石油試掘補助金ノ交附ニヨリテ積極的ニ奨励ニ努メ、現在日本石油ガ之ヲナスト雖モ、従来十四本ノ試掘ヲナセルモ未ダ出油ノ報告ナシト謂フ。試掘ニヨリテ油田ヲ見出スコトハ難事業ニシテ、米国ニ於テモ六十本ノ試井ニ対シ一本ノ出油ニテ満足スベシト謂フ。尤モ試掘費ハ莫大ナル経費ヲ要シ従来一井ニ対シ補助金約十三万円ナリシガ、二十万円ニ増額セリト謂フ。

二六〇

(ハ)　人造石油

人造石油ノ方法ニハ(一)石炭低温乾溜法、(二)水素添加法、(三)フイッシャー法（石炭合成）(四)頁岩油等アレド頁岩油ノ製造ヲ除ケバ本邦ニハ低温乾溜製品以外ニ未ダ実績ナキモノ、如シ。独乙ハ夙ニ天然石油ニ対シ高價格政策（一ガロン当リ邦貨換算一円八十六銭、内、輸入税八十八銭、諸税金十八銭）ヲ以テ人造石油ノ増産ヲ奨励セシ結果、夙ニ一九三九年ニハ人造ガソリン生産高百万瓲ヲ超ユルニ至レリ。本邦ニ於テハ石炭低温乾溜法ガ比較的簡単ナル関係上、内地、樺太、朝鮮ニ於テ実施サレ、人造石油中、実績ヲ有スルト雖モ其額ハ微々タルモノタルベシ。蓋シ本法ハ石炭百瓲ヨリ十五瓲ノ石油（主トシテ重油）ヲ得ル計算ナリ。従ツテ其ノ製品ノ高價ナルコト推シテ知ルベキナリ。

水素添加法ハ夙ニ独、英、米及和蘭ニ於テ大規模ノ製造行ハレ、本邦モ既ニ満鉄（撫順）ヲ始メ、朝鮮石炭工業等ニ行ハルレド、其ノ実績不明ナリ。尤モ撫順ノ設備能力ハ一万瓲ニシテ、更ニ之ヲ拡大スル計画ナリト謂フ。此ノ方法ハ原料ニ対スル揮発油ノ収得量多ク、石炭ノ五・六〇%ヲ石油トナシ得ル可能

二六一

性アルガ故ニ、方法ニヨリテハ航空機用高級揮発油ヲ得ルガ故ニ、前者ノ方法ヨリ遥カニ勝レリ。

フイッシャー法ハ本邦ニテハ三井鉱山ガ本法ノ権利ヲ譲リ受ケ、工業化ニ移シ、又満洲ニ於テハ満洲ニ於テハ満洲油化工業、満洲合成燃料ガ夫々着手セルモ其ノ実績ハ不明ナリ。此ノ方法ニヨル製品ハ前者ノ直接油化法ノ製品ヨリモ品質劣ルト雖モ揮発油ノ製造モ可能ナリト云フ。

人造石油中最モ進歩セルハ満洲ニ於ケル頁岩油製造工業ニシテ、撫順炭坑ニハ埋蔵量五十億瓲以上ノ油母頁岩アリテ満鉄ハ夙ニ昭和五年ヨリ之ヲ工業化シ生産能力ハ粗油二十一万瓲ニシテ、之ガ産業五ケ年計画最終年度ニハ五十万瓲ニ拡大ノ予定ナリト謂フ。現在粗油生産約十五万瓲ニシテ、之ヨリ重油約六万瓲ヲ始メ、揮発油、硫安、粗蠟等ノ副産物ヲ得ベク将来ノ発展ヲ期待スベシ。

要スルニ本邦ノ人造石油製造ノ現状ハ頁岩油ヲ除ケバ一万瓲ニ達セルヤ否ヤガ疑問ニシテ、独乙ノ如ク、水素添加法ニヨルモノ（ベルギユウス法）二百七万瓲、フイッシャートロップ法ニヨルモノ百三十三万瓲ニ比スレバ、アマリニ

二六二

モ隔絶セル状態ナリ。政府ハ昭和十二年人造石油事業法並ニ帝国燃料株式会社法ヲ制定シ、人造石油二百万竕ヲ目標トスレド其ノ実績ハ微々タルコト既ニ述ベタルが如シ。今後斯業ノ発達ヲ期スル為ニハ何十億ノ資金ヲ要スベシ、斯業ノ振興ハ結局油化工業技術ノ進歩ニ俟ツ外ナカルベシ。飜ツテ考フルニ人造石油ノ将来ハ世界石油ノ生産及ビ消費ノ趨勢ニ照シテ特ニ重要タルベシ。或観測ニヨレバ世界ノ石油埋蔵量ハ三十八億八千竕ニシテ、現在ノ如ク一ケ年二億八千三百万竕ノ生産ヲ継続スレバ約十ケ年ニシテ盡クルト云フ。故ニ石炭ノ無尽蔵ナル満洲及ビ支那大陸ヲ控エタル本邦ノ液化事業ノ完成ハ東亜共栄圏ノ石油自給上根本的ナ宿題タルベシ。

(ニ)　代用燃料

代用燃料ニハ(一)無水アルコール、(二)木炭ガス　(三)カーバイト、(四)コーライト(五)ブタノール、(六)無煙炭等ガ問題トナル。

無水アルコールハガソリント強制混合ニヨリテ部分的代用品トナリ、昭和十

二六三

二年四月ヨリ強制混合法ヲ実施シ混合割合ヲ漸次引上ゲタリ。アルコール原料ハ甘藷、玉蜀黍、バガス、馬鈴薯等ニシテ、之ニヨリテ、エチールアルコールヲ製造ス。サレド甘藷、玉蜀黍ハ何レモ食料品ナルガ故ニ、之ヲ過度ニ消費スレバ本邦食糧問題ト衝突スベシ。或計算ニヨレバ無水アルコール百八万石ヲ造ルニハ甘藷三億五千万貫、馬鈴薯五億五千万貫ヲ要スト謂フ。故ニカヽル食料品ヲ原料トスルニハ自ラ限度アリ。実際ハ甘藷ノ生産ノ約一五%ガアルコールニ充当サルヽト称ス。従ツテ又此ノ代用原料トシテハ、バガスヲ始メ菊芋、蘇鉄ノ實、團栗、サテハ塵埃（東京市ノ例）、製紙パルプノ廃液等ガ考究サルヽト謂フ。

アルコールノ一種ニシテ「ブチルアルコール」ハ即チブタノールニシテ、オクタン價ノ高キ燃料ノ代用トナルガ故ニ、エチールアルコール以外ニ之ヲ奨励スベキ必要ガ叫バレ、実行サレツヽアルモノヽ如シ。之ハ軍事上考慮ヲ要スル代用燃料ナリ。

木炭ガスハ夙ニ自動車ノ代用燃料トシテ使用サルヽコトハ周知ノ事実ナルガ、之ガ為ニ山林ヲ濫伐スルコトハ治水ト重要ナル関係アリ。現在約一億貫餘ガガ

二六四

ス用木炭ニ使用サルヽトスレバ、其ノ弊害ハ軈テ現ハルベシ。一般ニ代用燃料ノ研究ノ不十分ナル為ニ努ヒ之ヲ使用スル傾向アルモ、今後ハ優秀ナル代用燃料例ヘバコーライトノ使用ヲ奨励シテカヽル傾向ヲ是正セザルベカラズ。

カーバイトモ自動車ノ代用燃料トシテ使用サルヽモ、カーバイトノ用途ハ広キガ故ニ、当然供給不足ニ陥ルベク、従ツテ代用燃料トシテ使用スルコモ自ラ制限ヲ受クベシ。尤モ原料ハ石灰石ト無煙炭ト電力ナリ。

コーライトハ其ノ原料ヲ亜炭、褐炭ニ求メ、代用燃料トシテハ比較的安價ナルガ故ニ、政府ハ之ヲ特ニ奨励シ、昭和十六年度ニハコーライト自動車約四千台ヲ造ル計画ナリト謂フ。政府ノ意見ニヨレバ、コーライトト無煙炭ガ自動車ノ代用燃料トシテ最モ優良ナルモノヽ如シ。或説デハ無煙炭ヲ自動車燃料トスル時ハ石炭一瓩ニテ五十九粁疾走可能ト云ヒ、陽泉ノ無煙炭ヲ之ニ充当スベシト謂フ。尤モ無煙炭ハ必ズシモ陽泉ニ限ル必要ナク、今後大陸ヨリ無煙炭ノ輸入増大スレバ之ヲ自動車燃料ニ供スルコトヲ得ベシト雖モ、差当ハ大ナル期待ヲ持ツコトヲ得ズ。

二六五

以上要スルニ代用燃料ハ総テ自動車ノガソリン代用ノ燃料ニシテ石油一般ノ代用ニハ非ザルナリ。サレド現在国内ニ自動車一万二千台ノ内、其ノ約半ガ運転セル実情ニ於テハ自動車ノ代用燃料ノ問題モ決シテ軽々ニ付スルコトヲ得ズ。之ニヨリテ本邦ハ石油ナクトモ何等支障ヲ生ビザル事実ヲ街頭ニ立証スルコトヲ得ベシ。

(ホ)　消費規正

独乙ニ於テハ第一次世界大戦ノ経験ニ基キ、戦時ニ於テハ民間消費ヲ平時ノ十分ノ一以下ニ制限シ得ベシト謂ヒ、石油ノ消費規正ノ必要ハ論ヲ俟タズ。本邦ニ於テモ既ニ徹底セルモノヽ如シ。但シ之ハ代用燃料ノ発達ト雁行スベキモノナリ。

(ヘ)　貯蔵政策

石油ノ貯蔵政策ハ石油ノ自給策トシテ極メテ重要ナルガ、要ハ其ノ数量ト設

二六六

備トニアリ、本邦ノ石油貯藏高ハ將来ノ石油獲得困難ナルニ鑑ミ、一層増大セシメザルベカラズ。而シテ其ノ設備モ空爆ノ危險ナキ所ヲ選ブコト必要ニシテ現ニ独乙ハ英国ノ空爆ニヨリ石油準備工作ニ可成支障ヲ生ゼル報道アレバナリ。

以上要スルニ石油ノ自給策ハ本邦ノ如キ石油資源ノ極メテ貧弱ニシテ、而カモ油化工業ノ発達セザル国ニ於テハ差当リ云フベクシテ実行サレザルナリ，石油需要量ヲ五百万噸トスレバ自給ハ百万噸ニモ達セザルナリ，従ツテカヽル莫大ナル石油不足ハ輸入促進ニヨル以外ニ有効ナル措置ナカルベク、従ツテ石油ノ輸入増進ニツキテハ大ナル犠牲ト強キ決意ヲ以テ当ラザルベカラズ。之ト同時ニ国産石油ノ奨励ニモ全力ヲ注ガザル可カラズ。要ハ石油貯藏ヲ豊富ニシテ有時ニ備フルニアリ。

最後ニ参考マデニ昭和十五年ニ於ケル独乙ノ液体燃料生産ノ内訳ヲ示スベシ。

（單位、噸）

二六七

独逸及ビ波蘭石油	九八四、〇〇〇
羅馬尼輸入	一、五六〇、〇〇〇
ソ聯輸入	三五〇、〇〇〇
水素添加法（ベルギユウス法）	二、〇七五、〇〇〇
フイツシヤー・トロツプ法	一、三三〇、〇〇〇
石炭及コールタール乾溜法	六八〇、〇〇〇
工業瓦斯工場ヨリノベンゾール	五四〇、〇〇〇
植物原料ヨリノアルコール	五〇〇、〇〇〇
使用済減摩油ヨリ精油	五〇、〇〇〇
合　計	八、〇六九、〇〇〇

二六八

尚、独逸ハ一九三八年（昭和十三年）ニ其ノ所要石油ノ約三八%ヲ国内生産（天然及合成）ニ求メシガ、更ニ莫大ナル費用ヲ投ジテ一九四〇年（昭和十五年）ニハ之ヲ五〇%ニ引上ゲシモノト期待サル。尤モ独乙ニ於ケル戦争勃発当時ノ液体燃料貯藏量ハ三百万噸ト推定サレ、平時独逸ノ年消費ハ六百噸乃至八百万噸ナル故、戦時所要ハ年当リ一千二百五十噸ト推測サル。

第三項　非鉄金属

一、銅

(一)　輸入状況

銅ハ電気関係及ビ軍需用トシテ多ク使用セラレ、直接武器トシテモ薬莢、運搬ノパイプ、スクリユー等ニ使用セラル，従来本邦ハ産銅国トシテ其ノ生産高ヲ誇リシモ、最近ニ於テハ国内需要ノ着増ニヨリテ、輸入ノ意義ハ益々重要視セラレツヽアリ。本邦ノ銅需要高ハ電気銅年二十万瓲乃至二十五万瓲（外ニ屑銅四万瓲、銅鉱十五万瓲）ニシテ、国内生産高ハ八万瓲ニ過ギズ，残リ十二、三万瓲ハ輸入ニ依存セル状態ナリ。本邦ノ銅輸入ハ金属十万瓲乃至十二万瓲、鉱石二万五千瓲ニシテ、之ニ本邦ヨリ輸出サル、銅材電線、真鍮、青銅ノ含有銅

二六九

量一万六、七千瓲ヲ加算スレバ、結局本邦ノ銅消費量ハ十八万瓲乃至二十四万瓲トナルベシ。

米國側ノ統計ニヨレバ、米国ノ対日銅輸出高ハ昭和十三年十万瓲、十四年十一万瓲ニシテ、本邦銅輸入総額ノ九〇%以上ヲ占メ、事実上銅ハ全部米國ヨリノ輸入ニ仰グ現状ナリ。近年銅鑛石ガ南米諸國ヨリ輸入セラルヽモ、米國ニ比スレバ誠ニ微々タルモノナリ。

今、米國ノ對日銅輸出数量及ビ本邦ノ銅（塊及錠）國別輸入額ヲ示セバ次ノ如シ（別表第十九）。

二七〇

米國ノ對日銅輸出量　（單位、千瓲）

	精銅			故銅	
	昭和十二年	昭和十三年	昭和十四年	昭和十三年	昭和十四年
對日輸出量	六六.〇	九八.八	一一三.〇	一.七	四五
総輸出量	二六七.六	三三五.七	三三八.〇	一九.八	一六.〇

（Year Book of The American Bureau of Metal Statistics）

（別表第十九）

銅（塊及錠）輸入国別表

国名	数量単位	昭和12年 数量	昭和12年 金額	昭和13年 数量	昭和13年 金額	昭和14年 数量	昭和14年 金額	%
合計	百斤 (屯)	1,542,707 (92,562)	円 92,436,220	1,646,328 (98,780)	円 77,458,066	1,892,842 (112,971)	円 101,954,584	100.00
北米合衆国		1,466,722 (88,003)	88,004,566	1,624,198 (97,452)	76,291,642	1,879,676 (112,781)	101,797,171	99.84
加奈陀		3,396 (204)	186,072	3,389 (203)	148,433	2,081 (125)	104,010	0.10
其他		72,589 (4,355)	4,245,782	18,741 (1,125)	1,017,991	1,084 (65)	53,403	0.05

（昭和14年12月、大蔵省、外国貿易月表臨時表ニヨル）

次ニ米国ニ於ケル銅ノ需給状態ヲ見ルニ、銅ノ生産高ハ五十万瓲乃至八十五万瓲ニシテ、此ノ内輸出高ハ昭和十三年、十四年共ニ三十三万瓲ナリ。此ノ輸出高ノ内、対日輸出ハ十万瓲乃至十一万瓲ニシテ、米国ノ銅対日輸出額ハ驚ク勿レ輸出総額ノ三分ノ一ニ相当ス。又米国ノ故銅ノ対日輸出額ハ昭和十三年ニ八千七百瓲、十四年ニハ四千五百瓲ニシテ、米国ノ故銅輸出総額ハ二万瓲内外ナル故、本邦ハ米国ノ故銅総輸出額ノ二五%ヲ占ムルナリ。何レニシテモ銅ノ対米依存度ハ九九%ナルガ故ニ、米国ノ対日禁輸ノ影響ハ殊ノ外大ナリ。

次ニ其ノ対策ヲ考究スルニ(一)分散買付、(二)代用原料、(三)故銅ノ回収ガ問題トナル。

(二)　分散買付

分散買付ニツキテハ先ヅ世界ノ銅生産状況ヲ一瞥セザル可カラズ。今、昭和十四年度ニ於ケル銅ノ世界生産量ヲ見ルニ、世界生産量ハ約二百万噸ニシテ、主トシテアメリカ（北米合衆国及智利）ト南亜利加（ローデシヤ及コンコー）

ニテ独占セル状態ナリ。

次ニ昭和十四年ノ世界銅生産量ヲ掲クベシ。（単位ショート屯）

北米合衆国	七四五、〇〇〇
加奈陀	三〇三、〇〇〇
墨西哥	四七、五〇〇
智利	三五〇、〇〇〇
ペルー	四〇、〇〇〇
独逸	三七、〇〇〇
ロシア	一一〇、〇〇〇
西班牙及ポルトガル	三八、〇〇〇
日本	八六、〇〇〇
アフリカ	三七五、〇〇〇
其他	二一二、〇〇〇
合計	二、三四四、〇〇〇

更ニ銅ノ世界埋蔵分布状態ヲ示セバ左ノ如シ。（百万噸）

アメリカ	六四百万噸	
内　智利	三千六百万噸	
北米合衆国	二千百万噸	
アフリカ	三〇百万噸	
内、ローデシヤ及コンゴー		二千九百万噸
欧洲	一八百万噸	
内、露西亜	千七百万噸	

亜細亜及濠洲ノ埋蔵量ハサシテ大ナラズ。

分散買付先トシテハ加奈陀ガ既ニ輸出禁止ヲナセルガ故ニ、先ヅ智利、墨西哥、ペルー等ガ問題トナルモ、右ノ諸国ノ製錬所ハ大部分米国資本ニ属セル故、此等諸国ヨリノ輸入ハ困難ナリ。故ニ第二案トシテハ南米諸国ヨリノ銅鉱石ノ輸入ガ考ヘラレルモ、之モ米国資本系統ニ属スルモノ多ク、更ニ精銅輸入ニ比シ、鉱石輸入ハ三倍ノ船腹ヲ要スルコト及ビ本邦ノ製錬設備、石炭、電力関係ヨリシテ製錬ノ困難ナルコト等ニヨリ、仮令南米ヨリノ銅鉱石ノ買取ニ成功シテモ本邦ノ銅不足ヲ補充シ得ルハ精々、半程度ナラン。従ツテ残リ半分ヲアフリカヨリノ粗銅輸入ニ俟チ電気製錬ヲナスコトモ考ヘ得ラルルモ、政治的混乱ニヨリテ之モ疑問ナリ。加之、智利ハ銅ノ輸出最近禁止セリト謂フ。

次ニ東亜共栄圏内ノ銅資源ヲ見渡スニ、先ヅ南洋資源ヲ考察セン。蘭印ニハボルネオ、セレベス、スマトラ等ニ銅鉱山アリ。埋蔵量不明ナルモ、一九三二年石原産業ガ資本金五十万盾ヲ以テ石原鉱業会社ヲ設立シ、スラカルタノ奥地チルトモヨニニ於テ銅鉱採取ヲ開始シ、一九三八年十月、ジヤバノマデイオン州パチタン附近ニ於テベダリ及ペツン・シナランノ両コンセツシヨンヲ獲得セリ。面積ハベダリ七百三十四ヘクタール、ペツン九百九十一ヘクタールニシテ、主トシテ銅及ビ鉄鉱ナリ。尚、蘭印鉱業年報ノ数字ニヨレバ、銅ノ輸出総量ハ左ノ如シ。

一九三五年　百四十噸
一九三六年　百六十三噸
一九三七年　百十三噸

比律賓ニ於ケル銅鉱床ノ所在地ハベンゲツト副州ニシテ、マンカヤン、スイヨツクガ著明ナリ。比島ノ銅ハ精鉱一千二百万封度、鉱石二万五千噸ニシテ、本邦ヲ第一ノ顧客トセシガ、最近ハ米国ニモ輸入サレ、終ニ対日禁輸トナレリ。

泰国ノ銅鉱床ハ硫化銅多ク、コーラツト鉄道沿線ノ「チヤントウク」ニアレト、埋蔵量豊富ナラスト謂ヒ未ダ企業化サレザルモノヽ如シ。

仏印ノ銅鉱脈ハ黒河ニ沿フ Van-Sai 及 Ba-Chong 鉱脈、紅河ニ沿フ Lana-Nhon 鉱脈アレド、開発状況不明ナリ。

ニユーカレドニアニ於テハ本島北部ニ銅鉱床アリ、今ヨリ約十五年前ニハ盛ンニ銅ヲ採掘セシガ、本島内ニハ製錬設備ナク、又当時鉱石ヲ約八千海里ノ欧洲方面ニ運送スルコトハ、到底経済的ニ採算トレザル上ニ、鉱石ノ摩擦ヨリ自然発火シ、印度洋上ニテ爆発セル事実等ノ為、一時採掘ヲ中止セリ。目下南端ノゴロニ於テ、大坂ノ野村財閥ノ手ニヨリテ開発サレ居ルモ、其ノ品位約五十

四程度ノモノニシテ、少量乍ラニツケル、クロームヲ含有スル故、特殊鋼ノ材料トシテ好適ナリ。昭和十三年十二月以来本邦ニ輸入サレツヽアリ。

支那大陸ニ於テハ現在ノ処、銅鉱山ハ殆ンド見ルベキモノナク、満洲国モ亦同様ナリ。例ヘバ安東省芙蓉鉱山等アリテ多少ノ開発行ハル。

(三)　銅ノ代用品及ビ故銅回收

銅ノ不足ヲ補充スルタメ、アルミニウム又ハマグネシウムノ使用ガ盛ントナリ、殊ニ航空機等ニ於テハアルミニウムハ銅ヨリモ遥カニ軽キ長所アリ。電線モ高圧電線ヨリ一般電線ニ使用サレツツアリ、但シ代用ノ程度ハ現在ノ処未ダ高カラズ。アルミニウムノ原料ニツキテハ、ボーキサイド、明礬石、礬土頁岩等ガ使用サレ、之等ハ東亜共栄圏ニ於テ資源豊富ナリ。ボーキサイドハ例ヘバ蘭印ノリオウ群島中、Bintan, Batam, Karimon, Banka 等ニ発見サレ、就中、ビンタン島ノボーキサイトハ本邦ニ原鉱ノ儘輸出サル。本邦委任統治地ニモ少量ノ鉱床アリ。礬土頁岩ハ満洲及ビ北支ニ大量ノ埋蔵アリテ既ニ開発サレツツアリ。

マグネシウムノ原鉱ハ本邦ハ殊ノ外豊富ニシテ、朝鮮ノ咸南ノ端川マグネサイト鉱床ニハ埋蔵量三十億瓲ト称シ、又満洲国ニハ大石橋ヲ中心トスル菱苦土鉱床ハ推定五十億瓲ニシテ　両者ニテ本邦ハ世界最大ノ鉱床トナル。

要スルニ銅ノ使用ハ代用品ニテ多少緩和サレ得ベク、他方、故銅及ビ故銅回收ニヨリテ多少ノ原料ヲ補給スルコトヲ得ベシ。本邦ハ世界第五位ノ産銅国ニシテ嘗テハ銅ノダンピングサヘ行ヘル国ナルガ故ニ、国内ニ回收可能ノ故銅可成有ル見込ナリ。

二、　鉛及亜鉛

(一)　鉛

本邦ニ於ケル鉛ノ産額ハ近年一万二、三千瓲ニシテ、本邦ノ需要ハ十二万瓲以上ナル故ニ、其ノ差額ヲ米国及ビ墨西哥ヨリ輸入セル状態ナリ。米国ノ対日輸出ハ近年三万八千瓲程度ナルモ、近時本邦及ビ満洲国ノ生産額ガ増大シ、国

内ストックモ可成リアル故、米国ノ対日禁輸ニヨリテ、本邦ハ左程痛痒ヲ感ゼザルモ、加奈陀ノ禁輸ガ加ハレバ影響スル所アラン。

次ニ本邦ノ鉛（塊及錠）国別輸入高ヲ掲ゲン　（別表第二十）。

㈡　亜鉛

亜鉛ノ本邦生産高ハ年五万乃至六万瓲ニシテ、需要ハ十二万瓲ナル故、不足額ハ可成リノ程度ナルモ、米国ヨリノ輸入ハ昭和十三年ニハ四千瓲、十四年ニハ一万一千瓲ニシテ、本邦ノ銅輸入総額ノ一八%トナルガ故ニ、対日禁輸ノ影響ハ小ナリト雖モ、之ニ加奈陀ノ禁輸ガ加ハレバ影響アルベシ。

次ニ本邦ノ亜鉛（塊、錠及粒）国別輸入高ヲ掲グベシ（別表第二十一）。

㈢　禁輸対策

鉛及ビ亜鉛ノ対日禁輸ニツキテハ第一ニ満洲国ノ増産ニヨリテ可成補充スルコトヲ得ベシ。満洲国ニハ楊家、杖子、青城子、天宝山等ニ亜鉛及鉛ノ産出増

（別表第二十）

鉛（塊及錠）輸入國別表

國名	数量単位	昭和12年 数量	昭和12年 金額	昭和13年 数量	昭和13年 金額	昭和14年 数量	昭和14年 金額	%
合計	百斤（瓩）	1,624,772 (97,486)	41,587735	1,004,386 (60,263)	17,454,269	1,680,011 (100,801)	29,067,236	100.00
中華民國		1,736 (104)	49,594	4,932 (296)	104,303	380 (23)	6,769	0.02
英領印度		309,705 (18,042)	7,692,116	337 (20)	7,731	-	-	-
英吉利		2,179 (131)	65,563	1,360 (82)	31,426	-	-	-
北米合衆國		128,928 (7,736)	3,108,572	400,799 (24,048)	6,924,756	637,980 (38,279)	10,855,305	37.34
加奈陀		697,820 (41,869)	17,340,833	198,775 (11,926)	3,321,464	710,512 (42,631)	12,407,912	42.68
濠太剌利		95,026 (5,702)	2,539,972	18,766 (1,126)	343,845	17,761 (1,066)	351,467	1.20
其他		398,378 (23,903)	10,791,085	379,417 (22,765)	6,720,744	313,378 (18,803)	5,445,783	18.73

（昭和14年12月, 大藏省, 外國貿易月表附屬表ニヨル）

（別表第二十一）

亜鉛（塊錠及粒）輸入國別表

國名		昭和12年 数量	昭和12年 金額	昭和13年 数量	昭和13年 金額	昭和14年 数量	昭和14年 金額	%
合計	百斤（瓩）	668,473 (40,108)	円 15,658,944	680,706 (40,842)	円 13,950,250	970,340 (58,220)	円 16,496,047	100.00
佛印								
北米合衆國		131,536 (7,892)	2,998,401	67,218 (4,033)	1,151,911	189,221 (11,353)	3,024,409	18.33
加奈陀		180,144 (10,809)	4,278,116	228,748 (13,725)	4,525,726	374,623 (22,477)	6,471,546	39.23
濠太剌利		268,627 (16,118)	6,227,474	136,570 (8,194)	2,680,173	134,973 (8,098)	2,266,068	13.73
其他		88,166 (5,290)	2,154,953	248,170 (14,890)	5,592,440	271,523 (16,291)	4,734,024	28.69

（昭和14年12月, 大藏省, 外國貿易月表附屬表ニヨル）

大シ、対日供給数量ハ近年頓ニ増進セリ。即チ昭和十五年ニハ亜鉛精鉱約六千瓲ナリシガ、昭和十六年度ノ計画ニ於テハ次ノ如クナル。

(1)　鉛　二千二百瓲

日本物動ニ供給ス。但シ地金トシテ供給不能ノ場合ハ鉱石ニ振替。

右ノ外ニ七百五十瓲ハ地金トシテ日本揚ゲトシ、製品トシテ満洲国ニ持帰ルモノアリ。

(2)　鉛鉱石　三千瓲乃至三千五百瓲

(3)　亜鉛　一万五百瓲

右ノ内、三千瓲ハ対日委託精錬トシ、地金トシテ満洲ニ持帰ル。

右ノ内、鉛ノ増産ハ一層拍車ヲ加ヘザルベカラズ。

次ニ支那湖南省常寧縣水口山ハ全支鉛生産高ノ約九〇%ヲ占ムル支那最大ノ鉱床ニシテ、現在未ダ敵地区ニ属スルガ故ニ、之ヲ占領スレバ本邦ハ鉛及亜鉛ノ調達豊富トナル。此処デハ方鉛鉱及ビ閃亜鉛鉱ノ埋蔵量五万瓲、年産、鉛五千瓲、亜鉛一万瓲ナリト謂フ。

二八〇

東ニ佛印ニ於テハ亜鉛ハ嘗テハ同国ノ鉱産資源中第三位ヲ占メ、鉱石ノ生産量ハ大ナリシガ、年々減少ヲ辿リタル状態ナリ。鉱床ハTrang-Da, Lang-Hit, Cho-Dienナリ。鉱石ノ生産高ハ昭和十二年度ニ約一万一千屯、品位四・九、亜鉛四千二百屯（カン・エン精錬工場）ニシテ輸出ハ三千五百屯、専ラ佛国ヘ供給サレタリ。従ツテ佛印ノ亜鉛鉱ヲ印度支那工業冶金会社ト協力シテ増産セシムレバ、少クトモ鉱石ハ三、四万屯マデ増産スルコトヲ得ベシ。鉛ニツキテハ生産高ハ極メテ微々タルモノヽ如シ。

（南洋協会調査部編「南洋鉱山資源」四九一－四九三頁）

三、特殊鋼用稀有金属

茲ニ所謂特殊鋼用稀有金属ハタングステン、ニツケル、クローム、モリブデン、コバルト、マンガン、ヴァナヂウム、チタニウム等ニシテ、此等ガ従来米国ヨリ幾何輸入セシカハ不明ナレト現在ハ何レモ禁制品トナレリ。米国側ノ調査ニヨレバ、ニツケル及ビ其他ノ非鉄金属（銅、亜鉛、鉛ヲ除ク）ノ対日供給ハ対日輸出額中極メテ小ナル割合ヲ占ムルモ、日満両国ノ輸入ノ上ヨリ見レバ、ニツケルハ二〇%以上ヲ占メ、其他ノ非鉄金属ハ支那事変以来六〇%ヨリ九九%ヲ占ムルト云フ。但シ其他ノ非鉄金属ノ内容ハ不明ナリ。加之、本邦ハ之等金属ヲ含ムフエロアロイトシテハ輸入率極メテ高ク、日満両国ノ輸入ノ八〇%以上ヲ占ムルト謂フ。尤モフエロアロイハ必ズシモ悉ク特殊鋼ニ用ヒラル、ニ非ズシテ本邦ノ如キハ主トシテ製鋼用脱酸剤ニ供シタリキ。而シテ特殊鋼ノ需要ハ二十六万屯ニシテ、輸入ハ四万五千屯ナリシガ、フエロアロイノ需要ハ十六万屯ニ対シ、輸入約十万屯内外ト推定スルコトヲ得ベク、故ニ米国ヨリフエロアロイノ輸入ハ約七、八万屯ト推定スルコトヲ得ベシ。

何レニシテモ本邦ハ或ハフエロアロイノ形態ニ於テ、或ハ金属単独ノ形態ニ於テ米国ヨリ可成輸入セシモノト推測スルモ大過ナカルベシ。従ツテ米国ノ此等金属ノ禁輸ハ直接本邦ニ影響アルモノト云フヲ得ベシ。故ニ本邦ノ対策ハ此等金属ノ自給ヲ根本トシ、従ツテ原鉱ノ獲得ガ先決問題トナル。以下之ヲ個々ニ述ブベシ。

二八一

二八二

(一) タングステン

タングステン鉱ハ朝鮮ニ於テ近年産出可成増加セルガ（昭和十一年、千七百屯）、既ニ述ベタル如ク、支那ハ世界第一ノ生産地ニシテ世界産額ノ約半ヲ占ム。主要産地ハ中支ニ於テハ江西、湖南ノ奥地ニシテ、今猶重慶政権下ニ属ス。南支ハ広東省ヲ始メ、広西、福建ニモ新鉱床発見サル。輸出高ハ近年一万屯余リニシテ、重慶ノ弗箱トナリシガ、最近本邦ハ輸送ノ途中ニ於テ之ヲ獲得スベキ適宜ノ工作ヲ講ゼルガ故ニ、本邦ハ現在タングステン供給ハ極メテ豊富ナリト謂フ。北支ニ於テハ密雲ニ産ス。南洋ニ於テハ蘭印ノミシンケツプ、ピリトン両島ヲ始メ、英領馬来、泰国等ニ多少産シ、英領ビルマハ比較的大ナリ。本邦ノタングステン輸入ハ従来南支、蘭印ナリシガ、今後ハ支那タングステンノ獲得ニ重点ヲ置クベキナリ。尚、タングステン金属ハ米国ヨリモ多少輸入シタリ。

(二) ニツケル

ニツケル鉱ハ従来主トシテ加奈陀ヨリ輸入セシガ、輸出許可制ニヨリ対日禁輸トナレリ。米国ヨリモ多少輸入セシガ同様ノ運命ニ陥レリ。本邦ニツケルノ需要ハ約一万屯ナルガ、内地生産ハ極メテ微々タルモノナリ。内地ノニツケル鉱ハ品位千分台ニシテ、云ハヾ泥ニ等シク、加奈陀産ノ四乃至五%トハ品質格段ノ相違アリ。カヽル貧鉱ハ北海道、本州、四国、九州、朝鮮ニ到ル処随所ニ産スルガ故ニ、近年日本ニツケル会社ガ貧鉱処理法ニ成功シテ以来、鴨川ニツケル、昭和鉱業、日本高周波、大江山ニツケル等ニツケル工業ニ乗出セリ。一般ニ貧鉱ハフエロニツケルノ生産ニ重点ヲ置クベキナリ。ニツケル鉱床ハ未ダ満洲国及ビ支那大陸ニハ十分発見サレズ。南洋ニ於テハ佛領ニユーカレドニヤハ品位四五%ノ富鉱ヲ産シ、鉱石ノ輸出ハ昭和十二年一万八千米屯ヨリ、十三年ニハ三万二千米屯ニ激増シ、主トシテ独逸及ビ本邦ニ輸出サレタリ。ニユーカレドニヤノニツケル鉱床ハカレドニツケル会社ノ独占経営ナリシガ、本邦ハニツケルノ小鉱区ヲ多ク買収シ、昭和十三年日本曹達ノ購入代理店トシテ日佛合弁会社ヲ設立シ、一ケ年約五千屯ノ純ニツケル獲得ヲ企図セリ。其後佛国政

二八三

府ハニッケルノ輸出禁止ヲ命ジ、現在ド・ゴール派ノ統治ナルガ故ニ、本邦ニ対スル積出シニハ恐ラク円滑ヲ欠クベシ。従ツテ之ニ対シ、適宜ノ工作ヲ必要トスベシ。

更ニ蘭印ニハセレベス島南東ノ北部、Matano, Towoeti ノ両湖水附近ニ品位二・五乃至三％ノニッケル鉱床アリテ、昭和十三年鉱石約二万屯（ニッケル約五百三十屯）ガ独逸ニ試験的ニ送ラレタリシガ、更ニ昭和十四年ニハ東ボルネオ会社ハ二万三千屯ノ鉱石ヲ販売シタリト謂フ。故ニ今後ハ蘭印ノニッケルハ独逸ニ行カザルガ故ニ、蘭印ヨリ鉱石ノ輸入ヲ増進セシムルコト必要ナリ。

(三)　モリブデン

モリブデンハ本邦ニ於テ需要年約二千四百瓲程度ナルモ産出殆ンドナシ。世界第一ノ産地ハ米国ニシテ、世界生産高ノ約九〇％ヲ占メ、昭和十三年ハ一万五千瓲ヲ産セリ。本邦ハ従来主トシテ米国最大ノ Climax 鉱社ヨリ之ヲ買付ケタルモ禁輸トナレリ。幸ニシテ最近満洲国ノ錦州附近ニ於テモリブデン鉱床発見サレ、尤モ品位千分台ナレド、生産能力ハ昨年百八十屯ニシテ鉱石ハ壷蘆島ヨリ輸出セリ。本年ハ二百屯以上ニ増産計画ナリ。南洋ニ於テ、モリブデンノ産地ハ蘭印ニシテ鉱床ハ次ノ如ク分布サル。即チスマトラ島パタン高地シブムブン（Siboemboen）連山、リオシ島バタン（Batam）島北岸タンデヨン・バビ附近（Tandjoeng Babi）、カリムン（Karimoen）島スンゲイ・バラン（Soengei Baran）、西ボルネオ州グヌン・アムバル（Goenoeng Ampar）ノランダック山ナリ。従ツテ蘭印ヨリ輸入ヲ促進スルコト必要ナリ。南米ニ於テハ智利、墨西哥ガモリブデンノ産地ニシテ、特ニ墨西哥ハ太平洋附近ニ鉱床アリ。故ニ南米ニテハ此等両国ヨリ輸入スルコトヲ得。

(四)　コバルト

本邦ニ於テコバルトハ事変前、内地約二百瓲以下ノ産出アリ。サレド需要ハ六、七百屯ナルガ故ニ、三分ノ二以上ハ輸入セザルベカラズ。主ナル輸入先ハ白

耳義ニシテ、白領コンゴーガ其ノ鉱石ノ世界的産地ナリ。（北ローデシヤ亦然リ）サレド欧洲戦争以来白耳義ト取引不能トナリシカバ、将来ハ鉱石ノマヽコンゴーヨリ直輸入スル方法アリ。南洋ニ於ケルコバルトノ産地ハニユーカレドニヤニシテ、品位四乃至五％ノモノ大量アリト謂フ。鉱床ハカレドニツケル会社ノ独占採掘ニ属ス。従ツテ此処ヨリ鉱石ヲ購入スルコトモ得ベシ。更ニ東亜ニ於テ最モ興味アルハネパール国ニシテ、コバルト鉱床アリト云フ。同国ハ英米人ノ入国ヲ禁ゼルガ故ニ、政府ハ三井鉱山ノ技師ヲ招キ、同社ト共同開発ヲ申込ミタリト云フ。尤モコバルト鉱石ノ搬出経路ガ問題ナリ。コバルトハ特殊鋼ノ原料以外ニ石炭液化ノ触媒トナルガ故ニ、将来需要増大スベシ。此ノ触媒用ノコバルトハ米国ヨリ酸化コバルトヲ輸入セシガ禁輸トナレリ。

(五)　マンガン

本邦ニ於テマンガン鉱ハ二酸化マンガンノ産出可成多ク、之ヲ国内ノ化学工業原料トナシ、更ニ生産ノ四〇％ヲ輸出セシガ、特殊鋼用ノ金属マンガン鉱ハ著シク不足ス。本邦マンガン鉱石ハ従来印度ガ主ニシテ比島ヨリモ輸入セシガ、印度及ビ比島共輸出許可制トナリテ輸入困難トナレリ。支那大陸ノマンガン鉱床ヲ見ルニ、北支ニ於テハ昌平及ビ海州ニ産シ、現在ノ海州ノ鉱石ハ連雲港ヨリ積出サル。一般ニ支那ノマンガン鉱ハ南支及ビ中支ガ中心ニシテ、就中広西省ノ柳江及ビ潯江沿岸地帯ナリ。産額ノ大部分ハ輸出サレ事変前ニハ約八百屯ヨリ二万三千屯ノ輸出アリシト謂フ。

次ニ支那ニ於ケルマンガン埋蔵量及ビマンガン鉱ノ産額ヲ掲グベシ。

支那ノマンガン埋蔵量　（單位、瓲）

省名	鉱床名	埋蔵量	品位（％）
江西	楽平	一、二〇〇、七八五	二〇―三〇
湖南	湘潭・上五都	一、三〇〇、〇〇〇	三〇―五三
広東	欽縣空山東嶺	八、〇〇〇、〇〇〇	二〇―五二
〃	〃釣魚公	四、〇〇〇、〇〇〇	二〇―五〇
広西	武宣・三里圩	六、〇〇〇、〇〇〇	三〇―五四

其他	二、〇〇〇、〇〇〇
合計	二二、五〇〇、七八五

支那ノマンガン鉱産額　（単位、瓲）

省名	鉱床名	昭和七年	昭和八年	昭和九年
江西	楽平	―	―	―
湖南	湘潭	五、四七一	二二七	八七九
広東	欽縣防城	五〇〇	五〇〇	五〇
広東	羅定	―	―	―
広西	武宣、桂平	一五、五三〇	八、七七三	一、〇〇〇
合計		二一、五〇一	九、五〇〇	一、九二九

（沢村宏「世界各国の製鉄工業」二七頁）

尤モ右ハ何レモ未ダ敵地ニ属スルガ故ニ、其ノ獲得ニハ特別ノ工作ヲ要スベシ。

南洋ノマンガン鉱床ハ比律賓、蘭印、英領馬来、ニューカレドニヤ、佛印ニアリ。

比律賓ニ於ケル主ナル鉱床ハ呂宋島ノ北部「イロコス・ノルテ」州北東部ニ位シ、北ハ「ブルゴス」ヨリ東ハ「バンキ」ヘ、南ハ「パスキン」、西ハ海岸ニ迫ル範囲ナリ。其ノ中心地ハ「プンタ・ネグラ」、「シエク」ニシテ、「プンタネグラ」ハ確実ナル埋蔵量二百五十屯、推定量一万七百噸ニシテ、「シエク」ハ確実ナル埋蔵量一千噸、推定量ハ万七千二百二十五噸ナリ。此ノ外、ブスアンガニモ、マンガン鉱床アリ。イロコス鉱床ハ最近 Ilocos Manganese Mining Co. ニヨリテ開発セラレ、三井物産ヨリ本邦ニ輸出サレ、Busuanga 鉱床ハ日本鉱業ノ資本下ニ開発セラレ、本邦ノ原料ニ供給サル。而シテ比島ノ昭和十二年ノマンガンノ対日輸出ハ七千五百瓲、対米輸出ハ四千瓲ナリ。現在ノ対日供給高ハ不明ナルモ、其ノ数量ハ相当ニ上ルベク、従ッテ今回ノ許可制ニヨリテ禁止トナレバ可成影響ヲ蒙ルベシ。

英領馬来ノマンガン鉱床ハ馬来非聯邦ニ集中シ聯邦ニハナシ。主ナル鉱床ハ

トレンガヌ州及ケランタン州ノモノニシテ、前者ニツキテハ石原産業ガ太陽鉱山（Kemaman）ヲ開発シ、年産約一万五千瓲、後者ニツキテハ日本鉱業ガタンドウ（Tan Box）鉱山（品位五三％）ヲ開発シ、年産約一万二千瓲アリト謂フ。従ッテ馬来半島ノマンガン鉱床ハ本邦ノ開発事業ナリト云フベク、之ガ輸出許可制ハ打撃大ナルベキガ故ニ、適宜ノ工作ヲ要スベシ。

蘭印ニ於テハマンガン鉱ハスマトラ、爪哇、ボルネオニ分布スレド、爪哇ヂヨクヂヤ・カルタ州ガ主ナル産地ナリ。

次ニ蘭印ノマンガン鉱生産高並ニ輸出高ヲ揭グベシ。

蘭印ノマンガン鉱生産高並ニ輸出高

	昭和十年	昭和十一年	昭和十二年	昭和十四年
生産高（噸）	一二、三三八	八、五九七	一一、〇八三	一二、〇〇〇
輸出高（瓲）　欧洲	九、七四八	九、五九三	一五、七四一	
輸出高（瓲）　米国	三〇	一、六八〇	―	
濠洲	二〇九	二〇	―	
合計	九、九八七	一一、二九三	一五、七四一	

（南洋協会編「南洋鉱産資源」一三七―八頁）

佛印ニ於ケルマンガン鉱ハ鉄鉱床ノ内ニ散在セルガ故ニ、マンガン鉱床ヲ分離シテ考察スルコト困難ナリ。従ッテマンガン含有量ノ大ナル鉄鉱石ノ産地ガ問題トナリ、本邦ト関係ノアルモノヲ述ブレバ、安南ノヴイン（Vinh）地方ニ於ケルエンクウ鉱山ハマンガン含有量四三・七％ノ鉄鉱石ヲ産シ、昭和十二年ノ原鉱産額三万八千五百七十噸、内、マンガン含有量二千五百三十六瓲ニシテ、昭和十年岸本商事会社ガ千四百瓲ヲ本邦ニ輸出セリ。故ニ今後之ヲ本邦ニ輸入増進ノ方法ヲ講ズベキナリ。

(大)　クローム

クローム鉱ハ内地ニハ比較的豊富ニシテ山陰、北海道ニ良質ノクローム鉱ヲ産シ、事変前ハ年産三万八千瓲ニ達シ、鉱石ノ儘輸出セシガ、最近ハ之ヲ内地

ニテ精錬スルニ至レリ、尤モ需要ハ其後激増シ、原鉱九万二千瓲以上ニ達セシガ故ニ、内地ノ増産ニテモ不足スベク、勢ヒ相当輸入ニヨリテ補充スル状態ナリ。

満洲国及ビ支那ニ於テハクローム鉱床ハ不明ナルモ、南洋ニ於テハニユーカレドニヤト比島トニ豊富ナル鉱床アリ。

ニユーカレドニヤノクローム鉱ハ鉄分、燐分共ニ少ク良質ニシテ、品位ハ良質ノモノハ五〇乃至五四%ナリ。埋蔵量ハ三百万噸ニシテ、其ノ輸出高ハ昭和八年乃至十年ノ平均五万五千噸、十二年ハ七万噸、十三年ハ四万一千九百噸ナリ。右ノ内、米国ハ最大ノ顧客ニシテ昭和十二年ニハ六万二千噸ヲ輸入セリ。佛本国ヘノ輸出高ハ昭和十二年三千噸、十三年七千噸ニシテ、本邦ヘモ嘗テ約一万噸ヲ輸入セリ。今後モ有望ナル輸入先ナリ。

比律賓ニ於テハ本邦金属製錬会社ハザンバレス州ギスギス在ノクローム鉱山ノ開発ニ投資シ、昭和十四年ヨリ出鉱ヲ開始セリ。鉱石ハクローム鉄鉱ニシテ品位四五%以上ナリ。

此ノ外、蘭印ニ於テハ南東ボルネオ並ニ中部セレベス湖水地方ニ多少産シ、又佛印ニ於テハ北部安南ノ Hieu Hoa 地方ノ含ニツケルクローム鉄鉱床ヲ採掘ス。

(七)　ヴアナヂウム

満洲国熱河地方ニチタン・ヴアナヂウムノ埋蔵アリテ開発ニ着手セリト雖モ実績ハ不明ナリ。ヴアナヂウムノ本邦ノ需要ハ約七百三十万瓲ナルガ故ニ、従来ハ全部ガ輸入ニヨリテ充足セラレタリ。主要輸入先ハ米国ナリシガ、禁輸ニヨリテ輸入不能トナレリ。ヴアナヂウム鉱ノ世界生産ハ約三千瓲ニシテ、昭和十三年ニハペルーガ五二%、米国ガ二七、五%、北部ローデシヤガ一三%、南西亜弗利加ガ一七、五%ナリ、本邦ハ従来フエロ・ヴアナヂウムヲ米国及ビ欧洲ヨリ輸入セシガ故ニ、今後ハ鉱石ノ産地ヨリ鉱石ニテ輸入スル必要生ジ、特ニペルーヨリ買付グルコトヽナルベシ。然乙ノ如キハ国内ニ資源ナキモ、含有量極メテ小ナル特殊ノ鉄鋼ヲベツセマー残滓ニ熔融シ、ヴアナヂウムヲ取出スコト

ニ成功セルガ故ニ、現在輸入ノ必要ハ消滅セリト謂フ、自給策トシテ他山ノ石タルベシ。

(八)　チタニウム

チタニウムモ本邦ニ産出少ク、最近国産ノ見込アリト雖モ実績不明ナリ。原鉱ハ「イルメナイト」及ビ「ルチル」ニシテ、昭和十三年世界生産高ハ二十七万屯ナリキ。其ノ内、七〇%ガ英領印度ニシテ、二五%ガ諾威(ルチル)ナリ。英領馬来、マラツカヨリ錫ノ副産物トシテ「イルメナイト」ガ六万屯乃至十万屯産シ、埋蔵量三十五万瓲ト謂ヒ、蘭印ジヤバニモチタン鉄鉱床アリ。ブラジル(ルチル)モ多少産出ス。故ニ本邦ハ之ガ輸入ヲ英領印度ニ求メ得ザル限リ、英領馬来、ブラジルニ求ムルコトヽナル。蘭印ノモノハ原鉱ニ非ザルガ故ニ、技術的経済的ニ難点アリ。

以上要スルニ本邦特殊鋼乃至フエロアロイノ原料タル稀有金属ハ内地ノ資源

貧弱ナルモ、クロームハ比較的多少採掘サルベク、タングステンハ支那ヨリ獲得工作ヲ継続スル限リ、極メテ豊富ニ供給ヲ受クベシ。其他ノ諸金属ハ南洋ニ比較的豊富ニシテ、而モ本邦ノ企業又ハ取引関係アルモノ多キガ故ニ、其ノ継続ト増進ニ対シ、今後有効ナル措置ヲ講ズベキナリ。但シ特殊鋼トシテハ将来タングステンノ如キ、又ハクロームノ如キ調達ノ大ナル金属ヲ以テ、他ノ金属ニ代用セシメ、フエロタングステン、フエロクロームヲ以テ代用特殊鋼ノ使用ヲ奨励スベキナリ。

第四項　非金屬鑛物（燐礦石）

非金屬鉱物中對米依存度ノ比較的高キモノハ燐砿石ニシテ、昭和十四年ノ總輸入額二千五百四十二万円ニ對シ、對米輸入額ハ二九%ヲ占ム。尤モ對米總輸入額ニ對スル比ノ商品ノ輸入ハ僅カニ〇、七三%ニ過ギズ。今、其ノ主ナル輸入先ヲ示セバ次ノ如シ（別表第二十二）。

本邦ノ燐砿石ノ需要ハ約百萬瓲ニシテ、此ノ約七〇%ガ右ノ輸入数量ナリ。而シテ其ノ輸入先ハ右ニ掲ゲタル如ク、米國（二十八萬瓲）ヲ筆頭ニ、埃及（二十一萬瓲）、海峡植民地（八、九萬瓲）トナルガ、此ノ外ニ阿弗利加ニ於テハ、アルヂェリヤ、チュニス、モロッコ、南洋ニ於テハ、オーシャン島、ナウル島等ヨリモ輸入ス。

米國ハ既ニ燐砿石ノ輸出許可制ヲ実施セルガ、其ノ對策トシテハ東亜共栄圏内ニ於テ燐砿石又ハ燐灰石ノ輸入ヲ増進セシムルコトガ根本ナリ。而シテ東亜

共栄圏ニ於テハ燐灰石ノ資源比較的豊富ナリ。朝鮮ニ於テモ之ヲ産シ、北支ニ於テハ海州附近ニ之ヲ産シ、現ニ本邦ニ多少輸入サル。更ニ南洋ニ於テハ佛印ト蘭印ニ可成資源アルガ故ニ、燐灰石ノ供給ヲ此處ニ求ムルコトヲ得ベシ。

蘭印ニ於ケル燐灰石ノ産地ハ爪哇チエリボン州クロモン山（Kromon）、ニューギニアスカウテン（Schauten）群島ノ北西部アヤウイ（Ajawi）、ミアスカイルー（Mias Kairoe）島、セレベス島ボンタイン郡サレイエル（Saleir）南方ノカビア（Kabia）島ナリ。昭和八年ヨリ十二年マデノ生産高ヲ示セバ次ノ如シ。（単位、瓲）

昭和　八年	七、九四六
〃　九年	五、〇一三
〃　十年	一一、五五三
〃　十一年	一一、九七一
〃　十二年	二三、四六七

佛印ニ於ケル生産地ハタンムア（Thanh-Moi）（ランソン省）ショフオン地

（別表第二二）

燐礦石輸入國別表

國名	単位	昭和12年 数量	昭和12年 金額	昭和13年 数量	昭和13年 金額	昭和14年 数量	昭和14年 金額
合計	百斤（瓲）	15,371,942 (922,317)	30,810,382円	9,402,824 (564,169)	19,281,443円	13,049,847 (782,991)	25,411,705円
海峡植民地		1,738,087 (104,285)	4,186,471	1,574,747 (94,485)	4,148,202	1,461,220 (87,673)	3,964,991
英領印度		−	−	−	−	−	−
北米合衆國		4,290,491 (257,429)	7,760,093	2,438,450 (146,307)	4,724,947	4,733,387 (284,003)	7,369,643
埃及		5,477,085 (328,625)	10,022,289	3,391,839 (203,510)	5,878,504	5,966,179 (205,268)	3,391,839
其他		3,866,279 (231,978)	8,841,529	1,997,788 (119,867)	4,529,790	3,434,099 (206,046)	8,110,892

（昭和14年2月、大藏省「外國貿易月表」ニヨル）

方ノ鉱床、エンバイ、チユエンカン、リユカンセウ地方ノ鉱床並ニ北部安南ノ鉱床ナリ。其ノ生産高ヲ示セバ次ノ如シ。（単位千噸）

昭和	燐鉱	粉末燐酸塩
五年	三〇、三	二六、六
六年	一二、九	三、九
七年	〇、四	六、五
八年	—	—
九年	—	四、〇
十年	—	五、九
十一年	九、三	一〇、三
十二年	二二、二	二〇、三

（南洋協会編「南洋鉱産資源」五〇四頁）

第五項　機械類及ビ自動車

一、輸入概況

先ヅ機械類ノ輸入状況ヲ考察スルニ、昭和十二年ニハ米國ヨリ七千六百八十四万円ナリシガ、十三年ニ一億二千四百五十六万円トナリ、十四年ニハ一億四千六百二十八万円トナリ、本邦ノ機械類總輸入額ノ約六〇%ヲ占メ、對米總輸入額ノ一四%ニ當ル。其ノ詳細ヲ示セバ次ノ如シ。

本邦機械類輸入國別表　（単位、円）

國名	昭和十二年	昭和十三年	昭和十四年	昭和十四年 %
合計	一五六、二五一、一六一	二三三、五八八、二六六	二四七、七一一、六七〇	一〇〇・〇〇
英吉利	二一、二九二、七二四	一四、五三一、五七九	九、四三九、九九一	三・八一
佛蘭西	一、四四五、五五六	一、七〇九、〇一八	一、九三三、八四三	〇・七八
独逸	四一、一三四、六九二	七四、五四〇、七〇九	六七、八九二、九三三	二七・四〇
白耳義	三五、六一九	五九、八八四	二六九、六一三	〇・一〇
伊太利	二五九、五一五	一、三一一、四七三	一、四三七、一八八	〇・五八
和蘭	三五、三一七	一〇七、一一九	四五、五八五	〇・〇一
瑞西	四、八〇六、九八八	六、七二六、四六三	六、一九一、一四二	二・四九
瑞典	七、九八一、九三五	八、二七一、〇〇九	一二、八七〇、〇〇八	五・一九
北米合衆國	七六、八四六、七六四	一二四、五六二、九〇八	一四六、二六八、四三〇	五九・〇四
加奈陀	一六三、四八四	八〇、六三六	四八、九九四	〇・〇二
其他	二、二四八、五六七	一、六八七、四七六	一、三一三、九四三	〇・五三

（昭和十四年十二月、大蔵省、外國貿易月表附偏表ニヨル）

機械類ハ既ニ昭和十四年秋、モラル・エンバーゴーニ附セラレ、十五年夏正式ニ禁制トナレリ。

次ニ自動車及ビ同部分品ノ米國ヨリ輸入ヲ見ルニ、昭和十二年、四千四十万円ヨリ十三年ニハ二千百二十八万九千円トナリ、更ニ十四年ニ於テハ千二百六十八万円ニ減少セリ。而シテ自動車及同部分品ノ輸入ハ殆ンド米國ニ集中シ、昭和十四年ノ輸入割合ハ九四%ナリ。尤モ本邦對米輸入總額ヨリ見レバ一・二%ニ過ギズ。

次ニ自動車及ビ同部分品輸入國別状況ヲ掲グベシ。

自動車及同部分品輸入國別表　（単位、円）

國名	昭和十二年	昭和十三年	昭和十四年	昭和十四年 %
合計	四三、八一七、〇四四	二二、三三三、四五三	一三、五一四、三八二	一〇〇・〇〇
英吉利	八六三、六一二	六九、八一三	六九、一八四	〇・五一
佛蘭西	三六二、五一六	九、二二〇	八九	—
独逸	一、二七二、六四三	九四八、七四五	七四六、六一三	五・五二
伊太利	二〇、一九一	一五、三六五	五、三〇九	〇・〇三
北米合衆國	四〇、四〇一、九一一	二一、二八九、九四九	一二、六八二、五一〇	九三・八四

（別表第三）

米國對日機械類輸出高

種別	昭和11年 数量	昭和11年 金額	昭和12年 数量	昭和12年 金額	昭和13年 数量	昭和13年 金額	昭和14年 数量	昭和14年 金額
	台	千弗	台	千弗	台	千弗	台	千弗
工作機械	–	3,331	–	11,904	–	23,538	–	24,578
自動車及同部分品	–	11,619	–	13,581	–	10,141	–	6,420
乗用車及車台	7,966	55	6,222	3,092	1,613	696	480	193
トラック及バス	7,769	2,595	10,462	3,875	5,802	2,091	2,429	10,071
自動車組立用部分品	–	3,116	–	3,541	–	3,624	–	2,591
自動車エンヂン	10,082	931	11,114	1,068	7,809	959	6,940	971
航空機及同部分品	–	989	–	2,484	–	11,062	–	2,574
合計		26,336		39,545		52,112		38,334
對日総輸出額ニ對スル割合		12.9%		13.8%		21.8%		16.6%
米国機械類輸出総額ニ對スル割合		7.2%		18.5%		23.1%		20.9%
對日総輸出額ニ對シ工作機械ノ占ムル割合		1.6%		4.1%		9.8%		10.6%

加奈陀	五、〇五五	—	一八九	—
其他	八九、一一六	三六一	一〇、四八八	〇・〇七

（昭和十四年十二月、大藏省、外國貿易月表附屬表ニヨル）

更ニ機械類及ビ自動車ノ輸入ヲ米國側ノ輸出トシテ考察スルニ、両者ニテ昭和十四年對日總輸出額ノ一六・六%ヲ占メタリ。今、米國側発表ノ此種ノ輸出統計ヲ示セバ次ノ如シ（別表第三）

之ニヨルト米國ノ對日機械類ノ輸出ハ其ノ輸出全体ノ二三乃至二〇%ヲ占メ、米國側ニ於テモ軽視スベカラザル割合ヲ占メタルコトヲ知ル。

二、工作機

工作機ハ米國側ヨリ見レバ、對日輸出ハ同國ノ工作機輸出總額ニ對シ昭和十一年ノ七、二%ヨリ昭和十二年一一、五%、十三年二三・一%、十四年二〇・九%ト年々増大ヲ辿リシガ、昨年夏以来、飛行機、自動車及ビ兵器等ノ製作ニ

要スル工作機ハ對日禁輸ヲ断行スルニ至レリ、從来本邦ノ工作機輸入先ハ米國並ニ独逸ニシテ、独逸ヨリノ輸入ハ中規模ノモノ多ク、今次大戰前増加ノ傾向ヲ辿レリ。然ルニ大戰勃発以来對独註文ハ大体對米註文ニ振替ヘサレタルモノノ如シ。翻ツテ本邦ノ工作機ヲ見ルニ、一流品ニ比シ其ノ遜色ハ明白ニシテ、精密度悪ク、冶金度劣リ、高價ニシテ、且納期延引等モ加ハリ同品ノ外國依存ハ未ダ清算シ難キ状況ナリ。他方米國ハ工作機ニ於テ独逸、英國、瑞西ト共ニ其ノ優秀性ヲ世界ニ誇リ、而モ大量生産ニ於テ世界ノ王座ヲ保持セル状態ナリ。

本邦ノ米國ヨリノ工作機械輸入ノ推移ヲ見ルニ、昭和十一年ノ三百三十三万弗ヨリ十二年ニハ千百九十万弗、十三年ニハ二千三百五十三万弗ト増加シ、更ニ十四年ハ二千四百五十七万弗ニ増大セリ。

今、對日禁輸ノ影響ヲ考察スルニ、本邦ノ工作機製造能力ハ右ニ述ベタル如ク、未ダ不充分ニシテ、歯車ヲ切ル機械、各種ギアーノカッティング、ホンビング、ミリング、グライディング等ノ機械ハ國産ニテハ不充分ナル故、米國ノ對日禁輸ハ我國ニ對シ大ナル打撃ヲ與フベシ。而シテ對米発註品ハ第三國ヘノ振替ハ難色多ク、之ヲ独逸ヨリ輸入スルニシテモ輸送力ノ点ニ於テ中絶状態ニアリ。

要スルニ工作機械ニ對スル米國ノ對日禁輸ハ本邦ノ積極的生産力擴充ニ支障ヲ来スコト明白ナリ。サレド本邦ハ既ニ各種工作機械ヲ輸入セルガ故ニ、之ヲ基礎トシテ今後國産機械ノ改良増産ニ拍車ヲ加ヘ、且不足ノモノニツキテハ独逸又ハ瑞西ヨリ輸入ヲ促進シテ補給ヲ受クル以外ニ對策ナカルベシ。

但シ之トテモ最近ハ事実上不可能トナリシガ故ニ今後ハ國際的パテントヲ自由ニ使用シテ一躍國産ノ改良ニ邁進スベキナリ。

㈠　プレス

プレスノ對米発註ハ嘗テ多量ニ上リ、特ニ大型フオージングプレスノ発註多カリキ。我國ノ現状ニ於テハ大体四千瓲程度ノフオージングプレスハ製作可能ナルモ、其以上ノモノノ製作ハ困難ニシテ、従ツテ大型プレスノ禁輸ハ本邦ニ對シ多大ノ支障ヲ招来セリ。

(二)　製鉄関係ノ機械類

製鉄関係ノ機械類ハ従来独逸ニ依存シ、大型圧延機ハ独逸ノ独占セル所ナリシガ、大戰勃発ニヨリテ之ハ對米発註ニ振替ヘラレ、米國ノ對日禁輸ニ於ケル本邦ノ對米発註額ハ数百万円ニ上レリ。本邦ニテハ大型圧延機ノ製作不可能ナル故、米國ノ對日禁輸ノ実行サレシ現在ニ於テハ専ラ独逸ヨリノ輸入ニ俟タザルベカラズ。

(三)　鑛山用機械

鉱山用機械ノ對米発註ハ禁輸前ニ於テハ数百万円ナリキ。化学用機械ノ對米発註ハサシテ大ナラズ。併シ、後者ニアリテハ昭和十四年十一月ノモラル・エンバーゴーニ依リ、人造石油、航空用揮発油関係ノ技術経験、情報ヲ得ルコト困難トナリ、此点若干ノ難点ヲ有ヘ居レリ。

(四)　ベアリング

ベアリング類ノ對米発註ハボールベアリングノボールノミニテ、對米依存ノ程度ハサシテ大ナラズ。

(五)　自動車及ビ同部分品

自動車及ビ同部分品ニツキテハ未ダ米國ノ輸出禁止ハ実行サレズ。従来本邦ノ自動車及ビ同部分品ノ輸入ハ大部分米國ヨリナリシガ、十五年ニ至リ日産及ビ豊田ニヨリテ對米依存ヲ略々脱却セリ。併シ本邦ノ製産能力ノ充分ナル点ニ及シ、本邦ニ於テハ間接材料タルコバルト、カルボランダム、ボランダム、ダイヤモンド、カッティングオイルノ良品ヲ入手困難ニシテ、之ガ為ニ部分品ノ製作ニ支障アルモノノ如シ。

(六)　航空機及同部分品

米國側ノ数字ニヨレバ對日輸出額ハ昭和十三年一千十七万弗ナリシガ、十四

年ニハモラル・エンバーゴーノ結果、二百四十万弗ニ減少セリ。更ニ十五年ニハ急減セリ。航空機ノ部分品ハ独逸ヨリ補給ヲ受ケシガ最近ハ事実不能トナレリ。

故ニ之ニ就キテモ國際的パテントノ自由使用ニヨリテ局面ヲ打開スルコトヲ得ベシ。

次ニ参考迄ニ昭和十五年上半期ノ米國航空機輸出統計ヲ示スベシ。

昭和十五年上半期ノ米國航空機輸出状況（単位．弗）

飛行機（一五三三）	九五、二六一、四〇二
エンヂン（三〇〇八）	一七、七〇四、三六二
エンヂン部分品及同附属品	七、二四〇、八四七
プロペラ及同部分品	四、二九八、四四一
器具及同部分品	一、九九六、六五一
パラシュート及同部分品	五三七、八三五
其他ノ設備品	一一、二四八、五〇八
合計	一三八、三八八、〇四六

仕向地別数

佛蘭西	七五、三七五、五六五
英吉利	一八、一六七、九六七
濠洲	九、五三八、九九〇
加奈陀	七、〇五〇、七五九
瑞典	四、九二八、二一一
芬蘭	四、〇五五、二三七
支那	三、七〇八、〇二〇
蘭印	二、五七八、七四五
土耳古	一、八四四、〇七六
諾威	一、四四一、七七一

三一〇

白耳義	一、一五〇、〇八三
ブラジル	一、〇〇八、二〇七
合計	一三〇、八四七、六三一

（日本製鉄参考資料第七巻第六号、五三九、五四〇頁）

第六項　棉花

一、輸入状況

昭和十年ニ於ケル本邦ノ対米棉花輸入額ハ三億七千万円ニシテ、対米総輸入額ノ四六％ヲ占メ　対米輸出品ノ大宗タル生糸ニモ比肩シ得ベキ重要輸入品目ナリキ。然ルニ本邦戦時経済ノ進展ニ伴ヒ、対米貿易構造ノ変動ニヨリテ輸入品中ニ占ムル棉花ノ地位ハ相對的ニ大減退ヲ呈シ、昭和十四年ノ対米輸入額ハ一億五千万円ニ激減シ、対米輸入総額中ニ占ムル割合ハ一五％ニ著シキ低下ヲ示セリ。併シ所謂平和産業部門ノ原料品トシテハ、パルプ、木材ヲ遥カニ凌ギ依然トシテ其ノ重要性ヲ有ス。

本邦ノ棉花輸入ハ主トシテ米棉及ビ印棉ニシテ、米國及ビ印度ガ本邦棉花ノ二大供給地ナルコト勿論ナリ。

今、世界ノ棉花主要國ノ生産高ヲ示セバ次ノ如シ。

世界ノ棉花主要國別生産高　（單位、千俵）

	昭和十一年	昭和十二年	昭和十三年	昭和十四年
北米合衆國	一〇、一七〇	一一、八五三	一八、一一一	一一、四一九
印度	四、六九四	四、九八七	四、六二三	四、〇九六
ソ聯	二、三四〇	三、四三一	三、六一六	三、六八二
伯剌西爾	一、六八〇	一、七二七	一、九八三	一、七九四
埃及	一、六九一	一、八〇八	二、一八一	六、六五二
合計（其他共）	二五、三五三	三〇、三七九	三六、三三二	二六、八〇八

（「國勢グラフ」昭和十五年九月号二十頁）

三一一

三一二

昭和十四年ニ於ケル本邦ノ米棉輸入高ハ二百八十七万二千擔ニシテ、昭和十年ノ五百七十五万八千擔ニ比シ半減セル状態ナルモ、猶本邦ノ棉花輸入總額ノ二八、五％ヲ占ムル状態ナリ。併シ、本邦ノ棉花輸入ニ於テ米棉ノ地位ハ印棉及ビ雑棉ニ比シ相對的ニ着シク低下セルコトハ争ハレザル事実ナリ。次ニ本邦ノ棉花輸入高ヲ掲ゲン。

昭和十四年度本邦棉花輸入高　（單位、千擔）

	昭和十四年	昭和十年ニ比シ増減
印棉	三、三八九	(一)一、八二二
米棉	二、八七三	(一)二、八八五
雑棉	三、八三一	(一)二、五一六
合計	一〇、〇九三	(一)二、一九一

カヽル本邦ノ米棉輸入ノ減退傾向ハ米國側ノ對日棉花輸出高ニモ看取スルコトヲ得。即チ昭和十二年七月ニ終ル棉花年度ノ對日輸出高ハ百五十六万六千俵ニシテ、米國ノ棉花輸出總額タル百五十一万一千俵ノ二八％ニ相當セルモ、昭和十五年七月ニ終ル棉花年度ノ對日輸出高ハ七十九万一千俵ニ激減シ、米國ノ棉花輸出總額ノ一四％ニ過ギズ。今、米棉ノ對日輸出高ヲ示セバ次ノ如シ。

米棉對日輸出高（棉花年度毎年七月ニ終了）　（單位、千俵）

年度	對日輸出高	輸出總額	輸出總額ニ對スル對日輸出高ノ％
昭和六年―昭和七年	二、三一二	八、七五四	二六・四
昭和十一年―昭和十二年	一、五六六	五、五一一	二八・四
昭和十二年―昭和十三年	七〇八	五、六七二	一二・五
昭和十三年―昭和十四年	八七六	三、三五三	二六・一
昭和十四年―昭和十五年（四月一日迄）	七九一	五、五九九	一四・一

斯ノ如ク棉花ノ日米貿易ニ於ケル比重ハ近年減少ノ一路ヲ辿リシガ故ニ、今、

三一三

米國ガ棉花ノ禁輸ヲ断行スルモ敢テ驚クニ足ラザルナリ．尤モ米國ガ棉花ノ禁輸ヲ断行セル場合ニ於テハ、本邦ノ棉花ノ分散買付ハ採算、輸送、加工等ノ点ヨリ種々ノ困難ヲ伴フコト勿論ナレド、事変前ニ於ケル本邦ノ棉花輸入高ノ半分程度ナルガ故ニ、之ヲ他國ニ振替フルコトハ可能ナリ．

尚、次ニ北支ノ棉花輸出状況ヲ示スベシ．

北支ノ棉花輸出（数量単位　キンタル）

仕向地	昭和十三年		昭和十四年		昭和十五年	
	数量	金額	数量	金額	数量	金額
総額	一、二四七、七九三	九二、三四三、八八八	三〇、六一二	三、二一六、八九二	一六、〇二〇	一、九七〇、五一七
日本	八六六、三七九	六四、〇九〇、二三八	一〇、八〇七	一、〇五六、三五〇	一二、〇〇三	一、三〇二、七四六
朝鮮	六四、〇四九	四、六五六、一九〇	一、〇五四	一一四、八五八	三八八	三八、六九八
台湾	一、一八〇	八九、六六七	—	—		—
関東州	一八四、〇八九	一三、六八二、一六四	一八、六九四	二、〇四一、八六四	三、六二九	六二九、〇七三
合計	一、一一五、六九七	八二、五一八、二五九	三〇、五五五	三、二一二、八九二	一六、〇二〇	一、九七〇、五一七

（北支海関統計ニヨル．但シ昭和十五年八十一月迄トス）

二、東亜共栄圏ニ於ケル棉花ノ自給問題

思フニ本邦ノ棉花需要高ハ紡績用棉約千万擔ニシテ、之ニ製綿用棉花ヲ加フレバ千四十四万擔トナルベシ。而シテ千万擔余ノ棉花ハ悉ク之ヲ輸入ニヨリテ充足セルコト既ニ述ベタル如シ。此ノ外ニ満洲國ガ四十二万擔、支那ガ二十七万擔ヲ夫々輸入ス．

本邦ノ需要スル棉花ノ品質ヲ見ルニ、太糸ハ二十二番手以下ニシテ、需要ノ六〇％ヲ占メ、主トシテ印棉ガ使用サレ、一部米棉ガ使用サル．中細糸即チ中糸ハ二十三番手ヨリ四十四番手迄ノモノニシテ、需要ノ三七％ヲ占メ、米棉ノ上、中、下各種ガ使用サレル．細糸ハ、五十番手ヨリ百番手、百二十番手迄ノモノニシテ、需要ノ三％ヲ占メ、高級米棉及ビ埃及棉ガ使用サレル．結局、印棉或ハ下級ノ米棉ガ本邦棉花需要ノ大部分ヲ占メ、満洲、朝鮮、支那ニ於ケ

ル需要内容モ略ゝ同様ナリ．

固ヨリ棉花ハ内地ニ多少生産アレド、主トシテ中入棉用ノ所謂在来棉ニシテ生産ハ微々タルモノナルガ故ニ、自給策トシテハ朝鮮、満洲、台湾、支那及ビ南洋ガ問題トナル．

先ヅ東亜共栄圏各地ノ棉花ノ品質ヲ見ルニ、満洲國ノ棉花ハ八分ノ六吋以下、即チ下級米棉以下、朝鮮ハ八分ノ七吋、即チ並米棉以下ナリ．支那ノ棉花ハ在来棉ハ八分ノ五吋以下ノモノ五〇％、下級米棉三〇％、中級米棉一五％ノ割合ナリ．尤モ上級米棉ハ河北、山東、河南ノ黄河流域地方及ビ揚子江南京以西ノ流域ニ生産ノ可能性アリト謂ノ．而シテ埃及棉ハ台湾及ビ海南島ニ多少産ス．

次ニ日満支三國ニ於ケル棉花ノ増産計画ヲ見ルニ、内地デハ昭和十三年度ノ棉花ノ生産ハ繰棉六十八万斤ニシテ、各所ニ在来棉アレド多クヲ期待スルコトヲ得ズ．朝鮮ニ於テハ棉花ハ咸鏡北道ヲ除ケバ到ル處栽培サレ、作付反別二十五万町歩、実棉二億一千万斤ニシテ、十四年度ニハ内地ニ對シ千六百五十八万斤ヲ輸出セリ．而シテ朝鮮ニ於ケル増産計画ハ昭和八年以降二十ヶ年計画ヲ建テ繰棉六億斤、作付反別五十万町歩ヲ目標トセシガ、昭和十二年ニ入リテ之ヲ変更シ、増産目標四億九千万斤、作付反別三十五万町歩ニ改正セリ．台湾ノ増産計画ハ昭和十二年ニ十ヶ年計画ヲ建テ、作付反別五万甲、一億五百万斤ヲ増産目標トセルモ、昭和十四年ニ於テ此ノ計画ヲ変更シテ作付反別七万五千甲、生産高一億七百万斤ヲ目標トセリ．

満洲國ノ棉花需要ハ二百万擔ニシテ、最初ノ五ヶ年計画ヲ修正シ、十ヶ年計画ニテ百万擔ヲ増産目標トセリ．現在ノ棉花生産豫定ハ二十八万擔ニシテ、其内、八万擔ハ中入棉、二十万擔ヲ紡績用トス．関東州ニ於テハ昭和十三年ヨリ十七年迄ノ五ヶ年計画ニヨリテ作付反別一万町歩ニ擴大シ、千百二十万斤ヲ増産スル計画ナリ．

支那ノ棉花生産ハ事変前ニハ北支五省ニテ六百八十万擔、中支六省ニテ四百四十万擔、合計千百二十万擔ナリ．北支ノ生産ハ昭和十四年百五十四万擔ニシテ、事変前ニ比シ格段ノ相違ナリ．北支ノ増産十ヶ年計画ハ一千万擔即チ十億

作ヲ目標トシ、栽培面積三千万畝ノ豫定ナリト謂フ。固ヨリ此ノ計画ハ食糧ノ生産ヲ犯サヾルコトニ留意シテ建テラレタルコト勿論ナリ。由来黄河流域ノ河北ノ氣候ハ棉作ニ最適ナルガ、近年北支棉花ノ不作ハ戰禍、水害等原因種々アレド、他作物ニ比シ棉花ノ統制値段ガ約半ナリシコトガ相當影響アリシモノヽ如シ。尤モ其後ハ統制價格改善セラレタリ。

更ニ南洋委任統治諸島ハ面積小ナル為、増産計画ニ大ナル影響ナシト雖モ、ヤツプ島以北ノ諸島即チサイパン、テニアン、ロタ、ヤツプニテ合計六千町歩ノ適地アリ。昭和十五年ヨリ六ヶ年間ノ増産計画ヲ建テ実施中ナリ。

サレド現在ニ於ケル日満支三ヶ國ノ棉花ノ生産高ヲ推定スルニ次ノ如クナル。

（単位　千擔）

朝鮮	二一〇．五
台湾	一、八
南洋委任統治諸島	三、〇
関東州	一、七
計	二一四、三
満洲	二八、〇
計	二四三、三
北支	一六〇、二
合計	四〇三、五

即チ日満支ノ棉花ノ生産ハ四百万擔ニ過ギザル状態ナリ、然ラバ佛印、泰國蘭印ノ棉花生産高ハ如何、之ニツキテハ正確ナル数字ナキモ、佛印ヲ二万擔、泰國ヲ十万擔、蘭印ヲ四万擔トスルモ、此等ニテ十六万擔ニシテ大勢ニ影響ナカルベシ。佛印、蘭印、泰國ノ棉作ハ將来ノ問題ニシテ、現状ニ於テハ大ナル收穫高ヲ期待スルコトヲ得ザルベシ。故ニ本邦トシテハ結局北支ノ棉花増産ニ拍車ヲ加フル以外ニ自給ノ路ナカルベシ。

北支棉花ノ増産ニハ第一ニ棉田ノ拡大カ問題トナル。尤モ原則的ニハ拡大ノ餘地ナキモ、北支ニ塩墾ト稱スル塩田ノ跡諸處アルガ故ニ、アルカリ土壌地帯ヲ棉田ニ開墾スルコト可能ナリ。之ハ他ノ食料作物ト無関係ニ増産シ得ベシ。

次ニ日満支三國ノ農業ヲ適地適業主義ニヨリテ再編成スル方法ニシテ、例ヘバ北支ニハ棉花ヲ作リ、大豆ハ満洲ヨリ供給スルガ如キ方法ナリ，但シ之ハ簡單ニ実行サレザルベシ。更ニ棉花ノ品種ノ選擇、種子ノ普及、施肥ノ改善、病虫害ノ駆除等人工的施設ヲ行フコト必要ニシテ、現ニ華北産業研究所ハ之ニ當レリ。加之、棉花ハ結局棉農ガ作ルモノナルガ故ニ、棉農ノ保護ヲ必要トス。品質ノ検査制ノ如キモ將来ハ徹底セシメザルベカラズ。

最後ニ本邦ニ於ケル將来ノ棉花需要ヲ幾何トナスベキカノ問題ヲ考察セン。之ハ結局本邦紡績工業ニ綿糸布ヲ今後幾何輸出セシムルカニヨリテ大体決定サルベシ。綿布ノ輸出ハ昭和十四年二十四億碼、昭和十五年十八億碼ナルガ之ヲ將来継続セシムベキヤガ本邦工業政策及貿易政策上重要問題ナリ。

蓋シ綿糸布ノ原價計算ヲ見ルニ綿糸代ノ約八割ガ棉花代ニシテ、加工綿布ニテハ之ガ七割トナル。而シテ棉花ガ總テ外来棉ナルトキハ本邦ノ國民所得ハ紡績工業ニヨリテ綿布輸出ノ僅カニ二割乃至三割ヲ稼グニ過ギズ。カヽル國民経済的價値創造力ニ乏シキ工業ヲ以テ本邦輸出工業ノ根底トナスコトハ國民経済的ニ必シモ不利益ニシテ將来ノ輸出工業トシテハ國民所得増加率ノ高キモノヲ選バシメザルベカラズ。將来ノ工業政策トシテハ紡績業ハ東亜共榮圏内ノ被服資料製造ニ限定シ、之ヲ假ニ十億碼トセバ、輸入棉花ハ現在ノ如キ千万擔ノ半ニテ足ルベシ，故ニ將来東亜共榮圏ニテ棉花ノ自給ハ必シモ困難ニ非ザルナリ。要ハ北支ノ増産奨励ト代用纖維混紡率ノ限度ガ問題トナル，

次ニ参考ノ為ニ綿織物ノ洲別輸出統計ヲ示ス。

綿織物洲別輸出表　（単位、千平方碼、千円）

	昭和十四年		昭和十五年	
	数量	金額	数量	金額
亜細亜洲	一、五一六、七一七	二四三、八四六	一、二一二、八三〇	二六一、七四七
欧羅巴洲	九一、三六八	一四、五三二	三六、一七〇	八、〇一四
北アメリカ洲	七六、七一〇	一一、三九四	六三、九九七	一二、八九九
中央アメリカ洲	七七、三四二	一三、三七一	四四、六二七	一〇、五〇三

南アメリカ洲	一五二、四七九	二七、八五一	一四六、三五四	四一、一二九
阿弗利加洲	四三七、〇一六	七三、一〇九	二四八、七三三	六一、一九一
大洋洲	九一、三一〇	一九、四〇五	五一、一八一	一六、一〇一
總計	二、四四二、九四〇	四〇三、五〇八	一、八〇三、七八二	四一一、五八四
亜細亜洲大洋洲計	一、六〇八、〇二七	二六三、二五一	一、二六四、〇一一	二七七、八四八

（日本綿糸布輸出組合　輸出統計）

三二二

右ニ依ルト昭和十五年ノ亜細亜洲及ビ大洋洲向輸出合計約十二万碼ニシテ、昭和十四年ノ總輸出高ノ約半ニ當リ、棉花ノ輸入ヲ此ノ程度ニ止ムル時ハ棉花ノ自給率ハ將来北支棉ノ増産ト共ニ著シク向上スルニ至ルベシ。

第七項　パルプ及ビ木材

一、パルプ

パルプノ本邦對米輸入高ハ昭和十年ノ二千二百万円ヨリ十四年ニハ千八百万円ニ減少シ、本邦ノ對米パルプ輸入額ノ對米輸入總額ニ對スル割合モ昭和十年ノ二、八%ヨリ十四年ニハ一、八%ニ低下セリ。今、本邦ノパルプ輸入高ヲ示セバ次ノ如シ。

本邦パルプ輸入高　（單位・千瓲）

	對米輸入高	輸入總高	%
昭和十年	一一〇、八	二七四、一	四〇・四二
十一年	一五六、二	三三一、七	四七・〇六
十二年	一九一、一	四七四、一	四〇・三〇
十三年	五二、三	一四六、一	三六・四八
十四年	五〇、一	一七〇、一	二九・四一

右ノ如ク本邦ノパルプ總輸入高ハ昭和十四年ニハ十七万瓲、其内五百万瓲ガ

三二三

對米輸入ニシテ僅カニ二三・五%ナルガ故ニ、パルプニ就キテハ米國ノ有スル意義ハ漸次減退シツヽアリ、尤モ之ヲ第三國ニ振替フルコトハ現在困難ニシテ、對日禁輸ノ影響ハ無視スルコトヲ得ザレドモ、二、三年後ニハ本邦ノパルプ増産計画モ進渉シ、自給可能トナル見込ナルガ故ニ、パルプノ自給達成マデハ人絹及ビスフノ輸出量ヲ減ズル等ノ措置ヲ講ズレバ、パルプ不足ヲ補充スルコトヲ得ベシ。

二、木材

木材ノ對米輸入ハ昭和十年ニハ二千八百万円ニ上リシガ、十四年ニハ九百万円ニ激減セリ。併シ昭和十三年ノ本邦木材總輸入高ハ二百七十万石ニシテ、米國及ビ加奈陀ヨリノ輸入ハ八百二万四千石ニ達シ、其ノ割合ハ三八%ニシテ、依然重要ナル地位ヲ占メリ。次ニ本邦ノ北米（米國及加奈陀）ヨリノ木材輸入高及ビ米國ノ對日木材輸出高（但シ針葉樹ノミ）ヲ揭グベシ。

北米（米國及加奈陀）ヨリノ木材輸入高　（單位・千石）

	對米輸入高	輸入總高	%
昭和九年	四、〇四二	五、四九三	七三・五八
十年	四、六五六	六、六六九	六九・八三
十一年	四、八七八	七、一二四	六八・四七
十二年	三、四〇二	七、六〇四	四四・七三
十三年	一、〇二四	二、七一〇	四三・一〇

三二四

米國ノ對日木材輸出高（但針葉樹ノミ）（單位千立方米）

	對日輸出高	輸出總高	%
昭和十年	九一一	三、五一七	二五・九〇
十一年	一、一二八	三、二九九	三四・一九
十二年	六三八	三・〇〇七	二一・二一

三二五

昭和十三年	一二六	一・九八八	六・三三

更ニ本邦ガ米國ヨリ輸入スル木材ハ大形材ナル故、小形ノ内地材ニテ代用スルコトヲ得ズ。又大形材ヲ採算的ニ本邦ニ供給シ得ル國ハ米國・加奈陀以外ニハナキガ故ニ、米國ヨリノ輸入不能ニ依ル本邦ノ不便ハ大ナリト云フヲ得ベシ。

第三編　本邦國際經濟轉換策ノ問題（結論）

第三編　本邦國際經濟轉換策ノ問題（結論）

以上要スルニ日米貿易断交ハ実際ニ於テハ本邦ヨリ之ヲ求メタルニ非ズシテ、米國ノ對日經濟封鎖ニヨリテ招来セル帰結ニシテ、今ヤ本邦國際經濟ハ米國乃至英國ノ依存ヨリ根本的轉換ヲナスベキ絶對的必要ニ直面スルニ至レリ。

固ヨリ米國ノ經濟封鎖ヲ待タズトモ、本邦ハ自主的ニ大東亞貿易政策ノ見地ヨリ東亞國際經濟ヲ英米ブロックヨリ離脱セシムベキモノナリシガ、從来世界經濟体制ガ英米枢軸ノ体制ナリシガ故ニ、本邦戰時國際經濟モカヽル現實ニ即シテ編制サレタルナリ。其結果、支那事変ノ長期化ト欧洲戰局ノ進展ニ伴ヒ、終ニ今日ノ状態ニ立至レリ。

上来ニ於テ日米貿易断交ノ影響ヲ輸出入重要商品ニツキ個々ニ検討シタル結果、問題ハ輸出ニ非ズシテ、輸入ニアルコト明白トナレリ。即チ本邦ノ必要トシ米國ヨリ輸入セシ軍需資材ハ何レモ輸出禁止トナリ、從ツテ日米貿易ハ輸入

構造ニ於テ再ビ根本的変化ヲ呈スルニ至レリ。今、日米貿易ガ今後継続スルモノト假定スレバ、將来對米輸入金額ハ恐ラク半以上ノ激減ヲ示スベク、之ニ反シ、輸出ニ於テハ生糸ノ輸出ガ依然トシテ継続スル以上、輸出構造ハ格別根本的変化ヲ見ザルベシ。從ツテ日米貿易構造ハ往年ノ生糸ト棉花トノ交換形態ニ還元スルコトヽナルベク、依ツテ輸出入金額ハ略ヽ均衡状態ニ至ルベシ。

米國ノ對日經濟封鎖ニヨリテ最モ深刻ナル打撃ヲ蒙ルモノハ鉄ト石油ナリ。經濟封鎖ノ目的ハ一般ニ相手國ノ生産力及ビ抗戰力ヲ減殺スルニアルガ、就中、屑鉄ト石油ノ禁輸ハ不幸ニシテカヽル結果ヲ招来スル危険尠カラズ。一般ニ鉄ト石炭及ビ石油ハ本邦戰時經濟ノ根本的資材ニシテ、之ナクシテ高度國防國家ノ建設ハ画餅ニ等シカルベシ。石炭ノ問題ハ米國ノ直接関與スル所ニ非ザルモ、鉄鉱類、就中、屑鉄ノ禁輸對策ハ之ヲ内外ニ補給ヲ求メ、同時ニ鉄鉱石ノ輸入ヲ激増セシムルニアリ。而シテ両者共之ヲ意ノ如ク進渉シ得ザル現在ニ於テハ本邦製鋼能力ハ少クトモ増産ヲ停止スルカ、或ハ生産ノ低下ヲ来サヾルヲ得ズ。石油ニツキテモ其ノ補充ヲ蘭印ニ求ムレド差當リ其ノ成功覚束ナキ状態ナリ。

鉄鉱石ノ供給ハ結局ニ於テ支那大陸及ビ海南島ノ開発、南洋ヨリ鉱石ノ獲得並ニ其ノ輸送力ノ如何ニヨリテ決定サルベシ．支那ノ鉱石ハ主トシテ本邦側ノ努力ニヨリテ決定サルベク、南洋ノ鉱石ハ相手國ノ意志ト本邦ノ努力トニ俟ツ問題ナリ。石油ニ就キテモ後者ト同様ナリ，何レニシテモ本邦ガ鉄、石油並ニ石炭ノ問題ヲ如何ニ解決スルカニヨリテ本邦経済的抗戦能力ハ決定サルベシト云フモ過言ニ非ズ．此ノ意味ニ於テ今ヤ南方工作ノ必要ハ益々緊迫セリト云フベシ．

要ハ東亜共栄圏ノ政治経済力ノ確定ニシテ、政治力ノ伴ハザル経済力ハ薄弱ナルベク、逆ニ経済力ヲ伴ハザル政治力ハ砂上ノ機閣ニ等シ。而シテ経済力ノ問題ハ結局自給力ノ問題ニ帰スベシ．而シテ高度國防國家建設ハ之ヲ経済力ヨリ見レバ、國防生産力ヲ支那事変発生前即チ昭和十年乃至十二年頃ニ於ケル本邦基本的國防生産力ヲ短期間（約五ヶ年間）ニ於テ約十倍ニ拡大スルコト、ナルベシ．故ニ自給力ノ拡大ハ畢竟之ヲ意味シ、之ガ本邦國民経済ニ解決ヲ迫レル唯一根本課題ナリト云フベシ。

三二九

翻ツテ本邦國際経済ノ轉換ヲ目的トスル貿易政策ノ方針ヲ考フルニ、英米ブロックヨリ離脱ハ勿論ナレド、爾余ノ第三國貿易ヲ如何ニスベキカヲ先ヅ考察セザル可カラズ．

従来第三國貿易ハ所謂円ブロック貿易ト併立的ニ考ヘラレタルノミナラズ、第三國貿易ヲ円ブロック貿易以上ニ重視セル傾向多カリキ．サレド東亜共栄圏ノ自給力増進ノ目的ヨリ見レバ、両者ヲ併立的ニ取扱フコトガ出発點ニ於テ誤レリ．第三國貿易ニヨリ原料ノ輸入ヲ増進セシムルコトハ應急策ニシテ、之ヲ以テ原則トスベカラズ。即チ第三國ヨリ輸入ノ増進ハ之ヲ以テ東亜共栄圏ノ自給力増進ノ手段タルベク、従ツテ之ヲ戦時原料貯蔵ノ増進ニ供スモ可ナリ．蓋シ第三國ヨリ安價ナル原料輸入ノ存続スル限リ、自給策ニ基ク産業ノ発展ハ困難ニ陥ルガ故ナリ．為之、價格ノ点ニ於テハ内地ハ低物價ナルニ反シ、満支ハ高物價ナルガ故ニ、大陸ノ原料ヲ本邦ニ搬入スル場合ニハ常ニ日満支三國ノ物價水準ヲ念頭ニ置キテ本邦ノ生産力拡充ヲ遂行スベキナリ．

次ニ大陸貿易ト南方貿易トノ調整ノ問題ヲ考フルニ、現在支那大陸ガ本邦戦

三三〇

時経済ニ占ムル主要ナル役割ハ南方諸國ト異ラズト雖モ、支那大陸ヨリ差當リ物資ノ出廻悪シク、之ニヨリテ應急ノ需要ヲ十分充シ得ザルガ故ニ、其ノ補充ヲ南方ニ求ムル所以ナリ．然ルニ本邦ノ大陸貿易ハ夥シキ出超ナルニ對シ、南方貿易ハ稍モスレバ入超ニ陥リ易ク、其結果南方ヨリ物資ノ補充ニ支障ヲ生ズベシ．故ニ問題ハ佛印、泰國、蘭印其他南洋ヨリ物資獲得ヲ豊富ニスル為ニハ對支輸出ヲ如何ナル限度ニ、如何ナル物資ニ限定スルカニアリ、換言スレバ對支輸出ハ真ニ必要ナル物資ヲ、真ニ必要ナル限度ニ限定セシムベキコトガ急務ニシテ、之ヲ無視シテ現在ノ如ク過去ノ実績ヲ基準トシテ一律ニ輸出ヲナサシムルコトハ緊迫セル現時ニ於テハ採ル可カラザルナリ。

今後ノ貿易ハ相手國ノ如何ニ拘ラズ、米弗及ビ英貨磅ニヨル決済ヲ廃シテ円決済又ハ為替清算制度ヲ採用スベキナリ。而シテ是ガ英米ブロックヨリ本邦國際経済ヲ金融的ニ離脱セシムル根本方針ナリト云フベシ．

最後ニ本邦ガ對米経済封鎖ヲ假令部分的ニテモ之ヲ実行セントスレバ次ノ對策ヲトルベシ．

三三一

㈠ 本邦生糸ノ輸出ヲ禁止シ、同時ニ中支ノ生糸輸出ヲ禁ジ、更ニ廣東ニ於ケル生糸輸出ヲ抑フルコト．現在廣東生糸ニ對シテハ本邦ノ統制力未ダ及バザルガ故ニ至急此ノ對策ヲ講ズル必要アリ．

㈡ 罐詰類ノ如キ戦時食糧品ノ輸出ヲ抑ヘ、又米國軍需品輸出許可制品ノ内、除虫菊ノ如キ本邦輸出品ハ之ヲ輸出禁止トナスコト．

㈢ 支那ノタングステン、アンチモニー、桐油其他ノ軍需資材ノ對米輸出ハ極力之ヲ妨害スルコト．

㈣ 南洋ニ於ケルゴム、錫、椰子油等ノ對米供給ヲ抑フルコトヲ得レバ對米経済封鎖ノ效力ハ一層増大スベシ。但シ之ニハ本邦ノ買占ヲ要スレバ、現在其ノ資力ノ乏シキガ故ニ、將来実力ノ発動ニヨリテ実行スルコトヲ得ベシ．

三三二

編集復刻版「秋丸機関」関係資料集成
第7回配本（第16巻・第17巻・第18巻）

2024年10月25日　第1刷発行

揃定価92、400円
（揃本体価格84、000円＋税10％）

編　者　牧野邦昭
発行者　船橋竜祐
発行所　不二出版
東京都文京区水道2-10-10
TEL 03（5981）6704
印刷所　富士リプロ
製本所　青木製本
乱丁・落丁はお取り替えいたします。

第18巻　ISBN978-4-8350-8729-0
第7回配本（全3冊 分売不可 セットISBN978-4-8350-8726-9）